Édité par les Établissements Casterman, Tournai (Belgique)
Diffusion pour la France et la Communauté Française :
Maison Casterman, 66, rue Bonaparte, Paris 6ᵉ
© Casterman 1957
Droits de traduction et de reproduction réservés pour tous pays

Littérature du XXᵉ siècle et christianisme

III

ESPOIR DES HOMMES

DU MÊME AUTEUR :

Humanisme et Sainteté, 2ᵉ éd., Casterman, 1949. 244 pp.

Sagesse grecque et paradoxe chrétien, 2ᵉ éd., Casterman, 1950, 384 pp.
    (dans la collection *Bibliothèque de l'Institut supérieur des Sciences
    religieuses de l'Université de Louvain*).

Littérature du XXᵉ siècle et christianisme, t. I : **Silence de Dieu**. (Camus.
    Gide-Huxley-Simone Weil-Graham Greene-Julien Green-Bernanos),
    7ᵉ éd. Casterman, 1958, 436 pp.

Littérature du XXᵉ siècle et christianisme, t. II : **La Foi en Jésus-Christ**.
    (Sartre-James-Martin du Gard-Malègue), 6ᵉ éd. Casterman, 1959,
    356 pp.

Mentalité moderne et évangélisation, éd. Lumen Vitæ, 1955, 306 pp.

A paraître :

Littérature du XXᵉ siècle et christianisme, t. IV : **L'espérance en Dieu
    Notre Père**. (Anne Frank-Unamuno-Marcel-Du Bos-Höchwälder-
    Péguy).

En préparation :

Littérature du XXᵉ siècle et christianisme, t. V : **Amour des Hommes**.

CHARLES MŒLLER

Littérature
du XXᵉ siècle et
christianisme

III

ESPOIR DES HOMMES

Malraux — Kafka — Vercors — Cholokhov
Maulnier — Bombard — Sagan
Reymont

4ᵉ ÉDITION, 18ᵉ MILLE

WITHDRAWN
FAIRFIELD UNIVERSITY
LIBRARY

1959
CASTERMAN

NIHIL OBSTAT :

H. Van Haelst
can. libr. cens.

IMPRIMATUR :

Tornaci, die 3 Aprilis 1959
† Julius Lecouvet, *vic. gen.*

A la Città-fiore di Firenze
  et à son maire, Giorgio La Pira,
  parce qu'ils préparent
  les épousailles de l'espoir humain
  et de l'espérance théologale,

En mémoire des deux cent soixante-trois mineurs d'Europe
  morts dans la catastrophe du charbonnage
  du Cazier, à Marcinelle, le 8 août 1956,

Aux quatre cent six enfants orphelins depuis ce
  jour,

A la gloire des milliers de Hongrois et de
  Hongroises qui, en octobre et en
  novembre 1956, ont incarné notre
  espoir, ont vu bafouer la vérité, mais ont
  préféré la mort ou l'exil à l'esclavage,

A tous ceux et à toutes celles qui, dans ces tragédies
  de l'espoir,
  ont perdu « l'enfant de la promesse »,

afin que, comme Abraham, « ils espèrent contre toute espérance. . .

Yahvé dit à Abram : « Quitte ton pays, ta parenté et la maison de ton père, pour la terre que je t'indiquerai... » (Gen. XII, 1).

INTRODUCTION

I

La question posée par ce livre, la voici, sous la plume d'une jeune fille de 15 ans :

> Amsterdam, *vendredi 26 mai 1944*. Plus d'une fois, je me demande si, pour nous tous, il n'aurait pas mieux valu ne pas nous cacher et être morts à l'heure qu'il est, plutôt que de passer par toute cette misère, surtout pour nos protecteurs qui, au moins, ne seraient pas en danger. Même cette pensée nous fait reculer, nous aimons encore la vie, nous n'avons pas encore oublié la voix de la nature, nous espérons encore, envers et contre tout.
>
> *Mardi 6 juin 1944*. La plus belle chose du débarquement, c'est la pensée de me rapprocher de mes amis. Ayant eu le couteau sur la gorge, ayant été opprimés depuis si longtemps par ces horribles nazis, nous ne pouvons nous empêcher d'être imprégnés de confiance en pensant au salut de nos amis.
>
> ...Margot dit que, peut-être, je pourrai enfin aller à l'école en septembre ou en octobre.

Anne Frank était juive et elle dut se cacher, des mois, dans l'arrière-boutique d'une petite maison hollandaise. C'est dans un livre d'images consacré à Israël que se trouve cet extrait de *Het Achterhuis*. En face, en pleine page, la photo d'une petite fille; l'enfant porte dans sa main dressée un petit sapin : un des six millions que la jeunesse va planter près de Jérusalem, forêt des martyrs, forêt des « six millions » de Juifs massacrés par les Nazis, et témoignage que le désert refleurit. Cette petite fille paraît songer à Anne Frank, dont un texte me dit qu'elle n'est pas allée à l'école, car « elle est morte en déportation au camp de Bergen-Belsen » : la tête de la fillette est tournée légèrement vers celui qui regarde (à sa droite, se dessine le bras d'un garçon portant, lui aussi, une bouture de sapin); le corps est enveloppé d'étoffes lourdes au-dessus du pantalon masculin; seul un foulard léger féminise la silhouette; les traits sont puérils et graves, car les jeunes de cette génération ont grandi vite; la chevelure est épaisse, peignée à la diable, noire et dure; les lèvres, fines et pleines. Ce sont les yeux que l'on n'oublie pas : largement ouverts, calmes et sombres, ils *regardent*.

L'espoir est là, qui naît, inscrit dans un geste, et chanté par Ézéchiel lorsqu'il a dit : « Fils d'homme, ces os, c'est toute la maison d'Israël. Voici, ils disent : nos os sont desséchés, notre espérance, détruite... Ainsi parle l'Éternel : « J'ouvrirai vos sépulcres, je vous ferai sortir de vos sépulcres, ô mon peuple, et je vous ramènerai dans le pays d'Israël ».

Quel « pays d'Israël » Anne Frank a-t-elle rejoint *ici-bas?* La question nous est posée par cette jeune juive, car le peuple d'Israël est l'image la plus dénudée, la plus vulnérable, la plus vraie, de la condition des hommes. La question nous est posée par ces millions qui sont morts, captifs et angoissés, en leur corps ou en leur âme : « Qu'avez-vous fait de l'espoir des hommes? Qu'avez-vous fait du Seigneur, espérance du monde »?

II

« *Nous vivons en un temps où nombre de gens sont sans espérance* », affirme le Conseil Œcuménique des Églises, réuni à Évanston en août 1954. Un témoin lucide écrit de son côté :

> Le désespoir ronge notre époque. Nos contemporains n'aiment plus la vie. Ils souffrent d'une terrible gratuité. Ils veulent bien mourir à condition de penser que leur mort ne sert à rien. Ils consentent, plus malaisément, à vivre, mais à la même condition... Les observateurs les plus lucides de notre temps y décèlent par intervalles une immense aspiration à la mort. Les peuples s'ennuient. Les hommes ne tiennent plus à rien; ils n'ont plus foi dans ce qu'ils font, ils n'ont plus de raisons de vivre. L'événement, la mort, la guerre les surprendra dans une horrible disponibilité, détachés, prêts à n'importe quelle aventure qui les relaiera du soin de s'occuper d'eux-mêmes... Jean-Paul Sartre, dans *Les chemins de la liberté*, décrit ses compatriotes à la veille du pacte de Munich. Les héros sont tous des êtres sans familles, sans foi, sans patrie, sans devoir ni amour vrai, des hommes tristement libres. Ils sont loin d'être bellicistes ou chauvins, et cependant l'auteur les montre soulevés, aspirés sans résistance par l'approche de l'Événement, arrachés l'un après l'autre de leur existence individualiste par la menace, par l'espoir de la guerre, déracinés sans effort, et puis, brutalement congédiés par

la paix de Munich, restitués, honteusement déçus, à leur existence insignifiante et mesquine dont ils ont mesuré le vide[1].

Un jeune homme, au nom de sa génération, celle qui avait quinze
ans au lendemain de la guerre, écrit :

> Nous cueillons aujourd'hui les fruits de l'absurde. Ce sont
> des fruits secs, amers, trop tôt arrachés et qu'on jette au loin
> à la première bouchée. Cet absurde dont plusieurs générations
> se sont nourries, nous en mourons. Ce qui, ici comme ailleurs,
> nous différencie de nos aînés, c'est que nous apercevons un com-
> mencement là où ils ont vu un terme. Pour eux le néant était
> un fruit mûr dans lequel ils mordaient à belles dents. De Nietzsche
> à Sartre les écrivains ont vécu du recensement de l'absurde; en
> quelque sorte, l'absurde était un nouveau continent à exploiter.
> Mais voici que tous les continents ont sombré à l'exception de
> celui-là, et que c'est là qu'il faut vivre désormais. C'est de ce
> sol aride qu'il faudra tirer notre subsistance[2].

Trop de chrétiens, de leur côté, ont fait de leur « espérance » une
caricature, une sorte d'alibi couvrant leur démission devant les tâches
de la vie :

> Ils ressemblent à un homme assuré contre l'incendie. Il n'espère
> pas le sinistre, il y pense rarement, il s'en défend autant que
> possible, mais enfin, s'il devait un jour se produire, il ne serait
> pas pris au dépourvu. Eux aussi auront versé si régulièrement
> la prime de leurs messes dominicales plus ou moins complètes,
> et de leurs confessions sans progrès, qu'ils s'estiment tranquilles
> de ce côté-là.
>
> Ce n'est pas qu'ils refusent de croire à ces événements que
> l'Église annonce. Ils les acceptent avec docilité mais sans intérêt,
> ne voyant rien là-dedans qui les concerne. Et d'ailleurs, quand
> les choses vont trop mal, quand l'horizon mondial s'obscurcit,
> quand les relations familiales, sociales, internationales, s'em-
> poisonnent, ils déclarent que la fin du monde approche, *ils y*

---

1. L. EVELY, *L'espérance*, dans *Droit et Liberté*, février 1953, p. 3-4.
2. Paul VAN DEN BOSCH, *Les enfants de l'absurde*, coll. *Opéra*, Paris, 1956,
p. 159. Ce petit livre est un témoignage remarquable, mais qui ne répond que
partiellement à son titre : les pages sur la peinture flamande, sur l'architecture,
dépassent de loin l'optique de Malraux et orientent dans le sens d'une signification
objective du *réel;* on ne comprend dès lors pas pourquoi l'auteur s'obstine à citer
les seuls Malraux, Sartre, Camus comme représentatifs de l'époque; sa manière
de parler de Mauriac est caractéristique d'un malaise : il semble se forcer quand
il affirme que l'univers mauriacien, selon ses idéaux, est dépassé; en réalité l'inquiétude spirituelle est toujours présente.

trouvent une réponse toute faite aux questions qui les dépassent,
ils se dispensent par là de réagir, de prier, d'inventer et de créer
des solutions, et ils se découvrent là-dessus, avec complaisance,
une âme de fidèle de la primitive Église[3].

III

On ne sait plus ce que les mots veulent dire : « au bon vieux temps »,
l'espoir était « espoir de... quelque chose », aspiration vers un havre, un
port, celui que marquaient les yeux, clairs fanaux, de la « douce aimée »,
celui qui aimantait les efforts du naufragé. On savait bien que l'espoir
était ardu, qu'il demandait des efforts, — et les belles imposaient
même quelques prouesses supplémentaires, — mais « l'espoir fait vivre »
disait-on parce que, quelque jour, il touche au port.

Aurions-nous « changé tout cela »? Actuellement, l'espoir ne peut
naître qu'au-delà du désespoir : nous voulons bien, mais cela signifie-t-il
qu'il ne puisse jamais être comblé? Qu'il *doive,* sous peine de
déchoir en « une ignoble complaisance bourgeoise », être « espoir
de rien », exaltation d'autant plus forte qu'elle se sait promise à
l'absurde? Je sais : quand on parle de retour à une métaphysique
objective, il faut se garder d'une représentation naïvement réaliste,
d'une retombée, d'un « étalement » au plan d'un « donné » brut; mais
« une philosophie, si respectueuse qu'elle soit de l'existence, ne pourra
pas ne pas supposer, du fait même qu'elle parle et tente d'éclaircir,
une certaine structure générale de l'existence;... elle implique une intel-
lection de *ce qui est déjà;...* l'appréhension du réel comme réel implique
une soumission à des principes et à des valeurs qui dépassent le donné
immédiat »[4].

Ces termes, un peu abstraits, ont du moins l'avantage de rappeler
que l'espoir sans contenu se nie lui-même et n'aurait de réalité
qu'à la faveur d'un jeu de mots très littéraire. Certes, la génération
présente « revient des pays de la mort », elle a mesuré la méchanceté,
le risque, la menace qui rongent les entreprises humaines; mais je ne
vois pas pourquoi « l'au-delà du désespoir » serait l'absence d'espoir,
la suppression de *toute* valeur, de *toute* vérité, le « naufrage » de *toute*
« terre promise » dans les eaux du chaos primitif.

---

3. L. EVELY, *art. cit.* p. 7.
4. A. DE WAEHLENS, *La philosophie de Martin Heidegger,* Louvain, 1942, p. 301,
317-318. Les mots soulignés le sont par l'auteur lui-même.

Nous en avons assez ; l'heure est trop grave pour que l'on puisse encore se payer de mots :

> Il est certain que nous avons cultivé le désespoir et que nous nous sommes complus dans un nouveau romantisme[5].

Je ne dis pas que ces « petits jeunes gens », comme les appelle certain critique, exagèrent, que « les choses ne sont pas si tristes », et « qu'elles finiront par s'arranger », car cet optimisme n'a rien à voir avec l'espoir, mais j'approuve le même essayiste quand il écrit :

> Nous n'avons pas d'architecture parce que nous n'avons pas de conception générale du monde[6].

J'applaudis plus encore quand il ajoute :

> Aujourd'hui une tragédie trop constante nous invite au bonheur. Toute l'action de Nietzsche a été, en brisant une félicité déchue, d'éveiller en nous le désir d'un bonheur mérité. La densité qu'il recherchait dans la souffrance, il n'a pas assez voulu voir qu'elle pouvait habiter nos tentatives vers le bonheur[7].

Des millions d'hommes, sur la planète, espèrent le bonheur : ils ont raison, il faut avoir le courage de le dire. Que pensent-ils de la couverture d'un hebdomadaire, montrant, au premier plan, des soldats casqués, au second, la fumée d'incendies dévorant des maisons dont on devine les tuiles rondes et rouges, et à l'horizon, des montagnes desséchées; cette image est titrée : *Offensive espérance*. Je rappellerais que le « papier supporte tout », si je n'avais appris, entre temps, que des *voix* humaines ont osé appeler ainsi une opération de guerre...

IV

« *Notre temps est un temps d'espérance* » proclame la motion finale du *Congrès pour la Paix et la Civilisation chrétienne*, réuni à Florence en 1955. Pour le voir, il faut *déchiffrer* le sens des événements. Les chrétiens doivent se convaincre de l'ambiguïté de *toutes* les situations historiques concrètes dans lesquelles ils doivent incarner leur espérance théologale[8]; un penseur chrétien l'explique :

---

5. P. Van den Bosch, *Les enfants de l'absurde*, p. 18.
6. *Ibid.*, p. 129.
7. *Ibid.*, p. 171; ces textes font comprendre l'illogisme dont je parle *supra*, n. 2.
8. Sartre semble lui-même trop souvent tenté de « quitter » le monde, du moins selon le jugement de Merleau-Ponty : « Le paradoxe apparent de son œuvre, écrit

Beaucoup de philosophes et de théologiens s'occupent des fins transcendantes de telle manière qu'ils n'accordent pratiquement aucune attention au sens qui se forme dans le monde, à l'espoir que nous possédons en ce monde. Ils ne comprennent pas les promesses que possède la vie « mondaine ». Notre coexistence *(samen-zijn)* dans le monde nous met devant des problèmes qui exigent notre totale attention. C'est un fait fort frappant, on trouve à peine un philosophe catholique qui peut parler avec compétence du marxisme. On doit, comme Socrate, chercher, une lampe à la main, si l'on veut trouver un philosophe catholique qui s'occupe d'une manière approfondie des problèmes *concrets* de la communauté moderne. On cherche sans cesse les vérités éternelles, mais on passe à côté de celle qui se reflète dans le mouvement concret de l'histoire. Voilà pourquoi il y a un tel écart entre le penseur catholique et l'homme ordinaire; les penseurs s'occupent des vérités éternelles, de notre espérance transcendante; l'homme ordinaire est requis par les problèmes qui concernent notre avenir terrestre. Tout se passe comme si le penseur catholique avait peur de s'engager dans le « monde de sens ambigu » de la communauté concrète. Il est porté à rechercher une espèce de vérité qu'il n'y trouvera certainement pas... Il existe aussi pour nous un espoir en ce monde... Ici, Merleau-Ponty nous montre le chemin[9].

---

le professeur au Collège de France, est qu'elle l'a rendu célèbre en décrivant un milieu entre la conscience et les choses, pesant comme les choses et fascinant pour la conscience, la racine dans *La nausée*, le visqueux ou la situation dans *L'être et le Néant*, ici le monde social, — et que pourtant la pensée est en rébellion contre ce milieu, n'y trouvant qu'une invitation à passer outre, à recommencer *ex nihilo* tout ce monde écœurant » (*Les aventures de la dialectique*, p. 185). Sartre donne malgré tout l'impression d'être un mandarin. Par contre, la pensée de Merleau-Ponty n'a absolument plus rien de rationaliste; sa perspective est celle d'un champ de présence intersubjective, ambigu, historique; son monde de pensée est « un monde de sens, et le sens est toujours en devenir; notre être est donc un être-en-chemin vers un futur »; personne ne part d'un point zéro absolu; tous les problèmes sont présentés dans l'enchevêtrement historique, nécessairement ambigu, à travers lequel il faut dégager un sens; l'espoir a donc une place centrale dans la pensée de Merleau, bien plus que chez Sartre, mais il est toujours contingent, lié à une situation inextricablement enchevêtrée, mais positive. Intersubjectivité, temporalité inéluctable : tel est le cadre concret dans lequel réaliser l'espoir comme approche du réel; pour Merleau-Ponty, il n'y a pas d'espoir au-delà de l'horizon de ce monde, et pas d'autre fondement de cet espoir que l'homme même, mais, ceci rappelé, il demeure que pour le chrétien aussi, en deçà de la fixation dans la gloire finale, *toutes* les réalisations concrètes de l'espoir sont ambiguës et fragiles. Tout ceci est résumé de l'excellent article de R. C. KWANT, *Maurice Merleau-Ponty en de Hoop in de wereld*, dans *Kultuurleven*, février 1956, p. 137-147.

9. R. C. KWANT, *Ibid.*, p. 144.

Une des raisons majeures de la propagation de l'espoir marxiste, — et ce livre donnera quelques témoignages à ce sujet, — est dans cette démission de la chrétienté :

> La souffrance et l'échec sont l'intervention de Dieu pour que l'homme ne *s'installe* pas dans une condition qui n'est pas la béatitude, sa vocation. Dans l'histoire d'Israël d'alors comme dans l'histoire de l'Église, les ennemis et les adversaires ont leur fonction providentielle. Chaque fois que l'Église laisse perdre ou néglige une partie de la vérité dont elle est dépositaire et qu'elle a charge de faire fructifier, un adversaire se lève, au nom même, — humour de l'histoire! — de ce fragment de vérité que l'Église a délaissé, et attaque la chrétienté au nom de cette vérité partielle. Que l'on songe à l'utilité de la Renaissance qui a sauvé l'Église de la tentation de gouvernement temporel et de tyrannie intellectuelle, que l'on songe à Nietzsche qui nous aide à ne pas faire du christianisme une éthique morbide, à Freud, à Marx. Chaque adversaire a été rendu indispensable par une défaillance de la chrétienté. Si la chrétienté n'annonce plus aux pauvres, eh bien! d'autres annonceront aux pauvres la justice : mais en contrepartie ils attaqueront la chrétienté et la déchireront, comme autrefois l'Assyrien et l'Égyptien attaquaient Israël et le dévastaient lorsqu'il était infidèle au Dieu de l'Alliance. La Vérité ne peut plus être absente de la terre. Quand la vérité n'est plus gardée et servie avec assez de force par le Corps qui en a la charge, elle émigre, elle suscite un homme ou un mouvement qui se font champion de la parcelle de vérité abandonnée par la chrétienté[10].

« Le grand malheur de l'Église au xixe siècle est d'avoir perdu la classe ouvrière », disait Pie XI.

Nous étudierons patiemment le réel pour retourner à lui, en suivant les veines secrètes de l'univers vivant, révélées au chercheur qui espère. L'espoir des hommes, les chrétiens doivent le prendre en charge, plus que n'importe qui. L'espoir humain n'est pas séparé, mais il est *distinct* de l'espérance chrétienne. Je pénètre dans le « Saint-Gothard » de la chaîne de montagnes que j'explore, car l'espoir et l'espérance forment le nœud de ces Alpes spirituelles. Un volume entier est consacré à l'espoir des hommes, parce que je n'ai pas voulu *absorber* l'humain dans le surnaturel; il fallait donner à l'espoir toutes ses dimensions, car le mot de Mauriac est vrai, lancé à la *Semaine des Intellectuels catholiques,* en novembre 1955 :

---

10. C. TRESMONTANT, *Essai sur la pensée hébraïque,* coll. *Lectio divina,* Paris, 1953, p. 150. Au lieu du mot « Église » je préférerais le mot « Chrétienté ».

Nous avons enlevé le Seigneur et le reste du monde ne sait où nous l'avons mis... Peut-être la grandeur du siècle auquel nous appartenons sera-t-elle de rendre le Christ communicable, si j'ose dire, au reste du monde.

Pour combien de millions d'humains, le christianisme ne passe-t-il pas pour la religion du seul salut de « l'âme », quand il n'est pas identifié avec une évasion morbide, une hantise de la chair[11], *une peur de tout?*

V

Ce livre aidera-t-il à dissiper cette équivoque? Il a pris une ampleur que je n'avais point prévue. Mais l'espoir humain, depuis trois ans, lui aussi, a pris un brusque essor.

On critiquera, sans doute, le choix des auteurs et peut-être leur répartition : je prends mes risques. Malraux m'apparaît riche par l'intensité de son témoignage, dans ses œuvres romanesques, surtout dans son chef-d'œuvre, *La condition humaine;* le long chapitre sur l'art pose des questions graves : les intuitions parfois géniales de l'auteur des *Voix du silence* s'expriment en des formules aussi lyriques qu'impérieuses; j'essayerai de les exposer et d'y répondre.

J'aime Kafka; à quoi bon le cacher, j'admire ce Juif déchiré par les angoisses de l'Europe centrale à un tournant de son histoire; marqué du messianisme de sa race, cet « enfant perdu dans la nuit », loin de la demeure paternelle, affirme au moins que cette demeure *existe.* Aucun témoin ne nous est plus nécessaire, aujourd'hui, sur le plan littéraire.

Je crois bien qu'au long des cinq chapitres de chaque section, — qui se répondent, d'une partie à l'autre, symétriquement et inversement, — le lecteur aura éprouvé deux sentiments : d'abord celui d'une *intensité* fatigante chez Malraux, ensuite, celui d'un *étouffement* progressif,

---

11. « Nous n'avons pas choisi l'incroyance; nous avons ouvert les yeux sur elle. Sans doute, au sortir de l'adolescence, chacun fait ses comptes et notre attitude prend alors l'allure d'un choix. J'ai été ce chétif petit catholique, élève d'un collège épiscopal, instruit dans la crainte de Dieu et l'horreur de la chair. En dépit de quelques poussées de piété, l'enfant que j'étais ne s'interrogeait guère sur Dieu; aussi bien, mes maîtres n'avaient-ils d'autre souci que de me mettre en garde contre la voie qui s'écartait de Dieu, négligeant de m'indiquer d'abord celle qui menait à Lui. » P. Van den Bosch, *Les enfants de l'absurde*, p. 52-53; cfr aussi p. 70.

chez Kafka. Avec la troisième partie j'aborde des auteurs qui sont ou se croient dans la terre promise. On respire mieux, même si l'air semble, parfois, sorti d'une bonbonne d'oxygène. J'espère que le lecteur le verra : progressivement, les réalités s'allègent, se simplifient; la poésie, qui jusqu'alors était comme « herbe entre les pavés », — ainsi la jeunesse, dans les auditoires, — se « risque et rode ». Il était temps, *Tempus erat, dapibus, sodales...*

De Vercors, j'ai essayé de dire, à la fois, l'intelligence et la passion; de Cholokhov, la puissance épique dans l'évocation des « travaux et des jours », de la guerre et de la paix, au cours de ces « semaines d'années » qui virent la naissance puis la victoire de l'espoir marxiste; avec Thierry Maulnier, j'ai tenté de dessiner l'itinéraire spirituel qui ouvre une conscience marxiste à une pitié, qui, au-delà du désespoir, apparaît tout autre chose qu'une sentimentalité bourgeoise.

C'est à l'Occident, désormais, que se pose la question de l'espoir du monde : il doit opter pour l'ennui délicieux de Françoise Sagan, ou pour la recherche calme et patiente de la terre promise; celle-ci, on l'entrevoit, de manière sobre, dans l'œuvre de Bombard, de manière lyrique, dans celle de Ladislas Reymont.

La méthode, que mes lecteurs connaissent, citer de nombreux textes mis le plus souvent en vedette, entraîne un grossissement d'avalanche : mais il fallait que l'on *entende* chaque auteur, avec sa voix *véritable*, celle que, peut-être, lui-même n'entend jamais, mais que les frères humains perçoivent comme un appel à l'avenir. Il fallait qu'on entende cette voix. Et non la mienne.

VI

L'espoir se cache dans le temps que nous vivons. Dieu prépare le dévoilement de l'espérance chrétienne, pour ceux qu'il aime. Il aime *tous* les hommes. Il cache cette espérance, qui relaie l'espoir, dans le sillon de ce siècle charnel. Aurai-je fait percevoir ce chant d'espoir qui est un *triomphe*, mais *modeste*, parce qu'il est *ressuscité* des morts?

Si le rapprochement n'était outrecuidant, je dirais que ce gros livre est construit à l'exemple d'une symphonie de Mahler : les thèmes apparaissent d'abord, groupés un peu pêle-mêle, disparaissent, reviennent, se répètent, puis essayent de joindre la cadence; je voudrais que celle-ci, à la fois décantée et riche, comme chez Mahler, évoque ces mots d'un théologien :

Cette synthèse admirable du mouvement et du repos, de l'ordre et de l'aventure, du risque et de la certitude, est la durée créatrice, *le temps de l'espérance* [12].

Car l'histoire est aussi « prophétie », et cet essai voudrait annoncer, et, peut-être, contenir déjà, mystérieusement, celui qui le suivra sur *L'espérance en Dieu, Notre Père.*

Le volume sur *La foi en Jésus-Christ* débutait par l'évocation de Jules Verne. Celui-ci pourrait prendre son départ avec un « explorateur », Alain Bombard : « naufragé volontaire », il est parti, il a espéré, au cœur du désespoir, s'est confié en la Providence, a lutté, a remercié Dieu, et *est arrivé.*

Les vivants qui ont été pris dans la catastrophe de Marcinelle, et les martyrs de la tragédie hongroise arriveront en terre promise; ils nous y devanceront, parce que, leur voyage « au bout de la nuit », Dieu leur a demandé de le commencer plus tôt, comme à Abraham, comme à Tobie dont il est dit que, « parce qu'il avait plu au Seigneur, il fallait que la tentation l'éprouve », comme à Job qui « maudit sa naissance », mais qui, aussi, « se tut et espéra », comme au Christ enfin, sur la Croix. Dans ces yeux qui n'ont plus de larmes, une mystérieuse lumière naîtra.

Cette terre promise, c'est « la plage de la Barbade », sans doute, mais aussi, parce que toute terre est « de Dieu », le Seigneur Christ lui-même. Mais Il n'est pas « ailleurs », Il est « ici », avec nous, jusqu'à la consommation des siècles. Il est avec les heureux, mais principalement avec les malheureux, les désespérés, surtout quand ceux-ci ne le connaissent pas[13].

C. M.

Sous le signe de saint Jean-Baptiste, le Précurseur
Avent 1956

---

12. Jean DANIÉLOU, au V⁰ Congrès de Florence, en juin 1956, dans *Documentation catholique*, n° 1236, Octobre 1956, col. 1324.

13. Je remercie l'abbé Henry De Mulder, adjoint à la direction du Home Congolais, d'avoir bien voulu revoir le manuscrit de ce livre.

PREMIÈRE PARTIE

André Malraux
ou l'espoir sans terre promise

C'est dans l'accusation de la vie que se trouve la dignité fondamentale de la pensée, et toute pensée qui justifie réellement l'univers, s'avilit dès qu'elle est autre chose qu'un espoir.

Au plus profond, Gisors était espoir comme il était angoisse, espoir de rien, attente...

Si, des vivants, nous n'avons guère uni les rêves, du moins avons-nous mieux uni les morts.

André MALRAUX.

CHAPITRE 1

La génération d'André Malraux
ou l'Europe à l'heure de l'Asie

André Malraux est né le 3 novembre 1901 à Paris; il y étudie l'archéologie de l'Extrême-Orient et, en 1923, part pour la Chine, d'où il revient en 1927 :

> Pourquoi suis-je allé en Asie?... C'est la question que m'a posée Valéry, lorsque je l'ai rencontré pour la première fois... C'est l'obsession d'autres civilisations qui donne à la mienne, et peut-être à ma vie, leur accent particulier. A mes yeux du moins (G. Picon, *Malraux par lui-même*, p. 12, 18).

Ces notes de Malraux, adressées à Gaétan Picon, élèvent le débat au niveau planétaire qui lui convient. Vers les années 1923, la Chine semblait définitivement engourdie aux yeux de certains, tandis qu'un formidable réveil s'y préparait, selon d'autres. En face de l'énigme asiatique, l'Europe hésitait.

I. L'Europe à l'heure de l'Asie

1. Le grondement de l'Asie

En octobre 1923, Teilhard de Chardin écrivait :

> De longues semaines durant, j'ai été noyé dans la masse profonde de peuples asiatiques... Nulle part, dans les hommes que j'ai croisés ou dont on m'a parlé, je n'ai aperçu le moindre germe destiné à croître pour la vie à venir de l'humanité. Absence de pensée, ou pensée vieillie, ou pensée d'enfants, je n'ai pas

rencontré autre chose pendant mon voyage... Pèlerin de l'Avenir, je reviens d'un voyage entièrement accompli dans le Passé (P. Teilhard de Chardin, *Lettres de voyage*, Paris, 1956, p. 60-61)[1].

Cependant, en août 1923, un rapprochement s'était opéré entre Sun Yat-sen et Joffé, l'émissaire de l'URSS[2]; le 31 mai 1924 « sur une base d'égalité, de réciprocité et de justice », la Chine reconnaît l'Union Soviétique[3].

Ces faits sont l'aboutissement d'une longue histoire. Qui pouvait se douter en Occident, que la *Société pour la rénovation de la Chine*, fondée en 1894, était l'embryon du Kuomintang? Qui savait que le chinois inconnu, nommé Sun Yat-sen, en se rendant à Londres en 1896, voulait s'y perfectionner dans la connaissance de l'Occident et des sciences sociales pour mener la Chine « à un sort meilleur par le développement des moyens modernes de production, par l'éducation et la presse[4] »? Qui connaissait Borodine, ce Juif inlassable que Sun Yat-sen avait rencontré aux États-Unis? Qui pouvait deviner le rôle qu'il jouerait à partir de 1924 dans les événements de Canton et, plus tard, dans l'insurrection de Shangaï[5]?

Un des premiers épisodes de la soviétisation de la Chine est la grève générale déclenchée à Canton et à Hongkong. On sait le rôle de la Chine du Sud dans les activités de Sun Yat-sen : des grèves avaient déjà éclaté en janvier et février 1922, contre l'Angleterre « dont la domination asiatique était symbolisée par la possession du riche rocher de Hongkong; le gouvernement de Canton se saisit des douanes[6]. C'est la tension avec l'Angleterre qui rend naturel le rapprochement avec les Soviets au traité de 1924 : la révolution chinoise a partie liée avec la révolution russe; les Soviets ont rendu de grands services à la Céleste République;

---

1. En 1925, Teilhard parle « d'une Chine nouvelle, aussi différente de celle des vieux lettrés que de celle des maréchaux-bandits qui détiennent actuellement le pays »; en 1926, il ajoute qu'il est persuadé « que le succès du sud sera le premier pas de la réorganisation de la Chine » (*op. cit.*, p. 90, 101).

2. *China*, Edited by H. F. Mac Nair, Los Angeles, 1946, p. 141 (l'ouvrage est dédié « *To the memory of Sun Yat-sen the idealist, to the generalissimo Chiang Kaï-Shek the Statesman...* »; le millésime de la publication du livre explique comment l'auteur joint ces deux noms qui, depuis le triomphe de Mao, sont évidemment disjoints. Cfr aussi M. Baumont, *La faillite de la paix* (1918-1939), dans *Peuples et civilisations*, t. XX, 1, Paris, 1945, p. 234.

3. M. Baumont, p. 237.

4. Jean-Jacques Brieux, *La Chine. Du nationalisme au communisme*, coll. *Esprit « Frontière ouverte »*, Paris, 1950, p. 78.

5. M. Baumont, p. 234.

6. M. Baumont, p. 236-237, S.-J. Brieux, p. 83, 290, H.-F. Mac Nair, p. 141

ils l'ont aidée à reprendre conscience d'elle-même et à réaliser son unité[7] ».

Les événements de mars-avril 1927, dans la Chine du nord, provoquèrent un recul momentané de la vague marxiste. Le congrès extraordinaire du Kuomintang s'était installé à Hankow (ou Hankéou); il était dominé par les éléments de gauche, comprenant des communistes et des non-communistes très proches de la pensée ultime de Sun Yat-sen : « la Révolution n'est pas achevée, disait-il, nos camarades doivent lutter pour la poursuivre ». Le congrès forma un gouvernement populaire en déclarant Hankow capitale de la Chine; seule manquait la force militaire, aux mains de Chang Kaï-shek. En même temps se préparait dans Shangaï une insurrection populaire : conduite par les chefs marxistes, elle groupait les ouvriers, à qui des armes furent données. Préparée durant la nuit du 21 mars 1927, l'insurrection débuta par une grève générale dans la journée du 22 mars, à 13 heures, et se poursuivit en liaison avec l'entrée des armées de Chang Kaï-shek dans la ville. Le généralissime qui, en 1925, à Canton par exemple, avait soutenu les éléments de gauche du Kuomintang, semblait favorable à la cause de l'unité nationale et de la révolution. Un grand espoir animait les insurgés qui s'étaient emparés des postes de commande de la ville.

C'est alors que Chang Kaï-shek se tourna vers les éléments conservateurs du Kuomintang : les bourgeois, d'abord favorables à la xénophobie, car ils voulaient la Chine libre et une, commencèrent à craindre quand ils virent que les terres étaient distribuées aux paysans par le gouvernement de Hankow : « la terre, les redevances féodales, les prêts usuraires, telles étaient les sources de leur fortune, accrue des profits illicites qu'offrait une industrie naissante ». La bourgeoisie voulut, comme celle de la France après 1789, « s'assurer les bénéfices de son triomphe »; elle chercha appui du côté de Chang Kaï-shek et de l'aile droite du Kuomintang, d'abord, auprès des « étrangers » intéressés à la « stabilité », ensuite. Le consul de France se chargea de la manœuvre. Du 11 avril à midi au 13 avril au matin, la répression eut lieu : les centres de l'insurrection furent cernés; les emprisonnements, les fusillades, les tortures furent pain quotidien durant ces jours atroces. Le 14 avril, Chang Kaï-shek constituait un nouveau gouvernement à Nanking; le gouvernement de Hankow fut dissous, les marxistes disparurent dans la clandestinité[8].

---

7. M. BAUMONT, p. 237-238; *Les conquérants*, d'André Malraux relate ces événements.

8. Ces événements forment la trame de *La condition humaine*, de Malraux.

De 1927 à 1949 la Chine fut gouvernée par le pouvoir nationaliste de Chang Kaï-shek : au sortir d'une anarchie comme rarement elle l'avait connue (de 1911 à 1928), le gouvernement du Kuomintang (cette fois réduit au centre et à la droite du parti) pouvait orienter la « révolution chinoise » dans le sens des valeurs « morales et efficaces[9] ». Durant les années 1930 et suivantes, le gouvernement de Nanking poursuit avec une calme énergie l'œuvre persévérante de la reconstruction. « Pendant quelques années, une tranquillité relative permet un redressement rapide. L'ordre est maintenu dans les provinces littorales. Un certain contrôle s'étend des rives du Pacifique aux frontières tibétaines. Les écoles, les collèges augmentent en nombre et en qualité, de même que les hôpitaux, les orphelinats, les œuvres de bienfaisance de toutes sortes. Le réseau routier se développe; des améliorations sont apportées aux chemins de fer indispensables à l'unification de la Chine. D'importants travaux hydrauliques sont entrepris. L'agriculture bénéficie de la création de coopératives et d'industries agricoles. Le vaste pays qui, depuis 1928, a pratiquement conquis son autonomie douanière, se transforme sérieusement, et certaines contrées vont jusqu'à s'américaniser. C'est une véritable reconstruction qui s'ébauche[10] ». « Il s'agit cette fois d'intégrer dans les valeurs traditionnelles, l'apport, formidable et agressif, de l'Occident »; un passage d'un rapport de Genève (septembre 1935) décrit « les forces renaissantes de renouvellement, l'éveil d'une seconde jeunesse chez ce pays millénaire; l'on hésite à reconnaître un pays dont les enfants, quand ils en ont l'occasion, pratiquent les sports ou s'enrôlent dans des camps analogues aux camps de Boys-scouts[11] ».

De bons observateurs se demandent cependant, dès 1937, si la Chine réussira à intégrer l'Occident dans ses valeurs millénaires avant que les desseins du Japon aient abouti; « peut-être est-il déjà trop tard... » ajoute l'un deux, et il termine par ces lignes : « L'objet de ce livre était de rappeler les données de la civilisation chinoise et d'en montrer l'évolution contemporaine. Les résultats de cette évolution s'inscriront dans un avenir probablement lointain. Il appartient au lecteur de former sa conviction sur ce que seront ces résultats. J'avais à traiter du passé et du présent de la Chine. *Je me refuse à faire des prédictions sur son avenir[12]* ». D'autres historiens soulignent que le

---

9. M. Baumont, p. 237-238.
10. M. Baumont, p. 440-441.
11. Cité dans J. Escarra, *La Chine, Passé et présent*, coll. Armand Colin, n° 202, Paris, 1941 (le *copyright* est de 1937), p. 206.
12. J. Escarra, *op. cit.*, p. 208 (c'est la finale du livre).

généralissime a beaucoup d'ennuis politiques et qu'on lui reproche sa faiblesse contre le Japon[13].

La « révolution trahie » de 1927, celle dont Malraux nous conte l'écrasement dans le sang et la torture, sera triomphante en 1949, avec Mao Tse-tung; un historien de sympathie marxiste cite le mot de Sun Yat-sen :

> Une majorité de dix-sept cent cinquante millions d'êtres humains est opprimée et exploitée par une minorité de cent cinquante millions de leurs semblables.

Il ajoute que, pour ces quinze cent cinquante millions d'hommes « survivants dans des conditions de misère et d'asservissement que ne connaissent même pas les animaux chez nous,... le communisme n'est pas... une doctrine abstraite, il est *leur seul espoir*,... car, avec lui, des millions d'hommes en Asie sont en train de franchir le seuil de la famine, de l'insécurité, de l'abjection, *pour prendre en main leur destinée d'homme*. L'avenir du communisme chinois est plein d'intérêt pour les Chinois, mais plus important encore est ce qu'il apporte à l'ensemble de l'Asie. La révolution chinoise dépasse largement la Chine, car le problème chinois est, en réalité, celui de toute l'Asie ». Et il précise : « Un milliard et demi de misérables, de victimes, d'opprimés. Depuis longtemps dans la marmite le liquide bouillait. Mais Anglais aux Indes, en Birmanie, Malaisie, Français en Indochine, Hollandais en Indonésie, Américains aux Philippines, tous rassemblés en Chine tenaient le couvercle bien fermé. Le Japon les remplaça; jusqu'au jour où, battu, il dut le lâcher. Et quand les Occidentaux revinrent, en 1945, ils constatèrent que cela bouillait très fort, et ils ne purent replacer le couvercle. Et la plupart durent s'en aller... Il faut seulement admettre ces deux faits : la suprématie du Blanc et du capitaliste est terminée en Asie, le monde asiatique a des intérêts communs et cherche une solution spécifique à ses problèmes spécifiques[14] ».

Ces « problèmes spécifiques », les voici :

> La révolte de l'Asie, c'est le combat pour la vie. Laissons l'Europe s'effaroucher devant la puissance, — et quelquefois la violence, — de ce gigantesque mouvement populaire. La « liberté spirituelle » dont font tant de cas un féodal comme Tagore ou un grand bourgeois comme Li Yutang, sont des miroirs à alouettes dont ils espèrent qu'ils fascineront les crédules et les détourneront

---

13. M. Baumont, p. 441; Brieux, p. 100 ss.
14. J.-J. Brieux, p. 435-436, p. 424-425, 434, 435.

de trois cent quarante millions d'indiens et de quatre cent soixante-dix millions de Chinois à libérer de la famine, du choléra, de l'arrestation arbitraire.

Des quatre libertés de Roosevelt, — *freedom of speech, freedom of religion, freedom from want, freedom from fear*, — la liberté primordiale c'est la troisième : le bol de riz quotidien assuré, car s'il n'y a pas de bol de riz, on meurt ; qu'importent alors les autres libertés ? Voilà le problème du monde oriental.

Pour en juger sainement, il faut abandonner l'optique intellectuelle « bourgeoise », cesser de penser en homme pour qui le besoin et la peur ne sont plus que mauvais souvenirs, pour qui la liberté de parole et de religion est assurée depuis longtemps ; il faut penser avec l'esprit d'un homme dont la vie est à chaque instant en danger, que menacent le tigre et le policier, le fleuve et le typhon, le gel et la chaleur. *Freedom from want, freedom from fear*. Voilà le but premier de la révolution d'Asie[15].

2. Les « distractions » de l'Europe

Pendant ce temps, en Europe de l'après-guerre 14-18, le climat était à l'euphorie. Je n'en citerai qu'un seul exemple, mais très caractéristique, un livre publié en 1939, *Grandeur et décadence de l'Asie*[16] et qui témoigne de la « bonne conscience de l'Europe » au seuil de la seconde guerre mondiale. En voici les grandes lignes.

Il y a bien des siècles, Hérodote voyait dans la victoire de Salamine le sommet de l'histoire universelle : dans le dialogue, déjà millénaire, entre l'Europe et l'Asie, la Grèce représentait, en ce matin de Salamine, la liberté de l'Occident, la force et l'intelligence, la légèreté court-vêtue du « civilisé » face aux masses asiatiques, informes et croulantes de leur propre poids. Des historiens plus récents, frères d'Hérodote dans leur tentative de perspective « universelle », ont montré que l'histoire de l'Ancien Orient se caractérisait par le déplacement progressif des centres de gravité économiques et culturels de l'est vers l'ouest : lorsque la Méditerrannée devint « romaine », lorsque, de l'est à l'ouest et de l'ouest à l'est, elle fut sillonnée par les marins de Rome, le « monde occidental » avait, une fois de plus, réussi à s'imposer à l'Asie[17].

---

15. Cfr J.-J. Brieux, pp. 423-426, 434-435. On pourrait sans doute retourner la phrase et dire que « s'il n'y a pas de liberté de parole, de religion, si domine sans cesse la crainte des tracasseries policières, à quoi bon le bol de riz ! » ; l'homme ne vit pas seulement de pain et l'on ne sauve l'homme que tout entier.

16. F. Grenard, *Grandeur et décadence de l'Asie*, coll. *Armand Colin*, n° 227, 1939 ; les chiffres entre parenthèses renvoient à cet ouvrage.

17. J. Pirenne, *Les grands courants de l'histoire universelle*, t. I, Bruxelles-Paris, 1945, développe cette thèse très brillamment.

L'Asie a maintes fois pris sa revanche, par exemple à l'époque de la conquête musulmane : mais les croisades sont toujours vues du côté de l'Occident, et le mythe de l'invincibilité occidentale s'est maintenu depuis, puisque le livre que je résume ici parle, dans sa préface, « de la profonde décadence de l'Asie au cours du XXe siècle » (p. 5). L'ouvrage décrit « l'activité inlassable, toujours en éveil, des gens de notre petit coin de terre » (p. 187); « pour imposer sa suprématie, l'Europe n'a pas besoin de conquérir, elle domine irrésistiblement par les vertus de son caractère et de son esprit, par ses facultés d'organisation, par la puissance de ses créations pratiques qui ont quelque chose de prodigieux et d'inimitable » (p. 197).

Les causes de cette suprématie sont ramenées à quatre par l'auteur. L'Europe « barbare » était plus petite et moins riche que l'Asie; seulement, habitée par des nomades aryens, parcourue en tous sens par leurs tribus, elle se modela progressivement selon les vertus d'autorité, de liberté et de force guerrière. Ensuite, la Renaissance, « époque d'audace et d'entreprise » « brisa les vieilles entraves » : « De même que les vaisseaux de Colomb et de Vasco de Gama, l'Europe sentit alors un grand vent enfler ses voiles et la porter vers un avenir inconnu et splendide »; l'individu se libéra de la « direction spirituelle du clergé » tandis qu'apparut un « esprit laïque, un domaine distinct de la religion, matériel et humain, phénomène unique, inconnu ailleurs qu'en Europe; pour l'Asiatique la distinction n'existe pas; il ne conçoit de pensée qu'en Dieu, de vie qu'en Dieu » (p. 203-204). En troisième lieu, l'esprit de liberté, que l'auteur illustre à l'aide de citations de Michelet, d'Hérodote et de Montesquieu, s'opposa au « despotisme asiatique dominant des masses amorphes, mais sans cohésion interne, sans motifs profonds et conscients de coopération; en Chine, la liberté n'a pas de nom dans la langue » (p. 206). « L'Asie est la patrie des *Mille et une Nuits,* l'Europe moderne celle de Robinson Crusoë; pour l'une la fortune vient du hasard et de l'arbitraire de pouvoirs mystérieux, pour l'autre, de l'effort personnel de l'homme » (p. 208). Citant Couchoud, l'auteur écrit que le dieu de l'européen est celui « de l'homme inquiet et courageux, qui se sent pécheur et élu, dont le désespoir se renverse en certitude combattante » (p. 209). Enfin, quatrième et dernière cause de la grandeur européenne, le « développement de l'intelligence à la fois scientifique et pratique » (p. 211) : tandis que « vivre conformément à la nature était le précepte fondamental des sages antiques, — il ne fallait pas entraver le cours naturel des choses, ni chercher à le modifier, — notre conception moderne oppose délibérément l'homme à la nature, fait résider sa puissance et son devoir, sa vertu auraient dit les vieux moralistes, dans l'effort et la faculté de contrarier sur quelques points l'ordre naturel » (p. 213). « Attachement au monde matériel, culte de la personne humaine, c'est presque toute l'Europe et c'est le contraire de l'Asie. Pour celle-ci rien n'est réel que le domaine de Dieu, de l'Absolu, pour elle la vie n'est que le reflet de l'étoile sur l'étang... Cet état d'esprit est lié très étroitement à la magie, dont l'Asie est l'esclave comme l'a été notre antiquité classique » (p. 217)[18].

La montée de l'Europe est donc la conséquence « de cette prodigieuse explosion de dynamisme intellectuel et moral, désigné sous le nom impropre de Renaissance... : phénomène purement européen et qui ne pouvait être qu'européen » (p. 6).

* * *

Il est vrai que l'esprit européen inspirera les révolutions de l'Asie; le drame n'est pas là, mais dans le matérialisme de l'Europe découverte par l'Asie et dans l'inconscience des Occidentaux. Le livre de Grenard témoigne d'un état d'esprit identique à celui de 1900, alors qu'il date de 1939; il suffit de lire le livre de Tibor Mende pour s'en rendre compte[19], l'utopie occidentale n'est pas morte[20].

L'Europe doit se réveiller, ainsi que l'ont dit les Évêques des Indes à la Noël 1955 : les aspirations de toute l'Asie à « l'indépendance nationale, à la démocratie politique et à des réformes sociales, comme telles, méritent l'appui des forces chrétiennes partout dans le monde »; l'urgence de ce devoir est d'autant plus grande que, au « colonialisme »

---

18. Ce qui est caractéristique dans ces lignes, c'est la sécurité qu'elles expriment; parlant du colonialisme européen, l'auteur écrit que, « en somme, rien ne comptait plus sur les océans que l'Europe occidentale » (p. 193); « l'Europe... a transformé... le monde à la mesure de ses besoins et de ses ambitions » (p. 219); sans doute, au cours de l'épopée coloniale, il y eut « une alliance qui nous paraît bizarre, de la religion, du commerce et de la piraterie », mais, tout compte fait, « à la différence des religions orientales, l'Église romaine contribua puissamment à désintoxiquer l'Europe, et ce ne fut pas le moindre des services qu'elle lui rendit. Elle assura ou du moins facilita le triomphe du libre arbitre, base de notre civilisation. Elle le fit parce qu'elle était elle-même *un produit de l'esprit européen* » (p. 217). Cette vue des choses implique évidemment que la chrétienté byzantine ressortit à un autre « christianisme », car Byzance « fut sans action sur le monde environnant » (p. 200); mais elle n'implique pas la même conclusion sur la Russie, elle aussi cependant christianisée par Byzance : « perdons l'habitude de considérer la Russie comme asiatique » écrit l'auteur, « son esprit est tout le contraire » (p. 196).

19. Tibor MENDE, *Regards sur l'histoire de demain*, Paris, 1954, p. 17-18 où l'on trouvera l'éditorial du *Times*, du 30 décembre 1899 (le 31 étant un dimanche, le numéro du 30 est le dernier du xixᵉ siècle).

20. Tibor MENDE, *op. cit.*, p. 137-147, tout le chapitre intitulé *Puissance et Utopie*.

occidental, contre lequel, dans la mesure où il était un « impérialisme »,
il était légitime de se dresser, succède le danger plus grave encore de
« l'impérialisme du communisme international[21] ». Il importe que
l'Occident prenne conscience de la tâche qui l'attend en Asie, sinon
les pays non-européens se libéreront de la tutelle par la violence. Un
texte du message pontifical de Noël 1954 le dit :

> L'Europe... attend encore que se réveille sa propre conscience.
> Entre-temps, pour ce qu'elle représente comme sagesse et organi-
> sation de vie associée et comme influence de culture, elle semble
> perdre du terrain en bien des régions de la terre. En vérité, un
> tel repli regarde les fauteurs de la politique nationaliste, qui
> sont contraints de reculer devant des adversaires ayant adopté
> leurs propres méthodes. En particulier, chez quelques peuples
> considérés jusqu'à présent comme coloniaux, le processus
> d'évolution vers l'autonomie politique, que l'Europe aurait dû
> guider avec prévoyance et attention, s'est rapidement transformé
> en explosions de nationalisme avide de puissance. Il faut avouer
> que ces incendies imprévus, au détriment du prestige et des
> intérêts de l'Europe, sont, au moins partiellement, le fruit de
> son mauvais exemple[22].

Entre ces deux phases de la conscience européenne, celle qui
témoigne de la certitude d'une *hégémonie* durable de l'Occident et
celle qui doit affronter le triomphe du marxisme en Chine, un tournant
de l'histoire se dessine, aussi important que celui de la Renaissance
et des grandes découvertes du xvie siècle. Le jeune Malraux, marqué
dès les années 1923 par l'Asie, va nous permettre de suivre à la trace
les espoirs, les désillusions, les fiertés et, peut-être, les évasions d'une
génération.

---

21. *Communisme, colonialisme, nationalisme, Déclaration des Évêques des Indes,*
Noël 1955, dans *Documentation catholique,* n° 1225, 13 mai 1956, col. 628-629.
22. *Documentation catholique,* n° 1193, 23 janvier 1955, col. 74.

II. La génération d'André Malraux

1. L'angoisse de l'aube

Les portraits de Malraux[23], aux environs des années vingt, révèlent un adolescent rêveur et sans cesse sur le qui-vive. La douceur encore enfantine des joues, l'ondoiement un peu trop artiste de la chevelure, les yeux tendres et hantés, composent un visage où la vivacité se perd dans la brume d'un songe intérieur. Cependant, dès cette date, l'auteur du *Royaume Farfelu* a rompu avec l'univers des pacifistes européens, car les « bêlements » de la SDN le laissent froid; certes, il est surtout un artiste, mais son climat est déjà celui de l'absurde liberté affrontant un univers inhumain. Au moment où Gide confectionnait un « Nietzsche de poche », à l'usage de la jeunesse dorée qui voulait alors jouer avec des explosifs de foire[24], Malraux savait que la mort de Dieu était peut-être la « mort de l'homme ». Dans l'effondrement de toutes les idéologies de remplacement, dans ce nihilisme dont l'Allemagne et l'Autriche de Kafka étaient remplies à l'époque, la jeunesse dont il se faisait le témoin ne voyait d'autre issue que dans « le possible, domaine ancien du fantastique et de la folie, avec son peuple de songe », ce possible qui régnait sur les arts plastiques, — on parlait alors de Kandinsky, —

---

23. Nous citerons comme suit les œuvres de Malraux : *Lunes en papier*, 1921 = LP; *Royaume Farfelu*, 1921, éd. définitive 1928 = RF (cité dans éd. Skira); *La tentation de l'Occident*, 1926 = TO (éd. Skira); *D'une jeunesse européenne*, 1927 = JE (éd. Grasset dans la coll. *Les cahiers verts*, sous le titre général *Écrits*); *Les Conquérants*, 1928 = C. (Certains textes de la première édition ne sont pas repris dans l'éd. définitive de 1949, chez Grasset : lorsque je me réfère à cette première édition, j'utilise celle de la coll. *Le livre moderne illustré*, n° 106, Ferenczy; j'indique alors C, 1re éd.; sans autre indication, le sigle C renvoie à l'édition définitive de 1949 dans laquelle se trouve aussi une postface très importante); *La voie royale*, 1930 = VR (éd. *Nouvelle Revue Belgique*); *La condition humaine*, 1933 = CH (éd. définitive, Gallimard, 1944); *Le temps du mépris*, 1935 = TM (éd. Skira); *L'espoir*, 1937 = E (éd. Gallimard, 1944); *La lutte avec l'Ange*, 1re partie, *Les noyers de l'Altenburg*, 1943 = NA (éd. Skira); *La psychologie de l'art*, t. I, *Le musée imaginaire*, t. II, *La création artistique*, t. III, *La monnaie de l'absolu*, 1947-1949 = PAMI, PACA, PAMA (éd. Skira); *Les voix du silence*, 1951 = VS (éd. Gallimard); *Le musée imaginaire de la sculpture mondiale*, t. I, *La statuaire*, 1952 = S, t. II, *Des bas-reliefs aux grottes sacrées*, 1954 = BR, t. III, *Le monde chrétien*, 1954 = MC (éd. Gallimard); *La métamorphose des Dieux*, dans NNRF, Mai, Juin 1954 = MD, I, MD, II); Gaétan Picon, *André Malraux*, coll. *Les essais*, 1945 = AMP (éd. Gallimard); Gaétan Picon, *Malraux par lui-même*, coll. *Écrivains de toujours*, 1953 = MPLM (éd. du Seuil; comporte une série de remarques inédites de Malraux).

24. Plus tard, Gide prit du poids et vécut aux côtés de Malraux l'aventure de la « gauche européenne ».

mais qui allait bientôt s'infiltrer aussi dans la science et la politique
(JE, p. 150-151) :

> La jeunesse européenne est plus touchée par ce que le monde
> peut être que par ce qu'il est. Elle est moins sensible à la mesure
> dans laquelle il affirme sa réalité qu'à celle dans laquelle il la perd.
> Elle veut voir en chaque homme l'interprète d'une réalité provi-
> soire. Provisoire... Que devient un monde qui est ma repré-
> sentation...? (JE, p. 151).

Vingt ans avant Sartre, le jeune Malraux voyait déjà se profiler
les montagnes de l'absurde, « monts lointains que fait apparaître
la lumière plus sombre du soleil qui s'abaisse » (JE, p. 144); il affirmait
l'absence de valeurs objectives que l'existentialisme athée devait
enfoncer à coups de marteau dans les oreilles les plus distraites. Le
monde « qui est ma représentation », cet écho lointain de Schopenhauer,
via Nietzsche, avait, chez Malraux, le visage de l'angoisse : la permanence de la personne individuelle est une illusion, car le « moi » n'est
que « l'infini des possibles »; la solidité du « monde » s'évanouit, car
l'univers « se réduit à un immense jeu de rapports, que nulle intelligence
ne s'applique plus à fixer... » (JE, p. 152).

* * *

Les premiers écrits de Malraux, *Royaume Farfelu*, dont une partie
date de 1920, et *Lunes en papier*, dédié à Max Jacob, sont sous le signe
du surréalisme, mais une double obsession les emplit déjà, celle de la
mort et celle des pays asiatiques. Le « royaume farfelu », c'est « l'empire
de la mort » (LP, p. 170); le titre complet de *Lunes en papiers* est :
*Petit livre où l'on trouve la relation de quelques luttes peu connues des
hommes, ainsi que celle d'un voyage parmi des objets familiers mais
étranges, le tout selon la vérité* (LP, 155); le « combat » vise à « tuer la
mort » : puisque Satan a remplacé Dieu, les vices veulent remplacer
Satan, et, comme la mort est son meilleur auxiliaire, il faut tuer la
mort (LP, p. 167-168); l'absurde est non seulement dans le caractère
« gratuit » de cette fantasmagorie, mais aussi dans la dernière phrase :
« Pourquoi avaient-ils tué la mort? Ils l'avaient tous oublié » (LP, p.186).

A cette hantise de la mort, se joint celle des pays orientaux :
Royaume Farfelu narre une aventure militaire qui se termine en catastrophe, devant une ville fabuleuse; mercenaires du Gange (RF, p.149),
palais de Samarcande et d'Ispahan, Trébizonde, ces noms fabuleux
alternent avec les évocations du passé millénaire de l'humanité; mêlé
au thème de la mort, — « Songe à ta mort, artiste... » (RF, p. 148), —

celui d'un Orient fabuleux incarne l'éternelle nostalgie des « Iles fortunées... » (RF, p. 152); mais ce n'est pas la vie qui est au terme de ce périple, c'est l'obsession d'un monde pétrifié où les sortilèges de l'histoire et ceux de l'espace se conjoignent :

> Silence! Silence! Le vent faible et tiède détachait des petits fragments de mosaïque; les grenadiers et les églantiers étaient en fleurs : d'autres fleurs qu'on ne voyait pas, embaumaient. Dans les longs bassins qui bordent l'avenue, les poissons merveilleux jadis apportés par Timour entouraient de rinceaux le reflet des étoiles. Il semblait que les hommes eussent disparu de la terre, et que plantes, animaux silencieux et pierres, vécussent dans la liberté complète que donne l'irrémédiable abandon (RF, p. 149).

Le style, certes, cherche la cadence musicale, mais le surréalisme est d'un type particulier : loin d'être une obéissance aux impératifs de l'écriture automatique, il est « dirigé », surveillé.

Bernanos, vers la même époque, écrivait : « Les rationalistes ne m'intéressent pas : je ne leur porte pas plus d'intérêt qu'à un caillou »; Malraux ne s'y intéressait pas non plus, mais il ne fut pas compris, car le grand public ne s'expliquait pas bien « certaines explosions poétiques et révolutionnaires de ce temps-là[25] ».

* * *

Paul Valéry avait cependant devancé Malraux dans ses pressentiments tragiques; il l'avait sans doute influencé, ainsi que quelques passages de *La crise de l'esprit* (1919) le montrent :

> Nous autres, civilisations, nous savons maintenant que nous sommes mortelles. Nous avions entendu parler de mondes disparus tout entiers, d'empires coulés à pic avec tous leurs hommes et tous leurs engins; descendus au fond inexplorable des siècles avec leurs dieux et leurs lois, leurs académies et leurs sciences pures et appliquées, avec leurs grammaires, leurs dictionnaires, leurs classiques, leurs romantiques et leurs symbolistes, leurs critiques et les critiques de leurs critiques. Nous savions bien que toute la terre apparente est faite de cendres, que la cendre signifie quelque chose. Nous apercevions à travers l'épaisseur de l'histoire les fantômes d'immenses navires qui furent chargés de richesse et d'esprit... *Elam, Ninive, Babylone* étaient de beaux

---

25. *Le Figaro littéraire*, 28 avril 1956, feuilleton d'André Rousseaux, auquel j'emprunte ces deux citations.

noms vagues, et la ruine totale de ces mondes avait aussi peu de
signification pour nous que leur existence même. Mais *France,
Angleterre, Russie...,* ce seraient aussi de beaux noms. *Lusitania*
aussi est un beau nom. Et nous voyons maintenant que l'abîme
de l'histoire est assez grand pour tout le monde... (*Variété*, I,
p. 11-12).

La parenté des idées est indéniable avec ce texte de 1926 :

Europe, grand cimetière où ne dorment que des conquérants
morts et dont la tristesse devient plus profonde en se parant de
leurs noms illustres, tu ne laisses autour de moi qu'un horizon
nu et le miroir qu'apporte le désespoir, vieux maître de solitude
(TO, p. 124)[26].

Les causes de la décadence de l'Europe semblent être les mêmes pour
Valéry et pour Malraux :

Il y a l'illusion perdue d'une culture européenne et la démon-
stration de l'impuissance de la connaissance à sauver quoi que ce
soit; il y a a la science atteinte mortellement dans ses ambitions
morales, et comme déshonorée par la cruauté de ses applications;
il y a l'idéalisme difficilement vainqueur, profondément meurtri,
responsable de ses rêves... L'oscillation du navire a été si forte
que les lampes les mieux suspendues se sont enfin renversées
(*Variété*, I, p. 15-16).

Malraux répond, en 1927 :

Notre civilisation, depuis qu'elle a perdu l'espoir de trouver
dans les sciences le sens du monde, est privée de tout but spirituel
(JE, p. 145).

Avec plus de précision, Valéry diagnostique dans *l'agnosticisme*
la racine de l'angoisse européenne :

---

26. On rapprochera ce texte de 1926 de celui de 1943 où Malraux évoque la
méditation « cosmique » de Vincent Berger, à Marseille, au retour de son périple
dans l'Asie centrale : « Jeté à quelque rive de néant ou d'éternité, il en contemplait
la confuse mêlée, — aussi séparé d'elle que de ceux qui avaient passé avec leurs
angoisses oubliées et leurs contes perdus, dans les rues des premières dynasties
de Bactres et de Babylone, dans les oasis dominées par les Tours du Silence... »
(NA, p. 58). Voici enfin un texte de 1948 qui montre que ce thème est central :
« Notre siècle, en face du XIXe, semble une renaissance de la fatalité. L'Europe
des villes spectres n'est pas plus ravagée que l'idée qu'elle s'était faite de l'homme.
Quel état du XIXe siècle eût osé organiser la torture? Accroupis comme des Parques
dans leurs musées de flammes, les fétiches prophétiques regardent les villes d'un
Occident devenu fraternel mêler leurs dernières fumées minces à celles des fours
crématoires » (MI, p. 128-131).

Et de quoi était fait ce désordre de notre Europe mentale?
— De la libre coexistence dans tous les esprits cultivés des idées
les plus dissemblables, des principes de vie et de connaissance
les plus opposés. C'est là ce qui caractérise une époque *moderne*...
L'Europe de 1914 était peut-être arrivée à la limite de ce moder-
nisme. Chaque cerveau d'un certain rang était un carrefour pour
toutes les races de l'opinion; tout penseur une exposition universelle
de pensées... Maintenant, sur une immense terrasse d'Elsinore,
qui va de Bâle à Cologne, qui touche aux sables de Nieuport,
aux marais de la Somme, aux craies de Champagne, aux granits
d'Alsace, — l'Hamlet européen regarde des millions de spectres.
Mais il est un Hamlet intellectuel. Il médite sur la vie et la mort
des vérités. Il a pour fantôme tous les objets de nos controverses;
il a pour remords tous les titres de notre gloire; il est accablé
sous le poids des découvertes, des connaissances. Il songe à
l'ennui de recommencer le passé, à la folie de vouloir innover
toujours. Il chancelle entre deux abîmes, car deux dangers ne
cessent de menacer le monde : l'ordre et le désordre (*Variété*, I,
p. 17, 18, 19-20).

En 1926, Malraux disait aussi :

Il n'est pas d'idéal auquel nous puissions nous sacrifier, car
de tous nous connaissons les mensonges, nous qui ne savons point
ce qu'est la vérité (TO, p. 124).

Enfin, le mot de Valéry est dans toutes les mémoires :

L'Europe deviendra-t-elle *ce qu'elle est en réalité*, c'est-à-dire :
un petit cap du continent asiatique? Ou bien l'Europe restera-t-elle
ce qu'elle paraît, c'est-à-dire : la partie précieuse de l'univers
terrestre, la perle de la sphère, le cerveau d'un vaste corps?
(*Variété*, I, p. 23).

Malraux y fait écho à son tour :

Ce n'est plus l'Europe ni le passé qui envahit la France en ce
début du siècle, c'est le monde qui envahit l'Europe, le monde
avec tout son présent et tout son passé, ses offrandes amoncelées
de formes vivantes ou mortes et de méditations... Ce grand
spectacle troublé qui commence, mon cher ami, c'est une des
tentations de l'Occident (TO, p. 87).

* * *

Les différences avec la pensée de Valéry ne sont pas moins importantes
que les ressemblances. Pour l'auteur d'*Eupalinos*, il n'est pas question
de sortir du cadre méditerranéen : l'esprit européen, avidité active,

curiosité ardente, mysticisme non résigné, doit être renouvelé au contact de la Grèce, de Rome et du christianisme; ce dernier est sans doute envisagé dans une optique d'empire romain, l'Orient chrétien étant laissé de côté, mais, à l'intérieur de ce « triangle », l'esprit d'Occident pourra de nouveau se diffuser; redevenue « pure, légèrement armée », l'Europe demeurera ce qu'elle paraît, la « perle de la sphère » (*Variété* I, p. 25, 30-31, 42). Malraux veut également que l'Occident résiste à la « tentation » de se démettre devant les cultures de l'Asie (TO, p. 87), mais le sauvetage n'est possible que dans l'accueil des civilisations de *tous* les temps et de *tous* les pays; le cadre méditerranéen est donc dépassé : la Grèce par exemple demeure une image de « la libération de l'homme en face de l'absolu » (JE, p. 138, n. 1) mais elle n'est qu'*un* témoin de l'humanisme qui peut sauver l'Occident.

La différence apparaît plus profonde encore si l'on remarque que le *contenu* spirituel de l'humanisme de l'Occident était encore essentiel pour Valéry (et plus tard pour Camus), alors qu'il n'y a *plus de contenu spirituel*, plus de vérité objective, chez Malraux, mais seulement un défi, qui deviendra menace de destruction :

> Il faut oser maintenant regarder en nous-mêmes; nous y retrouverons le mystère de l'Europe. Au centre d'une civilisation dont l'individualisme le plus grossier fit la force, une nouvelle puissance s'éveille. Qui saurait dire où elle prétend nous mener? Un grand mouvement de l'esprit, à l'heure où il commence, ne laisse connaître que sa direction et sa volonté de destruction; on ne devine son existence que par les blessures qu'il porte. Connaissons donc les nôtres à défaut de notre destin (JE, p. 147).

Ce texte de 1927 avait été précédé en 1926, dans *La tentation de l'Occident*, d'un aveu non moins émouvant :

> Plus puissante que le chant des prophètes, la voix basse de la destruction s'entend déjà aux plus lointains échos d'Asie... (TO. p. 118).

2. L'Asie d'André Malraux

Le narrateur des *Conquérants*, demandant à Rensky s'il aime la Chine, s'entend répondre :

> J'aime ses dieux nouveaux, peut-être : le miroir, l'électricité et le phonographe, dieu à trompe... C'est une bien vieille chose, mon cher ami, que l'indifférence avec laquelle le vieil empire, là-haut, regarde remonter l'histoire (comme un

> noyé, ma foi) cette antiquité sanglante et son collier de canons, nouveaux fétiches... Oui, le vrai jeu, le jeu avec un J majuscule, c'est dans le Sud (de la Chine) qu'il faut le chercher... parce que le temps y a marché un peu trop vite. Il faut voir d'abord les préliminaires, la bouffonnerie confortable et sensuelle qu'est l'américanisation de la Chine... (C, 1re *édition*, p. 14).

L'Asie se moque de notre camelote, mais elle reprend à l'Europe ses idéologies révolutionnaires :

> J'entends encore le verbiage démocratique du dîner, ces formules dérisoires en Europe, recueillies ici comme les vieux vapeurs couverts de rouille qui sillonnent les rivières de ces pays ; je vois encore l'enthousiasme grave qu'elles font naître chez tous ces hommes qui sont presque des vieillards... (C, p. 31).

Ainsi, la Chine, fascinée par la technique de l'Occident, « commence à considérer la valeur de la jeunesse, ou plus exactement sa puissance »; en tant de jeunes hommes dépouillés de leur culture orientale, « l'individu naît... et avec lui cet étrange goût de la destruction et de l'anarchie »; « la Chine qui fit jadis de la force un auxiliaire vulgaire, la recherche aujourd'hui, et lui apporte, comme une offrande aux dieux méchants, l'intelligence de toute sa jeunesse »; on a l'impression « que la Chine va mourir » (TO, p. 116, 117, 118, 110, 115).

Au moment où l'Asie, se vidant de sa propre culture, nous emprunte « la féerie mécanique », elle nous déteste :

> L'état de nos meilleurs esprits que l'Europe conquiert et dégoûte à la fois, voilà ce qui compte aujourd'hui en Chine... Une tragédie plus grave se joue pourtant ici : notre esprit peu à peu *se vide*... L'Europe croit conquérir tous ces jeunes gens qui ont pris ses vêtements. Ils la haïssent. Ils attendent d'elle ce que les gens du peuple appellent ses secrets : des moyens de se défendre contre elle... Pour le peuple des villes, l'Europe ne sera jamais qu'une féerie mécanique... Nos jeunes hommes savent que la culture européenne leur est nécessaire, mais ils sont encore assez imprégnés de leur propre culture pour la mépriser... Toutes les lettres que je reçois viennent de jeunes hommes aussi abandonnés que Wang-Loh ou que moi-même, dépouillés de leur culture, écœuré de la vôtre (TO, p. 109, 111, 115, 117).

* * *

La « nouvelle Chine » qui naît, hésitante, soumise à une âme maladroite et tourmentée (C, 1re *éd.*, p. 17), est en conflit avec « l'ancienne Asie ». Celle-ci est l'empire du désordre (C, 1re *éd.*, p. 13); les villes chinoises sont molles comme des méduses (C, p. 94); ce que « la sagesse des ancêtres a enseigné c'est l'infamie du métier militaire » (C, p. 145; TO, p. 110); la vieille Chine, ce sont les fiancées qui, le soir de leur mariage avec un homme qu'elles n'ont encore jamais vu, se suicident :

> Toujours la même chose, tu sais, dit May à Kyo : je quitte une gosse de dix-huit ans qui a essayé de se suicider avec une lame de rasoir de sûreté dans le palanquin du mariage. On la forçait à épouser une brute respectable... On l'a apportée avec sa robe rouge de mariée, toute pleine de sang. La mère derrière, une petite ombre rabougrie qui sanglotait, naturellement... Quand je lui ai dit que la gosse ne mourrait pas, elle m'a dit : « Pauvre petite! Elle avait pourtant eu presque la chance de mourir... » La chance... ça en dit plus long que nos discours sur l'état des femmes ici... (CH, p. 57)[27].

L'ancienne Chine ne semble pas à même d'affronter le réveil d'un sommeil séculaire. L'art, la culture, la morale confucéenne se sont ligués pour donner un sens, profane bien que « surhumain » (TO, p. 93), à la destinée de l'homme; mais ce « sens » mine par l'intérieur toute possibilité de sursaut, de transformation du monde chinois; les arts sereins y cachent mal le sang qui éclabousse la robe des jeunes fiancées promises au mépris d'amours vendues, marquées dès le jeune âge par la blessure des liens qui ont écrasé leurs « petits pieds » mignons, mais qui les empêchent de marcher.

L'Asie traditionnelle n'est cependant pas tout entière représentée par cet ordre inhumain. L'apparente soumission de l'homme au monde, à la sagesse, est *aussi* l'envers d'un sens du sacré. Tcheng-Daï,

27. Il y a des Chinois qui veulent défendre cet ordre où existe « la soumission absolue de la femme, le concubinage et l'institution des courtisanes » (CH, p. 69) : cet « ordre » est impersonnel, typiquement marqué de la hiérarchie, toute profane au fond, du confucianisme. On comprend donc Gisors qui songe, pendant le discours de ce « mandarin » : « Allait-il enfin partir? Cet homme cramponné à son passé, même aujourd'hui (les sirènes des navires de guerre ne suffisaient-elles pas à emplir la nuit...), en face de la Chine rongée par le sang comme ses bronzes à sacrifices, prenait la poésie de certains fous. L'ordre! Des foules de squelettes en robes brodées, perdus au fond du temps par assemblées immobiles : en face, Tchen, les deux cent mille ouvriers des filatures, la foule écrasante des coolies. La soumission des femmes? Chaque soir May rapportait des suicides de fiancées... » (CH, p. 69-70). Les « révolutionnaires » savent maintenant qu'ils ne souffrent pas à « cause de leurs vies antérieures » (allusion à la réincarnation); « ils se sont réveillés en sursaut d'un sommeil de trente siècles dont ils ne se rendormiront pas » (CH, p. 397). Il suffit de rappeler que l'espérance chrétienne doit s'incarner dans la charité, celle-ci devenir institutionnelle, et donner aux hommes le premier de leurs droits, la justice, pour saisir la position chrétienne en la matière.

dans *Les conquérants,* est une sorte de Gandhi chinois (C, p. 50) qui oppose à Borodine, le tacticien de la révolution marxiste, et à Garine, l'aventurier de la révolte, la force « morale » : « Ici les forces morales, explique un propagandiste de la grève générale de Hong-Kong, c'est malheureusement aussi vrai, aussi sûr que cette table ou ce fauteuil... » (C, p. 51).

Mais Tcheng-Daï est « athée ou croit l'être »; il est sans enfants et « cette solitude dans la vie et dans la mort l'obsède »; il n'est capable que d'une « sorte d'action particulière, de celle qui exige la victoire de l'homme sur lui-même »; il espère « vaincre par la justice » (C, p. 98). Ce vieux lettré, «dont le visage fait songer à une tête de mort » (C, p. 89), veut remplacer l'action des révolutionnaires par des «appels aux peuples du monde »; son autorité est avant tout celle d'un conseiller, d'un « arbitre » qui veut rejeter le fanatisme et se fonder sur la seule vérité (C, p. 93, 98, 118) :

> Si Gandhi n'était pas intervenu, au nom de la justice, explique Tcheng-Daï à Garine, l'Inde qui donne au monde la plus haute leçon que nous puissions entendre aujourd'hui, ne serait qu'une contrée de l'Asie en révolte... (C, p. 118).

Certains de ces traits se retrouvent dans Chang Kaï-shek qui apparaît, tout au long de l'interim du Kuomintang, à la fois puritain, soldat et confucéen[28], et s'oppose ainsi profondément à Mao Tse-tung, hanté par le spectacle de la misère et de la famine, et, dès l'âge de quatorze ans, convaincu que « les Chinois doivent avoir des héros comme Washington, Wellington, Napoléon, Lincoln[29] ».

---

28. J.-J. BRIEUX, p. 197-198 et tout le chapitre XII; malgré l'optique marxiste du livre, l'ensemble du portrait semble exact.

29. J.-J. BRIEUX, p. 309 et 294 et les chapitres XIX-XX. Loin de moi l'idée de diminuer la grandeur spirituelle de Gandhi, mais, s'il a su délivrer son pays par la « non-résistance », sa doctrine a laissé végéter l'Inde dans la prison des castes, dans le carcan des tabous religieux; sans doute, il est très beau de dire comme Tcheng-Daï que « si la Chine doit devenir autre chose que la Chine de la justice..., si elle doit être semblable aux États-Unis ou à la Russie, je ne vois pas la nécessité de son existence » (C, p. 99-100), mais la question est de savoir si l'existence d'une Chine « juste » peut être maintenue, au niveau de l'élémentaire vital, si l'on se borne à *affirmer* la vérité et la justice, et si l'on prêche seulement l'oubli de soi; par ailleurs, il y a de la marge entre les déclarations démocratiques, toujours impuissantes, surtout en Asie, et la force « spirituelle », la puissance de la personnalité d'un saint chrétien; la mystique chrétienne semble bien être la seule qui débouche dans une transformation de *ce* monde (même si elle n'est pas « de » ce monde, elle travaille « en » ce monde). A ce titre, le mot de Garine : « Délivrez-nous des saints » (C., p. 120), est faux, car il identifie le saint et celui que Koestler appelle le « yogi »; celui-ci fuit le monde, *passivement.*

* * *

La tragédie de l'espoir au XXe siècle est d'une portée planétaire :
à l'heure où l'Asie prend modèle sur l'Europe, pour se réveiller de son
sommeil de trente siècles, à l'heure des révolutionnaires, ceux de
l'histoire, — Borodine, Mao Tse-tung, — et ceux de la fiction
malruxienne, — Kyo, Katow, Garine, Then, Hong, Hemmelrich, —
l'Europe ne sait plus ce qu'elle est, elle ne croit ni à la révolution
ni à l'ordre spirituel; elle est « inquiétude » :

> La vieille inquiétude... se dresse aujourd'hui en face du seul
> objet qui lui reste : l'homme. Et le conflit commence entre les
> forces les plus profondes de l'être et cet objet presque insaisissable
> *et qui ne peut être vaincu* (JE, p. 135).

Malraux ne choisira pas entre « forces morales » et « révolution » ;
il voudra défendre la « qualité d'homme », mais sans la fonder en Dieu;
il participera à la révolution, d'abord comme un « aventurier », ensuite
comme un combattant, mais sans croire à sa signification objective :
de 1923 à 1937, partout où la révolution grondera, au Cambodge, en
Chine, en Espagne, il sera présent.

CHAPITRE II

La voix des vivants

I. Espoir de la révolution

1. Misère et dignité humaine

La misère de l'Asie : les descriptions qu'en donne Malraux rejoignent celles de l'histoire, esquissées au début du chapitre précédent; voici par exemple la silhouette de Hemmelrich :

> Trente-sept ans. Encore trente ans à vivre, peut-être. A vivre comment?... Trente-sept ans; aussi loin que remonte le souvenir, disent les gens; son souvenir n'avait pas à remonter : d'un bout à l'autre il n'était que misère... Il n'était pas Belge, il était misérable (CH, p. 215-216).

Les pauvres se sentent liés par une véritable « internationale », car, au-delà d'un certain abaissement de misère morale et physique, il n'y a plus que la souffrance.

Hong, lui aussi, « est soumis à la seule expérience qui soit vraiment sienne, celle de la misère » :

> Il a vécu, adolescent, parmi des hommes dont la misère formait l'univers, tout près de ces bas-fonds des grandes villes chinoises hantés des malades, des vieillards, des affaiblis de toute sorte, de ceux qui meurent de faim quelque jour et de ceux, beaucoup plus nombreux, qu'une nourriture de bête entretient dans une sorte d'hébétude et de constante faiblesse. Pour ceux-là, dont l'unique souci est de parvenir à s'assurer quelque pitance, la déchéance est presque toujours si complète qu'elle ne laisse pas même place à la haine. Sentiments, cœur, dignité, tout s'est écroulé et des élans de rancœur et de désespoir apparaissent à peine, çà et là, comme, au-dessus de la masse des haillons et des corps roulés dans la poussière, ces têtes, les yeux ouverts, appuyées

sur les pilons donnés par les missionnaires... Hong s'est libéré de la misère, mais il n'a pas oublié sa leçon, ni l'image du monde qu'elle fait apparaître, féroce, colorée par la haine impuissante (C, p. 154).

Un discours de Mao achève le tableau :

> Vous les sans-abri, vous les sans-riz, vous tous! Vous qui n'avez pas de nom, vous qu'on reconnaît à la plaie de l'épaule, déchargeurs de bois, tireurs de bateaux! à la plaie des hanches, manœuvres du port, écoutez, écoutez ceux-ci dont la gloire est faite de votre sang... (C, p. 166).

A Shangaï, la ville et le paysage semblent identifiés à la misère. Durant cette fin de nuit du 21 mars 1927, qui voit les préparatifs fiévreux de l'insurrection ouvrière, durant cette « nuit de jugement dernier » (CH, p. 30), Kyo rêve et pense :

> Lentement empli d'un long cri d'une sirène, le vent lui apportait la rumeur presque éteinte de la ville en état de siège et le sifflet des vedettes qui rejoignaient les bateaux de guerre, passa sur les ampoules misérables allumées au fond des impasses et des ruelles; autour d'elles, des murs en décomposition sortaient de l'ombre déserte, révélés avec toutes leurs taches par cette lumière que rien ne faisait vaciller et d'où semblait émaner *une sordide éternité*. Cachés par ces murs, un demi-million d'hommes : ceux des filatures, ceux qui travaillent seize heures par jour depuis l'enfance, *le peuple de l'ulcère, de la scoliose, de la famine.* Les verres qui protégeaient les ampoules se brouillèrent, et, en quelques minutes, la grande pluie de Chine, furieuse, précipitée, prit possession de la ville (CH, p. 28).

Une sordide éternité plaquée, pétrifiée, sur les murs lépreux, pendant que le vent de l'Asie agite les ampoules misérables allumées dans les ruelles; la tragique impuissance de ceux qui travaillent plus de seize heures par jour, le peuple de l'ulcère, de la scoliose, de la famine; enfin, les milliers de gosses qui se couchent, pour mourir, chaque nuit, sur les trottoirs de Shangaï, de Nanking, de Canton, de Peking, et que plus personne ne regardait, car on ne savait plus s'ils étaient vivants ou morts, ils formaient seulement le spectacle habituel, et puis, l'eût-on su, qu'ils vivaient encore, ces gosses faméliques aux grands yeux, aux trop beaux yeux élargis de faim, cela n'aurait rien changé : cette détresse inspire à Garine ces mots terribles :

> Le souvenir d'un certain degré de misère met à leur place les choses humaines, comme l'idée de la mort... Mais ceux qui sont

trop profondément tombés dans la misère n'en sortent jamais :
ils s'y dissolvent, comme s'ils avaient la lèpre (C, p. 217).

* * *

La misère, les vivants « ne *peuvent* pas l'accepter » (C, p. 58) parce
qu'elle empêche l'homme d'accéder à *la dignité* qui est la sienne. Les
coolies de Canton, dans la révolution, sont en train de découvrir « qu'ils
existent, simplement qu'ils existent… La révolution française, la
révolution russe ont été fortes parce qu'elles ont donné à chacun sa
terre; cette révolution-ci est en train de donner *à chacun sa vie* » (C,
p. 21); « il y a ces gens riches, qui vivent et *les autres qui ne vivent pas* »,
et, cependant, « au fond de la misère, il y a un homme, souvent… »
(C, p. 58), mais comme le dit Hong : « Un pauvre ne peut pas s'estimer » :

> Cela Hong l'accepterait s'il pensait avec ses ancêtres que
> son existence n'est pas limitée au cours de sa vie particulière.
> Mais, attaché au présent, de toute la force que lui donne sa
> découverte de la mort, il n'accepte plus, ne cherche plus, ne
> discute plus : il hait. Il voit dans la misère une sorte de démon
> doucereux, sans cesse occupé à prouver à l'homme sa bassesse,
> sa lâcheté, sa faiblesse, son aptitude à s'avilir (C, p. 155)[1].

Chez Hong, la pauvreté a nourri l'amertume, la haine et la vengeance :
une vague de ressentiment a submergé une partie du monde, au
cours du xixᵉ siècle et au début du xxᵉ siècle; elle a empoisonné les
efforts, généreux par ailleurs, en faveur de ceux qui ne peuvent s'estimer.
En particulier la doctrine, mal comprise, ou mal présentée, souvent
les deux ensemble, du christianisme, a fait croire que la révélation
du Christ oblige à supporter passivement l'état de misère : « ceux qui
enseignent aux hommes de la misère à supporter cela, doivent être
punis, prêtres chrétiens ou autres hommes » (C, p. 151). Mais précisément les missions ont toujours fait de leur mieux pour améliorer
les conditions de vie des malheureux; dans la mesure où elles apparaîtront
désolidarisées des puissances de « colonisation », elles réussiront à
dévoiler le vrai visage du christianisme : salut de l'homme entier,
dans le Christ, c'est-à-dire de l'âme, mais du corps aussi.
    La *dignité* humaine, « c'est le contraire de l'humiliation, dit Kyo,
et quand on vient d'où je viens, ça veut dire quelque chose » (CH,

---

1. C, p. 156 exprime le refus de la rédemption de Jésus : des traces « d'anti-
théisme » apparaissent dans les premiers écrits de Malraux jusqu'à *La condition
humaine*, puis disparaissent : comme on le dira (*infra*, chapitre IV, III), cet
aspect de la pensée de Malraux ne semble pas fondamental.

p. 343). « Il n'est pas inquiet, sa vie a un sens : donner à chacun de ces hommes que la famine, en ce moment même, faisait mourir comme une peste lente, *la possession de sa propre dignité;* or, il n'y a pas de dignité possible, pas de vie réelle pour un homme qui travaille douze heures par jour sans savoir pourquoi il travaille. Il fallait que le travail prît un sens, devînt une patrie » (CH, p. 80). Pour ces pauvres qui se préparent à l'insurrection, « tout était simple : ils allaient à la conquête de leur pain et de leur dignité » (CH, p. 108), et « tout ce pour quoi les hommes acceptent de se faire tuer, au-delà de l'intérêt, tend plus au moins confusément à justifier cette condition (humaine) en la fondant en dignité » (CH, p. 270-271); si donc Kyo est allé vers le marxisme, c'est par « volonté de dignité » (CH, p. 316).

Au moment où la mort commence à faire son œuvre dans les rangs des torturés et des captifs, la sérénité se marque sur les visages des morts, cette « sérénité que dispense la mort à presque tous les cadavres, comme si devait être exprimée la dignité des plus misérables » (CH, p. 360-362), cette même dignité qui apparaît sur la face du chinois qui se tait, malgré sa peur, devant les supplices qui le menacent (CH, p. 364). Il semble que chez Malraux se nouent les épousailles secrètes de la dignité humaine et de la douleur : « Il n'y a pas de dignité qui ne se fonde sur la douleur » pense May, après le drame (CH, p. 399); c'est à l'heure des tortures les plus atroces que la dignité apparaît la plus profonde, sur ces faces de miséreux.

2. « L'ordre mendiant de la Révolution »

L'Asie nous déteste d'abord parce qu'elle se heurte sans cesse à la puissance coloniale de l'Occident. A Singapour, à Hongkong, dans les concessions internationales, « pas un seul européen sans domestique » (C, *1re édition*, p. 18); dans un pays « où le moindre travail physique couvre les mains d'eau chaude » (C, 1re *édition*, p. 44), la grève générale de Hongkong plonge brusquement les européens dans des situations grotesques. Sans cesse on parle de la « force anglaise » (C, *1re édition*, p. 12), de l'attitude énergique qui... devrait sauver les intérêts économiques des occidentaux (C, p. 14); « toutes ces lumières dans la mer et dans le ciel de Chine, ne font pas songer à la force des Blancs qui les ont créées, mais à un spectacle polynésien » (C, p. 43) pense l'ami de Garine, pendant qu'il contemple la baie de Hongkong et son rocher, cette « main coupée de l'impérialisme anglais » (C, p. 194). Le bluff européen apparaît stupide à ces jeunes esprits gagnés par la révolution chinoise (C, p. 116), la constante violence qui fut le masque de l'Empire

(C, p. 242) les a vite écœurés de la vie coloniale (C, p. 71) : aussi bien, à
« l'action » occidentale, marquée à Hongkong par les buildings et les
banques, s'oppose *le silence formidable de la Chine :*

> Tout est ordonné à l'action. Pas d'arbres comme à Saïgon,
> pas de pelouses comme à Singapour : des pierres. Agir. Dominer.
> Pas de maisons d'habitation : Banques, Compagnies, Compagnies,
> Compagnies... Panneaux de publicité. Et sur tout cela, —
> inquiétant, — revenu soudain des âpres montagnes de la Chine
> qui nous entourent, le silence. Il semble que la ville soit en proie
> à une épidémie... Ville déserte, solitude nocturne. On ne pense
> pas à l'abandon, mais à quelque catastrophe. Une grande machine
> enrayée... Derrière moi un Chinois désœuvré fait claquer ses
> socques, comme pour rendre le silence plus lourd... Ici la Chine
> commence... La ténacité des Anglais, qui a su conquérir cette
> ville sur le roc et sur la Chine, maison par maison, est sans force
> contre la passivité hostile de trois cent mille Chinois décidés
> à ne plus être vaincus (C, *1re édition*, p. 41-43).

Cette « passivité hostile », le narrateur la rencontre, tout au long de
ses escales : les gosses nus, au ventre gonflé (C, *1re édition*, p. 76), le
silence des grèves d'Asie (C, p. 141), celui de Hongkong. La collecte de
dollars pour couvrir les frais de la grève de Canton fait penser à
celle de saint Paul pour les églises de Jérusalem; dans la nuit tiède
et humide de l'Asie du Sud-Est, les pauvres s'unissent pour soutenir
leurs frères de Canton; les paysages de la banlieue de Saïgon parlent
de sérénité et de mort, dans leur ensevelissement sous les eaux des
rizières le long du ruban de la route; mais les pagodes moisies, les
rues sombres et pleines d'herbe, les boutiques, les bureaux situés aux
étages de maisons pouilleuses, tout cela est habité de l'immense rumeur
des frères en la pauvreté et en la misère :

> L'enthousiasme chinois, c'est assez rare; mais cette fois,
> il faut le dire, ils sont enthousiastes. Et songez que les six mille
> dollars que je vais vous remettre ont été presque tous donnés
> par de pauvres gens : coolies, ouvriers du port, artisans...
> (C, p. 18)... Dans mon souvenir, les villes se recréent en fonction
> de leur instinct révolutionnaire : Singapour, placide, joviale en
> apparence, avec ses Chinois serrés dans l'Ile comme dans une
> prison et les cent mille adhérents de ses associations secrètes;
> Saïgon et Cholon, banlieusardes, avec leur minable animation
> nocturne, leurs innombrables globes électriques pleins d'insectes,
> et cette atmosphère unique dans laquelle l'hostilité lutte avec
> le sommeil; Hongkong où le sommeil n'existe plus, et qui montre
> comment, de la passivité, de l'indifférence et du silence, une ville
> chinoise parvient à faire de la haine (C, *1re édition*, p. 55-56).

* * *

La condition humaine incarne, de manière moins lyrique mais plus forte, l'espoir de la révolution; ce très grand livre narre l'échec de la tentative de 1927[2] : l'insurrection des 21-22 mars dans les deux premières parties; les négociations avec Hankeou, le 29 mars, au moment où l'on pressent que le vent va tourner, dans la troisième; enfin, l'écrasement de l'aile gauche du Kuomintang dans les journées des 11-13 avril 1927, suivi d'un épilogue situé à Paris et à Kobé, au Japon, en juillet 1927, et annonçant une « résurrection » de l'espoir révolutionnaire au-delà de son écrasement temporel. Toute la gamme des personnages humains se retrouve ici : les terroristes comme Tchen, Peï, Souen, les révolutionnaires calmes et puissants comme Kyo et Katow, les « intoxiqués » du vice ou de la drogue, comme Clappique, Gisors, les puissants, comme Ferral. Autour de ces vivants, le ciel fourmillant d'étoiles dans la nuit chinoise, la formidable ville de Shanghaï, les rues interminables, les sirènes du port, l'eau huileuse et lourde le long des quais, les trafics secrets, les échoppes, les concessions internationales gardées, sûres, bordées de maisons cossues et de bordels chics, longées de jardins enclos de grilles, qui brillent dans la nuit pluvieuse, tandis que les ruelles des quartiers chinois fuient interminablement dans une demi-obscurité vers les quais infinis et les usines où l'on travaille plus de douze heures par jour...

Sur les concessions européennes, « les troupes de huit nations veillent » disent les journaux (CH, p. 33); mais « veillent » aussi les fêtards dans les cabarets nocturnes, tel ce *Black Cat* où Clappique se joue à lui-même la comédie du néant :

> Ils iraient se coucher, assommés, à l'aube, — lorsque la promenade du bourreau recommencerait dans la cité chinoise... A cette heure, il n'y avait que les têtes coupées dans les cages noires, avec leur cheveux qui ruisselaient de pluie (CH, p. 34).

Ferral, le grand maître du *Consortium Franco-Chinois* se rend compte que « l'approche de la faillite apporte aux groupes financiers une conscience intense de la nation à laquelle ils appartiennent » (CH, p. 253).

Rien ne peut arrêter la vague de fond de l'espoir des pauvres :

---

2. C raconte une « victoire » de la révolution (mais Garine meurt), ce qui explique sans doute le ton plus amphigourique de certaines pages; il semble que, dans l'échec, Malraux trouve des accents plus graves, plus humains, ceux qui apparaissent, par exemple, dans CH, E.

Les concessions, les quartiers riches (de Shangaï) avec leurs grilles lavées par la pluie à l'extrémité des rues, n'existaient plus que comme des menaces, des barrières, de longs murs de prisons sans fenêtres; ces quartiers atroces, au contraire... palpitaient d'une multitude à l'affût (CH, p. 28-29).

Ce que les grévistes réclament c'est « *Plus de douze heures de travail par jour* ». « *Plus de travail des enfants en dessous de huit ans* ». « *Droit de s'asseoir pour les ouvrières* » (CH, p. 95). Aussi bien, pour Tchen, « le prolétariat était devenu la forme de son espoir » (CH, p. 120); ce qui unit les insurgés, « c'est le monde qu'ils préparaient ensemble » (CH, p. 122), car ils comprennent ce que Kyo leur dit : « crever pour crever, autant que ce soit pour devenir des hommes » (CH, p. 183).

La révolution devient une sorte de religion : « il n'y a de foi que chez nous » dit Peï, le jeune disciple de Tchen; « les pauvres, c'est pour eux que j'accepte de mourir, de tuer, pour eux seulement.... » (CH, p. 218-219); dans la cour d'école où Kyo attend la mort, il se sent entouré de « ses frères dans l'ordre mendiant de la révolution » (CH, p. 358) :

O prison, lieu où s'arrête le temps, — qui continue ailleurs... Non! c'était dans ce préau séparé de tous par les mitrailleuses, que la révolution, quel que fût son sort, quel que fût le lieu de sa résurrection, aurait reçu le coup de grâce; partout où les hommes travaillent dans la peine, dans l'absurdité, dans l'humiliation, on pensait à des condamnés semblables à ceux-là comme les croyants prient; et, dans la ville, on commençait à aimer ces mourants comme s'ils eussent été déjà des morts... Entre tout ce que cette dernière nuit couvrait de la terre, ce lieu de râles était sans doute le plus lourd d'amour viril... Pourtant, la fatalité acceptée par eux montait avec leur bourdonnement de blessés comme la paix du soir, recouvrait Kyo, ses yeux fermés, ses mains croisées sur son corps abandonné, avec une majesté de chant funèbre. Il aurait combattu pour ce qui, de son temps, aurait été chargé du sens le plus fort et du plus grand espoir; il mourait parmi ceux avec qui il aurait voulu vivre; il mourait comme chacun de ces hommes couchés, pour avoir donné un sens à sa vie (CH, p. 361-362).

La mort qui plane sur les captifs de la révolution écrasée revêt quelque chose de la dignité suprême des grands gisants de marbre. Dans le calme mystérieux qui descend sur Kyo, l'acceptation de la fatalité, cette démarche si peu malruxienne, devient un sacre de l'homme; ce que Malraux aime dans la révolution, c'est sa dimension « religieuse » : de par la ville, on pense à ces condamnés comme à des morts, déjà, mais aussi comme à des modèles, des héros qui susciteraient une immense phalange de disciples. Les dernières pages montrent les groupes clandestins se reformant, les attentats terroristes, issus de celui qui a coûté la vie à Tchen, se multipliant; Hemmelrich sait enfin pourquoi il travaille (CH, p. 394) :

> Dans la répression abattue sur la Chine épuisée, dans l'angoisse ou l'espoir de la foule, l'action de Kyo demeurait incrustée comme les inscriptions des empires primitifs dans les gorges des fleuves (CH, p. 402).

Je songe à la gorge de Nahr-el-Kelb, près de Beyrouth, où les armées ont laissé, d'Alexandre à Tamerlan, et de Mahomet à Napoléon III, des inscriptions que le touriste « déchiffre ». L'action de Kyo, avortée, demeurera inscrite dans les gorges des fleuves et sur les montagnes, elle éveillera d'âge en âge la curiosité des passants et propagera indéfiniment l'appel de l'espoir des hommes.

La lettre de Peï, qui a fui en Russie, évoque une « Épître » des exilés d'une « église » persécutée venant apporter à ceux qui sont « emprisonnés », avec des nouvelles des « frères », un message d'espoir et de résurrection :

> Dites à Gisors que nous l'attendons. Depuis que je suis ici, je pense au cours où il disait : « Une civilisation se transforme, lorsque son élément le plus douloureux, — l'humiliation chez l'esclave, le travail chez l'ouvrier moderne, — devient tout à coup une valeur, lorsqu'il ne s'agit plus d'échapper à cette humiliation, mais d'en attendre son salut, d'échapper à ce travail, mais d'y trouver sa raison d'être. Il faut que l'usine, qui n'est encore qu'une espèce d'église des catacombes, devienne ce que fut la cathédrale et que les hommes y voient au lieu des dieux, la force humaine en lutte contre la terre... » (CH, p. 394)[3].

---

3. On ne saurait mieux exprimer à la fois la promotion « religieuse » que la révolution veut donner au travail humain, en même temps que l'inversion de toutes les valeurs impliquée par cette même promotion : à la place des dieux, ce qu'il faut placer dans la cathédrale, c'est « la force humaine en lutte contre la Terre... »; c'est la force d'opposition, de transformation de la face de la terre qui est le siège du « divin » dans l'homme. Cela est vrai dans la mesure où cette domination est exercée en liaison avec Dieu, comme lieutenance de Dieu, et non point seulement « contre » la terre, *mais* avec elle, *en* elle; or, chez Malraux, affirmer la force de l'homme contre la terre, c'est du même mouvement ensevelir les dieux. On pressent à l'avance les développements des écrits sur l'art : eux aussi vont montrer comment l'honneur d'être homme, dans l'anti-destin, se manifeste dans le prolongement de la « cathédrale » occidentale, mais aussi contre elle, en la vidant de son Dieu.

Le but de toute révolution digne de ce nom n'est pas de dispenser les hommes d'assumer ce qu'il y a de douloureux dans une civilisation, mais de lui donner un sens, une valeur, une raison d'être. L'usine, actuellement une sorte d'église des catacombes, doit devenir la cathédrale de la religion du travail, ce nouveau messianisme et ce nouvel espoir proclamés par le marxisme.

3. Aventuriers, héros et « saints » de la Révolution

Ce qui, dans le marxisme, attire Malraux, c'est l'affirmation de la volonté de l'homme :

> Il y a dans le marxisme le sens d'une fatalité, et l'exaltation d'une volonté. Chaque fois que la fatalité passe avant la volonté, je me méfie (CH, p. 166),

répond Kyo à Vologuine, le délégué de la troisième Internationale qui lui explique les détours dialectiques nécessaires pour ne pas faire « avorter la révolution ». Gisors, pour justifier l'action de son fils Kyo, dit de même:

> Le marxisme n'est pas une doctrine, c'est une volonté, c'est, pour le prolétariat et les siens, — vous, — la volonté de se connaître, de se sentir comme tels, de vaincre comme tels; vous ne devez pas être marxistes pour avoir raison, mais pour vaincre sans vous trahir (CH, p. 81)[4].

Dans la « religion » marxiste, ce qui compte aux yeux des héros de Malraux, ce n'est donc pas la doctrine, mais la volonté qu'elle éveille, la décision, le désir âpre de coïncider avec soi-même dans l'affrontement du destin. L'espoir n'est pas relié à une possibilité de succès

---

4. Malraux n'a combattu dans le marxisme que par éthique (MPLM, p. 98), mais non point par adhésion à la doctrine; il dit même que le marxisme n'est pas une doctrine. Il importe de rappeler que le communisme est *avant tout* une doctrine qui essaye de lire le sens de l'histoire; la volonté de l'homme joue certes un grand rôle dans le mouvement de Lénine, car l'homme est « ce qu'il fait », dans la nature (il la rend humaine), mais il agit selon les indications du sens de l'histoire découvert par la dialectique du parti. Que « le prolétariat se connaisse comme tel » ou non, n'a pas la moindre importance, ce qui compte c'est que le prolétariat agisse dans le sens de l'histoire; ce dernier n'a rien à voir non plus avec ce que Gisors appelle la « fatalité » du marxisme, parce que, pour lui, elle est un autre visage de l'angoisse devant la mort, ce que tout marxiste orthodoxe refusera d'admettre également.

de la révolution, dans l'établissement d'une société mieux organisée, plus humaine : cela, c'est le côté « fatalité » dont il faut se défier, dès qu'il l'emporte, parce qu'il met en veilleuse la flamme d'une lucidité qui doit demeurer sans cesse sur le qui-vive. Cette mystique de l'intensité explique pourquoi Malraux rapproche les aventuriers et les révolutionnaires proprement dits : l'élément commun aux deux démarches est, pour lui, la *volonté* qui s'oppose « à la terre ».

* * *

Garine n'est pas un révolutionnaire marxiste[5], car il rejette « l'insupportable mentalité bolchevique,... l'exaltation stupide de la disciplin e » chez Borodine, qui veut « fabriquer la révolution comme Ford fabrique des autos » (C, p. 222). En revanche, estiment les marxistes intégraux, « il n'y a pas place dans le communisme pour celui qui veut d'abord... être lui-même, enfin exister séparé des autres... » (C, p. 226).

Garine veut servir parce que, après avoir voulu donner un sens à sa vie, il est revenu de tout (C, p. 62); il se moque avec amertume de ceux qui veulent travailler au bonheur de l'humanité, mais c'est un joueur, car « si une vie ne vaut rien, rien ne vaut une vie » (C, p. 216). Il cherche une certaine forme de puissance; il est crispation, force, attente, volonté de ne pas être vaincu, affirmation très forte, liberté (C, p. 63, 68, 75, 208, 211, 213, 216)[6], dans une action voulue pour elle-même (C, p. 218). Il est animé d'une passion désespérée, et le fatras doctrinal du communisme l'exaspère (C, p. 70)[7]; il n'aime pas les hommes : s'il préfère le peuple, c'est parce qu'il est vaincu; il y voit plus de cœur, plus d'humanité, mais « ils seraient abjects s'ils triomphaient », dit-il (C, p. 74); malgré tout, il répète qu'il ne faut jamais lâcher la terre (C, p. 209, 229, 231)[8].

---

5. Mais le terme « révolutionnaire » peut lui être appliqué, pense son am (C, 1ʳᵉ *édition*, p. 16).

6. La première édition, p. 165, a comme texte : « J'ai désiré la puissance jusqu'à l'abrutissement », tandis que l'édition définitive donne, p. 208 : « J'ai désiré le pouvoir ». A vingt ans de distance, Malraux adoucit certaines expressions trop frénétiques; nous préférons la première version, dans tous ces cas, parce que plus spontanée et plus révélatrice des sentiments de l'auteur au moment où il vivait les événements de Chine, même si le texte de l'édition définitive est plus ramassé et artistiquement supérieur.

7. La première édition, p. 66, imprime : « le fatras doctrinal qui les chargeait, l'exaspérait »; la dernière écrit, p. 70 : « Le vocabulaire doctrinal et surtout le dogmatisme qui les chargeaient, l'exaspérait ».

8. Dans l'édition définitive, après le passage où Garine explique qu'il a en horreur la tactique révolutionnaire de Borodine, car elle néglige « les hommes »

Il y a en Garine une volonté de puissance recherchée pour elle-même, au sein du nihilisme le plus total, et une pitié pour les pauvres, coupée de tout espoir d'amélioration de leur état mais qui le ronge secrètement. Asocial, athée (C, p. 67), il est cependant rivé à la terre; il la maudit, mais il est prêt à lui imposer sans cesse sa puissance pour le plaisir de se sentir lui-même exister. Il la traite comme ces deux prostituées chinoises qu'il veut posséder hâtivement pour s'affirmer à lui-même qu'il est plus fort qu'elles et pour se débarrasser de l'obsession que les femmes de Canton sont pour lui. La révolution est pour lui l'occasion de posséder ainsi la terre des hommes et de s'en débarrasser au moment même où il la domine.

* * *

Métis, hors caste, Kyo est dédaigné des blancs, plus encore des blanches (CH, p. 80); son visage de samouraï est fait de cette douceur que le sang japonais de sa mère avait mis sur le masque d'abbé ascétique qu'il tenait de son père (CH, p. 52). Kyo « exigeait d'être seul responsable de sa vie » (CH, p. 52); il incarne ainsi la tendresse virile qui unit chez les héros de Malraux le fils au père, le disciple au maître qui l'initie à la vie héroïque, et la défiance attentive de celui qui se veut seul responsable de lui-même. De huit à dix-sept ans, il a vécu au Japon, ce qui lui avait « imposé aussi la conviction que les idées ne devaient pas être pensées mais vécues »; aussi bien il avait choisi l'action, « d'une façon grave et précise » (CH, p. 79) : il avait vécu à Canton et à Tientsin la vie des manœuvres et des coolies, pour organiser les syndicats (CH, p. 80).

Bien que dépourvu de tout esprit religieux, indifférent au christianisme (CH, p. 78-79), Kyo a choisi de se « faire pauvre avec les pauvres », en vivant la vie des miséreux des grandes villes chinoises. Le sens héroïque lui fut donné « comme une discipline, non comme une justification de la vie »; Kyo n'est pas inquiet : sa vie a un sens, donner aux hommes la possession de leur propre dignité; son âme rigoureuse le marque d'une sorte de calme inaltérable, celui qui semble accompagner

---

Malraux a ajouté deux pages où il explique très lucidement la raison du conflit entre les deux hommes : au nom de la « franc-maçonnerie » que devient le communisme, « comme toute doctrine puissante », Borodine « n'hésiterait pas à remplacer Garine par quelqu'un de moins efficace, peut-être, mais plus obéissant » (C, p. 223); on décèle clairement dans ce passage ajouté la prise de conscience plus claire chez Malraux du caractère inhumain du marxisme; tout cela est absent de la première édition, ou, du moins, y est beaucoup plus flou.

sans cesse sa personne dans le roman (CH, p. 80). Tandis que Tchen voit dans le prolétariat et le terrorisme « un sens à sa solitude », la « satisfaction de ses haines, de sa pensée, de son caractère », bref une sorte d'absolu mystique, chez Kyo « tout est simple » et presque transparent : il faut faire les actes nécessaires pour donner aux hommes leur dignité. Il ne cherche pas un sens à sa « *solitude* », mais à sa *vie;* il est comme absent de lui-même ou plutôt ne laisse jamais interférer ses drames personnels avec la décision héroïque qui est la sienne; il résiste à toute intoxication (CH, p. 271).

Sa mort est « vécue » dans le calme : il meurt parmi ceux avec qui il aurait voulu vivre; il se réfugie tout entier en lui-même (CH, p. 342) pour échapper à l'ignominie de la servitude et de l'abaissement; il sait que « tous ces hommes qui sont captifs, ont des enfants »; il fera de sa mort « un acte exalté, la suprême expression d'une vie », quand il absorbe le cyanure qui « l'écartèlera enfin au-delà de lui-même contre une toute-puissante convulsion » (CH, p. 361-362).

* * *

Katow, avec sa bonne tête de Pierrot russe, ses petits yeux rigoleurs, la naïveté ironique de son visage, évoque un « moineau pince-sans-rire » (CH, p. 22). Pris dans une stupide affaire, — un assaut contre la prison d'Odessa, en 1906, à l'époque où il fréquentait la faculté de médecine, — Katow a demandé spontanément d'être envoyé avec les malheureux condamnés aux mines de plomb; il a fait cinq ans de bagne (CH, p. 23, 47, 249), mais, de cette offrande qui fait songer aux gestes des martyrs, il ne se vante jamais; il affirme « qu'il veut des camarades et pas des saints. Pas confiance dans les saints... » (CH, p. 248-249).

Le secret de Katow est une tendresse cachée pour les êtres : sorti de Sibérie, sans espoir, sa carrière brisée, il avait commencé par faire souffrir une petite ouvrière qui l'aimait, mais « à peine avait-elle accepté les douleurs qu'il lui infligeait que, pris par ce qu'a de bouleversant la tendresse de l'être qui souffre pour celui qui le fait souffrir, il n'avait plus vécu que pour elle, continuant par habitude l'action révolutionnaire, mais y emportant l'obsession de la tendresse sans limite cachée au cœur de cette vague idiote : des heures il lui caressait les cheveux, et ils couchaient ensemble toute la journée. Elle était morte, et depuis... » (CH, p. 249-250). Cette obsession de la tendresse pour un être vaguement « idiot » ouvre le cœur de Katow à la pitié pour les autres, à l'amitié virile, tendre, délicate qu'il introduit dans la violence révolutionnaire : ainsi, il comprend que Hemmelrich « souffre surtout de lui-même » (CH, p. 250) mais il sent combien sont « peu nombreux et maladroits les gestes de l'affection virile » (CH, p. 250). On songe ici au Hagen de *La maison de la nuit*, dont la conscience s'ouvre à la pitié; elle évoque de manière lointaine un geste de charité. Katow lui aussi, simple, calme, pudique, devine, au-delà du déroulement implacable de la révolution, sa grandeur sans doute, comme Kyo, mais aussi le drame des sensibilités meurtries par une vie atroce. Je ne connais pas de scène aussi profonde chez Malraux que celle où, sans presque rien livrer de lui-même, Katow apporte à Hemmelrich l'aide d'une fraternelle amitié.

La mort de Katow est une sorte de transfiguration de sa tendresse cachée. Il partage son cyanure et le donne aux deux chinois convulsés de peur à l'idée d'être jetés vivants dans la chaudière de la locomotive :

> Ce don de plus que sa vie, Katow le faisait à cette main chaude qui reposait sur lui, pas même à des corps, pas même à des voix... Katow, lui aussi, serrait la main, *à la limite des larmes*, pris par cette pauvre fraternité sans visage, presque sans vraie voix (tous les chuchotements se ressemblent) qui lui était donnée dans cette obscurité contre le plus grand don qu'il eût fait jamais et qui était peut-être fait en vain (CH, p. 365-366).

Katow sent alors la main tâtonnante et chaude du Chinois qui cherche à s'emparer du cyanure que, d'abord, elle laisse tomber, ce qui rendrait définitivement absurde le geste de dilection. Ces gestes, ces voix charnelles mettent Katow au bord des larmes : celles-ci sont rares dans l'univers de Malraux, mais elles sont présentes, ici, avec la mystérieuse démission de la sensibilité qu'elles apportent; elles suffisent à élever cette scène au sublime. Cette fraternité sans visage évoque par avance l'espoir qui remplit la nuit de l'Espagne ou les conversations des soldats allemands dans la sape, deux scènes célèbres, l'une, dans *L'espoir*, l'autre dans *Les noyers de l'Altenburg;* mais, ici, la fraternité est aussi l'ombre de la « charité parfaite » : Katow « donne deux fois sa vie pour les autres », d'abord, en misant sur la carte révolutionnaire, ensuite, parce qu'il renonce à sa chance de mourir lucide et la donne à deux inconnus. Aussi bien, quand il tient la main du chinois, au moment où celui-ci avale le poison foudroyant, un lien mystérieux se noue, une sorte de communion « laïque » se réalise :

> La main qu'il tenait tordit soudain la sienne, et, comme s'il eût communiqué par elle avec le corps perdu dans l'obscurité, il sentit que celui-ci se tendait. Il enviait cette suffocation convulsive. Presque en même temps, l'autre : un cri étranglé auquel nul ne prit garde. Puis, rien (CH, p. 367).

On ne sait ce qui domine, l'horreur devant les convulsions des suicidés, ou cette communication entre les êtres, par cette bouche qui crie, cette main qui serre l'autre. Celui qui a tenu les mains d'un enfant qui souffre, — et il est permis de parler ici d'enfants, car les deux chinois sont très jeunes et Katow parle d'eux comme « des petits » (CH, p. 368), — sait quelle panique de noyé, quel amour aussi et quelle tendresse animent les doigts qui se serrent autour de votre paume. Malraux rend sensible ce « viatique » que Katow donne à ces deux hommes; par la main, « il communie » avec le premier, par le cri étranglé, avec l'autre. Mais le viatique qui doit sceller leur « communion » ce n'est pas la vie toute-puissante du Christ ressuscité, porteur de l'espoir du matin de Pâques, inséminée en nos âmes et corps avant le grand passage; c'est la mort, la capacité de « mourir sa mort », qui est donnée par un « saint laïc » de la révolution, Katow, le Pierrot russe, rigoleur, silencieux, courageux qui, resté seul, connaîtra « une joie profonde » et se sentira accompagné par toute la salle au moment où il est entraîné vers son supplice :

> « Les petits auront eu de la veine, pensa-t-il. Allons! Supposons que je sois mort dans un incendie... » Le silence retomba... Il marchait pesamment, d'une jambe sur l'autre, arrêté par ses blessures... *Toute l'obscurité de la salle était vivante* et le suivait du regard pas à pas. Le silence était devenu tel que le sol résonnait chaque fois qu'il le touchait lourdement du pied; toutes les têtes, battant de haut en bas, suivaient le rythme de sa marche, avec amour, avec effroi, avec résignation... Tous ceux qui n'étaient pas encore morts attendaient le sifflet (CH, p. 368-369).[9]

« Pour illusoire qu'elle soit, l'idée marxiste... sait entraîner ses adeptes à l'action et les vouer au sacrifice » (*Doc. cath.*, col. 74) : il faut, au terme de ce paragraphe, relire ces mots du pape dans son message de Noël 1954.

---

9. On pourrait comparer cette « mort » de Katow à celle de Chantal de Clergerie dans *La Joie* de Bernanos : comme Katow a renoncé, en donnant son cyanure, à « sa » mort volontaire et lucide, Chantal a accepté une mort mêlée de peur et d'angoisse; Katow fait ce geste afin que d'autres êtres plus faibles puissent ne pas être indignes de leur mort; Chantal échange sa joie, elle aussi, pour que le curé Chevance ait une mort douce et heureuse. Le thème réapparaît dans le *Dialogue des Carmélites*. Les différences de climat permettent de mesurer aussi l'abîme qui sépare la vertu stoïcienne la plus proche de la charité, de la joie du martyre chrétien (Cfr *Silence de Dieu*, p. 397-399); ce qui frappe peut-être le plus, c'est la simplicité bonne enfant de ces pages bernanosiennes, qui contraste fort avec la tension malgré tout un peu romantique des scènes malruxiennes : l'auteur de l'*Imposture* parle du don d'enfance, de sourire et d'épousailles, tandis que Malraux n'échappe pas à la crispation d'une intensité qui se détruit finalement elle-même.

II. L'Apocalypse de l'Histoire

1. Le ciel millénaire

Mais la révolution est vaine, et l'espoir, vide, devant l'immensité de l'espace, sous le ciel millénaire :

> Les hommes perdus dans le lointain vacarme de leurs socques lui semblaient tous fous, séparés de l'univers dont le cœur battant quelque part là-haut dans la lumière palpitante les prenait et les rejetait à la solitude, comme les grains d'une moisson inconnue (CH, p. 401).

Les nuages légers rendent dérisoires les agitations des hommes :

> Légers, très élevés, les nuages passaient au-dessus des pins sombres et se résorbaient peu à peu dans le ciel; et il lui sembla qu'un de leurs groupes, celui-là précisément, exprimait les hommes qu'il avait connus et aimés et qui étaient morts. L'humanité était épaisse et lourde, lourde de chair, de sang, de souffrance, éternellement collée à elle-même comme tout ce qui meurt; mais même le sang, même la chair, même la douleur, même la mort se résorbaient là-haut dans la lumière comme la musique dans la nuit silencieuse : ...la douleur humaine lui sembla monter et se perdre comme le chant même de la terre; sur la paix frémissante et cachée en lui comme en son cœur, la douleur possédée refermait lentement ses bras inhumains (CH, p. 401-402).

L'inhumain finit par dominer : passé le grand défi, la grande lutte, le grand espoir de la révolution, il ne demeure que la sérénité de la mort, le visage aveugle d'une planète morte.

* * *

Après son premier meurtre, la nuit apparaît à Tchen comme une projection de son angoisse :

> Secouée par son angoisse, la nuit bouillonnait comme une énorme fumée noire pleine d'étincelles; au rythme de sa respiration de moins en moins haletante elle s'immobilisa et, dans la déchirure des nuages, des étoiles s'établirent dans leur mouvement éternel qui l'envahit avec l'air plus frais du dehors. Une sirène s'éleva, puis se perdit dans cette poignante sérénité (CH, p. 16).

Le texte déroule avec précision le film de l'angoisse : d'abord regardée à travers l'épouvante qui s'est emparée de Tchen après son meurtre, la nuit apparaît comme une fumée noire pleine d'étincelles : c'est la nuit des hommes; mais bientôt, au-delà, dans les espaces incommensurables, par une déchirure des nuages, les étoiles apparaissent, dans la ténèbre cosmique; enfin, résonne la sirène qui ne fait que mieux souligner la poignante sérénité de l'univers indifférent aux souffrances des hommes.

Durant cette même nuit, Kyo songe aussi, car c'est la veillée d'armes de l'insurrection :

> « La Chine soviétique » pensa-t-il. Conquérir ici la dignité des siens. Et l'U.R.S.S. portée à 600 millions d'hommes. Victoire ou défaite, le destin du monde, cette nuit, hésitait près d'ici (CH, p. 56).

Malraux excelle à évoquer ces nuits hantées de la souffrance des hommes, de leur fraternité, de leurs amours, — « ce quelque chose de primitif qui s'accordait aux ténèbres et faisait monter en lui une chaleur qui finissait dans une étreinte immobile, comme d'une joue contre une joue, la seule chose en lui qui fût aussi forte que la mort » (CH, p. 68), — ces nuits où le destin de 400 millions d'hommes est suspendu à la victoire ou à la défaite de quelques centaines d'hommes; mais il sait aussi, en même temps, rendre sensible, au-delà de ces espoirs révolutionnaires et de ces amours, la nuit cosmique, qui absorbe tout et rend tout dérisoire.

Une description du quai de Han-Kéou, le soir, pendant que Kyo attend le bateau qui le passera d'un bord du fleuve à l'autre, rend cette progression qui engloutit progressivement l'espoir du soulèvement de 1927 dans la froide lumière lunaire :

> Il lui fallait attendre vingt minutes. Il marcha au hasard. Les lampes à pétrole s'allumaient au fond des boutiques; çà et là, quelques silhouettes d'arbres et de cornes de maisons montaient sur le ciel de l'Ouest où demeurait une lumière sans source qui semblait émaner de la douceur même de l'air et rejoindre très haut l'apaisement de la nuit.

Une première vague d'images conduit, d'ici-bas, des lampes, des arbres et des maisons à cornes, à une plage de lumière oubliée dans l'espace; elle oriente l'œil vers l'apaisement de la nuit. La sérénité des cieux n'apparaît encore que comme une inaccessible contrée froide. Mais une seconde image inverse les perspectives : ce sont maintenant les hommes qui semblent baignés d'une lumière irréelle, tombée de la lune; les mondes énormes occupent progressivement l'avant-scène jusqu'à obséder le lecteur et réduire à d'infimes proportions cette terre et, sur elle, la rive du Yang Tse à Han-Keou, le 29 juillet 1927 :

> Malgré les soldats et les Unions ouvrières, au fond d'échoppes, les médecins aux crapauds-enseignes, les marchands d'herbes et de monstres, les écrivains publics, les jeteurs de sort, les astrologues, les diseurs de bonne aventure, continuaient leur métier lunaire dans la lumière trouble où disparaissaient les taches de sang. Les ombres se perdaient sur le sol plus qu'elles ne s'y allongeaient, baignées d'une phosphorescence bleuâtre; le dernier éclat de ce soir unique qui se passait très loin, quelque part dans les mondes, et dont un seul reflet venait baigner la terre, luisait faiblement au fond d'une arche énorme que surmontait une pagode rongée de lierre déjà noir.

La terre apparaît perdue comme une poussière en une immensité, — impossible de ne pas évoquer ici Pascal, mais un Pascal athée, — effleurée comme par hasard par une lueur venue de loin. La fin du texte nous ramène à la Chine réelle, se « libérant » du joug impérialiste : il a suffi que la clarté émanée des mondes soit vue à travers une arche obscure, surmontée d'une pagode rongée de lierre déjà noir, pour que l'esprit soit ramené ici-bas; mais, cette fois, le voyage interstellaire achevé, les perspectives sont retournées et la conversation qui va suivre avec Vologuine, dont sortira la politique de compromis de la IIIe internationale en face de Chang Kaï-shek, sera sous le signe de la nuit sidérale :

> Au-delà, un bataillon se perdait dans la nuit accumulée en brouillard au ras du fleuve, au-delà d'un chahut de clochettes, de phonographes, et criblé de toute une illumination. Kyo descendit, lui aussi, jusqu'à un chantier de blocs énormes : ceux des murailles, rasées en signe de libération de la Chine. Le transbordeur était tout près (CH, p. 160-161).

La dernière partie de ce texte accélère le *tempo :* le bruit, la lumière terrestre réapparaissent, et font contraste avec une évocation rapide de la muraille séculaire de Chine, rasée par ceux qui veulent libérer 400 millions d'hommes; brusquement, posé silencieusement par une sorte de magie, le transbordeur est là qui doit porter Kyo vers le comité central de la révolution chinoise.

* * *

L'insurrection sera écrasée dans le sang; Kyo sera arrêté avec ses compagnons parce que Clappique, qui n'est cependant pas joueur, se laisse fasciner par la boule qui lui semble être le destin, dans la salle de jeu où il pénètre pour quelques instants, avant l'heure du rendez-vous au *Black Cat*. Le pivot de *La condition humaine* est là : Clappique est « comme coupé de sa volonté véritable »; lui qui aime Kyo, veut le sauver, laisse passer le moment où il pourrait le prévenir du danger qui le guette (C. E. Magny, *Malraux le fascinateur*, dans *Esprit*, octobre 1948, p. 515). Cet homme qui découvre que, lui aussi, veut devenir « dieu », par ricochet envoie Kyo à la mort; en cette troisième phase, décisive cette fois, de l'insurrection, Malraux évoque encore la nuit stellaire :

> Il quitta le jardin, s'efforçant de ne pas penser à Kyo, commença à marcher. Déjà les arbres étaient rares. Tout à coup, à travers ce qu'il restait de brume, apparut à la surface des choses la lumière mate de la lune. Clappique leva les yeux. Elle venait de surgir d'une grève déchirée de nuages morts et dérivait lentement dans un trou immense, sombre et transparent comme un lac avec ses profondeurs pleines d'étoiles.

Ici encore, par une évocation rapide des arbres, de la brume, d'une déchirure de nuages, nous sommes transportés sur le lac mort où navigue la lune; exactement de la même manière que dans la scène de Han-Keou, la lueur redescend sur terre et y projette l'absurde des espaces infinis :

> Sa lumière de plus en plus intense donnait à toutes ces maisons fermées, à l'abandon total de la ville, une vie extra-terrestre comme si l'atmosphère de la lune fût venue s'installer dans ce grand silence soudain avec sa clarté.

Nous contemplons maintenant la terre du haut d'un observatoire sidéral, comme une planète refroidie, dans une dérive inhumaine des astres et des galaxies. C'est de là qu'une troisième série d'images ramène sur cette terre de Chine, à Shanghaï, vers la mi-nuit du 11-12 avril 1927, durant ces heures lourdes, ponctuées de coups de fusils :

> Pourtant, derrière ce décor d'astre mort, il y avait des hommes. Presque tous dormaient et la vie inquiétante du sommeil s'accordait à cet abandon de cité engloutie comme si elle eût été, elle aussi, la vie d'une autre planète. « Il y a dans les *Mille et une Nuits* des p'petites villes pleines de dormeurs, abandonnées

depuis des siècles avec leurs mosquées sous la lune, des villes-au-
désert-dormant... » ...La mort, sa mort n'était pas très vraie
dans cette atmosphère si peu humaine... Et ceux qui ne dormaient
pas? « Il y a ceux qui lisent, ceux qui se rongent... ceux qui font
l'amour ». La vie future frémissait derrière tout ce silence. Humanité enragée que rien ne pouvait délivrer d'elle-même! L'odeur
des cadavres de la ville chinoise passa, avec le vent qui se levait
de nouveau... Clappique dut faire effort pour respirer : l'angoisse
revenait. Il supportait plus facilement l'idée de la mort que son
odeur. Celle-ci prenait peu à peu possession de ce décor qui
cachait la folie du monde sous un affolement d'éternité, et, le
vent soufflant toujours sans le moindre sifflement, la lune atteignit
la grève opposée et tout retomba dans les ténèbres.

La description du monde humain est cette fois plus longue et plus
mêlée à l'évocation de la lune errante parce que, avec la révolution
vaincue, le sang et la mort vont déferler sur la Chine, comme si
l'absurdité définitive des planètes mortes « s'incarnait » dans l'odeur
épouvantable des cadavres de fusillés :

> « Comme un rêve... » Mais la terrible odeur le rejetait à la vie,
> à la nuit anxieuse où les réverbères tout à l'heure brouillés
> faisaient de grands ronds tremblottants sur les trottoirs où la
> pluie avait effacé les pas (CH, p. 291-292).

Cette image rappelle la vision de Tchen, du haut du balcon,
contemplant la ville, en cette nuit de son premier meurtre, en cette
veillée d'une insurrection désormais vaincue :

> Au-dessous, tout en bas, les lumières de minuit reflétées à
> travers une brume jaune par le macadam mouillé, par les raies
> pâles des rails, palpitaient de la vie des hommes... Toute cette
> ombre immobile ou scintillante était la vie, comme le fleuve,
> comme la mer invisible, au loin, — la mer... (CH, p. 26).

2. La dérive de l'histoire et la notion d'homme

Lorsque Clappique évoque « les p'petites villes pleines de dormeurs,
abandonnées, avec leurs mosquées sous la lune » (CH, p. 292), l'image
de *l'immensité du temps* se superpose à celle de l'immensité dans l'espace.
Malraux sera de plus en plus hanté par l'incommensurable gouffre
du passé, au point que les thèmes de ses premiers écrits, par exemple
La tentation de l'Occident, vont reprendre une importance majeure.
Le colloque de l'Altenburg, dans *Les noyers*, développe explicitement

le thème des civilisations du passé, que l'archéologie et l'ethnologie
font remonter à la surface mais qui nous révèlent des types d'hommes
incompréhensibles pour nous : non seulement les humains sont engloutis
dans la nuit sidérale, mais ils sont enfermés dans le mutisme de
structures mentales « éteintes comme la race du plésiosaure »; ils ne
sont pas seulement prisonniers d'une lucidité absurde, mais sont aussi
des « fous » qui parlent une langue que la génération suivante ne comprendra plus parce qu'elle *ne peut pas* se traduire. Autrement dit, les
catégories successives de la pensée sont incommunicables et les
civilisations se succèdent seulement « pour jeter l'homme au tonneau
sans fond du néant;.. peu importe que les hommes se transmettent
pour quelques siècles leurs concepts et leurs techniques, car l'homme
est un hasard et pour l'essentiel est fait d'oubli » (NA, p. 99).

Cette philosophie inspirée de Spengler et de Frobenius, implique
que la « permanence » de l'homme ne pourra être que *le résidu commun*
à toutes les civilisations. *Les noyers*, par une série de scènes juxtaposées,
essaye de dévoiler, en une sorte d'apocalypse laïque, la vraie « notion »
de l'homme, au-delà des cultures. Cette « permanence » dans ce qui
ressemble fort au néant, puisque *rien* des civilisations passées ne peut
survivre jamais, est aussi, selon Malraux, une permanence dans le
fondamental. C'est cela qui se laisse entrevoir dans les quatre scènes
que je vais résumer.

*   *   *

Dans la scène de la « sape », le père du narrateur écoute
les conversations des soldats allemands se préparant à une attaque
contre les tranchées russes, en 1916. Dans les lambeaux de phrases
anonymes, car la tranchée est sombre et l'on n'identifie pas les visages,
ce qui transparaît, ce n'est pas l'homme allemand, avec telles ou
telles particularités raciales ou mentales, mais l'homme de toujours,
qui se retrouve aussi bien dans l'Assyrie ancienne que dans l'armée
française, dans l'armée allemande que dans l'armée de l'ennemi
héréditaire de l'Allemagne, la Russie. Cet homme se dessine, nu,
vulnérable, mais marqué de cette patience qui lui fait supporter
l'existence avec une simplicité dénuée de toute rhétorique :

> Mais la coulée du temps mène si bien à la mort, elle aussi, que
> le *vieux rêve du destin suspendu* reparaissait comme s'il eût été
> le secret de la terre, tapi dans ces hommes aux casques à pointe
> recouverts de toile grise, comme il l'avait été sous les heaumes
> des soldats de Saladin. Dans cette odeur de champignonnière,
> mon père vit, une seconde, le geste pétrifié des forgerons mytho-

logiques sous une lumière à jamais oubliée, — une lumière à peine
troublée du passage des éphémères volontés humaines, éphémères
comme cette guerre et comme l'armée allemande. Celui qui
venait de parler de l'électricité, un des soldats les plus pauvres,
une tête d'alcoolique héréditaire, vint sous le rayon de soleil
farfouiller dans une toute petite valise tirée de son sac, une
dérisoire valise de poupée, comme si sa misère se fût marquée
là aussi. L'obscurité était de nouveau tout habitée de voix, voix
d'*indifférences et de rêves séculaires*, voix de métiers, — comme
si les métiers seuls eussent vécu, *sous les hommes impersonnels
et provisoires*. Les timbres changeaient, mais les tons restaient
les mêmes, *très anciens, enrobés dans le passé* comme l'ombre
de cette sape, — *la même résignation, la même fausse autorité, la
même absurde science et la même expérience, la même inusable
gaîté* (NA, p. 135-136).

Cette « inusable gaîté », — « l'inusable patience du pauvre » disait
Bernanos, — en apprend plus sur l'homme que des tonnes de théories,
car la définition malruxienne de l'essence humaine c'est la *lucidité
devant la mort* :

> Là-haut glissaient les oiseaux, et mon père écoutait venir de
> l'épaisse pénombre la voix de la seule espèce qui eût appris, —
> et si mal, — qu'elle peut mourir (NA, p. 137).

*   *   *

La seconde scène des *Noyers* dévoile l'*angoisse* qu'*est* l'homme devant
la mort, et la *fraternité* qui le rapproche de ses semblables dans la lutte
contre elle. Les assaillants allemands, lorsqu'ils voient les premiers
gazés russes, se muent bientôt en sauveteurs : « Faut faire quelque
chose » dit l'un, « on ne peut pas non plus les laisser là » dit un autre;
Berger, saisi d'horreur devant les tas de morts « moisis », car le gaz
les a étouffés, songe :

> L'Esprit du Mal ici était plus fort encore que la mort, si fort
> qu'*il fallait trouver un Russe qui ne fût pas tué, n'importe lequel*,
> le mettre sur ses épaules et le sauver (NA, p. 157).

Il faut *sauver au moins un soldat russe*, pour faire quelque chose, mais
aussi pour se protéger soi-même :

> Mon père, paupières serrées, tout son corps collé à *ce cadavre
> fraternel qui le protégeait comme un bouclier* contre tout ce qu'il
> fuyait... (NA, p. 157).

Il fuit la vision des morts figés en un silence préhistorique, cette visitation de l'épouvante. Contre elle il prend part à l'assaut de la pitié :

> Béant, délivré, il regardait dégringoler vers les ambulances l'assaut de la pitié. Il prit conscience que l'homme qu'il portait était très lourd, — et qu'il était mort. Il ouvrit les deux mains : le cadavre s'effondra. *Il n'avait plus besoin d'étreindre un corps pour lutter contre l'inhumain* (NA, p. 158).

La fraternité, en cimentant « le barrage de la pitié » (NA, p. 162), délivre Berger de sa hantise de l'épouvantable fatalité, car il va vivre ce qu'est l'homme, angoisse et fraternité mêlées :

> La pitié? pensa-t-il confusément, comme lorsqu'il avait vu revenir les compagnies; il s'agissait d'un élan bien autrement profond, où *l'angoisse et la fraternité* se rejoignaient inextricablement d'un élan venu de très loin dans les temps, — comme si la nappe des gaz n'eût abandonné, au lieu de ces Russes, que les cadavres amis d'hommes du quaternaire... (NA, p. 163)[10].

« Le barrage de la piété ne serait pas efficace plusieurs fois, il n'y a qu'à mourir que l'homme ne s'habitue pas » (NA, p. 162); au-delà des discussions de l'Altenburg sur les civilisations, il y a l'apocalypse de l'homme :

> Tout à coup le souvenir de l'Altenburg traversa l'obsession de mon père... Qu'était... l'aventure terrestre apparue derrière la fenêtre de Reichbach, auprès de *cette Apocalypse de l'homme* qui venait de le prendre à la gorge, de cet éclair qui en avait une seconde illuminé les profondeurs chargées de monstres et de dieux enfouis, le chaos semblable à la forêt où *possédés et morts fraternels* glissaient sous les capotes ensanglantées, gesticulantes de vent? *Un mystère qui ne livrait pas son secret mais seulement sa présence* si simple et si despotique qu'elle jetait au néant toute pensée liée à elle, — comme sans doute le fait la présence de la mort (NA, p. 163-164)[11].

---

10. Cette vision de « l'homme du quaternaire », parallèle à celle de Berger lors de son retour à Marseille après son périple touranien, va se retrouver dans les écrits de Malraux sur l'art; ce qu'il cherchera sur les premiers bas-reliefs de la préhistoire, ce seront ces « figures de malheur qui se ressemblent plus que celles des dieux » (BR, p. 30); il veut surprendre, au-delà de ces reliefs où l'animal se profile comme une apparition égale à l'homme, ceux où l'homme s'affirme supérieur à l'animal (BR, p. 25, 29), par exemple ceux de l'Égypte où, dès le début, l'homme est roi (BR, p. 29).

11. La scène de l'attaque des gaz est une sorte « d'apocalypse » qui dévoile l'aventure terrestre plus profondément que les colloques savants; il faut

* * *

La troisième scène des *Noyers* se passe, au début de la guerre de
1939, au camp de Chartres. Le fils de Vincent Berger contemple, à
son tour, une masse de simples gens, cette fois des soldats français
parqués dans la cathédrale de Chartres. L'image de l'homme devient
plus lyrique, au point que des lueurs d'aube éclairent le tableau,
préparant l'aurore presque « biblique » qui termine le livre sur une
« apocalypse » de lumière blanche; mais, en même temps, l'image se
décante; comme en surimpression, ainsi qu'on le voyait sur les
visages des champions olympiques, au début du film *Les dieux du
stade*, des *profils statuaires* se superposent aux faces des combattants;
dans les voix des vivants, ce sont « les voix des morts » que nous
commençons à entendre :

> Chaque matin je regarde des milliers d'ombres dans l'inquiète
> clarté de l'aube; et je pense : « C'est l'homme ». J'ai cru connaître
> plus que ma culture parce que j'avais rencontré les foules mili-
> tantes d'une foi, religieuses ou politiques; je sais maintenant
> qu'un intellectuel n'est pas seulement celui à qui les livres sont
> nécessaires, mais tout homme dont une idée, si élémentaire
> soit-elle, engage et ordonne la vie. Ceux qui m'entourent, eux,
> vivent au jour le jour depuis des millénaires. Dès les premiers
> temps de la guerre, dès que l'uniforme avait effacé le métier,
> j'ai commencé d'entrevoir *ces faces gothiques*. Et ce qui sourd
> aujourd'hui de la foule hagarde qui ne peut plus se raser n'est
> pas le bagne, *c'est le moyen âge*. Mais le moyen âge n'est que le
> masque de *leur passé, si long qu'il fait rêver d'éternité.* Leur amour,
> c'est un secret, même pour eux; leur amitié, *la chaleur humaine
> d'une présence* auprès de quoi l'on se repose sans parler, — un
> échange de silences. Leur joie, toute en bourrades et en éclats,
> elle n'a pas changé depuis Breughel, depuis les fabliaux, ces
> claques, et ces rires, comme leur son monte *d'une fosse plus
> insondable, plus fascinante que tout ce que nous connaissons de
> notre race,* fascinante comme leur *patience!* Ici, un prêtre m'a dit :
> « Au fond, croyants ou incroyants, tous les hommes meurent
> dans *un mélange bien enchevêtré de crainte et d'espoir...* »
> (NA, p. 24-25).

---

noter aussi dans ce passage l'apparition du thème du bonheur, si rare dans l'œuvre
(NA, p. 164); mais selon un aveu de Malraux, dans la réédition chez Gallimard,
ce ne serait là qu'un thème épisodique; il semble cependant qu'il y a là une pierre
d'attente d'une neuve vision des choses.

Le « moyen âge » qui sourd sur ces faces n'est que le révélateur d'une dimension plus essentielle, celle du passé insondable qui seul dévoile ce qu'est l'homme. Croyant ou non, il meurt dans un mélange de crainte et d'espoir : c'est cela qui intéresse Malraux, tout le reste lui paraît superstructure accidentelle. Superstructure, donc, pour lui l'espérance rayonnante du chrétien qui meurt en Christ, superstructure, la certitude du croyant que la mort est « un commencement ». « Écrivain, par quoi suis-je obsédé depuis dix ans, sinon par l'homme »? (NA, p. 25) écrit-il, mais l'homme qu'il veut découvrir est une quintessence de crainte et d'espoir, *vague* dans son contenu, *ferme* dans la décision de dire « non » au monde.

* * *

La scène qui termine *Les noyers* raconte une attaque de chars au début de la guerre 1939-1945. Les hommes qui servent avec Berger sont, parce qu'ils affrontent la mort avec lui, « ses plus vieux amis ». Leur silhouette se détache de l'abstraction un peu sèche des scènes précédentes, sans sortir pour cela de l'anonymat de l'angoisse et de la fraternité. Mais le récit monte vers cette aube lyrique où vivants et morts, faces de chair et visages de pierre, aux portails des églises et à l'entrée des fermes, se mêlent.

Ils sont trois, difficiles à oublier, parce que leur singularité rejoint l'homme de toujours tel que le voit Malraux. Berger se sent uni à ces vivants qui rêvent de la femme, de l'enfant, de plaisirs et de sagesse. Voici la silhouette de Léonard, pompier au Casino de Paris, « l'homme aux doux yeux d'épagneul, et ce qu'a parfois de poignant une expression qui ignore tout de l'orgueil ». Cet homme a eu sa « chance », une fois, car il « a pu coucher un soir avec la danseuse étoile, mais un soir seulement parce qu'elle avait eu un caprice » (NA, p. 175). Voici Pradé, qui a un fils de onze ans, un garçon fin, qui pourrait étudier ; mais, si la guerre dure, ce sera trop tard (NA, p. 179). Voici la « gueule de souteneur » de Bonneau, enfin acceptée par la fraternité des autres soldats. Voici la sagesse bonhomme de celui qui, après une « leçon » sur la nécessité de démembrer l'Allemagne, s'écrie : « Les Fritz, je les connais depuis 1914, y en a qui nous ont foutu des calottes, y en a qui nous ont donné du pain. *C'est comme partout* » (NA, p. 177). Cette sagesse « classique » semble morne et banale comparée à l'espoir chrétien qui veut que « ce ne soit plus comme partout » et que l'homme, « créature créatrice », soit source de renouveau, dans la force de Dieu. Mais Berger, lui aussi, ne connaît que la sagesse d'ici-bas, celle qu'il avait lue sur les visages des mobilisés : « Il y avait dans tout cela une triste fermeté, la *résolution paysanne contre l'inondation. Ils montaient au fléau* » (NA, p. 171). Aussi bien, lorsque le char est coincé dans une fosse, l'angoisse et la fraternité rapprochent ces quatre hommes :

> Cette exaltation qui s'engouffre en moi vient-elle de *la communion* dans l'engagement tenu au prix du sang, vient-elle de ce qu'a toujours de trouble et de solennel le sacrifice humain? Comme je veux qu'aucun de ces hommes ne meure! (NA, p. 183).

Le Christ aussi « veut » qu'aucun ne meure, et que « là où il est, ils soient aussi »; il le veut, et il le *peut.*

Au matin, dans un village français aux trois quarts abandonné, auprès de deux paysans assis sur un banc, devant la fontaine, les pigeons, les chats, les chèvres, et les ronces et la vie toujours la même, monte l'émerveillement :

> *Ce sont des temps gothiques;* nos chars au bout de la rue font leur plein d'eau, monstres agenouillés devant les puits de la Bible... Ô vie, si vieille! Et si opiniâtre... Nous et ceux d'en face, nous ne sommes plus bons qu'à nos mécaniques, à notre courage, à notre lâcheté; mais *la vieille race des hommes* que nous avons chassée et qui n'a laissé ici que ses instruments, son linge et ses initiales sur des serviettes, elle me semble venue, *à travers des millénaires,* des ténèbres rencontrées cette nuit, — lentement, avarement chargée de toutes les épaves qu'elle vient d'abandonner devant nous, les brouettes et les herses, *les charrues bibliques,* les niches et les cabanes à lapin, les fourneaux vides... (NA, p. 193).

Le narrateur ne se sent plus que « naissance », et le sourire ironique de la paysanne lui semble l'image de l'homme affrontant la mort :

> Qu'avec *un sourire obscur* reparaisse le mystère de l'homme, et la *résurrection de la terre* n'est plus que décor frémissant. Je sais maintenant ce que signifient les mythes antiques des êtres arrachés aux morts. A peine si je me souviens de la terreur; ce que je porte en moi, c'est la découverte d'un secret simple et sacré (NA, p. 194 et 195).

* * *

Nous voici loin des troubles espoirs de la révolution marxiste; nous voici au-delà de l'espace et du temps, parmi des hommes dont le visage se détache à peine de la glaise originelle; alors, cette « part infime », plus profonde que toutes les cultures et qui serait la réponse invincible à l'absurdité fondamentale, apparaît en l'homme :

De même que l'ami de Stieglitz, dans sa prison, ne pouvait penser qu'aux trois livres qui « tenaient » contre la honte et la solitude, *je ne pense qu'à ce qui tient contre la fascination du néant.* Et, de jour perdu en jour perdu, m'obsède davantage le mystère qui n'oppose pas... mais *relie* par un chemin effacé *la part informe de mes compagnons aux chants qui tiennent devant l'éternité du ciel nocturne,* à la noblesse que les hommes ignorent en eux, — *à la part victorieuse du seul animal qui sache qu'il doit mourir* (NA, p. 169).

Cette part informe de ses compagnons, c'est le visage presque anonyme des soldats dans la sape, le front de la pitié qu'ils forment contre la mort des Russes gazés, l'inusable patience des prisonniers de Chartres, l'instinct paternel de Pradé, songeant au fiston de 11 ans, le rêve de Tristan et Yseult, vécu par Léonard qui aima, une nuit, une danseuse étoile, l'innocence hagarde de Bonneau, l'homme aux quatre photos de putain, l'homme un peu électricien, un peu souteneur, et surtout un peu infantile : c'est cela, et c'est aussi la part des pauvres, qui se ressemble d'âge en âge. Elle se relie aux chants qui tiennent devant le ciel nocturne, aux œuvres d'art qui expriment la noblesse que les hommes ignorent en eux, contre ce destin qui rend absurde toutes les cultures, toutes les civilisations et jusqu'à cette histoire même dont l'art doit se dégager sous peine de mourir tout à fait.

3. Au-delà de l'histoire

Une lettre de 1934 esquisse, longtemps avant la *Psychologie de l'art,* le nouveau thème du dépassement de l'histoire :

Le drame essentiel est dans le conflit de deux systèmes de pensée, l'un, mettant la vie en question, l'autre supprimant toute question par une série d'activités. Spinoza contre Lénine (MPLM, p. 121).

L'activité supprime toute question : il semble que Malraux se défie de l'action même, à cause du poids de destin dont elle est chargée (MPLM, p. 121); il poursuit une décantation plus radicale encore de l'homme; toute action est impure, et, il le semble, l'action révolutionnaire par-dessus tout; il faut donc découvrir une forme « d'être » qui soit, au maximum, défi au destin et libération la plus parfaite possible par rapport au destin.

Tant que l'homme agira dans la société, dans le monde, il subira les contraintes de la vie : il sera « à la fois englué là de toute sa servitude, et absent de toute sa force » (TM, p. 19), il « gardera l'affût d'une pensée assez lucide pour se défendre... et ne livrer de soi que ce qui n'était pas l'essentiel » (TM, p. 25), mais il sera encore trop chargé de boue, de sang, de terre (CH, p. 401-402). Malraux après avoir plongé l'homme dans le sang et la terreur de la révolution, poursuit maintenant une essence plus légère, plus subtile, plus immatérielle.

L'histoire est devenue trop lourde, trop sanglante, trop chargée de destin. Préfaçant *Qu'une larme dans l'océan* de Manes Sperber, Malraux loue l'auteur « non point comme il l'eût fait jadis, de son engagement historique », mais de son « dégagement », mais d'avoir su retrouver

> le timbre grave des poèmes primitifs, ce timbre qui est retrouvé chaque fois que nous voyons passer l'éternelle dérive de la conscience des hommes au-dessus de l'histoire menaçante, comme le prince André voyait passer les nuages au-dessus d'une petite silhouette illustre sur le champ nocturne d'Austerlitz... (MPLM, p. 114).

L'espoir de la révolution paraissait dérisoire devant l'immensité de l'espace et du temps; voici maintenant que l'espace et le temps de l'histoire, trop pesants, nous menacent encore : il faut aller au-delà.

Le silence se fait, car les cris des vivants s'effacent devant les « voix du silence » : le monologue des arts millénaires commence, délivré de l'histoire, délivré de la vie...

CHAPITRE III

La voix des morts

Rééditant en 1949 *Les conquérants*, « ce livre d'adolescent »
(C, p. 247), Malraux fait le bilan des espoirs inscrits dans son premier
roman :

> Si, des vivants, nous n'avons guère uni les rêves, du moins
> avons-nous mieux uni les morts! (C, p. 250).

En vingt années nous avons vu l'agonie du mythe politique de
l'internationale (C, p. 248-249) : les patries nous lient et nous savons
que nous ne ferons pas l'Europe sans elles (C, p. 249), car la « troisième
internationale » *russifierait* la planète, si elle devait triompher.

L'Europe n'a su donner à l'Asie que son angoisse et le grand
hurlement triste évoqué dans *La tentation de l'Occident;* la Chine n'avait
que faire d'aventuriers désespérés, elle s'est « convertie » à l'espoir
marxiste. Mais, pour Malraux, Mao Tse-tung est un « fasciste » et
« dans vingt ans une autre armée révolutionnaire le chassera à son
tour » (C, p. 247). Les espoirs de la révolution ont abouti, avec les
polices de Staline et de Mao, à « changer de bibliothèque rose » (C, p. 263-
264); en face des forçats et des cadavres, parler de la « dialectique »
est dérisoire et insultant :

> Le marxisme recomposait d'abord le monde selon la liberté.
> La liberté sentimentale de l'individu a joué un rôle immense
> dans la Russie de Lénine... Mais il n'était pas prévu que « les
> lendemains qui chantent » seraient ce long hululement qui monte
> de la Caspienne à la mer Blanche, et que leur chant serait le chant
> des bagnards (C, p. 265).

Sans doute, il y a dans le marxisme « une pensée qui veut exalter
la solidarité, le travail et un certain messianisme noble », mais la
propagande a fait trop de progrès depuis Garine, et elle est toujours
à base de mépris de l'acheteur et du votant : « le plus grand journal

russe s'appelle *Pravda* : la vérité; il y a pourtant ceux qui savent; à partir de quel grade a-t-on maintenant en Russie le droit d'être menteur? » (C, p. 248, 266, 267).

Malraux, dès 1926, avait parié pour l'action, la culture, la lucidité, valeurs indissolublement liées à « l'Europe d'alors »; ce qui a le plus changé en Chine, en 1949, ce n'est pas la Chine, ce n'est pas la Russie, c'est l'Europe : *elle a cessé d'y compter* (C, p. 247-248). Il est vrai, « des vivants, nous n'avons guère uni les rêves ».

* * *

On pourrait s'attendre, devant l'échec des espoirs de la révolution, à une recrudescence de pessimisme et d'angoisse, mais c'est un chant de triomphe que l'auteur des *Conquérants* entonne en 1949. L'Europe sait maintenant quel est son rôle propre : elle doit unir les morts; l'échec de l'internationale politique fait se lever à l'horizon l'espoir d'*une internationale de la culture;* le monde des vivants, unifié dans la liberté, est mort, mais une *culture* planétaire le remplace :

> La musique et les arts plastiques venaient d'inventer leur imprimerie... Les traductions entraient dans chaque pays à porte ouverte...; enfin, le cinéma est né. Et dans cette salle, ce soir, nous pouvons dire sans ridicule : « Vous qui êtes ici vous êtes la première génération d'héritiers de la terre entière » (C, p. 249-250).

L'Europe doit être le lieu de transmission de cet héritage, car l'Amérique, pays de masse, confond encore l'art avec le romanesque (C, p. 253), et la Russie étouffe tout art authentique par le dogmatisme de la pensée (C, p. 257); or *la seule culture qui puisse être transmise est celle que l'art sauve*, et l'Europe peut, seule, élever « le signe de l'art » au-dessus des sagesses et des philosophies, par ses « renaissances » successives, en une transcendance partielle (C, p. 258) :

> Mais enfin, tout de même, la moitié du monde regarde encore l'Europe, et elle seule répond à son interrogation profonde. Qui donc a pris la place de Michel-Ange? Cette lueur qu'on cherche en elle, c'est la dernière lueur de la lumière de Rembrandt; et le grand geste frileux dont elle croit accompagner son agonie, c'est encore le geste héroïque de Michel-Ange (C, p. 258).

L'essentiel de la théorie malruxienne sur l'art s'exprime déjà dans ces phrases prononcées à la Salle Pleyel en 1948. Ce que le monde attend de l'Occident, c'est la vérité et non le mensonge, le respect de

l'homme, non son mépris, sa liberté et son espoir, non le hululement
qui monte de la Caspienne à la mer Blanche, non une bibliothèque rose,
mais l'honneur et le courage d'être homme : seulement, tout cela, selon
Malraux, il ne faut plus le chercher dans l'action proprement dite,
mais dans « l'humanisme planétaire » dont l'Europe est le foyer :

> La pseudo-histoire est une petite chose devant la houle des
> générations; la seule chose qui puisse ressusciter, c'est cette
> peinture éphémère qui réveille, avec les statues sumériennes,
> le langage oublié de quatre millénaires (C, p. 271).

L'histoire n'a aucun sens; il ne faut pas poser la question : « Vers
quoi? » mais seulement « en partant d'où? »; l'art est audace, liberté,
parce que totalement décanté, délesté du poids d'une histoire qui n'a
aucune signification, d'une idéologie, d'une philosophie, d'une métaphysique religieuse qui sont impénétrables; l'œuvre d'art, court-vêtue,
délivrée, n'est plus que sa propre lumière : le *geste héroïque* de Michel-
Ange, voilà ce que le monde demande à l'Europe au-delà de son apparente
agonie. L'aventure humaine aboutit donc à un livre, à une galerie
de reproductions; le « musée d'homme » aboutit au « musée de l'art »
et l'image de l'espoir est devenue un profil taillé dans la pierre. Les
prisonniers étendus dans la cathédrale de Chartres participent à l'invincibilité de l'espoir humain dans la mesure où leurs visages, où la barbe
pousse, se superposent et *s'effacent* devant celui des statues gothiques
qui emplissent les portails, car le peuple des statues est plus vrai que
le peuple des hommes. Tel est le « nouvel espoir », qui est peut-être la
« retombée » de l'espoir vivant, telles sont « les voix des morts », qu'il
nous faut entendre[1].

---

1. Les termes « musée de l'homme, musée de l'art », cités *supra*, sont repris à
l'excellent article de A. BLANCHET, *La religion d'André Malraux*, dans *Études*,
Juin 1954, p. 293; l'idée d'une « retombée » de l'espoir malruxien, dans l'œuvre
consacrée aux arts plastiques, se trouve dans MPLM, p. 114. Je rappelle les principaux
sigles pour ce chapitre : les chiffres donnés entre parenthèses, sans autre indication,
renvoient au livre *Les Voix du Silence; La métamorphose des dieux*, dans *La nouvelle
Nouvelle revue française*, Mai 1954 (=MD, I), Juin 1954 (=MD, II); *La statuaire*
(=S); *Des Bas-reliefs aux grottes sacrées* (=BR); *Le Monde chrétien* (=MC), ces
trois derniers titres formant les trois tomes du *Musée imaginaire de la Sculpture
mondiale;* les trois tomes de la *Psychologie de l'Art* sont cités PAMI, PACA, PAMA.
(Le Musée imaginaire, La création artistique, La monnaie de l'absolu). Il faut
attendre la parution du t. II de *La Métamorphose des dieux* pour mesurer l'importance réelle des modifications d'idées faites dans le t. I (Paris, 1957).

I. Une philosophie de l'art

1. Les voix du silence

Le titre *Les voix du silence*, est une de ces formules impérieuses dont Malraux a le secret; il évoque Pascal et le « silence éternel des espaces infinis ». Malraux fut hanté, dès sa jeunesse, ainsi que je l'ai dit, par « l'absurde dérive des astres », mais aussi, dès *La tentation de l'Occident*, par l'immobilité cataleptique des arts et civilisation de l'énorme Asie, par la rudesse terrifiante des cultures africaines; constamment, son œuvre fait défiler en une sorte de découpage cinématographique les fétiches africains, les statues sumériennes, les arts Wei, les statues précolombiennes, les idoles polynésiennes.

Le « silence » est donc aussi celui des civilisations du passé qui sont englouties dans l'océan silencieux des âges. S'inspirant de Frobenius et de Spengler, Malraux ne croit pas à l'unité des cultures; elles se succèdent, mais rien ne se transmet de l'une à l'autre, car elles ressemblent à des « îles » flottantes qui jamais ne rejoignent les « ineffables bords » dont parlait Charles Du Bos; au « syncrétisme » qui séduit certains esprits actuellement, Malraux substitue le « pluralisme ». L'Européen ne peut plus croire à aucune pensée, à aucune religion, « car il ne sait plus ce que c'est que la vérité » (TO, p. 124). Comme un raz de marée qui se retire, les civilisations disparues laissent sur le rivage de mystérieuses épaves, les œuvres d'art : ces statues, ces peintures, ces torses mutilés, verdis, couverts d'algues et de coquillages déposés par les vagues successives des religions et cultures, se dressent devant l'homme moderne comme d'étranges « ressuscités » : ils sont aux trois quarts engloutis dans la boue des civilisations mortes, mais ils tournent vers nous un visage, un regard, une bouche qui profère un message.

Il n'est pas question de retrouver la signification des cultures dont ces arts ont été les témoins; nous ne sommes même plus certains de comprendre le « sens » de tel fétiche des Hébrides, de tel sourire des statues de l'art du Gandhara; les rites et les formules incantatoires de ces religions sont ensevelies dans le silence et lorsque nous pouvons encore comprendre le sens de certains arts, par exemple celui de l'art roman, nous ne pouvons plus lui donner notre foi.

2. Le musée imaginaire

Désormais, l'homme peut entrer en possession de l'art de tous les temps; il peut entendre toutes « les » voix du silence, grâce à ce « musée imaginaire » qui est peut-être l'idée la plus originale de Malraux.

Le musée de pierre a déjà permis d'étonnantes confrontations, mais Malraux voit plus loin : comme la musique a trouvé son « imprimerie » dans le disque, les arts plastiques ont trouvé la leur dans la reproduction photographique; celle-ci, et elle seule, permet l'élaboration d'un « musée *mondial* » de la peinture et de la sculpture de tous les temps et de tous les pays. Dans *Les voix du silence*, les illustrations ont une importance aussi grande que le texte : Malraux réussit des rapprochements saisissants, par exemple entre « l'œil roman et l'œil gothique », une sculpture de Picasso et une statue sumérienne, une peinture de Delacroix et sa « copie » par Van Gogh, une tête gothique et un masque Wei. Cette confrontation, qui rapproche des arts à la fois totalement dissemblables par leur sens, religieux ou humain, et apparentés par leur style, « est » le musée imaginaire; celui-ci sépare les œuvres du monde profane « impur »; il est « une confrontation des métamorphoses » des styles artistiques; il rend sensible « la recréation de l'univers par l'art, en face de la création » (p. 12-13). Le style éternel, idéal, qui, tel le sommet d'une pyramide unique, serait le point de rencontre nécessaire de tous les efforts artistiques des siècles (ceux-ci étant représentés par les côtés), est un mythe (p. 70, 85); il y a pluralisme des styles, comme il y a pluralisme des civilisations; le musée imaginaire en témoigne.

Or, il suffit de feuilleter *Les voix du silence* et *Le musée imaginaire de la sculpture mondiale* pour être frappé d'une évidence : les arts académiques, à trois dimensions, qui visaient à donner à l'homme une image rassurante de lui-même, ne sont qu'une minuscule parenthèse, dans l'espace et le temps (trois siècles de l'Europe); en face des millénaires des arts stylisés, sacrés, à deux ou à une dimension, ils apparaissent, avec la Renaissance italienne dont ils sont sortis, « comme un éphémère accident humaniste » (p. 180) : « Ces trois malheureux siècles d'optimisme que pressent aujourd'hui les millénaires ressuscités, il semble que ce soit l'Occident même » (p. 538). La première partie des *Voix du silence* nous ramène à la fascination de l'Orient fabuleux qui hante Malraux depuis *Royaume Farfelu*.

Le musée imaginaire impose donc d'engager un dialogue entre ces arts stylisés, sacrés, et les arts d'Occident qui, du roman au gothique, et, du gothique au quattrocento, par Giotto et la Renaissance évoluent vers une représentation de plus en plus « humaine », heureuse, harmonieuse de l'homme et de l'univers. La seconde partie, *Les métamorphoses d'Apollon*, esquisse, de manière parfois géniale, ce dialogue; il se complète dans les deux chapitres déjà publiés de *La métamorphose des dieux*.

3. Les métamorphoses d'Apollon
ou le dialogue de l'Orient et de la Grèce

a. Le surmonde de l'éternel, en Orient[2].

« Le grand chuchotement de soie par lequel le désert répond à l'immémoriale prosternation de l'Orient » (MD, I, p. 772) : cette phrase exprime les deux thèmes, prosternement, immensité impersonnelle du désert (ou des astres, ou des fleuves jaunes, etc.), qui caractérisent l'Orient, qu'il soit asiatique ou byzantin, bouddhique ou musulman :

> Il y a dans la sculpture de l'Orient une pesanteur volontaire, comme si elle était toujours clouée au sol par le clou de fondation des bronzes chaldéens, comme si l'art devait enfoncer ce qu'il figure dans la terre des dieux ou la terre des morts; l'Orient qui invente les êtres ailés ne les fait pas voler... Babylone nous enseigne la patience avec laquelle les peuples *prosternés* poursuivent les secrets des *constellations*. Mais Babylone avait observé le *firmament* pour mieux savoir comment l'homme était esclave... L'Égypte, la Chine, le Mexique, — l'Orient mésopotamien et l'Inde à un moindre degré, — semblent élaborer leur art comme un *système clos*... (MD, I, p. 969).

---

2. Le terme « surmonde » n'apparaît que dans *La métamorphose des dieux*, en mai 1954 : il exprime à la fois l'idée malruxienne de la « création artistique » et de la « monnaie de l'absolu »; aussi bien, il se retrouve dans les deux derniers tomes du *Musée imaginaire*, *Des Bas-reliefs aux grottes sacrées* et *Le monde chrétien;* bien que le terme « surmonde » ne sera expliqué en détail que dans le n° 5 de ce paragraphe *(La création artistique et le surmonde de l'art)*, je l'utilise dè maintenant, comme Malraux lui-même dans *La métamorphose des dieux*, pour faire dialoguer Orient et Grèce. Disons déjà que le primat de l' « éternel » dans les arts orientaux n'enlève rien à cette vérité que Malraux répète sans se lasser, à propos de l'art, que « le génie est (aux Indes) comme partout, conquête » (MD, I, p. 780); autrement dit, comme art, quelle que soit la foi religieuse ou la vérité philosophique impliquée, l'œuvre suppose chez l'artiste une conquête, un pouvoir; ainsi, il dira : « Plus tard, à Lagash, un sculpteur de génie dressera l'homme en face de la confusion universelle en l'accordant au cosmos impérieux de ses astrologues » (MD, I, p. 777); ce qui compte, ce n'est pas « l'accord » avec le cosmos, mais la puissance d'opposition présente dans l'œuvre, *en face* de (on dirait aussi bien « contre ») la confusion universelle.

Dans la mesure où les civilisations de l'Orient ancien ne sont pas touchées par le « ferment judaïque » (ceci, c'est nous qui l'ajoutons), elles sont soumises à la toute-puissance du mythe, c'est-à-dire à l'omniprésence de forces impersonnelles qui maintiennent l'homme en une servitude, sacrée sans doute, mais implacable; Malraux peut, dans ce sens, parler de la « toute-puissante rigueur de l'invisible » (MD, II, p. 971); dans les arts de l'Orient, « on se délivrait de l'apparence par l'éternel » (MD, II, p. 982).

* *
*

Les notes sur les arts orientaux de tel ou tel pays, ne font que confirmer le thème des « espaces infinis » conjugué à celui de l'homme « prosterné ». Voici *l'Égypte :*

> L'accord de l'éternelle dérive des hommes avec ce qui la gouverne ou la dépasse, leur donne leur force et leur accent : la coiffure du sphinx s'accorde aux pyramides, mais ces formes géantes montent ensemble de la petite chambre funéraire qu'elles recouvrent, du cadavre embaumé qu'elles avaient pour mission d'unir à l'éternité. Car la sculpture égyptienne rejoint l'éternité de la mort comme celle des constellations... L'art égyptien n'éternise pas ce qui est, comme tentent de le faire les bustes romains... : par le style il fait accéder le mort à l'éternel, comme le peintre byzantin fait accéder le vivant au sacré. Il crée les formes qui accordent celles de la terre à l'insaisissable du monde souterrain, de même qu'elles accordent l'homme à l'insaisissable de la vie, selon le *maat,* loi de l'univers : il fonde l'apparence en vérité (MD, I, p. 774-775).

La vie est ici insérée dans la mort, accordée à elle, et la mort accède à l'éternel; cet art « s'unit à l'éternel » (MD, II, p. 986), mais à un éternel pétrifié.

De *l'art assyrien,* esquissé d'après quelques citations du livre *Des bas-reliefs aux grottes sacrées,* Malraux traduit l'horreur grandiose en disant du palais de Khorsabad qu'il est « un mont Athos de tueurs » (BR, p. 41), formule saisissante pour montrer le mélange d'effroyable cruauté et de grandeur sacrée qui caractérise cet art : « un culte est rendu au roi à travers le sang, aux dieux, à travers le roi. D'où la grandeur est prêtée aux fauves et jamais à l'ennemi; il n'y a pas ici un inventaire du monde, mais une légende nationale du sang » (BR, p. 49). Ici encore, l'art sacrifie l'homme aux dieux, dans le sang et la cruauté.

Malraux évoque, en une page admirable, *l'Inde :*

Chaque soir de la saison des pluies, lorsque la brume chaude monte des flaques à travers les palmes ruisselantes, le millénaire appel de la conque surgit des tours qui bleuissent; dans les ruelles religieuses où les marchands s'éveillent sur leurs ballots d'herbes aromatiques, les hommes peints de cendre blanche sortent et les singes se couchent, comme au temps du Ramayana. Un commerce frénétique allume toute l'électricité de l'Inde et enchevêtre les appels de claxons dans le crépuscule pluvieux : mais ce n'est qu'un soir au siècle du déclin de l'Europe, — un soir parmi tant d'autres et tant d'autres déclins, — et sur son éclat de nickel comme sur le sommeil des vaches sacrées voisines, le mugissement régulier de la conque fait descendre une fois de plus la nuit védique. Le sang des sacrifices coule dans les rigoles creusées autour du linga de pierre; la chèvre qui le sent, malgré le parfum des tubéreuses et des frangipaniers, se débat sous les figures grimaçantes; le sanctuaire désert du grand style tourne à l'antre, mais sa dérision nous crie encore que le génie hindou osa jadis inventer la majesté du sang (MD, I, p. 779-780).

Le style de Malraux n'est jamais aussi inspiré que lorsqu'il s'essaye à rendre le frémissement des religions disparues : la frénétique civilisation moderne, les sanctuaires ruinés, le bruissement des forêts asiatiques, le glapissement des singes servent de décor à l'évocation de la majesté du sang et de la vie qui est presque tout le sacré de l'Inde hantée par le geyser de semences vitales qui inonde la terre et les astres. Le sexe cosmique, vénéré sous le nom de Linga, est aussi le symbole de la destruction venant périodiquement étouffer toute vie. Si l'on a un peu fréquenté les religions hindoues, on est écrasé par cette exubérance de la vie et de la mort, de la sexualité et de ce qui est son envers, la cruauté et la torture.

On comprend maintenant la description des arts de l'Inde, particulièrement des grottes-temples :

Le sculpteur frappait le roc pour peupler l'obscurité en restituant aux divinités souterraines, et d'abord à l'absolu, une ombre désinfectée de l'homme. Car c'est bien de l'ombre que naissent ces figures, comme celles de Sumer, et du Mexique, comme celles des morts égyptiens... Cette ombre était recueillement comme la lumière était contemplation; hantée des présences les plus hautes dont elle appelait les formes... Aucune contrainte ne pesait autant sur l'œuvre que cette obscurité *impérieuse* dans laquelle l'homme se prolongeait, s'effaçait, se transfigurait. L'artiste pouvait tout faire, sauf un Civa qui ne fût qu'un homme (MD, I, p. 780-783)[3].

---

3. Les trois termes : « l'homme se prolongeait, s'effaçait, se transfigurait »

Le « sculpteur » des grottes sacrées veut créer un « espace désinfecté » de l'homme, car la philosophie religieuse de l'Inde absorbe l'individuel dans l'absolu; « le recueillement du sanctuaire et la majesté de la pyramide se rejoignent » ainsi (MD, I, p. 789-790). Prosternation, effacement de l'homme, silence sacré, espaces vidés de la présence humaine : la personne est dévorée par le « surmonde ».

b. L'art de la Grèce.

« Vue d'Asie, la Grèce est un envol de voiles » (MD, II, p. 978) : pour Malraux, deux peuples anciens, la Grèce et Israël, ont été «soucieux de l'avenir et distraits de la survie » (MD, II, p. 974); il unit, en un de ces accords dont il a le secret, la Grèce et une certaine forme de christianisme (lui aussi issu d'Israël) en écrivant : « ni la mort ni rien... n'ont prévalu contre le vertigineux espoir qui dressa devant la palpitation des nébuleuses la petite silhouette invincible des pêcheurs de Tibériade et des bergers d'Arcadie » (p. 591).

L'art grec n'exprime plus la soumission de l'Orient prosterné devant la palpitation insensible des nébuleuses, mais *l'espoir* des hommes *unis contre* le destin; il fait l'économie de ces mythes sacrés qui hiératisent mais aussi « prolongent, effacent, transfigurent »; comme art et comme valeur philosophique, il rejoindrait donc l'âme de l'Occident telle que la voit Malraux : l'isolement de la personne *devant* le monde, au lieu que l'Orient absorbe l'homme *dans* l'absolu. Il y aurait, à la racine de cet art, une sorte de « meurtre des dieux » :

> Où la nature de l'art est-elle plus puissamment mise en question que dans le dialogue où l'invention sans cesse renouvelée de la Grèce et l'inspiration toujours approfondie de l'Orient, *séparées par la mort de l'Être*, poursuivent d'un pôle à l'autre de l'antiquité, au-dessus des vestiges de l'apparence, la mise en forme du surmonde de l'Homme et de celui de l'éternel? (MD, II, p. 992).

L'événement qui se situe entre l'Orient et la Grèce est « la mort de l'Être » : d'un côté, le surmonde de l'éternel, de l'autre, le surmonde de l'homme; et il est caractéristique que Malraux mette la majuscule

---

trahissent un schéma caractéristique chez Malraux; transfiguration signifie ici effacement, absorption pure et simple de la personne dans le grand tout; ailleurs, comme nous le verrons (n. 5 et 28), le terme « se prolonger », signifiera le contraire d'une absorption; de toute façon, Malraux ne prend jamais le terme « transfiguration » dans son sens chrétien de « promotion » d'un être, de « consécration », parce qu'il ne tient jamais compte du sacré *chrétien*, fondé sur l'incarnation (cfr *infra*, p. 134, le passage sur l'*Ambiguïté de la notion de sacré*).

pour le «surmonde de l'Homme», tandis qu'il se contente de la minuscule pour le « surmonde de l'éternel » : pour lui, l'essentiel ne peut être que l'homme.

* * *

L'art grec est celui des « dieux fragiles, qui devront mourir avec le soleil » (MD, II, p. 961); « cinquante ans auront suffi pour rejeter tout l'art des trois premiers millénaires de l'histoire, — et l'absolu » (MD, II, p. 967); « la mise en question de l'univers, qui fit le génie grec...; la Grèce la première, oublie l'être et pense le monde...; l'Acropole est le haut-lieu de la mort de l'Être » (MD, II, p. 981). « Le mystère a perdu le son grave et péremptoire que prend l'insondable dans les civilisations qu'il domine; le mystère devient « poursuite de secret »; il n'y a plus « conscience du tout autre » mais « secret » que l'on poursuit (MD, II, p. 981). « Ici, l'Être a perdu sa voix, et les hommes ont trouvé la leur. La Grèce, jusqu'à son agonie, ne cessera pas d'être à l'écoute du secret de l'univers... L'Orient se délivrait de l'apparence par l'éternel, et la Grèce s'en délivre par ce qui fait accéder les formes et les actions au surmonde, comme elle se délivre de la guerre en inventant le monstre fraternel qui, sous la forme de l'ange, peuple encore l'âme des enfants d'Occident[4], et qu'elle a appelé la Victoire » (MD, II, p. 982-983). Autrement dit la Grèce fut ce qu'elle est parce que « *l'Homme y fut le surmonde de l'homme* » (MD, II, p. 963).

Nous assistons donc, dans l'art grec, à la « fin de la toute-puissante rigueur de l'invisible...; il s'agit désormais de découvrir à la fois l'homme et le monde, car l'homme est devenu la clef du cosmos : l'hiéroglyphie imposée au réel et d'abord au corps humain, par les styles sacrés, perd son sens » (MD, II, p. 971); la Grèce développe donc son art comme « un domaine ouvert » (MD, II, p. 969).

Le rejet de l'Être, de l'absolu, ne fait pas de l'art grec une copie de l'apparence : tout art pour Malraux vise au-delà de l'apparence, une « vérité » que seul le style révèle :

> Le grand battement du passé déferle sur les îles barrées par les colonnes, et l'Acropole l'orchestre comme elle domine la mer. Les acropoles inspirent souvent ce recueillement orgueilleux et

---

4. Signalons en passant une imprécision curieuse : le texte cité semble confondre les « anges » de la tradition chrétienne avec « la victoire ailée » de l'art grec; on le sait, l'angélologie est d'origine juive; certaines influences du culte des morts chez les Égyptiens ont inspiré, dans l'*iconographie*, la représentation de l'Ange-peseur des âmes; il n'y a aucun lien entre ce thème et celui de la victoire ailée; cfr J. DANIÉLOU, *Le culte des anges*, dans Coll. *Irénikon*, éd. de Chevetogne, 1951.

comblé, même la citadelle du Caire au-dessus de sa ville des morts, même la forteresse d'Alep avec ses jets d'eau taris; par sa proche domination du remous humain, toute acropole est un haut-lieu. Mais parfois vide. Ici (à Athènes) les formes de marbre ne sont pas seulement ce qui ordonnait la ville, couronne et sceptre : elles ont créé le seul haut-lieu *où l'homme délivré de la confusion de l'apparence le soit aussi du sacré.* Ces formes ont été accordées assez profondément au secret du monde pour que l'homme s'accordât aux éléments, dont le Parthénon est inséparable comme les Pyramides le sont du désert (MD, II, p. 980).

Tandis que les pyramides captent « la puissance de la nuit », l'Acropole capte « le retour de l'aube » (MD, II, p. 980). Sur l'Acropole, l'homme est délivré de la confusion de l'apparence, sinon il n'y a pas d'art; mais il l'est aussi du sacré, sinon il n'y a plus d'homme.

Cet au-delà de l'apparence n'est plus le sacré asiatique :

> Le génie de la Grèce *ne fut nullement de se soumettre à l'apparence;* il fut de ne pas chercher l'âme du monde dans sa plus profonde négation de l'homme, mais dans sa plus profonde relation avec lui, et jusque dans l'oubli de la nuit funèbre où Aristophane voulait seulement se souvenir de son puits bordé de violettes... L'art grec léguait à... l'avenir un monde surgi de la confusion de la vie, comme la Victoire, de la mêlée des combats... En rejetant l'éternel, la Grèce n'avait pas renoncé à l'insaisissable; et son insaisissable, qui n'était plus *ce qui asservit* l'homme, devenait *ce qui le prolonge* (MD, II, p. 986).

L'âme du monde, au-delà de l'apparence, est relation avec l'homme; elle l'oriente vers le monde du jour, tel Aristophane se souvenant de son puits bordé de violettes, au cœur de la nuit funèbre; la Grèce substitue, à l'éternel de l'Asie, l'insaisissable qui n'est plus un mystère qui asservit mais un secret qui le prolonge[5].

---

5. Un autre passage précise : « Dans l'art grec la vérité du monde est dans l'homme, alors que pour l'Égypte, la vérité de l'homme était dans l'éternel » (MD, II, p. 962); en d'autres termes, ou bien l'homme est au centre, et l'éternel disparaît, ou bien l'éternel est l'essentiel et l'homme disparaît; que l'homme puisse « participer » à l'éternel, comme le pensait Platon, qu'il puisse être consacré par l'éternel, et rester « homme », dans l'intégrité de sa nature, cependant divinisée (dont l'exemple majeur est la distinction des deux natures en Jésus-Christ mais aussi leur union dans une personne *divine*), ces hypothèses ne cadrent pas avec les contrastes tranchés dont Malraux se sert. On remarquera, dans la même ligne, que, cette fois, le terme « un secret qui le prolonge » signifie le contraire de ce qu'il signifiait dans le texte et la note 3. Le vocabulaire de Malraux fourmille de ces « variantes ».

* *
*

L'homme, dans l'art grec, est autre chose que son apparence :
ainsi, les nus de Praxitèle ne sont pas le moulage d'un beau corps
(MD, II, p. 980), et définir l'art grec par « l'idéalisation des types »
serait imaginer « une Grèce linéaire où Eschyle n'eût jamais pu vivre »
(MD, II, p. 971-974). Comment donc définir le secret de cet art? Un
de ses aspects, c'est *l'avenir :*

> L'homme n'est pas l'apparence, il est ce que l'apparence
> recèle. Ici, les chefs sans palais (Alexandre encore devra conquérir
> les siens) sont des chefs sans tombeaux. *Le tombeau de Périclès,*
> *c'est l'avenir :* « Les siècles futurs diront de nous : ils ont construit
> la cité la plus illustre et la plus heureuse! » Quel roi d'Orient
> eût entendu sans surprise cet orgueil fraternel? Qu'importe
> l'avenir à l'éternité? Qu'il passe et sache que Ramsès fut grand.
> Alors que de la mort de l'éternité surgit l'avenir grec étranger
> à l'histoire, où grandeur et vérité, justice et beauté se prolongent
> et à qui l'homme appartient comme les dieux à l'immortalité.
> La Grèce ne découvre ni le présent ni l'individu, qui sont de
> toujours, avaient toujours été subordonnés, et le demeurent.
> Mais son peuple qui ne connaît d'autre survie que celle des
> ombres semble attendre de la postérité un surmonde conquis
> par des actes et des œuvres exemplaires (MD, II, p. 962-963).

Se détournant de toute valeur métaphysique et religieuse, le Grec
attend de l'avenir, auquel il lègue, par les œuvres d'art, de grandes
actions et des gestes exemplaires, de faire entrer son âme dans « un
surmonde » qui ne soit ni l'apparence quotidienne, toujours asservie,
ni l'éternel qui absorbe et détruit; cet avenir est étranger à l'histoire,
puisqu'il n'en est pas l'expression mais le chant, un chant de justice et
de beauté. L'art grec est humain sans être profane, fondé en vérité,
sans l'être sur l'éternel, fondé sur l'homme et cependant échappant à
l'histoire; voilà pourquoi « la Grèce n'a pas inventé la jeunesse mais
la gloire de la jeunesse » (MD, II, p. 978)[6] :

> A Knossos, ni désert ni palmier : nos arbres et l'écroulement
> violet des bougainvillées sur les vestiges d'une civilisation sous-
> marine où déjà les dauphins annoncent Amphitrite... C'est bien
> la première civilisation blanche, mais c'est aussi le lagon étincelant

---

6. Rappelons que la « jeunesse » dont il est question n'est pas l'adolescence
mais l'équilibre et la force de l'homme de quarante ans (par exemple, dans
l'harmonie de l'athlète).

d'un monde maori. Nous n'unissons pas sans peine à l'*Iliade*
ni même à l'*Odyssée* malgré ce qui surgit ici *comme une enfance
du sourire*, ces cours où des princes nus, coiffés de plumes
d'autruche, inclinent leurs lances devant des Phèdres aux seins
offerts au-dessus d'un chaste bouillonnement de tulle. Et le lien
qui unit Knossos à Athènes est ténu : la Porte des Lions, à
Mycènes, ne se définira pas par la liberté (MD, II, p. 963).

« La Grèce est *sourire*, nouvel équilibre du corps » :

> La légèreté du Kouros de Milo prépare les Victoires et symbo-
> lise déjà une délivrance ambiguë, celle de la sculpture qui substi-
> tuera à la spiritualité une fierté à la limite du sourire, celle qui
> oubliera l'éternité, non pour découvrir le présent mais pour
> y chercher l'immortalité (MD, II, p. 969).

Enfin, notation si vraie, voici *la femme* grecque, dans l'art, mais
aussi dans la vie :

> Voici la femme : ni ombre égyptienne de l'homme, ni sexualité,
> ni fécondité; bientôt la première ville qui se soit proclamée
> capitale de l'esprit se reconnaîtra dans l'*Athena pensive* appuyée
> sur sa lance... (MD, II, p. 965).

Cette Athena est « ce qu'elle est, non un lien avec l'inconnu » (BR, p. 49),
car, au bas-relief assyrien, à l'étendue infinie, le bas-relief grec « substitue
l'étendue encadrée, circonscrite » (BR, p. 51); ici encore se dévoile le
monde de l'homme.

Sourire, légèreté, libération des corps et des âmes, fierté de l'homme
qui oublie l'éternité, pour chercher dans le présent l'immortalité
des actions exemplaires dont l'avenir se fera l'écho; délivrance
de l'esprit humain, symbolisé non par je ne sais quelle divinité
mystérieuse et énigmatique, mais par une femme, appuyée sur
sa lance, vigilante, silencieuse et attentive, gracieuse et virile tout
ensemble : voilà ce que l'art grec nous révèle de la Grèce, selon Malraux :
« Vue d'Asie, la Grèce est un envol de voiles ».

e. De « Byzance » aux arts « d'assouvissement ».

La Grèce d'Apollon représentait le premier triomphe du sourire de
l'homme ionique devant la fatalité des Atrides; au moment où Rome,
qui avait hérité des richesses de la Grèce, s'effondre, il ne subsiste du
sourire grec que la volupté et des images d'orgueil (p. 129). Par quelles
métamorphoses Apollon va-t-il passer avant de nous revenir sous un

masque souriant, ravagé ou fier, chez Raphaël, Michel-Ange et Piero
della Francesca?

L'évolution de l'Asie et celle de l'Occident sont ici, selon Malraux,
radicalement hétérogènes : en Asie, Apollon, dans l'art gréco-bouddhique,
deviendra le Bouddha Wei « qui abaisse ses paupières sur un univers
où la vaine cavalerie de l'Acropole s'enfonce parmi les ombres » (p. 166);
pour l'Orient chrétien, Apollon se perdra dans l'art byzantin qui serait
« des catacombes enfin triomphantes » (p. 204). Byzance regarda « les
Venus et les Aphrodites comme nous regardons les têtes de cire des
coiffeurs » (p. 153); par sa « calligraphie anguleuse », qui supplanta
l'arabesque harmonieuse de l'art grec (p. 153), l'art constantinopolitain
engloutit le visage d'Apollon dans « son impérieuse abstraction » (p. 239);
du Christ de Sainte-Sophie au *Pantocrator* de Daphni, Byzance n'a cessé
d'échapper à l'homme (p. 257); certaines Icônes sont « un chant funèbre
pour les morts de la terre » (p. 263-264); en tout, cet art vise le surhumain
(p. 204); il crée le « style cataleptique de l'éternel », car il veut exprimer
la « désindividualisation, la délivrance de la condition humaine au
profit de l'Éternel » (p. 293). Byzance, « écrasée par Dieu, ignore à peu
près l'homme » (p. 496); en sacrant le monde, cet art en détruit les
apparences, envoûte par son « hypnose » (p. 194), nie souverainement
l'éphémère, témoigne de la présence de l'Éternel qui remplit l'Orient
hanté et fait oublier « l'homme de Salamine » (p. 203). D'un mot, la
« transfiguration » byzantine détruit l'homme, le dévalorise (p. 204, 206).

En face de cette métamorphose où Jupiter devient le Pantocrator,
où l'homme est détruit par le sacré impérieux, l'art d'Occident, après
les balbutiements des monnaies gallo-romaines, apparaît, avec le style
roman, comme une volonté de reconquérir sur le sacré le visage de
l'homme. L'art roman n'est pas un art antique régressé (p. 130), mais
« une conquête de Byzance par le monde occidental », non l'inverse,
comme ce fut le cas en Asie où Apollon fut métamorphosé en Bouddha
ou en Pantocrator (p. 149, 179). L'âme paysanne de l'Europe, la forêt
vaincue et secrètement fraternelle dont Malraux entend le bruissement
autour des masques romans (p. 210), donne déjà aux chapiteaux du
xiie siècle un accent de « regard » humain que jamais Byzance n'aurait
connu : « Toute figure romane est humanisée; encore profondément
religieuse, elle n'est plus sacrée » (p. 230).

Malraux ne nie pas les influences byzantines sur la sculpture romane
mais il voit l'originalité de l'art occidental dans sa force *d'opposition*
au style « surhumain » de Byzance; si l'art roman apparaît comme un
Nouveau Testament par rapport à l'art byzantin, il est un Ancien
Testament par rapport à l'art gothique (p. 237). Il y aurait donc une
continuité entre le roman et le gothique, en ce sens que les efforts

artistiques du premier art appelaient « l'humanisation » du second
(p. 228); l'art roman « est un patient effort pour contraindre toute
forme à révéler ce qu'elle cache du Christ » (p. 237); le Christ dont il est
ici question n'a plus rien de divin : c'est celui que l'art gothique
« humanisera de plus en plus », jusqu'au « Beau Dieu d'Amiens » et au
« sourire rémois » (p. 238).

Le gothique, qui commence aux larmes, est un art d'incarnation
parce que, dans les bouches qu'il a sculptées, il a mis « les cicatrices
d'une vie » (p. 215); l'expression gothique des scènes est aux expressions
antérieures ce qu'est le roman moderne au roman en vers (p. 218-219) :
à Chartres et à Reims, se voient les premiers hommes vrais; les saints
gothiques, avec leurs visages où se lit la méditation, la tendresse et la
charité, « dépassent l'humanité en l'assumant » (p. 219); le « sourire »
retrouve droit d'accès à la cité de Dieu (p. 242).

Giotto continue l'humanisation de l'art : la psychologie, par le
« geste dramatique », se substitue au symbole (p. 259); l'invention du
« cadre » permet une expression humaine où les personnages se regardent
(p. 263, 259). Giotto réconcilie la vénération byzantine et l'amour
gothique à travers l'honneur d'être homme (p. 266); chez lui « l'homme
qui se lève contre la part encore menaçante des dieux unit ses premiers
cheveux bouclés aux masses pas encore oubliées de l'ombre sacrée; un
monde va en sortir » (p. 267).

Le monde qui sortira de Giotto, selon Malraux, n'est autre que ce
style qui allait obséder l'Occident, depuis la Renaissance : par Masaccio
et Piero della Francesca, au-delà de Michel-Ange et des Vénitiens,
l'art d'Occident va sacrifier de plus en plus à *l'illusion* rassurante que
la peinture à trois dimensions mettra à la mode. Lorsque l'art jésuite
aura fait disparaître le diable, — « qui de préférence peint à deux
dimensions » (p. 539), — de ses fresques (p. 88-90), la décadence de la
chrétienté sera achevée, car la piété psychologique et sentimentale
du xviiie siècle aura perdu tout sens du sacré.

4. La monnaie de l'absolu

La partie consacrée aux *Métamorphoses d'Apollon* aboutit donc à
un dilemme entre les arts sacrés qui détruisent l'homme et les arts
« humains » qui détruisent le sacré. On serait tenté de conclure que,
puisque Malraux croit seulement en l'homme, il canonisera l'art de
fiction, jusques et y compris cet académisme qui, depuis Bologne, a
inondé l'Europe des xviie, xviiie et xixe siècles. Or, il n'en est rien :

Malraux rejette l'art à trois dimensions, qu'il est bien près d'identifier avec les arts d'assouvissement. Le paradoxe des arts modernes est justement, qu'étant issus d'une civilisation agnostique, ils rejettent les arts produits par cette civilisation et ne veulent se réclamer que des arts sacrés du passé : « les arts des religions auxquelles nous ne croyons plus agissent plus sur nous que ces arts profanes ou que ceux des religions réduites à la coutume; nous voulons dresser contre le monde moderne la renaissance barbare » (p. 525).

L'idée maîtresse de la partie intitulée *La monnaie de l'absolu* est impliquée par cette phrase. Notre civilisation moderne est en effet agnostique; elle n'a du reste pas réussi à construire un temple ou un tombeau dignes de ce nom (p. 494); en réaction contre les arts d'assouvissement, les artistes modernes se tournent vers l'héritage des arts barbares; amputé en cent ans de rêves qu'il nourrissait depuis l'âge des cavernes (p. 589), le monde moderne se tourne cependant vers les arts de ces époques.

Cette « renaissance barbare » est bien plus importante que celle du xviᵉ siècle : les artistes antibaroques voient dans les arts primitifs un matériel d'expression privilégié (p. 495), car, si notre art furieusement profane ressuscite les arts sacrés, c'est parce qu'ils s'opposent aux arts d'assouvissement (p. 526). En d'autres termes, l'humanisation de l'art occidental est allée de pair avec une « profanation », une impureté croissante de l'homme occidental. Malraux essayera donc de trouver la grandeur qui marquait l'homme des arts sacrés, tout en rejetant la foi religieuse qui fondait ces mêmes arts; on retrouve ici le problème qui hante l'auteur de la *Condition humaine* : « Que faire d'un homme quand il n'y a plus ni Dieu ni Christ? ». Malraux va demander aux arts sacrés de rappeler à l'homme « impur » de ce siècle le secret d'une grandeur qui cependant, chez les artistes gothiques ou bouddhiques par exemple, était liée à une foi religieuse ou à une certitude mystique.

Voilà la source de la résurrection de l'élémentaire que l'artiste actuel admire dans les fétiches barbares : « les artistes les plus modernes recherchent les arts les plus primitifs parce qu'ils refusent le monde moderne qui leur est imposé », ils voient dans ces arts sacrés une forme de cette accusation du monde par l'homme qui est la marque même de l'espoir, la seule grandeur humaine possible (p. 536); « notre art tragique, à coup de résurrections barbares, veut arracher le poing imposteur dont la civilisation clôt la bouche de la destinée; l'espoir du monde ayant été balayé, l'Europe appelle à elle, comme secours, le contrepoison de tous les arts du monde »; l'Europe qui se pense de plus en plus en termes, non de liberté mais de destin, doit trouver dans les arts « cette souveraineté humblement impérieuse qui unit tous les arts dans un style commun » (p. 538-540, p. 580). L'art est un anti-destin qui doit rappeler aux hommes de ce siècle leur seule grandeur : mettre le monde en question.

Le premier humanisme mondial, que Malraux nomme un art de grands navigateurs, n'est donc pas fondé sur un syncrétisme optimiste des arts du passé, mais sur leur élément commun, situé au-delà de la signification particulière de chaque style : l'agnosticisme de ce siècle fait sauter les barrières qui empêchaient un chrétien du passé de voir dans une statue bouddhique autre chose qu'une idole; puisque nous ne croyons plus à rien, tous les arts nous sont transparents, du moins dans leur commune signification de conquête, de création d'un monde distinct du monde réel, dans leur témoignage en faveur de l'honneur d'être homme; il y a donc entre les arts une constante *métamorphose* (dans les styles et les croyances que ces styles traduisent) et une *continuité* profonde (p. 625, 633); cette dernière, Malraux l'exprime en une phrase d'un admirable lyrisme : « cette voix survivante et non pas immortelle élève son chant sacré sur l'intarissable orchestre de la mort » (p. 629); « elle est le langage immémorial de la conquête, non le syncrétisme de ce qui fut conquis » (p. 637).

On aura remarqué le terme « sacré » appliqué au « chant » que l'art élève au-dessus de l'intarissable orchestre de la mort : l'art moderne, né de la renaissance barbare, ouvert à tous les styles, rejetant tout sacré religieux, toute transfiguration liée à une foi, se veut cependant « sacré », lui aussi, mais sans détruire l'homme. Malraux veut fonder l'art sur la quête d'un sacré coupé de toute résonance religieuse; il met au centre des *Voix du silence*, sous les termes « *la monnaie de l'absolu* », un « *sacré désacralisé* ». Ces termes paradoxaux sont imposés par toute sa pensée, ainsi qu'en témoigne ce texte : « Parent de tous les styles sacrés, étranger à tous les autres, notre art semble celui d'une religion qu'il ignore... Il est le négatif photographique de ces styles (sacrés) (p. 591); le musée imaginaire participe d'un dieu obscur qu'on appelle art, *comme la miniature participait au Pantocrator* » (p. 598); « notre art », écrit-il dans *Le musée imaginaire de la sculpture mondiale* (p. 64), « est aussi peu concevable sans le musée imaginaire que l'art gothique sans la foi »; il ajoute, dans *Les voix du silence*, que « le musée imaginaire est un des lieux qui donnent la plus haute idée de l'homme » (p. 13).

Cette « plus haute idée de l'homme », Malraux sait qu'il est impossible de l'exprimer autrement que par un vocabulaire religieux, car elle est une accusation du monde, et « comment une accusation du monde ne serait-elle apparentée en rien au vocabulaire religieux? » (p. 598). L'art moderne est non une religion, mais une foi, non un « sacré » (au sens religieux strict), mais la négation d'un monde impur (p. 599).

Malraux est profondément marqué par l'exigence religieuse qui reste sans réponse à partir du moment où la croyance chrétienne est perdue puisqu'il écrit, dans le final des *Voix du silence* : « Le temps coule peut-être vers l'éternité et sûrement vers la mort » (p. 628); « sans doute, pour un croyant, ce long dialogue des métamorphoses et des résurrections s'unit-il en une voix divine » (p. 639). Nous ressentons cette fois, avec André Rousseaux[7] « combien l'effort de Malraux arrive à côtoyer de près le monde de l'espérance chrétienne, qu'il semble rêver de rejoindre parfois ». La crise de l'humanisme européen, dont Malraux est un témoin privilégié, infiniment plus « religieux », plus « sacré » qu'un Sartre, vient de la disparition de l'absolu dans le monde actuel, et de la nécessité de le retrouver, alors que, par ailleurs, on ne croit plus en Dieu.

L'art est donc une «monnaie de l'absolu »; il témoigne de l'humanisme parce qu'il répète, d'âge en âge, « que nous avons refusé ce que voulait en nous la bête, et que nous voulons retrouver l'homme partout où nous avons trouvé ce qui l'écrase » (p. 639)[8]. C'est cela « la force et l'honneur d'être homme » (p. 640).

5. La création artistique et le surmonde de l'Art

Si le premier humanisme mondial est au service de la monnaie de l'absolu, on comprend que la partie consacrée à la *Création artistique*, dont je parlerai maintenant, bien qu'elle précède dans le livre, soit dominée par l'idée que l'art est *une fin en lui-même* : puisque les significations religieuses ou profanes des arts du passé sont mortes ou inacceptables pour la civilisation agnostique, la seule valeur commune n'est plus une idée exemplaire de l'homme mais une idée exemplaire de l'artiste (p. 599). La troisième partie des *Voix du silence* intéressera

---

7. A. ROUSSEAUX, *Littérature du XX*e *siècle*, t. IV, p. 193.

8. E. GANNON, *The honor of being a Man. The world of André Malraux*, Loyola University Press, Chicago, 1957, p. 202, n. 57 compare le passage cité avec la version originale de PACA (p. 216) : « L'humanisme, ce n'est pas dire « ce que j'ai fait, aucun animal ne l'aurait fait », c'est dire, « j'ai refusé en moi la bête, et suis devenu homme sans le secours des Dieux ». Le climat de «mort de Dieu» est plus apparent dans PA, ainsi que le défi antithéiste; dans VS, le défi disparaît, au moins selon sa dimension religieuse, mais le ton est devenu plus profane également; d'un côté, il y a la fierté de celui qui se passe « des dieux », de l'autre, celle de celui qui vainc le destin.

surtout les historiens de l'art et les artistes, car elle contient des pages étonnantes sur les métamorphoses des styles, par exemple ceux du Caravage, du Tintoret et du Greco, à partir d'un commun modèle, la peinture vénitienne du Titien.

La métamorphose des styles est la loi de l'artiste : il ne veut pas copier le réel, mais s'opposer aux styles antérieurs; il veut créer un monde distinct du monde apparent; il obéit à des lois qui sont propres à l'art. Voilà pourquoi Malraux valorise les arts modernes à deux et même à une dimension. Il tente pour les arts plastiques la même « explication » que celle qui naguère fut utilisée pour la poésie, lorsque l'on parlait de « poésie pure ».

Dans cette perspective, le contenu de l'œuvre n'a plus d'importance, sinon en ceci que, toujours, dans la statue ou la peinture, ce qui est affirmé, c'est la victoire remportée par l'artiste sur le destin. « L'artiste est celui qui est plus profondément atteint par la découverte des œuvres d'art, que par celle des choses qu'elles représentent » (p. 279); il a perdu « le sentiment de sa dépendance; son œuvre est une parcelle du monde orientée par l'homme... et animée par la coulée du temps des hommes » (p. 459). *A la présence impérieuse du sacré divin, s'est substituée la « présence impérieuse de l'artiste »* (p. 568).

La grande œuvre d'art « est » : ces mots disent la volonté de substituer à l'ordre divin, l'ordre humain de l'artiste, qui assume une sorte de « présence de l'éternel » dans le temporel, mais un éternel qui est la « coulée du temps des hommes » dans leur commune et inusable résistance au destin. Ce n'est pas le monde que l'artiste *regarde* qui est sacré, c'est le monde que *crée* l'artiste qui l'est, en face et contre le monde réel, absurde et inhumain. Le musée imaginaire doit créer entre les hommes cette communion « ironique » et courageuse dont *La lutte avec l'ange* nous a laissé quelques admirables images. Le musée est « l'espoir » des hommes.

*   *
*

Essayons de préciser ce qu'est le « surmonde » de l'art : le terme employé dans *La métamorphose des dieux* caractérise à la fois l'art comme *création* de l'artiste et comme « *monnaie de l'absolu* ».

L'art est une « voix survivante mais non pas immortelle qui s'élève au-dessus de l'intarissable orchestre de la mort ». Dans le volume *Des bas-reliefs aux grottes sacrées*, on retrouve la même pensée, exprimée en une formule frappante :

Quel est ce domaine qui semble transcender l'histoire et ne pas appartenir à l'immortalité, où l'expression spécifique du plus vieil effort qu'ait poursuivi l'humanité pour donner un sens à l'univers, trouve en nous cette présence et cet écho inexplicablement fraternel? (BR, p. 66).

Les termes sont aussi précis qu'ils peuvent l'être chez un lyrique comme Malraux : l'art transcende l'histoire, en ce sens que son rôle n'est pas « d'exprimer des valeurs historiques[9] », car l'artiste « par sa conquête personnelle dans le monde des formes, transcende l'histoire et affirme, en dehors d'elle, son génie[10] »; cependant l'art ne participe à aucune immortalité philosophique ou religieuse, parce que philosophie et religion ne sont que des *fictions*[11]. L'art se situe donc dans un domaine qui n'est ni celui de l'histoire et des cultures, ni celui des symboles religieux (bien qu'il s'en serve constamment comme matériaux); le domaine de l'art ne peut se définir par rien de ce que nous connaissons par ailleurs, sinon par l'art lui-même, par cette valeur autonome, cette expression spécifique du plus vieil effort qu'ait poursuivi l'humanité pour donner un sens à l'univers. Ce dernier n'est pas une métaphysique ou une religion, mais la prise de conscience que les hommes font, dans la création artistique comme dans la compréhension de l'œuvre d'art, d'une fraternité qui les unit *en face* d'un univers dénué de sens. *L'art ne dévoile aucun secret du monde*, aucun *autre monde* religieux ou métaphysique, qui irradierait *à travers* celui-ci.

Le terme « surmonde » ne signifie donc rien de semblable à un « au-delà métaphysique ou religieux »; il s'agit simplement d'un monde de la création artistique, par lequel l'artiste rivalise avec le monde réel, en créant son monde à lui, né par opposition, non pas au monde ambiant mais aux *œuvres* artistiques des prédécesseurs. Le propre de l'art est justement que cette création autonome de l'artiste, par laquelle il

---

9. A. et J. BRINCOURT, *Les œuvres et les lumières*, Paris, 1955, p. 87-90.

10. *Ibid.*, p. 88 : « Il ne faut pas confondre l'orientation de l'art et celle de l'histoire. La recherche de l'influence de l'histoire, féconde lorsqu'il s'agit des styles, ne s'applique pas aux créations artistiques. L'art en effet, naît d'un style, et cependant, le dépasse par une conquête nouvelle qui n'est pas d'ordre historique mais d'ordre formel ». C'est vrai, mais cela n'exclut pas que la création artistique puisse intégrer les valeurs religieuses ou philosophiques véhiculées par l'histoire. Nous sommes toujours en présence de la même antinomie : ou bien ramener l'homme à l'art, ou l'art à l'homme; dans le premier cas, il n'y a plus rien, sinon l'univers de la création artistique pure, dans le second, sans nier l'autonomie de l'invention créatrice, on peut y intégrer un univers à la fois humain et surhumain.

11. *Ibid.*, p. 210. Malraux veut « isoler » le fait artistique, et rejeter en dehors de lui toute l'esthétique des thèmes et des symboles : ce serait du poids mort, des branches sèches.

s'arrache au déterminisme de l'histoire et de la culture et fonde lui-même une phase de cette culture, « trouve en nous cette présence et cet écho inexplicablement fraternel ».

La zone où se situe le « surmonde » est précisée dans le texte suivant :

> Qu'y a-t-il de commun entre la communion dont la pénombre médiévale emplit les nefs, et le sceau dont les ensembles égyptiens ont marqué l'immensité : entre toutes les formes qui captèrent leur part d'insaisissable? Elles imposent ou insinuent la présence d'un autre monde. Pas nécessairement infernal ou paradisiaque, pas seulement monde d'après la mort : *un au-delà présent*. Pour toutes, à des degrés divers, le réel est apparence; et autre chose existe, qui n'est pas apparence (MD, I, p. 773).

Malraux n'ignore pas que les nefs gothiques et les pyramides égyptiennes ont une signification religieuse, portant, par exemple, sur un enfer et un paradis; il ne néglige pas l'existence, dans ces croyances, d'un « monde d'après la mort », mais il laisse tomber ces facteurs « variables » comme faisant partie de ces « cercles de culture » promis à la mort, dénués de signification universelle. Il veut chercher au-delà des croyances sacrées qui sont cependant à l'origine de ces arts; il se demande ce que les arts de tous les temps et de tous les pays peuvent signifier pour nous qui ne croyons plus à aucune philosophie, à aucune religion. Le commun dénominateur qui unit la nef gothique à la pyramide égyptienne, il le nomme « au-delà *présent* », pour le distinguer d'un « au-delà » de l'autre monde, qui, pour lui, serait nécessairement, — parce que de l'*autre* monde, — *absent*[12].

Il s'agit de quelque chose qui est au-delà du réel, car celui-ci est « apparence » (MD, I, p. 773); or, le but de l'art égyptien et gothique (mais cela vaut de tout art) est de « fonder l'apparence en vérité » (MD, I, p. 775) :

> L'art égyptien... *par le style* fait accéder le mort à l'éternel, comme le peintre byzantin fait accéder le vivant au sacré (MD, I, p. 775).

---

12. Bien que j'y revienne plus loin, il est bon de signaler ici l'équivoque de ce texte : « l'au-delà chrétien » n'est pas « absent », mais « présent »; il n'est pas éloigné, mais proche; il est, selon l'expression de Guitton, « un au-profond du temps »; d'où la stylisation artistique, dans l'art chrétien, a pour but de rendre présent cet « au-delà », de nous arracher à l'assouvissement d'un « pseudo-art », pour nous faire entrevoir l'éternel *incarné* dans le temporel, le spirituel dans le charnel; affirmer la réalité d'un monde divin n'est donc pas ravaler l'art à une évasion ou à une fonction fabulatrice, mais c'est aussi échapper au divin ambigu qui écrase l'homme et le dépersonnalise.

L'expression capitale est «par le style», car c'est lui qui fait accéder le mort à l'éternel, le vivant au sacré; il ne s'agit en aucune manière d'une création artistique rendant sensible l'accession *réelle* du mort à une éternité *réelle*, l'accession *réelle* du vivant à un sacré *réel* comme dans l'art byzantin, par exemple[13]; *tout se passe dans le domaine de l'art*; celui-ci n'est plus au service d'une réalité métaphysique ou religieuse; cette dernière est « au service » du *style* artistique :

> Or si l'on peut concevoir pour pôle d'une méditation la relativité de l'apparence et la poursuite de l'absolu, on ne peut les concevoir dans une société, *que liée à des formes*. Il y a un style égyptien parce que la vraie vie est dans une éternité particulière; mais la vie de chacun naît dans cette éternité *exprimée par le style égyptien*, car l'Égyptien conçoit d'abord le monde éternel qu'il trouve en naissant. Les rites ne suffisent pas aux religions : la Présence de ce qui échappe à l'apparence exige le lieu sacré, la statue, la danse, le masque, la musique ou le poème des formes (MD, p. 791-792).

Le primat revient à la « forme » parce que, sans elle, l'absolu, même s'il existait, ce que Malraux rejette du reste, ne pourrait se concrétiser, être conçu; l'Égyptien « de l'histoire », par les formes, croyait atteindre un absolu réel; pour nous, qui savons qu'il n'y a pas de vérité, pas de monde, pas d'au-delà de ce monde, nous ne gardons du style égyptien que le « surmonde » de la *forme* artistique.

* * *

Nous pouvons conclure cet exposé de l'esthétique de Malraux en essayant de répondre à la question « qu'appelons-nous art? »; il répond : « *Ce qui crée les formes victorieuses de l'apparence* » (MD, I, p. 792). Le surmonde de l'art, qui est l'art lui-même, création autonome, est la seule valeur stable qui demeure, tandis que le « surmonde » des diverses religions et civilisations sacrées est chose morte, définitivement, écorces laissées de côtés, chrysalides dont est sorti l'art comme anti-destin.

---

13. L'art byzantin prend plus qu'aucun autre au sérieux l'incarnation du Fils de Dieu : le concile de Nicée, en 787, montre que la vénération des Icônes se justifie en dernière analyse parce qu'elles sont un prolongement de l'Incarnation. L'icône devient un moyen sensible qui communique une certaine grâce spirituelle; la matière même en devient sacrée, car l'icône a été peinte après un certain nombre de jours de jeûne et de prière, elle est bénite, sert dans les cérémonies religieuses; elle devient une sorte de prolongement, lointain sans doute, mais réel, de l'humanité déifiée de Jésus; l'icône, — ou la statue, le tableau, et, en général, tous les objets sacrés, — devient ainsi transparente à autre chose, au Christ qu'elle évoque et que nous adorons.

II. Grandeurs et lacunes
de la critique de Malraux sur l'art

1. Nécessaire négation d'un monde impur

a. Caractère propre de l'art.

La première valeur soulignée par Malraux est celle de l'art dans ce qu'il a de *spécifique*. En musique, il faut que l'amateur dépasse la « musique à programme » où les sons et les rythmes ne sont que le support sonore de tableaux, d'événements; de même, dans les arts plastiques, le style introduit dans un « autre monde » (p. 624-625) « irréductible à celui du réel » (p. 318). Admirer une peinture, ce n'est pas admirer une copie du réel, par exemple un paysage que l'on n'admirerait pas dans la réalité : la critique de Pascal porte sur les arts académiques d'illusion, de fiction, mais elle est sans objet si l'on a saisi que les beaux-arts, sans être infidèles au réel, le transposent et nous font pénétrer dans une sorte de « réalité seconde » qui est précisément celle que l'artiste impose aux hommes aveugles et endormis.

Admirer le polyptyque de *l'Agneau mystique* ce n'est pas compter les pétales des fleurs peintes par Van Eyck; ce n'est pas dire de *La Joconde* qu'elle est un chef-d'œuvre « parce qu'on dirait qu'elle va parler » ou parce qu'on aurait le sentiment presque physique de la douceur pulpeuse des doigts de Mona Lisa. L'œuvre de Van Eyck et celle de Vinci sont tout cela, mais aussi autre chose, qui est précisément *l'essentiel;* on n'en veut pour preuve que le seul fait, souligné par Malraux (p. 459-463), qu'aucune copie n'est jamais parvenue à rendre ce « mystère » de la Joconde que le seul Léonard a su rendre; tout ce que l'auteur des *Voix du silence* écrit sur les faussaires, dont le plus célèbre est van Meegeren (p. 372, 456), manifeste que leur technique parvient à reproduire les éléments secondaires du tableau, mais qu'elle ne peut rendre le « style » propre à chaque œuvre authentique, car il n'appartient qu'à l'artiste créateur.

Une peinture est avant tout une peinture, c'est-à-dire « un assemblage de couleurs » obéissant à des lois propres. Les grands artistes ne sont pas des transcripteurs du réel, mais, en un sens, ses rivaux (p. 459); ils essayent de « faire voir ce qu'on ne peut pas voir » (p. 545). Tout comme dans la poésie il y a quelque chose qui est au-delà du sens des mots, un mystérieux « courant » qui « passe » ou ne « passe pas », qu'il est impossible de rendre dans une traduction (songeons par exemple à Dante et Racine), ce que Bremond appelait « poésie pure », de même, dans les arts plastiques et les arts musicaux, il y a un « art pur » qu'aucun faussaire, qu'aucune technique ne peut rendre. Malraux a fait lui-même ce rapprochement de la thèse centrale des *Voix du silence* avec la poésie et le roman : il faudrait, dit-il, réunir le musée imaginaire de la poésie mondiale (MPLM, p. 62, 80); tout comme l'aventurier essaye de vivre « le réalisme de la féerie », l'artiste littéraire vise une création, il « s'exprime pour créer » bien plus qu'il ne crée pour s'exprimer, et ses personnages résistent lorsqu'on veut les transposer tels quels dans le monde de la réalité quotidienne (MPLM, p. 38, 39, 59, 64).[14]

Qu'il y ait dans la « création » artistique ainsi comprise quelque chose de cette dignité royale impartie à l'homme par la révélation chrétienne, qu'il y ait dans cette puissance propre à l'homme de faire jaillir de la glaise cosmique des figures vivantes, où s'inscrivent et la dépendance des humains par rapport à l'univers, mais aussi la liberté souveraine d'un être qui est plus grand que ce monde, la chose paraît évidente. Malgré l'ambiguïté que comporte une pareille vision des choses, il demeure que si les beaux-arts ne sont qu'une copie plus ou moins réussie du réel quotidien, ils sont impurs; l'art authentique apparaît *au-delà*, dans la négation de ce monde « impur » (p. 599).

---

14. Les deux premiers écrits de Malraux, *Royaume Farfelu* et *Lunes en papier* (composés aux environs de 1921) rapprochent un monde « irréel », fantaisiste, et une volonté d'action créatrice, tant sur le plan artistique que sur celui de la vie : ils présentent ce caractère unique d'être à la fois marqués par le surréalisme (surtout *Lunes en papier*) et par une volonté crispée, fascinée, devant l'empire de la mort. Jusque dans les romans les plus « réels » de Malraux, les plus liés aux situations révolutionnaires de la Chine et de l'Espagne, les héros se servent du réel comme d'un prétexte à affirmer leur volonté désespérée : cela explique le caractère hallucinant des paysages et des faits décrits; ces romans sont sans doute des reportages, mais les faits et les paysages, choisis par l'auteur, sont une matière « impure » dont le héros se sert pour se créer lui-même dans la lucidité; ainsi le terrorisme est, pour Tchen, une sorte de « religion »; il est une occasion privilégiée d'adhérer à lui-même comme les doigts serrent les paumes d'un poing tendu. Tout ce qui a déjà été dit s'éclaire ainsi de manière neuve. Faute d'avoir remarqué ce trait commun à tous les écrits de Malraux, et à tous ses personnages, la critique n'a pas découvert l'unité qui marque l'œuvre, depuis *Royaume Farfelu* jusqu'au *Musée imaginaire de la sculpture mondiale*. Dans ses œuvres « fantaisistes », dans ses « préfaces », dans ses « romans », dans ses écrits artistiques, Malraux se sert du « réel » comme d'une matière qui doit servir la création artistique; celle-ci n'est que l'aspect sensible d'une autre « création » plus essentielle, celle de l'homme qui retrouve dans sa « rivalité avec la création » son « honneur » de révolté. Malraux est *un artiste* jusqu'au bout des ongles, non au sens péjoratif, mais dans le sens beaucoup plus essentiel d'un art qui exprime le visage de l'homme; celui-ci tire de sa conscience d'être mortel la force de nier la dérive des nébuleuses. On saisit maintenant pourquoi *tout art*, selon Malraux, est ce que l'on *voudra*, *sauf une concurrence à l'état civil*.

b. Critique des arts d'assouvissement.

Le caractère spécifique de « l'art pur » implique une critique des arts d'assouvissement qui ont submergé l'Occident durant trois siècles (xviie-xixe siècles); Malraux les appelle « le musée imaginaire des comestibles » : une affiche représentant un Bébé-Cadum en dessous d'une bombe atomique fera plus pour la propagande « pacifiste » que les gravures « sumériennes » de Picasso (p. 518, 521). On peut ne pas aimer *Guernica*, cette toile peinte par le célèbre espagnol entre le 1er mai et le 15 juin 1937, dans la colère provoquée par le bombardement de la petite ville basque de Guernica le 28 avril 1937, mais on demeure confondu devant la force du cri de révolte qu'elle exprime :

> « …cris d'enfants, cris de femmes, cris d'oiseaux, cris de poutres et de pierres, cris de briques, cris de meubles, de lits, de chaises, de rideaux, de pots… »

La toile obsède par ses lignes enchevêtrées, ses trois couleurs, le blanc, le noir, le gris, le cri, figé dans une immobilité millénaire, de la femme tenant son enfant mort, les membres distordus, les faces soufflées par le vent de la bombe; la force de l'Espagne, représentée, semble-t-il, par le taureau, évoque le cycle de l'éternel retour des saisons et des siècles, et n'enferme que mieux encore l'homme dans la destinée; la lampe portée à bout de bras par « un visage » surgi d'on ne sait où *n'éclaire rien;* cette toile exprime la vérité des deux vers d'Éluard :

> Homme réel pour qui le désespoir
> Alimente le feu dévorant de l'espoir.

Elle est la parfaite traduction plastique de l'accusation du monde qui est, pour Malraux, le cœur de l'art. Cette peinture participe de la stylisation des arts crétois — moins la couleur, absente chez Picasso, chatoyante en Crète; — elle exprime la réalité de ce monde bouché, fermé, pesant, contre lequel l'espoir se lève comme un défi. Alors que l'art authentique doit faire de l'homme autre chose « que l'habitant comblé d'un univers absurde » (p. 523), les arts d'assouvissement se fondent non sur la communion mais sur la complicité (p. 528) en un dialogue servile (p. 535). Il faudrait éviter que le refus de l'art de Picasso et de bien d'autres « modernes » ne s'explique « aussi » chez beaucoup d'Occidentaux par la complicité et par la peur de voir le réel en face[14].

---

14. Personnellement, je n'aime pas cette toile, peut-être parce qu'elle est une transcription trop littéraire d'une idée, « la révolte » contre le « destin » absurde

* * *

La chrétienté n'a pas échappé à la décadence des arts d'assouvissement : Malraux décrit le « christianisme psychologique et sentimental » du xixᵉ siècle (p. 602); de plus en plus, dit-il, religion et fiction se sont confondues (p. 86-89); du moins dans l'art, au xviiᵉ siècle, le christianisme est passé de l'absolu au relatif (p. 478); au xviiiᵉ siècle, les attaques antichrétiennes portèrent non sur la foi mais sur une piété dont tout sacré avait disparu (p. 480); sous la profusion des églises jésuites ne cessa de s'étendre la crevasse de la chrétienté (p. 601). Selon Malraux, les arts « chrétiens » des trois derniers siècles témoignent d'une « chrétienté incapable de répondre aux questions que posent à l'homme la vieillesse, la mort et le destin » (p. 466). Sans doute il se trompe en ajoutant que cette chrétienté ne répondait pas plus aux questions posées par Jésus, mais il est vrai que l'art témoigne ici d'une « chrétienté affaiblie qui cesse de soumettre l'homme à l'invincible stylisation qu'est toute présence de Dieu » (p. 69); la preuve en est l'incapacité où la chrétienté s'est trouvée de créer des œuvres d'art authentiques (p. 493-494) : la « peinture pieuse » n'est qu'un art d'assouvissement (p. 528).

Un texte du Père Couturier, le courageux pionnier de l'art chrétien authentique dit la même chose : « Quand nous disons que nous ne pouvons plus compter que sur des miracles, nous entendons parfaitement dire par là que la société chrétienne, dans l'état où elle est en Occident, ne peut guère produire qu'un sacré sans pureté et sans vie, et, plus précisément encore, qu'en laissant à leur fonctionnement *régulier* les collectivités et les organismes ecclésiastiques, ce qui sort *normalement* de ce fonctionnement régulier c'est Lisieux, Lourdes, Orval et Fatima... Ce qui reste vrai c'est que le peuple chrétien, plus que jamais, *a besoin de chefs-d'œuvre* car il en est depuis longtemps cruellement sevré; mais quand nous disons « chefs-d'œuvre », nous l'entendons de vrais chefs-d'œuvre et non point de ce qu'on prend pour tel dans nos petits cercles ecclésiastiques d'admiration mutuelle...

---

qui écrase Guernica; le caractère frénétique et déclamatoire semble montrer que l'artiste a œuvré sous le coup de passions trop brutales, pas assez dépassées, décantées : à aucun moment on n'a l'impression de pénétrer dans un au-delà, celui que l'art dévoile, en arrachant les « masques »; la tragédie grecque représentait aussi des actes d'une violence atroce, mais transposés sur le plan de l'art authentique : aussi bien *Œdipe Roi* ou *Agamemnon* apportent-ils une purification (la « *katharsis* » dont parle Aristote) et une sérénité qui sont le contraire de la complicité des arts d'assouvissement.

Nous redirons donc sans nous lasser qu'il faut *vouloir ces chefs-d'œuvre*, obstinément, durement[15] ».

Depuis la mort de l'art baroque, que l'on peut ne pas tenir pour le plus vrai des arts chrétiens, certes, mais qui est le dernier témoin d'un grand art religieux universel, en peinture, sculpture, architecture, musique et poésie, la chrétienté *n'a plus eu d'art sacré*, sinon cette caricature doucereuse et « comestible » que l'on nomme, à tort ou à raison, l'art sulpicien : la seule peinture religieuse digne de ce nom, pour le xixᵉ siècle à Paris, est représentée par les deux fresques de Delacroix dans une obscure chapelle de Saint-Sulpice; elles firent tellement scandale dans les milieux « catholiques » de l'époque qu'il fut question de les remplacer par de nouvelles fresques confiées à Hippolyte Flandin, le « peintre » qui sévit durant de nombreux décades dans les églises parisiennes.

Cette situation est tragique, car parallèlement à l'expansion de l'Europe du xixᵉ siècle dans le monde, la chrétienté européenne exporta partout, en Palestine, en Grèce, en Chine, l'art sulpicien : la ferblanterie religieuse que les pèlerins achètent à Tinos, qui est le Lourdes de l'orthodoxie grecque, est identique à celle que l'on se procure à Lisieux. Quant à l'iconographie des sanctuaires latins de la Terre Sainte, il vaut mieux n'en point parler.

Cette décadence des arts chrétiens est l'indice d'un affaiblissement de la vie chrétienne elle-même : un des témoignages apologétiques de l'Église est *aussi* celui des grands arts religieux; sans doute, l'art jésuite s'est voulu trop rassurant, en éliminant jusqu'à l'apparence de la présence du démon (p. 80-88); mais le style baroque *était un style*, il témoignait de la transfiguration de l'homme et du monde par la rédemption de Jésus (même si cette « transfiguration » fait parfois penser à une « apothéose » trop humaine, à une escalade du ciel plutôt qu'à une « descente de Dieu » dans un monde qu'il vient consacrer). Après l'art baroque, c'est le *no man's land;* il manifeste une décadence du sens chrétien. Un article nécrologique consacré au Père Couturier le dit : « ce pionnier, selon une méthode pascalienne, travaillait à susciter l'inquiétude salvatrice et à détruire ce confort spirituel, *dont les ravages dans l'art n'étaient si scandaleux que parce qu'ils étaient l'affleurement, combien sensible, de ces autres ravages, secrets mais non moins pénétrants qui affectent — depuis combien de temps? — tout le domaine de la foi*[15bis] ». « La querelle de l'art sacré au xxᵉ siècle » est tout autre chose qu'une discussion de spécialistes; elle est un des aspects du renouveau nécessaire de l'art comme de la vie chrétienne dont le xxᵉ siècle apporte de si

---

15 et 15*bis*. *Actualité religieuse dans le monde*, n⁰ 23, 1ᵉʳ mars 1954, p. 27.

émouvants témoignages. Sur ce point, Malraux combat avec les meilleurs chrétiens en faveur d'un art « purifié », qui réveille les hommes de leur sommeil « comblé ».

c. L'humanisme mondial.

Un troisième apport des *Voix du silence*, comme aussi de toute l'œuvre de Malraux, est la prise de conscience, l'élargissement planétaire de la culture, qui est une des marques de notre siècle. L'image du *musée imaginaire* révèle ici toute sa richesse : la confrontation des arts de tous les temps, qui va de pair avec la planétisation de la culture et de l'économie, est *un des phénomènes majeurs* de notre époque. Avec le disque et la reproduction photographique les arts dans l'espace et dans le temps ont trouvé leur imprimerie (p. 14); notre siècle est confronté avec l'héritage de toute l'histoire (p. 44) : ce fait est aussi important que la découverte de l'imprimerie par Gutenberg, au xve siècle, et ses conséquences commencent à se manifester. La radio et surtout la télévision (quand celle-ci sera à même de donner des transmissions « directes » d'événements se passant sur toute la planète) contribuent aussi à ce déferlement des civilisations du passé et du présent dans les demeures de tous les hommes.

La « Renaissance » du xxe siècle est sans comparaison avec celle du xvie siècle car elle nous ouvre aux millénaires des arts sacrés, dits « primitifs » et « barbares », et nous fait prendre conscience du caractère accidentel, tant dans l'espace que dans le temps, des arts « de fiction », ou des arts académiques. Les « voix du silence » nous arrivent des quatre points de l'horizon; elles retentissent, en écho, depuis la profondeur du passé jusque dans le silence de nos studios.

Le « musée imaginaire » doit être au centre des discussions sur la culture : qu'ils s'agisse d'humanisme (profane et chrétien) ou « d'humanités », il est nécessaire « d'élargir le front de Pallas Athéna » ainsi que le disait R. Grousset dans *Bilan de l'histoire*. Il n'est pas question seulement de revivifier la « latinité » parfois exsangue de nos lycées et universités, par l'apport des cultures germaniques et anglo-saxonnes, ni non plus de replonger l'hellénisme dans ses sources orientales (qui rejoignent la Crète et l'Asie mineure autant que l'Égypte) ni, enfin, de compléter la culture latine par ses rameaux italiens et espagnols (je songe à Dante et Cervantès); il s'agit d'une bien autre « renaissance », car elle se confond avec la nécessité de penser le *premier humanisme vraiment mondial*, celui que nous impose l'évolution du monde présent et l'extension de la culture tant en elle-même qu'au point de vue de sa diffusion dans toutes les couches de la société.

Nous vivons le début d'un enfantement; il faut que l'Occidental garde *la tête froide et lucide :* s'il a mauvaise conscience, car la suprématie de l'Occident sur le monde est mise en question, le danger serait aussi grand à se jeter aveuglément dans l'océan sans rivage des cultures orientales et africaines. Mais Albert Béguin a raison d'écrire « qu'il est impossible de ne pas nous demander aussitôt, nous Européens qui avons tendance à juger les autres civilisations, à les ignorer ou à croire qu'elles doivent finalement aboutir à la nôtre, dans quelle mesure ce n'est pas nous qui sommes mis en jugement par ces civilisations[16] ». S'il ne faut pas abandonner l'humanisme gréco-latin, il faut le comparer, l'enrichir, l'ouvrir surtout à ces autres cultures qu'il devient impossible d'ignorer. La raison majeure du malaise de nos étudiants de lycées et collèges devant la culture des « humanités » classiques est là : se sentant confusément sollicités par les appels des cultures mondiales dont ils entendent un écho par exemple dans les conférences « Exploration du monde » dont le succès est un signe des temps, ils ont l'impression que l'enseignement « traditionnel » est coupé de la vie, desséché et mort. S'il ne faut pas céder à un vertige, soit sous la forme d'un syncrétisme destructeur (du type Simone Weil) soit à un « pluralisme » agnostique (du type Spengler-Malraux), il faut se garder aussi d'un repli frileux et d'un réflexe de « conservateur » de musée (cette fois au sens académique du terme).

Devant cet immense problème, dont l'urgence ne fera que croître, l'absence de foi chrétienne rend la démarche de Malraux fort hésitante car le christianisme prépare le « baptême » des civilisations tout en les sauvant dans ce qu'elles ont d'authentique, il les insère dans une trame providentielle où la révélation de Jésus apporte le salut : il n'est que de rappeler les efforts « d'adaptations » missionnaires de l'Église, pour saisir dans quel sens doit s'orienter, non seulement l'humanisme mondial profane mais surtout son baptême par l'unique Église de Jésus. A ce point de vue, la chrétienté est encore dans l'enfance.

* * *

Sous ces trois aspects, valeur spécifique de l'art, retour nécessaire à des arts de type sacré et élargissement mondial de la culture, l'œuvre

---

16. Le texte se trouve dans *Réponse, Perspectives de Catholicité.* Louvain, 9ᵉ année, avril-mai, 1953, p. 1; tout l'article est à lire, car Béguin souligne comment Malraux a aidé à faire prendre conscience de la multiplicité des civilisations. Lire aussi J. LALOUP et J. NÉLIS, *Culture et civilisation, Initiation à l'humanisme historique,* Tournai-Paris, 1955.

de Malraux représente un apport dont on ne saurait sous-estimer l'importance. L'extraordinaire succès des *Voix du silence* (non seulement en Europe mais dans le monde, au Japon par exemple) montre que son auteur apparaît comme un « prophète laïc » qui dégage la signification cachée de cette moitié de siècle où nous voici parvenus. A ce titre, je suis d'accord avec André Rousseaux lorsqu'il affirme que *Les voix du silence* est « l'œuvre capitale de son auteur et l'un des grands livres de notre temps[17] ».

2. Nécessaire conversion à la métaphysique

La partie négative de cette critique s'inspire d'une fervente admiration et d'un souci de dialogue que l'on voudrait aussi sincère que possible ; il s'agit bien plutôt de « réintégration » selon une dialectique ascendante qui doit conduire au cœur du problème.

a. Le vrai visage du dialogue Orient-Occident.

On aura remarqué l'importance du thème des « métamorphoses d'Apollon » : l'antithèse entre Asie et Grèce est un des fondements de l'esthétique de Malraux.

Reconnaissons que la pensée de Malraux sur l'art grec balaye les poncifs de manuels trop répandus (par exemple l'*Apollo* de Reinach, qui passe encore trop pour « le fin du fin » en matière d'histoire de l'art). Il faut en finir avec « l'idéalisation » qui est une invention des restaurateurs d'académie, ainsi qu'en témoigne une comparaison de la *Tête de Laborde* au Louvre (le nez est refait) et de la célèbre *Tête d'Hygie* du Musée national d'Athènes (non « restaurée ») (cfr. MD, II, p. 972-973). Les images de *La métamorphose des dieux* qui expriment le contraste de l'art grec avec celui de l'Asie en apprennent plus que de pesants manuels. Malraux présente sur une double page la *seule* sculpture grecque du musée de Téhéran et une autre œuvre « orientale » : « elle

---

17. *Littérature du XXᵉ siècle*, t. IV, p. 174. Ma critique des théories esthétiques de Malraux doit beaucoup à ce très beau chapitre de Rousseaux (p. 174-195). Un beau texte de PACA (p. 216), non repris dans VS, exprime bien l'idée centrale de Malraux sur l'art, ainsi que la valeur positive qui s'en dégage : « Peut-être est-il beau que l'animal qui sait qu'il doit mourir, en contemplant l'implacable ironie des nébuleuses, lui arrache le chant des constellations; et qu'il le lance aux siècles, auxquels il imposera des paroles inconnues ». La continuité aussi bien que la métamorphose constante qui lie les œuvres d'art de siècle en siècle est ici admirablement exprimée, on rapprochera ce texte de NA, p. 137, 169; cfr *supra*, p. 62, 67.

y est aussi intruse que le serait l'atroce crucifix de Perpignan au musée de l'Acropole... La pulsation de cette draperie captive, séparée de tout ce qui l'entoure par l'avenir du monde, apporte dans l'immobilité orientale ce que jamais l'Orient n'a suggéré : le vent » (MD, II, p. 975-978). Le sobre ruissellement des plis du péplos sur le corps féminin, la force et la douceur de la poitrine enveloppée des vagues silencieuses de l'étoffe, la pose retenue, incarnent la Grèce sérieuse et d'une souple gracieuseté, jeune mais sans mièvrerie, tendre mais sans fadeur, fine mais sans ces mignardises qui nous agacent chez d'autres. En face, sur l'autre page, il y a un bas-relief de Persépolis (la statue grecque fut trouvée au même endroit) : deux guerriers dont la marche semble ne souligner que mieux encore l'immobilité cataleptique, la progression visionnaire, un peu hagarde, de personnages qui paraissent sortis d'un éternel cortège d'ombres.

Malraux a donc bien vu que l'art de l'Asie ancienne soumet l'homme à un éternel qui l'envoûte, l'immobilise, l'efface, tandis que celui de la Grèce réussit ce tour de force de mettre l'homme au centre de l'univers, sans lui enlever rien de sa jeunesse, de sa force, de son sourire, mais sans le laisser non plus dans la pauvreté profane de sa vie quotidienne, en entourant ses traits d'une *aura* sacrée qui, loin de les détruire, les incarne mieux encore et les rapproche de nous.

Je suis sensible à la gravité de la Grèce, alliée au sourire d'Athéna. Athènes est une capitale « féminine », mais sans les coquetteries de courtisane vieillie qui inquiètent parfois à Venise (autre ville féminine, s'il en fut!) et sans la fraîcheur encore un peu acide, enfantine, de la petite sœur de Venise, Torcello : Athènes est aussi capitale de l'Athéna *pensive*, appuyée sur sa lance.

* * *

Malraux voit dans l'art grec une négation de l'éternel, de l'Être. Or toutes les études récentes sur la Grèce[18] insistent sur l'aspect religieux de sa civilisation. Dire que la Grèce « oublie l'Être » est un peu étonnant quand on songe aux philosophes grecs, Platon et Aristote; dire qu'en 50 années, celles qui précèdent la ravissante et sérieuse tête de *l'Éphèbe blond* du Musée de Delphes (début du ve siècle), la Grèce

---

18. Citons le travail le plus accessible pour le lecteur français, M. P. NILSSON, *La religion populaire dans la Grèce Antique*, dans *Civilisations d'hier et d'aujourd'hui*, Paris, 1954, p. 131; l'auteur, un des plus grands spécialistes actuels de la religion grecque ancienne, a écrit aussi le volume sur ce sujet dans le *Handbuch* de VON MULLER. Cfr *Sagesse grecque et paradoxe chrétien*, 1re partie, ch. I, 2e partie, ch. I.

a rejeté l'absolu, c'est résoudre en une ligne une question disputée depuis toujours par les historiens, celle du sens de l'évolution qui fera naître, vers 480, le « siècle de Sophocle » et, plus tard, la sophistique; dire qu'il y a eu rejet de l'absolu, c'est supposer que l'œuvre d'Eschyle présente encore les hommes « menacés » par le destin divin, tandis que celle de Sophocle ne présenterait plus que « le surmonde de l'Homme ».

J'ai peur de ces simplifications : plus on creuse le ve siècle grec, plus on découvre en lui un réseau de courants religieux extrêmement importants; l'art « classique » est un équilibre entre les forces qui font rayonner l'harmonie sur le visage de l'homme et celles qui, venues d'un autre monde, celui de la fatalité, de la mort et de la souffrance, participent au monde des dieux. L'art grec que décrit Malraux s'inspire trop du rationalisme renanien dans *La prière sur l'Acropole;* il s'en défendait, mais son information est ici en défaut. Il faut par exemple distinguer les dieux de la mythologie, « qui sont dieux fragiles et qui devront mourir au soleil » (MD, II, p. 961), et ceux des hôtes, des serments, des suppliants, du foyer : ces derniers sont les vrais « dieux » de la *religion* populaire grecque; leur culte, joint à celui des « dieux » locaux, forme la base d'une religiosité quotidienne dont l'*Iliade* et l'*Odyssée* ne donnent que de rares aperçus, mais qui forment la trame de la vie grecque, celle qui se reflète dans les stèles funéraires.

Ce qui oppose la Grèce à l'Asie ancienne, ce n'est pas le rejet de l'Être, mais simplement que l'Orient *prosterne* l'homme *devant* le sacré, tandis que la Grèce l'incarne *dans* le sourire mystérieux de ses statues. La civilisation grecque court toujours le risque de passer pour purement humaine, impertinente et athée; or, si les anciens Grecs étaient moqueurs et sensuels, ils comprenaient aussi la gravité d'un sacré qui s'humanise, mais n'est *jamais nié*, encore moins rejeté. Le site de Delphes impose la présence d'Apollon, dieu des songes, celle de la Pythie exaltée par les émanations sorties de la cassure des rouges Phédriades, mais on n'est jamais écrasé par le sacré delphique, comme on l'est à Baalbek par exemple. Dans la tragédie, la grandeur des héros est faite de leur fierté d'homme, mais aussi de la douceur qui les empêche de maudire les dieux, de se raidir et de déclamer; ils grandissent au moment même où la fatalité les écrase, car une mystérieuse sérénité descend sur eux.

Le héros grec conjoint l'activité et la douceur, la gravité et le sourire, la fierté, la gloire et la force avec la lucidité sereine devant la *Moïra* qui tue, abat, détruit. Aucun durcissement n'est en lui. C'est à l'époque d'Euripide que le scepticisme apparaîtra, avec les questions qui éliminent l'Être et l'éternel; mais à l'époque que Malraux décrit, il y a équilibre entre la fierté jeune, impertinente et ardente, et le respect du sacré, l'insaisissable gravité, le silence habité, la contemplation mi-rêveuse mi-raisonnée qui se lit sur les plus belles têtes grecques. La Grèce, en sa jeune gravité, en sa grâce sérieuse, — comme Gide le disait de Florence, la ville la plus « grecque » d'Italie après celles de la Sicile, — réussit à incarner le sacré, mais non point à le détruire, réussit à faire sourire l'éternel, mais non point à le supprimer, réussit à faire vivre et rire l'Être, mais non point à l'effacer.

b. Ambiguïté de la notion « d'art pur ».

Selon Malraux, une Vierge de l'art gothique n'est plus, pour nous, avant tout, « la Vierge Marie », mais une « statue »; alors que, à l'époque romane par exemple, un chrétien aurait dit d'une statue bouddhique qu'elle est non pas une œuvre d'art mais une idole rejetée au néant par l'art qui doit servir le vrai Dieu, actuellement, nous comparons une statue bouddhique à une statue romane du seul point de vue de l'art. Malraux s'efforce d'*isoler le résidu chimiquement pur* qui subsiste après le brassage des civilisations dans la cornue de l'histoire. Il semble bien que, au-delà d'une mise en lumière de la création artistique, Malraux aille jusqu'à une *dissociation* radicale de l'œuvre et de sa signification. Ce qu'il appelle un « art de grands navigateurs » c'est l'art moderne qui, en réaction à la fois contre l'académisme et la bassesse des *arts d'assouvissement* et contre *les croyances* religieuses des arts « sacrés » du passé, s'efforce de « reconstruire » un monde « humain »; cet art ne sait où il va; il risque de brûler sa main à la torche qui éclaire sa route (p. 638). Or, une pareille dissociation entre l'art comme tel et sa signification est inviable ainsi que trois remarques peuvent le faire voir.

Vouloir isoler « chimiquement » l'art « pur », c'est ramener les millénaires de la culture à une sorte de révolte *anonyme*, indifférenciée, contre le destin. Dans *La lutte avec l'ange* la notion fondamentale de l'homme était déjà cette patience inusable dont témoignent les conversations des soldats cachés dans la sape : « Moins les hommes participent de leur civilisation, disait Möhlberg, et plus ils se ressemblent... mais moins ils en participent et plus ils s'évanouissent... On peut concevoir une permanence de l'homme, mais c'est une permanence dans le néant ». Sans doute, Vincent Berger répond-il : « Ou dans le fondamental », mais cette « notion » d'anti-destin réduit à zéro la signification des cultures qui se sont succédé dans le monde : que la statue qui proclame la révolte de l'homme contre le destin, son annexion du monde, soit gothique, grecque, sumérienne ou bouddhique, qu'importe-t-il? L'humanisme de Malraux est « mondial », mais en jetant par-dessus bord les neuf dixièmes de l'histoire des idées, des religions, des sciences, pour ne garder que cet « insaisissable visage de l'homme », cette noble mais vaine révolte contre l'univers absurde. Il ne s'agit plus ici d'une notion, mais d'une *attitude*, noble sans doute mais factice, puisqu'elle s'appuie sur la négation des efforts séculaires de l'homme vers la vérité et l'amour. Malraux a senti cette difficulté majeure puisque, après avoir affirmé la nécessité d'un « art de grands navigateurs », il se demande si une « culture » de grands navigateurs est possible (p. 602). La réponse ne peut être que négative[19].

La seconde remarque s'inspire de la *considération de l'art lui-même :* isoler un art « pur », chimiquement, est aussi absurde que vouloir « isoler » la poésie pure. En d'autres termes, si nous voulions appliquer la notion malruxienne d'art, par exemple, à *la Divine Comédie*, il ne resterait de cette dernière que l'affirmation de la révolte de l'homme contre le destin; cette signification de la *Comédie* de Dante n'aurait plus rien à voir avec le *contenu* de l'œuvre. On aboutit à l'absurde. Certes, il est intéressant de signaler, pour faire voir la réalité de la « poésie pure », que le vers *La fille de Minos et de Pasiphaë*, dépourvu de sens puisqu'il ne comporte aucune affirmation lorsqu'il est coupé de son contexte, est chargé de ce mystérieux courant poétique qui circule dans les parties vivantes de *Phèdre;* mais il est radicalement impossible d'appliquer cette méthode à toute la tragédie : *ce serait la vider de ce qui donne au courant poétique lui-même sa force et sa beauté.* A *fortiori* cette méthode de dissociation chimique de l'art poétique pur serait-elle impossible à propos de l'œuvre de Dante. En réalité le « courant poétique », obtenu par des moyens qui sont exclusivement de l'ordre de l'art, est au *service de la signification des textes;* il nous recueille pour nous rendre attentifs à cette signification même, pour nous permettre de l'éprouver *comme réelle* (to realize disent les Anglais), nous concernant immédiatement, au lieu que, sans l'incantation poétique, l'histoire de Phèdre ne nous toucherait pas plus qu'un fait-divers des quotidiens.

---

19. En dernière analyse, ainsi que le fait remarquer E. GANNON (*op. cit.*, p. 180-181), l'art se détruit lui-même s'il se choisit comme son propre but; Malraux ne donne pas de définition de l'art et de l'esthétique, car ramener l'art à l'affirmation de l'autonomie de l'homme en face de l'univers, c'est voir en lui une réalité qui se trouve également dans la conquête impliquée par la bombe atomique ou la découverte de la pénicilline, ou le pouvoir de synthèse qui fit la *Somme théologique;* qu'il y ait dans l'art un élément essentiel de conquête, d'affirmation de l'homme, c'est évident, mais ce qui compterait, ce serait de nous dire ce qui marque *spécifiquement* la conquête que réalise l'art, et le distingue de celle de la science, de la philosophie... Ici Malraux ne peut rien nous dire, puisqu'il a réduit l'homme à une quintessence de volonté qui devient anonymement interchangeable d'un domaine à l'autre des disciplines humaines. Malraux est aussi un « aéronaute sans cargaison » : son humanisme universel peut tout accueillir parce que, en réalité, il n'accueille rien.

Il en va exactement de même des arts plastiques : la stylisation qui leur est essentielle, et qui existe également dans les arts à trois dimensions, est au service des valeurs humaines ou religieuses exprimées par l'œuvre; elle nous recueille, nous ouvre à cette signification même. Autant je suis d'accord pour rappeler le primat des arts sacrés, qui sont presque toujours à deux dimensions, du moins en peinture, autant j'estime que l'on est dans l'impasse lorsque l'on donne à ces arts une sorte de primat : isoler ces arts « sacrés », et condamner tous les autres, qui sont rassurants, c'est faire la même erreur que celle qui poussa les partisans de la poésie pure à donner aux poèmes incompréhensibles le primat sur ceux qui ne l'étaient pas. Dire que l'art moderne procède par « abstraction » c'est très bien, car c'est rappeler que, comme tout art authentique, il transporte l'homme dans un autre monde que le monde banal et quotidien, inauthentique; mais ajouter que cet art n'est plus, ne veut plus être l'abstraction « de » quelque chose, mais que cette abstraction est voulue pour elle-même (p. 610), c'est faire la même erreur que de dire de la *Divine Comédie* qu'elle est une musique incantatoire, mais qui ne serait l'incantation « de » rien et serait voulue pour elle-même. Cette impossibilité de dissocier le processus de la « création artistique » de la « signification » de l'œuvre n'apparaît pas aussi clairement pour les arts musicaux et plastiques pour la simple raison que la culture des neuf dixièmes des gens est à peu près inexistante en ce domaine, tandis que, en littérature, la formation est plus poussée[20].

---

20. P. VAN DEN BOSCH, *Les enfants de l'absurde*, coll. *Opéra*, Paris, 1956, donne un excellent exemple, trop méconnu à l'étranger, d'une peinture qui, sans sacrifier à l'anecdote pittoresque, à la « psychologie », mais en usant, au contraire, de tous les procédés de « l'expressionnisme », échappe au cérébralisme ou à l'abstraction de la peinture allemande et française : « Est-ce parce qu'il a toujours été proche du peuple que l'art flamand garde encore de nos jours, à travers ses puissantes individualités, quelque chose d'un art collectif? Les expressionnistes flamands quittèrent la ville pour « manger de la campagne »; on a dit d'eux qu'ils étaient des « peintres en sabots... »; je doute qu'aucune école contemporaine ait réalisé un équilibre aussi puissant entre la forme et le fond. Un corps de femme, ici, avant d'être une arabesque, est d'abord une femme : mais il est aussi, — aussitôt, — un signe plastique dans sa plénitude... Pour les peintres de ce pays, la nature n'est pas une hypothèse. C'est dans son sein qu'ils reposent tous les problèmes et qu'ils affrontent l'angoisse. C'est entre ciel et terre que se situe leur espoir. De là, le caractère cosmique de cette peinture qui frappe avant tout le spectateur... Un tableau de Permeke est un fragment du macrocosme. Une paysanne de Permeke, comme une négresse de Floris Jespers, fait corps avec tout ce qui l'entoure... Cette vision cosmique qui hausse l'art flamand au-dessus des particularismes, c'est elle aussi qui fera de lui un expressionnisme non-désespéré... Ce qui nous frappe, dans cet art, c'est l'accent qu'il met sur la fécondité de la femme; les maternités abondent et elles sont empreintes d'une gravité profonde » (p. 116, 119, 120, 122-123, 125). L'auteur signale lui-même que pas une reproduction de ces peintures

Une contre-épreuve va faire apparaître l'illogisme de la position malruxienne : dissocier l'œuvre d'art de son sens est un procédé *artificiel*, tout comme est « artificiel » le musée imaginaire lui-même, car celui-ci isole les œuvres d'art; s'il les rapproche les unes des autres dans les pages d'un même album en une confrontation suggestive, celle-ci est factice si on en fait un absolu d'un nouveau genre. Les œuvres d'art, en effet, peintures ou sculptures, ont *toujours* été peintes ou sculptées pour être placées dans un édifice, au-dessus d'un autel, au portail d'un temple. Les isoler de leur site naturel, par la reproduction ou par leur transport en musée, permet évidemment d'en dévoiler certains aspects, mais risque de faire négliger leur signification fondamentale; l'artiste a conçu son œuvre, non pour le musée, réel ou imaginaire, mais pour le monument ou le paysage où elle devait prendre place. L'œuvre ne peut donc être dissociée de son « *Sitz im Leben* », sans perdre *l'essentiel* de sa signification. Au lieu de faire aboutir la longue théorie des arts millénaires aux livres qui contiennent le « musée imaginaire », ce que semblerait parfois faire Malraux, il faut partir du musée imaginaire pour rejoindre les arts « *in situ* », et ne pas oublier que si un bas-relief grec est beau sur la page qui le reproduit, il est plus beau encore lorsqu'on le contemple au fronton d'un temple.

Or il faut souligner l'absence complète dans *Les voix du silence* de toute référence au *premier* des arts plastiques, *l'architecture*. Les confrontations de peintures et de sculptures, malgré leur immense intérêt, semblent ignorer que ces œuvres sont artificiellement séparées de leur site naturel, le monument architectural. On ne redira jamais assez que l'architecture est le *premier* des arts dans l'espace et qu'elle donne leur sens aux peintures et sculptures qui sont presque toujours destinées à s'insérer dans un ensemble, une maison, un palais, un jardin, une place ou un temple. Il faut expliquer les peintures et sculptures par l'architecture dont elles font partie, et non inversement; *a fortiori* faut-il se garder de passer sous silence l'architecture.

L'architecture est le premier des arts plastiques; mais il est *radicalement impossible* de lui appliquer les théories malruxiennes; il est impensable de composer un « musée imaginaire de l'architecture

---

flamandes n'est donnée par Malraux : ce n'est pas un hasard, car cette peinture flamande est riche de tous les arcanes de la « création artistique » mais elle n'a pas rompu le cordon ombilical entre elle et le monde *réel*, celui de la vie, de la femme, de la fécondité. J'espère que l'on saisit ainsi comment souligner le caractère spécifique de l'œuvre d'art est chose essentielle, mais comment aussi il est mortel et stérile de le couper entièrement de la signification de l'œuvre, de son lien avec le monde objectif de la nature, de la vie, du monde. Van Gogh, Braque, Cézanne, cependant, si différents, maintiennent le lien entre leur œuvre d'artiste et la nature.

mondiale », parce que s'efforcer de ne voir dans l'architecture que le témoignage de « l'honneur d'être homme » devant un monde absurde, *c'est détruire l'architecture elle-même*. Une architecture qui serait autre chose que du *réel*, ne serait plus rien. Impossible de dissocier ici la valeur « art pur » de la « signification » du monument architectural. Le palais le plus « baroque » de style, n'en demeure pas moins un palais, que l'on peut habiter ; le temple le plus « sacré » n'en demeure pas moins un temple, exprimant telle ou telle vision religieuse du monde, habité par le silence des fidèles ; on ne peut le négliger sans nier le temple lui-même. Si l'on peut parler de « poésie pure », de « peinture pure », il est impossible de parler « d'architecture pure[21] ».

---

21. A. et J. BRINCOURT, *op. cit.*, n. 9, donnent un indice caractéristique de cette « mise entre parenthèses » de l'architecture dans la perspective malruxienne ; ils expliquent en effet qu'il y a dans l'architecture un élément impur : « La musique, la peinture, par exemple, subissent moins la contrainte de l'évolution historique des formes que *l'architecture où l'acte créateur de l'artiste reste souvent plus discuté...* C'est que l'architecture... ne peut assujettir exactement la matière à la pensée ; ses formes ne sont que le symbole de l'esprit. En effet, le temple, le palais, ont une nature double, à la fois objets d'art et objets utiles. Ils sont relativement peu aptes à traduire une idée neuve, un geste de rupture avec le passé, et à réaliser un schéma individuel » (p. 213). C'est dire équivalemment que l'architecture est moins uniquement, moins purement « art » que la peinture et la sculpture parce qu'elle ne permet pas un assujettissement aussi total au style personnel, individuel de l'artiste. Je crois au contraire que le poison *mortel* de l'art moderne est le refus de cette « nature double » de l'art : il est *à la fois*, l'un par l'autre et l'un dans l'autre, création de l'artiste individuel, — et sans lui il ne serait pas, tout simplement, — et « création d'un « objet *utile* », le terme « utile » étant pris ici au sens profond de la communication avec ce monde intérieur, spirituel et ce cosmos harmonieux dans lequel l'homme *respire*. L'architecture *ne peut* jamais échapper entièrement à « l'utile », voilà pourquoi Malraux la néglige ; c'est parce qu'elle est nécessairement, toujours, résultat d'une création de l'art et espace visité par la beauté, par le sacré, par l'homme transfiguré, qu'elle est le premier des arts plastiques. Si l'on veut bien songer à l'architecture de l'espace, — les places, comme celle du Capitole, à Rome, et les jardins, — et à celle de la matière, — temples et palais, — on entrevoit le lien de cet art avec une vision d'ensemble, cosmique, qui ne peut être que religieuse ou philosophique. — P. VAN DEN BOSCH, *op. cit.*, n. 20 remarque, lui aussi, l'absence de l'architecture dans les écrits de Malraux : « Nous parlerons un jour de l'homme créé non plus à l'image de Dieu, mais à l'image de son art. Et voici que notre première démarche est pour constater que l'homme est absent de l'art moderne, que celui-ci l'a renié. C'est de l'homme pourtant que nous avons soif et c'est de son absence que nous mourons... D'un mouvement parti de Cézanne, d'un beau désir de retrouver la structure des choses, on avait abouti à cette indigence criminelle. Sur tous les murs de cette vaste rétrospective de l'art contemporain, s'inscrivait le règne de l'inhumain. De ces œuvres mort-nées, il ne restait que le squelette... Les hommes n'étaient pas encore là » (p. 86-87). On songe au monde inhumain, hélas devenu « réel » par les guerres et les révolutions, que Picasso a peint dans Guernica. Plus loin, le même auteur ajoute ce qui, à notre avis, est la clef du problème : « *Tout avait commencé, — commencé de finir, — lorsque les arts,*

Cette absence de l'architecture dans l'œuvre de Malraux, montre la fragilité de son hypothèse fondamentale sur la création artistique.

c. Ambiguïté de la notion « d'humanisme mondial ».

Les remarques précédentes impliquent une critique beaucoup plus fondamentale, à partir d'une double considération, dont la première revient à poser une question.

Si l'on condamne les arts à trois dimensions parce qu'ils ne sont qu'une parenthèse minuscule, dans le temps et l'espace, et que cette parenthèse est rongée de toutes parts par l'océan millénaire des arts « sacrés », pourquoi ne pas condamner aussi, ou du moins mettre en question, la légitimité de cet athéisme qui, historiquement, ainsi que le montre Malraux, *va de pair avec cette décadence de l'art occidental?* Pourquoi approuver ici (le caractère « accidentel » de l'art « rassurant » des trois derniers siècles occidentaux) ce que l'on condamne ailleurs (la croyance religieuse ou la certitude philosophique qui forment la charpente de *tous* les arts sacrés)? Allons plus loin : la décadence des arts d'Occident, que Malraux souligne, ne serait-elle pas très précisément *causée* ou, du moins, fortement influencée par la baisse de la foi religieuse dans le monde? Pourquoi donner à la petite période moderne, occidentale, qui est de civilisation agnostique, une valeur normative à partir de laquelle s'efforcer de découvrir le sens des arts millénaires qui, *tous*, sont imprégnés de foi religieuse? Si toutes les civilisations successives sont incommunicables (ce qui n'est pas prouvé) et si en même temps, toutes sont de contenu religieux, pourquoi juger ces arts millénaires à la lumière de notre agnosticisme? On sera obligé alors de se rabattre sur l'hypothèse explicative *minima* d'un art qui aurait sa propre fin en lui-même, c'est-à-dire qui ne serait que l'affirmation anonyme de l'homme qui essaye de créer, à côté d'un univers absurde, un « univers humain ». Mais cette position est intenable, sur le seul plan de l'art, comme on vient de le voir.

---

un à un, s'évadèrent de la cathédrale tutélaire pour aller leur propre chemin et *cesser d'être monumentaux*. Jusqu'à ce jour... la structure matérielle du monde avait toujours eu pour support une structure spirituelle » (p. 102). Enfin, ajoute-t-il, l'art doit véhiculer quelque chose de collectif, sous peine « de ne pas peser plus lourd dans le débat que le latin des premiers humanistes dans les guerres de la Réforme » (p. 81) : je crains bien que « l'homme à l'image de l'art », créé par l'artiste « individuel », dont parle Malraux, même si on en assemble les images dans le musée imaginaire, ne pèse pas lourd non plus, pas plus lourd que les esthétismes de papier des mandarins, dans le déferlement des espoirs vivants et des désespoirs de la guerre et de la révolution.

Si l'art « académique » est une parenthèse qu'il faut remettre dans son contexte millénaire, *l'incroyance* totale de nos civilisations occidentales *est, elle aussi, une parenthèse.* Ce fait, que Malraux ne nie pas, au contraire, puisqu'il en fait une des bases de sa pensée, ne peut servir de fondement à une philosophie de l'art, à moins que l'on n'admette que les âges de foi religieuse sont l'enfance de l'humanité, tandis que les âges d'incroyance sont le stade adulte du monde; mais alors on réintroduirait entre les civilisations successives une continuité que l'on nie par ailleurs. En d'autres termes, on peut se demander si l'incroyance actuelle et la décadence de la vie chrétienne au siècle passé ne sont pas, elles aussi, un accident de même nature que « l'accident humaniste » de la renaissance occidentale.

En réalité, l'importance majeure des arts sacrés, stylisés, en face de la parenthèse « humaniste » permet une toute autre conclusion que celle de Malraux, à savoir que l'homme est essentiellement un vivant qui a le sens du sacré *parce qu'il est essentiellement un être religieux.* Au lieu de juger les arts millénaires sacrés au nom de la civilisation agnostique actuelle, c'est bien plutôt cette civilisation et ces arts « agnostiques » qui doivent être jugés à la lumière des cultures sacrées. Indépendamment de toute foi religieuse on doit poser cette question.

A partir de cette vue, une critique de réintégration s'indique d'elle-même. D'abord, l'hypothèse de Spengler et celle de Frobenius ne s'imposent plus dans l'état actuel de la philosophie de l'histoire. Malraux a raison de s'inscrire en faux contre le « syncrétisme » qui essayerait de ramener vaille que vaille les diverses croyances sacrées à une « religion universelle », adogmatique, du type Huxley ou Simone Weil; il frappe juste également lorsqu'il rejette le « plus grand espoir » de l'humanité depuis la « mort de Dieu », celui qui, sous le nom de démocratie, progrès, liberté, essaya de donner un succédané de l'absolu : l'histoire vue comme une ligne montant vers le règne de l'homme réconcilié avec l'univers est une utopie. S'ensuit-il qu'il faille rejeter toute hypothèse intermédiaire entre le « pluralisme » des civilisations et leur « unité syncrétiste »? Comment ne pas voir que l'universalité des arts sacrés implique le caractère essentiellement religieux de l'homme? Comment Malraux ne pousse-t-il pas plus avant ce qu'il dit du christianisme, qu'il semble cependant mieux comprendre dans sa dernière œuvre que dans *La Tentation de l'Occident?*

3. L'art et le monde

Lorsqu'une « petite phrase musicale » ou la couleur « d'un pan de mur jaune » ou un rythme poétique nous introduisent dans le monde de l'art, nous avons l'impression de pénétrer dans une *patrie* que nous connaissions depuis toujours; il nous semble *reconnaître* les choses et les êtres. L'art nous arrache de notre sommeil, par sa puissance de rupture; il participe à l'amour qui est accueil de nos yeux, de nos oreilles, de nos mains, devant un vivant que nous pensions avoir vu, entendu, touché, jusque là, mais que nous n'avions vraiment jamais « vu, écouté, touché ». L'art n'est pas une concurrence à l'état civil ou une copie du « réel », mais il introduit l'homme dans une terre promise, dans un « nous-mêmes » plus profond[22].

Il y a équivoque dans le succès fait aux œuvres artistiques de Malraux : la plupart des lecteurs sont en admiration devant les reproductions; ils y ont appris à reconnaître les arts à « deux dimensions », mais ils ne saisissent que peu de chose au texte qui les accompagne et ils continuent à voir dans les styles l'expression vivante du monde *réel* qu'ils recherchent obscurément. L'idée mallarméenne, — « le monde est fait pour aboutir à un beau livre », — n'a de sens que si le livre est celui que *Dieu* a écrit en créant : l'art est alors *déchiffrement* de la parole inscrite dans l'univers. Certes, le monde est « filtré, transformé, conquis, annexé, rectifié » par l'artiste, ainsi que le répète sans cesse Malraux (Gannon, p. 214, n. 5) : tout cela est vrai, rigoureusement, quand l'artiste « transfigure » en se laissant guider par une valeur, une vérité objective; la tragédie commence quand l'artiste souffre, non plus pour la gloire de Dieu, mais *pour le dieu que devient la peinture* : « Ici, qui est Dieu? pas la nature : la peinture » (p. 357). L'artiste moderne

---

22. « Les formes de l'art sont désintéressées; elles ne sont pas la reproduction de la nature, elles en sont l'équivalence » (A. et J. Brincourt, *Les œuvres et les lumières*, p. 70, 188) : certes, mais cela ne signifie pas que *rien* ne corresponde d'un domaine à l'autre. Les œuvres d'art, sans doute, nous apprennent à « mieux regarder la nature, à la regarder en fonction de l'œuvre d'art » (*Ibid.*, p. 188) : cela signifie-t-il que la nature n'a aucun sens en elle-même, qu'elle n'est que le « prétexte » de la création artistique? Est-il exclu que quelque chose corresponde à notre vision? Le style de l'œuvre d'art n'est-il pas, en même temps que conquête, annexion et métamorphose du style antérieur, révélateur d'un aspect caché mais réel de la nature elle-même, et de l'homme en elle? Autrement dit, je ne vois pas pourquoi l'insistance de Malraux sur le caractère spécifique de l'art et des styles doit nécessairement signifier l'isolement de l'art en lui-même et exclure une signification du réel dont le style participe et qu'il révèle. L'art est « interrogation », comme il est rupture, mais *interrogation qui appelle une réponse*, qui la reçoit et la transcrit dans le style, par la manière même dont la question est posée (*Ibid.*, p. 200-202*)*.

ne sait plus autour de quelle valeur transfigurer, transposer son œuvre; choisir comme « dieu » la peinture, l'art, en eux-mêmes, c'est aller à la stérilité[23].

Une vision métaphysique de l'art permet de préciser ce qu'il a de spécifique, sans en faire une nouvelle idole : « la poésie est une prière qui ne prie pas mais qui fait prier » disait Bremond; l'art nous rend attentifs à la beauté des gestes de la vie quotidienne, il nous fait vivre les sentiments des autres comme si c'étaient les nôtres; il ne « sert à rien », il ne « nous apprend rien », sinon en ce qu'il nous fait éprouver ce que nous « savions » déjà, mais de manière abstraite; il nous plonge dans ce que Blondel nomme la « connaissance réelle », opposée à la connaissance notionnelle.

La liturgie chrétienne fait comprendre ce dont il s'agit. La peinture, la sculpture et l'architecture y jouent un rôle essentiel, car il y a des églises dont les pierres elles-mêmes invitent à la prière et

---

23. Je me demande si l'on ne peut comparer la stérilité de certain art moderne au vieux rêve gnostique. Un des mythes essentiels de la gnose hérétique est celui qui représente la volonté de former et d'engendrer un « enfant » sans le secours de la femme; on regarde les étoiles, et le résultat, lorsque la semence est tombée sur la terre, c'est un avorton; de même, certains artistes modernes veulent « engendrer sans le concours de la femme », dans la solitude, loin de tout contact à la fois de respect et d'amour avec le sol maternel, fécond; trop souvent «l'engendré» est lui aussi un avorton. La comparaison peut être poussée plus loin encore : de même que les mythes gnostiques hérétiques ont souvent une saveur sexuelle prononcée, qui se conjoint avec une sorte de cruauté sombre, un certain art moderne est lui aussi obsédé sexuellement et inhumain par les images de violence démoniaque qu'il véhicule; il y a un lien entre l'hypercérébralité, l'excès d'intelligence de certains artistes trop conscients de leurs moyens, et une fascination de l'abîme de la cruauté et de la violence sexuelle. Le très grand livre de Thomas MANN, *Doktor Faustus* montre que Leverkühn, le musicien génial, est stérile parce qu'il a commis le péché de l'esprit mais il est attiré par l'abîme, parce que, concurremment à l'excès d'intelligence, il y eut dans la vie de cet artiste une faute sexuelle. Autrement dit, la présence simultanée dans l'art moderne d'une obsession de la chair et de la violence d'une part, de l'excès d'intellectualisme d'autre part, se relie au refus du lien nuptial entre l'artiste et le monde. On pourrait faire le tracé de la frontière au-delà de laquelle la stylisation artistique dépasse l'humain et sombre dans la stérilité : la peinture flamande moderne, dans sa très grande majorité, reste du bon côté de la frontière, Cézanne, Van Gogh, le Picasso de la période bleue, Matisse, Dufy, également. Ainsi, les peintures de la montagne Sainte-Victoire, de Cézanne, sont construites à l'aide d'une série de lignes et de volumes, parfaitement sensibles à travers les couleurs; mais, en même temps, la vibration du paysage lui-même demeure; on sent que Cézanne, devant le réel, reste humble, en même temps qu'il se sent appelé à le traduire, le « reconstruire »; mais une *résistance* du réel demeure jusqu'au bout, qui est celle de l'enracinement. Chez d'autres au contraire, « non-figuratifs », l'imagination seule agit; elle crée « de rien » : créer de rien est impossible pour l'homme; il ne peut que communiquer une vie dont il participe, *avec* l'aide d'une réalité « féminine ».

recueillent; seulement, dans la célébration liturgique, les œuvres d'art sont comme reprises, entraînées dans un mouvement, fondues dans un ensemble dont les fidèles *vivants* sont le cœur. Parvenu à ce second plan, le rite, par son hiératisme et sa stylisation *vivante*, fait de l'assemblée une cathédrale spirituelle. Chacun est alors pris, comme par la main, par *la beauté qui prie;* il dépasse ses ambitions personnelles, sa pensée discursive et sa volonté consciente : la couleur blanche des aubes, la paix des yeux, la voix des enfants qui chantent, la détente subtile des gestes font que, sans jamais abandonner le contact des images sensibles du *drame sacré* à la fois contemplé *et agi*, celles-ci deviennent *transparentes* à autre chose qu'elles-mêmes. Le troisième mystère de la liturgie, la *communion sacrée* proprement dite entre les hommes et avec Dieu vient alors, d'en haut, se poser sur les épaules de tous et de chacun. Ce « monde autre », ce ne sont pas les coulisses poussiéreuses d'un théâtre, ce n'est pas « la rue glaciale et humide, derrière les décors illuminés », dont parle Kafka, mais la puissance du Christ ressuscité, dont l'humanité glorieuse vient consacrer ce monde vivant. La liturgie, art accompli, et aussi « au-delà de l'art », devient alors « épiphanie[24] ».

III. Malraux et le monde chrétien dans l'art

Dans les pages d'introduction aux reproductions du volume *Le monde chrétien*, Malraux parle à peine de l'art chrétien des sept premiers siècles, à Rome, pas davantage de l'art gothique, mais se limite presque exclusivement au byzantin et au roman.

1. L'art byzantin

Une citation donne le ton :

> Byzance pour qui un Christ non sacré est un Christ sacrilège, *Byzance, relais du surmonde*, va repeupler l'ombre de l'Égypte et de la plus ancienne Chaldée, réinventer l'idole. Les trois premières créations symboliques du génie chrétien : la spiritualisation des figures, le fond d'or, l'ombre souveraine, l'appellent toutes trois; durant des siècles, l'empire d'Orient oscillera de

---

24. On lira sur ce thème R. GUARDINI, *Les sens et la connaissance de Dieu*, Paris, 1955.

l'appel à la peur de l'idole. On n'imagine pas Auguste faisant
brûler les mains des peintres... Tout l'Orient aboutit à Byzance,
lorsque Byzance invente les formes qu'il n'a pas connues; mais
le cycle de la création qui commence à la première orante peinte
sur le mur d'un cimetière romain, s'achève le jour où l'empereur
Léon l'Isaurien brise solennellement le Christ de son palais
(MC, p. 17)[25].

Si l'art byzantin est négation de l'homme, on comprend que l'achèvement
du cycle soit, pour Malraux, dans le geste iconoclaste de Léon l'Isaurien
brisant le Christ de son palais. La spiritualisation des figures, le fond
doré, l'ombre souveraine, aboutissent à l'idole; sous le déguisement
chrétien, ce serait la vieille Asie qui aurait une fois de plus pris le dessus :
la cruauté des empereurs ruisselant d'or et de pierreries, leurs persé-
cutions contre « l'art », ne sont que résurgence de l'Asie impersonnelle.
Le sanctuaire byzantin isole Dieu de l'impure communion des hommes :

> Comme la Grèce avait sculpté le marbre pour en tirer le temple,
> Byzance sculptait l'ombre originelle pour en tirer le sanctuaire.
> La mosaïque, par son fond d'or où le vide se prolonge comme
> dans un miroir primitif, est le grand art de l'ombre que la lumière
> sacrée fait palpiter sans la transformer en jour impur, même quand
> cette palpitation s'appelle amour. Lueur devant l'icône, images
> au fond de l'obscurité *comme les constellations dans le ciel de
> Babylone*, étroites fenêtres dans l'immense Sainte-Sophie, veilleurs
> de la réclusion séculaire du Christ! Tout Dieu de l'Orient brûle
> dans l'ombre comme une flamme éternelle dans un tombeau.
> Son royaume sur terre n'est pas le royaume de la terre, *mais la
> crypte solennelle qui le protège contre la création* (MC, p. 48).

Un peu plus loin, Malraux parle de « ce Dieu qui ne quittait le
sanctuaire que pour des sorties d'idoles »; la « blanche robe d'églises,

---

25. « Sacré » est pris ici au sens de Malraux. Ce dernier paraît voir dans la
politique iconoclaste des empereurs une attitude qui serait dans la logique de
l'art byzantin (un autre passage pose la question de savoir « comment le patriarche
n'aurait pas vu un adversaire dans le pape protecteur des images », MC, p. 33).
L'erreur est manifeste, car l'iconoclasme fut le fait de *certains empereurs* et les motifs
réels de leur politique ne sont pas encore connus avec certitude; jamais l'iconoclasme ne fut soutenu par l'Église byzantine officielle, qui accepta la persécution
pour défendre l'art sacré : des centaines de moines furent ainsi enfermés dans des
sacs de cuir et jetés dans le Bosphore, pour avoir refusé de condamner les images;
certes, les papes ont protégé les images, par exemple, Pascal Ier, au IXe siècle,
qui fit décorer de mosaïques les églises de Sainte-Marie in Domnica, Sainte-Praxède,
Sainte-Cécile, mais les œuvres d'art elles-mêmes sont byzantines, et faites par des
moines grecs venus de Constantinople. Voir donc dans l'iconoclasme la logique
profonde de l'art d'Orient, c'est confondre avec le courant essentiel de l'art
byzantin un contre-courant issu de la seule politique.

la chrétienté l'avait connue au VIIe et au IXe siècle, c'était le suaire doublé d'or byzantin, non la parure de la terre; les églises aux ciels d'or n'étaient pas des tabernacles mais des gangues » (MC, p. 48); les sanctuaires isolaient l'homme de la création (MC, p. 49), car ce sont « des cryptes hantées, de somptueuses prisons où Dieu régnait dans sa gloire » (MC, p. 57); le « mur chargé d'icônes protégeait de l'impure communion des hommes » (MC, p. 79). Le Dieu qui paraît sur les mosaïques, les icônes des sanctuaires, la lueur devant les peintures, le fond d'or, tout cela évoque les « constellations dans le ciel de Babylone » que l'Orient n'avait étudiées que pour mieux « savoir comment l'homme était esclave » (MD, II, p. 909).

L'art byzantin ignore l'incarnation qui caractérise l'art occidental. Il y a dans Byzance une volonté de « spiritualité », un « refus de l'apparence » (MD, p. 27) qui implique « un ordre du monde où l'homme a sa place » (MC, p. 31) :

> Non que Byzance ait beaucoup exalté l'homme. Elle l'avait dépouillé de la liberté antique, elle avait imposé aux empereurs le masque des sarcophages; mais elle avait troué ce masque, pour lui donner des yeux. Ils semblent appeler l'hiératisme de maints visages; comme si le sculpteur, ayant incrusté dans quelque buste romain les iris d'albâtre et de bitume hérités de l'Orient, avait été contraint d'en figer les traits. Ces yeux ne regardent point : ils réfléchissent l'Éternel. Leur illumination succède à la fascination chaldéenne, aux prunelles des rapaces divins (MC, p. 32).

Fascination, prunelle des rapaces divins, nous voici de nouveau dans le surmonde de l'éternel et des idoles asiatiques : « que l'art devait être incarnation, Byzance l'ignorait depuis sept cents ans. Elle avait représenté la Crucifixion par des ivoires presque abstraits; elle l'avait souvent remplacée par son symbole, le sacrifice d'Isaïe... » (MC, p. 57), et elle eût jugé sacrilège « l'incarnation du Christ *dans la chrétienté* » (MC, p. 75)[26] :

> On a trop dit que Byzance était incapable d'humaniser les personnages divins. Si le monde de la mosaïque, et celui des icônes qu'il commande, sont le plus souvent surhumains, les ivoires ont maintes fois humanisé le Christ et la Vierge; mais *aucun art byzantin n'a humanisé les hommes...* Ce n'est pas si facile; et... la recherche du réalisme n'y suffit pas. Car l'art n'humanise pas les hommes en fixant des spectacles, mais en

---

26. Dans ce texte, les mots en italiques sont soulignés par Malraux lui-même.

exprimant une communion. L'invincible *monophysisme de Byzance,* — traversé de déchaînements sentimentaux, — ne lui permit jamais de délivrer le Christ d'un patriciat sacré. Elle peut concevoir le Pantocrator comme un prophète; *non comme un humble* (MC, p. 76).

Les formes qui « humanisent l'homme », par exemple les fresques de Cappadoce et les peintures coptes qui expriment l'âme populaire, jouèrent le rôle des calvaires bretons au XVIIe siècle mais n'eurent pas d'influence sur l'art de cour :

> Que l'on rapproche une Vierge noire d'une Vierge byzantine, le Dévot Christ de Perpignan du Christ le plus humain de Constantinople : on sent violemment *à quel point Byzance n'a jamais été certaine que le Christ ait souffert comme homme,* à quel point elle conçoit la vie de Jésus hors de l'humain (dans un surhumain, ou plus exactement un mystère symbolique, vers lequel tend tout son art) et pourquoi on ne risquait pas de représenter la Passion devant Sainte-Sophie... Malgré les images, elle ignore l'*enfance* du Christ comme elle en ignore l'*agonie* (MC, p. 77-78).

« Cette civilisation d'amour sans pitié » (MC, p. 78) trouve « ses pôles dans l'anachorète et l'empereur tortionnaire; on n'y peut concevoir un saint Louis » (MC, p. 34) :

> C'est l'Orient qui fut schismatique, mais c'est le Saint-Empire qui fut dissident[27]. *L'un et l'autre bien avant que le schisme fût consommé.* Une longue séparation de corps avait précédé le divorce. L'Occident naissait contre l'Orient, et les papes contribuaient trop à sa naissance pour l'ignorer (MC, p. 33).

La querelle iconoclaste va approfondir le fossé; Rome va « ordonner les velléités occidentales », alors que Byzance s'enfoncera dans une sorte de barbarie dorée; le coup fatal sera porté en 1204, lors de la prise de Constantinople :

> Lorsque l'Occident, en redécouvrant ce que nous appelons l'homme, découvrira son propre génie et ses chansons de geste, lorsque la communion de ses fidèles prendra Jérusalem, le schisme sera consommé. Un siècle plus tard, par la plus saisissante dérision de l'histoire, la chevalerie, dans laquelle Byzance a cru trouver ses mercenaires, va au nom du Pape[28] piller les églises, au nom

---

27. Il y a ici une allusion au sacre de Charlemagne en 800.
28. Il y a ici une erreur : le Pape protesta solennellement contre le détournement de la croisade; ce sont les Vénitiens surtout qui sont responsables de la prise de

du Christ détruire la chrétienté d'Orient. Car Mahomet II n'a conquis que la survivance d'un empire, et la grande Constantinople est morte en 1204, tuée par les barons latins commandés par un chef flamand (MC, p. 34).

2. L'art d'Occident

L'Occident est né « contre » Byzance; « cet empereur d'Occident que le pape couronne », on le louera d'avoir « rendu sa dignité à la figure humaine » (MC, p. 33)[29]; une allusion aux chansons de geste (MC, p. 34) montre que l'Occident est retour à *la communion* des hommes entre eux, liée à la disparition de l'impérieuse stylisation byzantine : « la chrétienté (occidentale) *change de surmonde* » (MC, p. 73); au xiᵉ siècle, « ce qui fut l'empire de Charlemagne a changé de civilisation, et *la chrétienté a peut-être changé de Christ* » (MC, p. 47); « ce Christ de Vézelay..., ce Christ de Beaulieu qui de ses mains trouées rejette les figures byzantines à leur ombre sacrée, c'est bien le *Christ d'une nouvelle foi* » (MC, p. 49).

a. De la statue au tympan.

Les statues isolées de l'époque romane, par elles-mêmes, sembleraient se ranger dans le « surmonde de l'éternel », mais il n'en est rien :

> Le sacré des Vierges noires est celui de la crypte de pierre, non celui de la basilique d'or. Mais il les sépare de tous les reliefs

---

Constantinople; ils refusèrent d'écouter le Pape. Cfr *1054-1954, L'Église et les Églises*, coll. *Irénikon*, éd. de Chevetogne, 1955, t. I, p. 27-33; par ailleurs, Malraux fait preuve de perspicacité en voyant dans la prise de Constantinople en 1204 la cause réelle qui rendit définitif le schisme.

29. L'erreur historique est, ici encore, flagrante : Charlemagne n'a presque rien compris au décret de 787 sur les images; c'est le concile de Nicée qui « a rendu sa dignité à la figure humaine », en fondant la légitimité de l'art qui la reproduit sur la grandeur même du Dieu incarné; les papes ont eux aussi soutenu l'art chrétien; mais Charlemagne, avec ou sans chanson de geste, n'a fait qu'embrouiller pour longtemps la question de l'iconologie. Sur tout ceci, cfr E. AMANN, *L'époque carolingienne*, dans *Hist. Egl...* A. FLICHE et V. MARTIN, t. VI, Paris, 1937, p. 120-127, où l'on voit que l'auteur des *Livres carolins* attribue aux orientaux un « culte » des images qui serait presque de l'idolâtrie; il tolérera les images dans l'église d'Occident, à condition qu'elles ne soient qu'une décoration, et qu'elles ne soient pas trop grandes. « L'homme peut se sauver sans voir d'images : il ne le peut sans la connaissance de Dieu » (*op. cit.*, p. 123). On voit donc que la situation est exactement *l'inverse de celle décrite par Malraux :* nous sommes loin de « l'empereur qui rend sa dignité à la figure humaine ».

pré-romans, parce qu'il appelle l'idole... Le sculpteur de la
Sainte Foy, ceux des Vierges de majesté, ceux des Vierges noires,
atteignent ce réalisme surnaturel avec beaucoup plus de force
que les ivoiriers... Et ils eussent inventé les idoles de l'Occident,
si leurs figures sauvages n'eussent exprimé à la fois *le mystère
de la maternité divine et le mystère muet de la douleur paysanne :*
il n'est pas d'idoles de l'amour et du malheur. Ce qui paraît
dans Notre-Dame-de-Bon-Espoir, sans précédent dans la sculpture
européenne, même chrétienne, se retrouve dans la plupart des
Majestés : c'est l'union d'un visage vulnérable avec un corps
cuirassé, l'union du pathétique avec une forme très élaborée,
la transcendance de l'humilité. A travers *cette face d'idiote de village
visitée de l'éternel,* — inconcevable à Byzance, — *Dieu commence
à appeler les hommes douleur par douleur,* et bientôt métier par
métier. Ses saints appelleront les artisans avec leurs outils,
l'abandonné avec son chien. La communauté chrétienne est née
(MC, p. 55).

Cette page, malgré des imprécisions de détail, exprime l'essentiel : ce
qui intéresse Malraux, dans ces Vierges noires, — ces Vierges noires
auvergnates, ces statues du style de la *Sedes Sapientiae,* — ce n'est pas
la grandeur hiératique du « corps cuirassé », c'est l'humanité du regard,
c'est la « douleur paysanne » qu'il lit sur le visage de la mère de Dieu :
« cette face d'idiote de village » mais « visitée de l'éternel », qu'il voit
dans la statue de Notre-Dame-de-Bon-Espoir, de Dijon, représente
pour lui une possibilité de communion des hommes entre eux; la
chrétienté occidentale, la communauté chrétienne qu'il découvre au
xiiᵉ siècle surtout, en Europe, est liée par la douleur paysanne, celle
des simples, celle de l'abandonné avec son chien. C'est par ses douleurs
que Dieu appellera bientôt chacun des hommes, avant de les appeler
par leurs métiers. En un mot magnifique, ce qui transparaît dans ces
Vierges romanes, c'est « la transcendance de l'humilité », la promotion
dans le monde divin de l'humilité paysanne, de la fragilité de chacun.
Une des marques essentielles de l'art d'Occident est cette présence,
autour du Christ en majesté et des anges fulgurants du dernier jour,
du peuple agreste, où saisons et métiers se coudoyent, s'imposent par
ce « regard » fraternel des chapiteaux de Payerne (xiᵉ siècle). Malraux
est incomparable lorsqu'il décrit cette présence humaine dans le grand
art roman.
    Peu à peu, les artistes feront sortir ces « statues-idoles » de l'ombre
sacrée du sanctuaire, pour les fixer sur les tympans extérieurs des
églises; en les faisant *participer* à des scènes, à des ensembles, les
imagiers romans en accroissaient la puissance de communion :

Avec une perspicacité qui force l'admiration (l'Église) intro-
duisit (ces statues) dans des scènes et, les fixant à l'extérieur
du temple, *les délivra des puissances de la nuit.* En écartant du
sanctuaire la présence permanente de toute autre image que le
crucifix, elle avait montré son sens profond de l'idole... Elle
comprit qu'elle vit de l'ombre, — d'où elle sort pour ses fêtes...,
— et que la scène dissipe les ténèbres qui menacent toute figure
sacrée lorsqu'elle est solitaire, à l'exception du crucifix, scène
dont il ne reste qu'un personnage. Elle comprit que *la communion
exorcisait l'idole,* et, peut-être, que *les figures les plus humaines
unissaient la communauté aussi profondément que l'idole l'avait
fascinée;* que le peuple « porteur de Dieu » devait être celui du
Christ en croix; que *l'art devait être incarnation.* Byzance l'ignorait
depuis sept cents ans (MC, p. 55-57).

Ce texte précise la double évolution décrite par Malraux : de
l'intérieur du sanctuaire obscur vers les tympans extérieurs, de
l'idole fascinante, surhumaine, vers la face humaine douloureuse, qui
fait communier les hommes entre eux. Le mouvement de l'intérieur
vers l'extérieur, Malraux l'appellera la « *prédication* » de l'art (il
l'oppose à l'enseignement); le mouvement qui va du surhumain à
l'humain, est celui de *l'incarnation.*

b. Le Christ « incarné » dans la chrétienté.

Art d'incarnation, le voici décrit plus en détail :

Aux cryptes hantées, aux somptueuses prisons où Dieu
régnait dans sa gloire, l'Occident osait substituer d'abord :
« Dieu fit à son image le plus humble paysan ». Et l'image de ce
paysan devait être plus vraie que lui, sculptée « selon le style de
Dieu », qui change l'amour en sainteté, et les saints en statues.
L'union du pathétique et de l'abstraction sacrée qui paraissait
dans la Vierge de Dijon, appelait les statues-colonnes : l'âme
du premier génie chrétien est une Vierge noire (MC, p. 57).

Les cryptes hantées, ce sont les premiers sanctuaires chrétiens, ceux
des catacombes; les somptueuses prisons où Dieu régnait dans sa gloire,
ce sont les églises byzantines, Sainte-Sophie par exemple, devant
laquelle on n'imagine pas que l'on ait joué la passion. A cet art hanté,
l'Occident roman ose substituer l'image de Dieu reflétée dans la face
du plus humble paysan; Dieu s'incarne vraiment :

Depuis la première Vierge noire jusqu'à la fin du grand
gothique, le génie occidental, technique comprise, architecture
comprise, âme comprise, *poursuit une incarnation.* Il passe de

l'Apparition de l'Éternel (de Moissac) au Portail Royal (de Chartres), (puis au Triomphe et à la Mort de la Vierge)... Les leudes de Moissac, barbets épiques, suivent les Vierges Noires comme une meute fidèle... Leur tête populaire s'émerveillera de découvrir au ciel le visage de Marie sous les traits maternels des Majestés auvergnates... Dès leur naissance, ils sont les ennemis des empereurs d'ivoire, des saints Georges de marbre semblables aux patriciens d'Orient. En figurant les vieillards de l'Apocalypse par des vieux guerriers francs à peine plus réalistes que les Majestés elles-mêmes, les sculpteurs de Moissac entreprenaient l'incarnation du Christ *dans la chrétienté*[30]. Ce que Byzance eût sans doute jugé sacrilège, et ne conçut jamais (MC, p. 73-75).

L'art roman « humanise » l'homme, par exemple dans les « faces d'idiotes de village » qui inspirent les sculpteurs de Majestés, les « douleurs paysannes », les leudes de Moissac, barbets épiques, dont l'armure stylisée est inutile, mais qui découvre à nos yeux de réalistes guerriers francs. L'audace du roman sera de faire entrer ces « hommes humanisés » dans le monde du Christ, d'incarner ainsi le Christ *dans la chrétienté :* le « peuple porteur de Dieu » devient celui du « *Christ en croix* », dans lequel, c'est visible, Malraux voit surtout la douleur humaine, l'agonie. Selon le vocabulaire des *Voix du silence*, on dira que l'on est passé, avec l'art roman, du monophysisme invincible de Byzance au nestorianisme pathétique d'une vision du Christ où la communion avec les hommes est assurée avant tout par celle de la douleur :

Malgré les images, (Byzance) ignore l'enfance du Christ comme elle en ignore l'agonie. Contre sa civilisation d'amour sans pitié, l'Occident, — semblable à l'artiste soumis à l'œuvre de son maître jusqu'à la découverte des schèmes fondamentaux qui lui permettront de l'effacer, — a découvert l'une des expressions les plus profondes, dont la profondeur échappe parce qu'on la confond avec la naïveté : celle de *l'innocence*. Elle n'a jamais abandonné tout à fait le génie médiéval, et le génie de l'Orient ne l'a jamais effleurée (elle reparaît au-delà, avec le Bouddhisme...) (MC, p. 77-79)[31].

---

30. Les mots soulignés le sont par Malraux lui-même.
31. On retrouve ici l'opposition symétrique que Malraux aime à souligner entre Orient et Occident. Sur le plan du style, il a raison, sur le plan des thèmes, il se trompe; quand il parle de « l'innocence » des visages, il dépasse le seul plan du style artistique », et aborde celui des thèmes, du contenu; de plus, dire que l'innocence n'a jamais effleuré le génie de l'Orient, c'est se méprendre : les mosaïques du troisième âge d'or byzantin (celles de Venise par exemple) sont riches de scènes pittoresques (par exemple l'entrée du Christ à Jérusalem); celles de Kharié-Djami à Constantinople, plus recherchées pour la couleur, sont aussi plus pittoresques.

De quelle « innocence » s'agit-il dans cette « incarnation » propre à l'art roman? Malraux la décrit en ces termes :

> Les personnages farfelus des médaillons d'Autun entourent l'œuvre monumentale de Gislebert comme des génies familiers. Ils apparaissent avec le grand Christ occidental, *et peut-être leur apparition n'a-t-elle pas moins d'importance que la sienne.* C'est dans l'ombre de la crucifixion, non dans la majesté du Pantocrator, que la Rome chrétienne découvre *les yeux d'enfant qui obséderont Dostoïewski,* le regard franciscain du bœuf et de l'âne... Vers l'art de majesté d'Autun converge un art de *fioretti*, découvert avec lui, et auquel les petits élus appartiennent autant que les personnages des médaillons; les anges, un peu moins; les saints, moins encore; le Christ, plus du tout (MD, p. 79).

Ceux qui ont vu le portail d'Autun ont remarqué, dans l'ombre du Christ gigantesque, de petits personnages familiers. Malraux y voit « ces yeux d'enfants qui obséderont Dostoïewski », le regard de souffrance innocente, chez un enfant, qui suffit à faire dire à Yvan Karamazov qu'il rend son billet au Créateur. Dans l'innocence romane, telle que la voit Malraux, il y a tout autre chose que la candeur « du premier soleil sur le premier matin ». Il est vrai aussi que, dès le XIIIᵉ siècle, François d'Assise fera jaillir un courant d'amour de la nature qui sera un des charmes de l'âme franciscaine; ce lyrisme est lié aux stigmates et à la Croix; dans le texte de Malraux, cet art de *fioretti* avant la lettre se reflète dans les anges sculptés, mais déjà beaucoup moins et il s'efface dans les figures de saints; enfin, le grand Christ central n'y participe plus du tout. Autrement dit, cette « incarnation » de l'art d'Occident se manifeste surtout dans les personnages *secondaires* des tympans, mais elle disparaît plus on se rapproche des personnages centraux, et elle laisse le Christ en dehors d'elle.

Malraux nous décrit ensuite ce petit peuple « innocent » faisant le « siège » de Dieu pour qu'il « s'humanise » à son tour. Du tympan d'Autun, le mouvement d'incarnation continue vers le portail de Chartres :

> Mais ce menu peuple, le peuple chrétien tout court, investit Dieu comme le peuple fantastique de Vézelay; comme les vieux guerriers francs ont investi l'Éternel de Moissac, *pour que son Fils devienne le Christ de Chartres,* pour que l'art roman voie le portail royal rejeter son bestiaire et accomplir son génie. Une même transfiguration va de tous les innocents, jusqu'aux Christs triomphants (MC, p. 79)³².

---

32. Nouvel exemple de l'imprécision de vocabulaire chez Malraux, semblable à celle que j'ai indiquée p. 76, 79, n. 3 et 5; p. 76, n. 3, le terme transfiguration signifiait l'absorption dans l'impersonnel, ici, il signifie l'humanisation progressive de l'homme et du Seigneur lui-même.

Cet « homme », dans lequel le Christ chartrain s'est « incarné », garde-t-il encore quelque chose de «l'image divine» selon laquelle «Dieu fit le plus humble paysan » (MC, p. 57)? Il n'est plus que l'homme d'ici-bas, celui des chansons de geste et des épopées, celui dont on célèbre le pouvoir et la force, même si celles-ci apparaissent dans la candeur paysanne :

> *L'homme prend conscience de lui-même et invente ses héros :* le fantôme de Charlemagne surgit des chansons de geste pour dessiner, avec la carte de l'art roman, celle de son empire dispersé. Et lorsqu'on chantera la vie de saint Louis devant les églises, les vieux de Moissac, les ingénus d'Autun et les hommes-chiens de Vézelay *reconnaîtront leur roi* (MC, p. 79).

L'évolution de l'art roman vers le gothique se résume en cette phrase : l'homme prend conscience de lui-même et *invente* ses héros; l'humanisation progressive culmine dans l'invention de *héros épique*, par l'affirmation du pouvoir de l'homme; finalement, celui que les leudes de Moissac, les ingénus d'Autun reconnaîtront comme leur roi, ce ne sera plus le *Christ* d'Autun, ce ne sera plus le *Seigneur incarné*, ce sera saint Louis, un saint tant qu'on voudra, mais non un dieu, fût-il incarné, *un homme*. Nous rejoignons ainsi les combattants de *L'espoir* et de la paysanne de *La lutte avec l'ange* :

> Accordée au cosmos comme une pierre... Elle sourit pourtant, d'un lent sourire retardataire, réfléchi : par-delà un terrain de football aux buts solitaires, par-delà les tourelles des chars brillants de rosée comme les buissons qui les camouflent, elle semble regarder au loin la mort, avec indulgence, et même, — ô clignement mystérieux, ombre aiguë au coin des paupières, — avec ironie... Portes entrouvertes, linges, granges, marques des hommes, aube biblique où se bousculent les siècles, comme tout l'éblouissant mystère du matin s'approfondit en celui qui affleure sur ces lèvres usées! Qu'avec un sourire obscur reparaisse le mystère de l'homme, et la résurrection de la terre n'est plus que décor frémissant. Je sais maintenant ce que signifient les mythes antiques des êtres arrachés aux morts. A peine si je me souviens de la terreur; ce que je porte en moi, c'est la découverte d'un secret simple et sacré. *Ainsi, peut-être, Dieu regarda le premier homme...* (NA, p. 195).

c. La prédication romane.

Le mouvement qui va de « l'éternel » de Moissac à « l'incarnation » de Chartres, se combine avec celui qui porte le centre de gravité de l'art roman de l'intérieur du sanctuaire vers le soleil et le jour qui

irradie sur les portails. On passe ici de l'enseignement à la « prédication »
qui va lancer la croisade à la conquête de l'Orient afin d'y délivrer le
Christ de sa gangue d'ombre. Voulant s'opposer à la thèse d'Émile Mâle,
selon laquelle les cathédrales et églises des xiie et xiiie siècles sont des
« Bibles de pierre », un enseignement didactique, une sorte de miroir
du monde profane et sacré, Malraux distingue enseignement et prédication. *L'enseignement* est *propagande* pour le paradis ou *menace* de
l'enfer (MC, p. 48); la *prédication* est au contraire liée à la *croisade*
(MC, p. 48, 62); imaginant un dialogue entre la « renaissance mexicaine »
de notre art et l'ancienne Europe, Malraux parle de « *dresser* leur
prédication contre l'art *fascinant* et *étranger* de la dernière *Byzance*,
l'Europe » (MC, p. 64). Le monde de l'art byzantin va se métamorphoser,
dans le roman, et devenir prédication : « Le monde entier des formes
élaborées en fonction de Byzance (et souvent contre elle), pour la
solitude et la *prière*, est devenu le *ferment*[33] de celles où va *s'incarner*
la prédication de la sculpture monumentale » (MC, p. 69). La sculpture
romane suit et combat la lignée, l'héritage byzantin, pour les accorder
à une prédication : « elle marquait un changement de civilisation.
Mais elle était une *proclamation* et un *appel*, non un décor. C'est pourquoi
son avènement devient inintelligible si l'on voit en elle un « produit »
de l'architecture » (MC, p. 70). « Un art sans précédent *proclame l'épopée*
de la chrétienté occidentale... L'homme entré dans l'histoire avec les
croisés condamnés de Pierre l'Ermite venait de découvrir *son art
majeur* » (MC, p. 72-73)[34].

La sculpture monumentale des tympans n'est pas née de l'architecture; elle vaut pour elle-même; elle n'est pas décor, mais *proclamation*
qui *dresse* les croisés contre l'art fascinant et étranger de Byzance; il
s'agit d'un appel, d'une épopée, s'exprimant dans la croisade qui trouve
elle-même dans la sculpture des tympans « son art majeur ». En face
de cette « prédication » épique, il y a l'*enseignement* qui est lié à la
solitude, il y a la *prière*, la *menace* ou la *propagande* pour un autre monde.
Le haut-relief roman « échappait à la subordination en échappant au
sanctuaire » (MC, p. 62) : celui-ci, pour Malraux, isole Dieu de l'impure
communion des hommes, il est le royaume de l'ombre. En portant la
statuaire de l'intérieur de l'église vers l'extérieur, en détachant cette
statuaire de la façade, la prédication qu'elle incarnait proclamait aussi
la libération de l'homme, l'appel de la croisade qui allait unir, dans la
communion virile, un peuple entier contre l'Orient et son surmonde
de l'éternel.

---

33. Souligné par Malraux lui-même.
34. Souligné par Malraux lui-même.

L'art roman proclame la croisade; celle-ci est destinée à libérer le Christ, non de la puissance des Sarrasins, mais de la gangue de *divinité*, qui volatilisait son humanité :

> Le génie chrétien devient celui de l'*offensive* occidentale. Raoul Glaber parle de ses blanches églises comme un Américain de ses premiers gratte-ciel, un Russe, de ses premières centrales électriques. Jérusalem prise bénit les premiers tympans, les moines guerriers protègent le Sépulcre, et *la sculpture romane semble celle de l'Église militante...* Que nous parle-t-on d'enseignement pieux?[35] La leçon du *Jugement dernier* (d'Autun) est menaçante, mais celle de la *Fondation de l'Église* (à Vézelay)? celle de l'*Apparition de l'Éternel* (à Moissac)? bientôt celle de Chartres? La sculpture romane se veut *proclamation à la face du ciel :* ni épidémie d'enfers, ni propagande pour le paradis, mais *croisade pour délivrer le Christ de son royaume d'ombre* (MC, p. 48).

Laissant tomber tout ce qui n'est pas prédication, croisade, Malraux infléchit l'art romano-gothique dans le sens de cet « anti-destin » qui est la signification ultime de l'art, pour lui :

> L'art roman va dresser au tympan des églises ce Dieu qui ne quittait le sanctuaire que pour des sorties d'idoles. *Rupture à peine moins profonde que le schisme.* Car la «Blanche robe d'église», la chrétienté l'avait connue au VIIe et au IXe siècle : c'était le suaire doublé d'or byzantin, *non la parure de la terre.* Les églises « au ciel d'or » n'étaient pas des tabernacles mais des gangues. L'appel qui commence aux tympans va couvrir les façades entières de Poitiers et d'Angoulème, bientôt tout le portail de Saint-Denis; et si le peuple fidèle de Chartres avait pu comparer son Portail Royal à l'austère entrée construite par Justinien pour triompher du temple de Jérusalem, qu'eût-il crié, sinon « *Christ est ressuscité!* » (MC, p. 48).

* * *

Le texte qui termine l'introduction au *Monde chrétien* réunit les thèmes de l'incarnation et de la prédication :

> Mais avec lui (saint Louis) s'éteindra la passion des cathédrales, la prédication qui couvrit la chrétienté depuis la construction de Moissac jusqu'à l'abandon des chantiers de Reims, depuis Compostelle jusqu'aux portes de Novgorod. *L'homme aura tiré*

---

35. L'allusion à Émile Mâle est évidente.

> de la pierre la seule humanité où pût se reconnaître le Dieu qu'il
> arrachait à la nuit (MC, p. 79).

La phrase soulignée précise que c'est l'homme qui a créé « le Dieu qu'il
arrachait à la nuit ».

> Les petites mains jointes de la candeur bourguignonne auront
> relevé la chrétienté prosternée (MC, p. 79).

L'innocence est ici tout autre chose que la transparence de l'enfant,
de l'âme-enfant, devant le Dieu qui la visite; elle est cette « candeur
bourguignonne » qui *relève* la chrétienté *prosternée*; la vision malruxienne
de l'art chrétien d'Occident est celle d'un *crépuscule des dieux* et d'une
aurore de l'homme :

> Le peuple des huit mille figures de Chartres aura crié la gloire
> du Christ à tous les moineaux des champs beaucerons; la nef
> de la cathédrale sera devenue le cœur du monde, parce que la
> cathédrale en sera devenue le miroir. Ici finit le temps où l'invin-
> cible éternité ensevelit la face implacable de Rome : pour des
> siècles, le Dieu du roi d'Occident mort à la dernière croisade,
> effacera celui que le mur chargé d'icônes protégeait de l'impure
> communion des hommes (MC, p. 79).

IV. Les dimensions authentiques de l'art chrétien.

Autant l'esthétique de Malraux est riche d'aperçus neufs, autant
sa vision de l'art chrétien est simplifiée au point d'en être inexacte.
Comme aucun des critiques, même catholiques, ne semble avoir pris
la peine de détailler cette « approximation », amicale même quand elle
se mue en une fin de non recevoir, force me sera de la faire ici, car le
sujet est d'importance.

1. L'art chrétien devant l'histoire

a. Naissance de l'art chrétien.

Un paragraphe résume la pensée de Malraux sur la naissance de
l'art chrétien :

> Le christianisme primitif s'est développé, à Rome, en marge
> de la seule civilisation athée qu'ait connue le monde ancien.

Dans le divin qui obséda Alexandre, le grand pontife César vit une question oiseuse ou un problème d'administration, et les figures des dieux le troublaient peu. La sculpture romaine s'était montrée incapable de création : Rome n'eut pas d'art, mais une gigantesque industrie d'art. Et peut-être ne connaissons-nous aucune révélation si saisissante de la rigueur avec laquelle toute forme significative se crée par un conflit avec une autre, et non par la fixation d'un spectacle ou l'expression d'un sentiment, — que *ces masses misérables, hantées de l'éternel et d'un corps crucifié*, réduites à en trouver l'image dans celle du Dieu des jardins... (MC, p. 13).

Certes, les premiers chrétiens sortent des masses misérables des esclaves et des gens humbles, mais, très vite, ils apparaissent parmi les grandes familles, par exemple celles qui mettront leurs maisons à la disposition de la communauté chrétienne pour la Liturgie : on connaît la demeure de Pammachius sur le Coelius, celle de Clemens, au pied de l'Oppius, celle de Pudens, sur le Viminal, et tant d'autres que l'archéologie chrétienne a découvertes. Les « masses misérables » ne se réunissaient jamais aux catacombes, hormis pour les cérémonies funéraires; elles se rassemblaient dans des salles, à l'intérieur des maisons patriciennes. C'est là, à côté de l'iconographie des catacombes, qu'apparaît un art chrétien.

Il est exact que l'art chrétien s'inspire d'abord « du dieu des jardins », mais il créa aussi une série de symboles, celui du poisson, de l'ancre, par exemple; il s'inspira des histoires bibliques, et si le style qui les transcrit est « pompéien », très vite, le sentiment chrétien le marque : je songe à *La Vierge à l'étoile* ou à la *Cène* de la catacombe de Priscille (première moitié du second siècle).

Parler des masses « misérables hantées de l'éternel et d'un corps crucifié », c'est résumer à la fois très bien et très mal le climat de la première chrétienté. La crucifixion étant le supplice des esclaves, le Christ était semblable à l'un de ces milliers de crucifiés sur les voies romaines, lors de la répression de la révolte de Spartacus : ils hurlaient de soif, avant de mourir en une dernière convulsion, avant de pourrir lentement, pendant que les patriciens se faisaient conduire vers les villas où les Corinne, les Cynthie et autres venaient les aider à passer d'agréables méridiennes. Par ailleurs, ne souligner que l'aspect misérable et tremblant des premières assemblées chrétiennes, c'est faire du mauvais roman : la prière eucharistique de la *Didachè* respire une allégresse planétaire par son évocation des fruits de la terre réunis et offerts à Dieu; l'espérance fondée sur la certitude de la résurrection animait les premiers chrétiens de son souffle vainqueur. Du reste, parler « de l'éternel *et* d'un corps crucifié » c'est escamoter *le fait central* du christianisme, la *résurrection :* ce qui « hante » les premiers chrétiens, c'est le Fils *de Dieu* assumant la mort en une chair crucifiée, mais aussi ressuscitant des morts : le corps « crucifié » est aussi le corps glorieusement ressuscité, *le même.* Or, nulle part, ni dans *Le monde chrétien,* ni dans *Les voix du silence,* Malraux ne mentionne la résurrection qui était le centre de l'iconographie, soit sous forme de symboles, soit directement, comme dans la mosaïque découverte en dessous de l'Église Saint-Pierre et représentant le Christ en gloire. A côté de l'art catacombal, centré sur la certitude de la résurrection, il y avait un art « dogmatique » qui voulait enseigner les vérités de foi : il est à l'origine des grandes compositions qu'on trouvera plus tard dans les absides des basiliques *romaines,* bien avant les basiliques dites « byzantines » du temps de Justinien. Or cet art est fait de lumière et de clarté rayonnante; son symbolisme est harmonieusement fondu dans une composition picturale tout antique, séduisante pour l'œil, témoin l'admirable mosaïque de Sainte-Pudentienne à Rome (fin du ive siècle) : le visage du Christ y est « incarné » au sens de Malraux, tant il est d'une douce majesté, mais il est aussi celui de l'éternel descendu parmi nous, car il est dominé par une croix gemmée. On est donc rêveur devant des phrases comme celle-ci :

> Les statues romaines sont des objets, destinés à être contemplés par l'homme dans le jour; *le chrétien aspirait à des œuvres où le surmonde se manifestât dans la pénombre,* — à des idoles de la vérité. Parentes des dieux et des princes de Sumer, des dieux et des doubles de l'Égypte, non des Césars (MC, p. 13).

Le chrétien n'aspirait pas à la pénombre, il ne rêvait pas « d'idoles » semblables aux dieux et princes de Sumer : les premières statues chrétiennes sont celles du Bon-Pasteur, et on connaît l'horreur des premiers fidèles devant les statues des dieux, leur peur de représenter le leur. Il ne faudrait pas oublier l'influence de la tradition d'Israël sur les premières générations chrétiennes; Malraux paraît le faire quand il écrit :

> En face de l'héritage antique, tout génie chrétien appartient à l'Orient, — ou à l'Orient qui envahit Rome. Souvenons-nous du carnaval en quoi celle-ci métamorphose les monstres hantés de l'Égypte. Toutes ces formes nient l'inconnu, dans un monde où tout sacré appelle le mot Orient. *Et cet Orient n'est pas Israël presque sans images, mais le pays où le surmonde est roi* (MC, p. 15).

Toutes ces affirmations se résument dans les lignes suivantes :

La première expression chrétienne paraît avec *le regard d'hypnose* des premières orantes, — celui des fresques de Doura, des statues de Palmyre, des suaires du Fayoum, — accordé à *l'amour nocturne* qui emplit les catacombes comme il le sera aux mosaïques des basiliques triomphales, parce qu'il veut être le regard où se reflète *l'insondable* (MC, p. 14).

Cet « amour nocturne qui emplit les catacombes » est un mythe romantique, datant du xixe siècle, cher aux auteurs de *Quo Vadis* et de *Fabiola* et repris dans les navets que le cinémascope nous livre périodiquement sur les premiers siècles chrétiens (*Quo vadis?* hollywoodien, etc.). Les orantes représentent l'Église priante, ou la Vierge, ou l'âme entrant dans le ciel; le regard n'est pas « d'hypnose », il n'est pas même d'extase, il est de douceur, de joie sereine et transparente. Quant à *l'insondable*, si les chrétiens n'avaient pas perdu le sens du mystère, ils n'avaient pas oublié non plus la phrase de saint Jean sur « Dieu que personne n'a jamais vu » mais que le « Fils unique qui est dans le sein du Père, a révélé » (le texte grec signifie, littéralement, « *a expliqué* »).

b. Les « équivoques » de l'art byzantin.

S'il a fallu rappeler la foi en la *résurrection* à propos du premier art chrétien, il faut souligner, à propos de l'art byzantin, son *humanité*.

Byzance a intégré dans sa civilisation une grande part des arts « orientaux » de la Syrie, de l'Égypte et de la Perse Sassanide, mais l'empire d'Orient n'en demeure pas moins marqué par *la continuation de l'antiquité gréco-latine à travers tout le moyen âge*[36]. Le ferment grec est toujours resté actif et l'histoire de l'Orient byzantin n'est pas celle d'une Asie qui aurait triomphé sous une défroque apparemment grecque, mais, au contraire, celle *des synthèses successives opérées entre l'apport constant des peuples « orientaux » et le vieil héritage gréco-romain*. En particulier, ainsi que le dit André Grabar, dans *La peinture byzantine*, l'art byzantin (et il ne parle pas de ses « succursales occidentales ») s'est *toujours* renouvelé, au cours de ces *quatre* âges d'or, au contact de la tradition artistique grecque, pleine « d'humanité ». La première, la troisième et la quatrième période de l'art byzantin sont animées du souci de ce que nous appellerions la « nature » : les premières mosaïques

---

36. Cette définition du « byzantinisme » est celle d'un de ses plus grands spécialistes, le regretté Ernest STEIN, auteur d'une *Histoire du Bas-Empire*, et mon maître en sciences byzantines à l'Université de Louvain.

de Ravenne (celles de Galla Placidia, ve siècle), celles de Daphni, en Grèce (troisième âge d'or byzantin), celles de Kharié-Djami à Constantinople (quatrième âge d'or), qui inspireront les fresquistes de Mistra et les artistes qui décoreront les Balkans et la Russie de Kiev, témoignent d'un sens du pittoresque et du pathétique qui ne fait aucunement songer aux « cryptes hantées » ni aux « mosaïques, grand art de l'ombre ». Le luxe de couleurs, la joie lumineuse, le souci de composition sobre, tout à fait grec (ceci surtout à Daphni), est à cent lieues du style hiératique et funèbre que Malraux présente comme byzantin. En réalité, il a étendu à dix siècles *l'art de cour caractéristique de l'époque de Justinien*, tout comme, des empereurs, il semble n'avoir retenu que les figures les plus sanguinaires évoquées par Charles Diehl ou Schlumberger; or une meilleure connaissance des faits permet maintenant de limiter à certaines époques ces actes de barbarie et de mieux distinguer le rôle politique des empereurs du rôle ecclésiastique des patriarches. Lorsque Malraux parle « d'invincible monophysisme traversé de déchaînements sentimentaux » (MC, p. 76), il simplifie : certes Byzance a surtout été pénétrée de la divinité du *Logos* incarné, car ses offices de la Semaine sainte, par exemple, en multipliant les *Alleluia* et les *Gloria Patri*, soulignent que nous revivons la passion *d'un Dieu*. Mais dire que « Byzance n'a jamais été certaine que le Christ a souffert comme un homme » (MC, p. 77), c'est se méprendre : la qualité propre des offices orientaux de la sainte Semaine est précisément de marquer très fort la douleur *humaine* de Jésus, mais de rappeler sans cesse que c'est le *Logos* qui souffrait et mourait. C'est en Orient que s'est tenu le concile de Chalcédoine, qui a défini deux natures dans le Christ, contre Eutychès auquel on attribuait l'affirmation que la nature humaine du Seigneur n'était pas entièrement « consubstantielle » à la nôtre, c'est-à-dire pas entièrement semblable; et le concile de 681, à Constantinople, a précisé l'existence de deux volontés et de deux énergies dans le Christ.

Il faut faire ici une remarque essentielle : la *notion d'homme* qui permet à Malraux de voir dans Byzance un monophysisme invincible est *purement profane*. Dans la théologie de l'Incarnation, le Christ est homme parfait parce que son humanité est *parfaite image de Dieu*, parce que son humanité est celle du « nouvel Adam »; or Adam est homme *dans la mesure où il est image de Dieu*. En d'autres termes, la définition *chrétienne* de l'homme est la création à l'image et à la ressemblance de Dieu. Que cette similitude comporte un pouvoir royal sur la création, celui que la Genèse exprime quand elle parle de « croissez et multipliez, remplissez la terre et *dominez-la* », c'est certain; c'est cela qui fonde cette beauté royale, cette humble fierté des figures d'hommes sculptées aux tympans de nos cathédrales romanes et gothiques. Mais que la ressemblance et l'image divine orientent d'abord l'homme vers Dieu, avant de l'orienter vers le monde, en d'autres mots, que le mouvement n'aille pas de haut en bas, de l'intérieur du sanctuaire vers l'extérieur de celui-ci, mais qu'il soit aussi d'intériorité, lorsqu'il va au-devant du visage divin en nous et qu'il monte vers cette irradiation divine sur notre face qui révèle notre création comme image de Dieu, c'est une autre évidence. Dès lors, le fait que Jésus ne pouvait pas pécher ne diminue pas son humanité, n'amoindrit pas sa ressemblance avec nous, *car le péché ne fait pas partie de la nature humaine voulue par Dieu :* le Christ impeccable est donc homme mieux encore que nous qui sommes pécheurs, non pas malgré qu'il soit impeccable mais *parce qu'il l'est.* Voilà pourquoi, plus le visage du Christ apparaît « divin » sur les icônes et mosaïques, plus aussi il est « humain », parce que la notion d'humanité, dans la théologie de l'Incarnation, est précisément l'image de Dieu : *plus une humanité ressemble à Dieu, plus elle est « humaine ».*

Il n'y a donc pas de monophysisme invincible dans l'art byzantin : la grandeur souveraine, la stylisation des visages, le fond doré des mosaïques (qui n'apparaît du reste que dans l'art de certaines périodes) rendent sensible la transfiguration de l'humain par le divin, en Jésus. Transfiguration ne signifie pas destruction, immobilisation cataleptique du visage, par l'éternel, mais irradiation sur une face humaine de cet amour formidable qu'est le feu divin que le Christ *était* puisqu'il *était* le Fils de Dieu.

Ce que Malraux a écrit sur l'art de l'ombre, sur le rapprochement des mosaïques avec « le ciel de Babylone » est donc très imprécis. A propos de la mosaïque de Torcello par exemple, il écrit : « Toute l'incantation byzantine est dans cette dernière figure, solitaire au fond de sa sombre coupole pour que nul ne trouble son dialogue avec le destin. Au-dessous s'alignent saints et prophètes; au-dessous encore la vraie foule qui prie. Là-haut, c'est la nuit héréditaire de l'Orient, la nuit qui fait du firmament une dérisoire agitation d'astres, et de cette terre un spectacle aussi vain que l'ombre des armées quand cette dérive de l'éphémère n'est pas reflétée par le visage méditatif d'un dieu » (p. 210-211).

La phrase, admirable, témoigne d'une incompréhension grave de l'art byzantin lui-même. Il suffit d'avoir vu la mosaïque de Torcello, ou d'en examiner la reproduction en couleurs qu'en donne le livre de Grabar, pour saisir que Malraux confond le *sacré chrétien* avec le *sacré ambigu* et impersonnel de l'art bouddhique par exemple. Il parle d'une coupole « sombre » : la coupole est d'un or flamboyant, qui frappe tellement le regard que le profil de la Vierge ne se remarque qu'ensuite ; de plus, le fond or des mosaïques représente la lumière céleste : la solitude de la figure de Marie au centre de sa coupole n'est donc pas liée à son « dialogue avec le destin » et le ciel où elle se trouve n'est pas « une dérisoire agitation d'astres ». Malraux a confondu « l'impérieuse abstraction byzantine » (p. 239) avec la nuit impersonnelle des religions orientales. La mosaïque de Torcello représente l'Église, dont Marie est « l'icône eschatologique » ; autour et au-dessus de l'autel, elle rend sensible, par des moyens visibles, l'invisible liturgie paradisiaque dans laquelle la liturgie terrestre fait entrer le peuple de Dieu ; la mosaïque représente la « transfiguration » du monde, par l'Église, et non point « la dérive de l'éphémère reflétée par le visage méditatif d'un dieu ».

De même, affirmer, sans autre explication, que l'on n'aurait pu dire, devant Sainte-Sophie de Constantinople : « Christ est ressuscité », c'est friser le paradoxe : s'il est une vérité qui est la clef de tout l'art byzantin, durant dix siècles, c'est *la place centrale de l'humanité ressuscitée du Christ.* Tout est un prolongement de cela. Il est donc étonnant de lire sous la plume de Malraux que le sanctuaire byzantin protégeait le Dieu contre l'impure communion des hommes (MC, p. 79), alors que l'art des Icônes par exemple a pour but d'introduire l'univers matériel et spirituel tout entier dans l'orbite de l'humanité ressuscitée de Jésus. S'il y a un art qui a gardé le sens « cosmique », celui de l'universalité sacrée s'étendant à *tout* l'univers jusque dans ses entrailles, pour y préparer mystérieusement une résurrection transfigurante, c'est l'art byzantin ; ce sens, *c'est l'Occident qui le perdra, dès le XIV*e *siècle,* du moins dans son art.

Sans doute, dans l'incarnation, on peut souligner soit le côté de l'humain qui se tourne vers le divin et la divinisation, et c'est le point de vue de prédilection en Orient, soit le mouvement par lequel le divin s'incarne, et c'est le « sourire rémois ». Mais il n'y a là que différence *d'accent,* orientation variée de la lumière qui se pose sur le Christ : le nœud est, à Byzance comme en Occident, le mariage indissoluble, les épousailles du divin et de l'humain en Jésus, de telle sorte que, en accentuant tantôt l'un tantôt l'autre, on rejoigne le visage où se lient l'amour divin et l'amour humain.

e. L'Art d'Occident.

Malraux ne s'intéresse qu'à la puissance de rupture des artistes romans; or Émile Mâle[37] montre lui aussi que les artistes occidentaux ont marqué de leur *empreinte personnelle* les œuvres d'art dont ils empruntaient les modèles en Orient :

> On verra tout ce que nos artistes ont reçu du passé par l'intermédiaire de la miniature. Mais on verra aussi tout ce qu'ils ont *créé*, car ils n'ont pas tardé à être autre chose que de simples copistes (*Art... XII*e *siècle*, p. 111).

Le cadre même de l'exposé sur le xiie siècle comporte onze chapitres dont neuf expriment différents aspects de l'enrichissement apporté par les artistes occidentaux aux modèles orientaux. Seulement, ces enrichissements ne sont pas uniquement dus au souci de l'artiste de créer une œuvre « autre » que celle de son modèle; à côté de ce souci artistique, présent en toute œuvre authentique, — et Mâle est le dernier à le nier, — il y a *aussi* les influences subies dans l'ordre doctrinal, par exemple celles qui aboutissent à faire de l'art du xiie siècle un art « *façonné par la pensée* » (*Art... XII*e *siècle*, p. 3), tandis que l'Orient « ne copie pas, il stylise; à la réalité, il préfère *les caprices de son imagination* » (*Art ... XII*e *siècle*, p. 2).

Autrement dit, Émile Mâle ne néglige pas ce que Malraux souligne de son côté, seulement il l'intègre dans l'ensemble de ce que fut réellement l'art du xiie siècle : par exemple, la sculpture romane exprime

---

37. Malraux fait plusieurs fois allusion aux idées d'Émile Mâle, pour les rejeter : « peu importent les modèles des Psautiers », dit-il (MC, p. 31); les « filiations s'appliquent avec moins de rigueur à la composition qu'aux thèmes et à l'iconographie et ne s'appliquent pas du tout aux formes... L'histoire s'attache à la ressemblance entre les œuvres, l'artiste à leur dissemblance » (MC, p. 35); ainsi, l'art « pré-roman » n'est pas le précurseur de Vézelay (MC, p. 40 et 58), bien que les « thèmes » se retrouvent de l'un à l'autre; les motifs se transmettent, non le style : les fresques, par exemple, celles de Berzé-la-Ville, au xiie siècle, sont un art élaboré, non un art primitif dont sortirait la sculpture (MC, p. 59). Sans doute, pour Émile Mâle, « dont les beaux livres ne traitent que d'iconographie, l'art du moyen âge est religieux par les sujets qu'il traite, non précisément par son *style*. S'il loue parfois ce dernier, c'est avec une timidité qui tient sans doute à la persistante hégémonie des conceptions tainiennes » (A. BLANCHET, *Études*, juin, 1949, p. 297, n. 3). Seulement, E. Mâle ne prétend pas parler du style artistique; si, par contre, Malraux a merveilleusement souligné l'apport essentiel du « style sacré », il ne se limite pas à l'étude de la forme artistique, il passe sans cesse à sa *signification*, à la vision du monde qui s'y trouverait : à ce titre, il empiète sur le domaine de l'histoire et il impose un dialogue avec le grand historien de l'art chrétien d'Occident.

le courage des héros, mais elle cisèle aussi le renoncement du moine (*Art ... XII*e *siècle*, p. 308). Le xiie siècle est le grand siècle épique et déjà la sève tarit au xiiie siècle (*ibid.*, p. 312); « c'est une des grandeurs de l'Église du moyen âge d'avoir senti tout ce qu'il y avait de beauté morale dans notre épopée » (*ibid.*, p. 267); l'iconographie en est profondément humaine :

> Les siècles les plus stériles, ceux qui n'avaient eu ni écrivains, ni poètes, ni artistes, avaient eu leurs saints. Ces siècles n'étaient pauvres qu'en apparence puisque, au sentiment des hommes d'alors, *les saints étaient les chefs-d'œuvre de l'humanité*. Comme Pascal, l'Église du moyen âge mettait l'ordre de la charité bien au-dessus de l'ordre de l'intelligence; c'est pourquoi le moindre ermite, qui dans la solitude avait réussi à se vaincre lui-même, méritait à ses yeux d'être éternisé par l'art. L'athlète avait été l'idéal de la Grèce antique, l'ascète devint l'idéal des temps nouveaux. Au moyen âge, les hommes de notre race, quand ils ont été grands, ont toujours été des ascètes; toujours ils ont méprisé le voluptueux Orient, ses harems, ses parfums, la courbe enchantée de ses arabesques. Cette longue lutte de l'Occident contre l'Orient, c'est la lutte éternelle de l'esprit contre les sens[38]. La plus haute expression du moyen âge, c'est *le soldat qui se sacrifie, le moine qui prie, le saint qui foule aux pieds la nature. Le saint, voilà le vrai héros de cet âge;* c'est lui qui, par l'enthousiasme qu'il excitait, soulevait l'humanité, l'arrachait à son limon. Encore aujourd'hui, le peuple, qui sent instinctivement ce qu'il y a d'extraordinaire dans la sainteté, conserve la mémoire des saints. Les paysans du Bourbonnais, qui ont oublié les noms des rois de France, connaissent encore saint Patrocle et saint Marien qui vivaient aux temps de Grégoire de Tours. Et, nous aussi, le nom d'un saint inconnu nous intéresse, le lieu où il a vécu nous émeut. L'ermitage, la cellule, le monastère habités par le saint conservent quelque chose de religieux, comme chez les anciens, ces lieux sacrés qu'avait touché le feu du ciel (*ibid.*, p. 227-228).

Cet art à la fois populaire et sacré, qui se reflète autant dans le « beau Christ » que dans le « bon Dieu de pitié », est si peu une « conquête » de l'Occident, contre Byzance, *qu'il vient, en grande partie, de l'Orient lui-même.* L'art des *fioretti*, dont parlait Malraux, nous vient d'Orient

---

38. Il est assez amusant de voir que le meilleur historien de l'iconographie médiévale décrive l'Orient comme étant le pays des « sens », des parfums, des harems, bref, de tout ce qui est « humanisé » (si l'on peut dire) tandis que l'Occident apparaît comme royaume de l'Esprit : c'est exactement le contraire de ce que prétend Malraux.

par le truchement des Franciscains. L'aspect pathétique du Christ, le sens de son enfance et de sa vie sur terre, nous viennent de la dévotion des moines établis en Syrie et Palestine et méditant sans trêve la passion douloureuse; ainsi la dévotion au Chemin de la Croix vient de l'Orient[39]; dans les représentations de *la nativité*, l'élément humain, simple et tendre, vient de modèles syriens, tandis que les types plus hiératiques s'inspirent de l'iconographie grecque.

* * *

Selon Malraux, la prédication aurait dressé aux tympans des Églises ces statues qui proclamaient à la face du ciel la « croisade » de l'Occident contre l'Orient qui avait enfermé le Christ dans des « cryptes hantées », dans une gangue d'ombre; la prédication, opposée à l'enseignement, domine le monde chrétien occidental et culmine avec la croisade. C'est là une des affirmations les plus audacieuses de Malraux, et il faut son style prestigieux pour qu'elle ait passé comme une lettre à la poste chez les recenseurs de son livre. D'abord, s'il est une réalité *historique* évidente, c'est que les tympans romans se situent non pas sur la route des croisades mais sur celle des *pèlerinages*. Mâle a consacré deux chapitres de son livre à cet aspect capital de l'iconographie romane : « En même temps que le culte des saints, les pèlerinages, qui ne sont qu'une des formes de ce culte, contribuèrent à enrichir l'iconographie et l'art » (*ibid.*, p. 245). Le pèlerinage implique nécessairement l'idée du « passant en marche vers une Jérusalem éternelle » (*ibid.*, p. 246). Les routes des pèlerins mènent à Saint-Jacques de Compostelle, en Espagne, à Rome, et, au-delà, au Monte Gargano, enfin en Palestine, vers Jérusalem.

Ensuite, les tympans sculptés, propres à l'Occident, n'ont pas la signification que Malraux leur donne[40], ainsi que l'explique E. Mâle :

---

39. Tout ce qui est « pathétique » dans nos offices de la Semaine Sainte, par exemple la procession des Rameaux et l'adoration de la Croix, nous vient de la Palestine. Tous les œcuménistes savent combien, en face de la liturgie « orientale » plus sensible, plus riche en couleurs, en chants, en exubérance, la liturgie occidentale, romaine surtout, est sobre, discrète, presque abstraite; l'art des xiie-xiiie siècles est symbolique d'abord, stylisé ensuite; la vraie humanisation (agonie, enfance, sourires, etc.) n'apparaît vraiment qu'à partir du xive siècle, sous l'influence de textes syriens.

40. Malraux oppose aussi l'Occident et l'Orient, en faisant de l'absence de portail en Orient le signe de ce que Dieu y serait « protégé de l'impure communion des hommes », « comme une idole asiatique »; or l'Italie, qui n'a rien « d'asiatique » que je sache, n'a *jamais* connu ni admis le tympan sculpté et l'a reçu, plus tard, de France (E. MÂLE, *Ibid.*, p. 273-274).

> Chez nous, dans la plupart de nos provinces, de simples églises de village ont un tympan sculpté, *poème de pierre qui arrête le paysan et le force à méditer sur les choses du ciel (ibid.*, p. 273).

Le tympan fait méditer sur les choses du ciel; il invite donc aussi le passant à pénétrer dans le sanctuaire :

> Nés en France, ces magnifiques tympans sont une des beautés de nos églises. C'est à eux que va d'abord le regard; ils invitent à la méditation; ils arrachent le fidèle à ses misérables pensées de tous les jours, *le préparent à entrer dans le sanctuaire.* Avant d'avoir franchi le seuil, il respire déjà l'air d'un autre monde. On lit sur un portail décoré d'une Vierge en majesté entourée de saints : « *Toi qui entres ici, élève-toi vers les choses du ciel. Ingrediens templum refer ad sublimia vultum* » *(ibid.*, p. 377-378).

Relisons le texte parallèle de Malraux :

> Le génie chrétien devint celui de l'offensive occidentale. Raoul Glaber parle de ses blanches églises comme un Américain de ses premiers gratte-ciel, un Russe de ses centrales électriques. Jérusalem prise bénit les premiers tympans, les moines guerriers protègent le Sépulcre, et la sculpture romane ressemble à celle de l'Église militante... Que nous parle-t-on d'enseignement pieux? La leçon du *Jugement dernier* est menaçante, mais celle de la *Fondation de l'Église?* celle de l'*Apparition de l'Éternel?* bientôt celle de Chartres? La sculpture romane se veut *proclamation à la face du ciel :* ni épidémie d'enfer, ni propagande pour le paradis, mais croisade pour délivrer le Christ de son royaume d'ombre (MC, p. 48).

On ne peut imaginer opposition plus radicale dans l'explication des mêmes œuvres d'art : d'un côté le tympan qui recueille, invite à entrer dans le sanctuaire, élève vers le ciel et les choses d'en haut; de l'autre, l'église militante, c'est-à-dire militaire, celle des croisades, qui est offensive, proclamation à la face du ciel. D'un côté le sacré, qui s'enseigne dans les figures de pierre, de l'autre la croisade qui arrache le Dieu asiatique à son ombre pour en faire un simple homme. Pour Malraux, il n'y a pas de Dieu, donc pas de monde qui ait un sens; il n'y a que proclamation de l'homme, face au ciel vide. Mais, cette idée, il ne faut pas essayer de la « lire » dans les portails romans, car elle n'y est pas : l'inscription gravée au tympan de l'Église de Mozat, près de Riom, « Toi qui entres ici, élève-toi vers les choses du ciel » (*Art... XII*e *siècle*, p. 378, n. 1), vaut plus, en histoire, que toutes les « intuitions ».

Enfin, pour Malraux, dans le tympan d'Autun par exemple, ou dans celui de Moissac (ces œuvres vont devenir le modèle d'une série d'autres, cfr *Art... XII*e siècle, p. 378), les personnages secondaires sont presque aussi importants que le personnage central « *et peut-être leur apparition n'a-t-elle pas moins d'importance que la sienne* (celle du Christ) » (MC, p. 79). Or il est historiquement et techniquement certain que le problème posé à l'artiste en présence d'une demi-circonférence à ornementer était celui de la répartition de ses personnages; il ne pouvait le résoudre que par l'introduction d'*un personnage central, dominant* les autres, donc par la représentation d'une scène triomphale, par exemple le Christ de l'Apocalypse, le Christ s'élevant au Ciel, le Christ revenant juger les hommes; les sculpteurs grecs avaient affronté les mêmes problèmes et les avaient résolus de même. Interpréter des tympans romans à partir des personnages secondaires, dire que leur apparition à Moissac et Autun est aussi importante que celle du Christ, est donc aussi contraire à l'histoire que de vouloir interpréter les frontons des temples grecs en faisant abstraction de la figure centrale, par exemple celle d'Apollon au temple d'Olympie; les personnages secondaires sont dans l'orbite du personnage *central*. Ici encore, Émile Mâle rétablit les perspectives dans le chapitre qu'il a consacré aux portails monumentaux :

> L'idée de jugement semblait alors contenue dans toutes les grandes œuvres que créaient les artistes... Partout le tympan reste fidèle à son caractère triomphal... Le Christ de Beaulieu est à la fois grandiose et douloureux (*ibid.*, p. 407, 406, 408) (cfr aussi *Art... XIII*e, p. 402 ss.)[41].

---

41. Il faut rappeler aussi les liens intimes de l'art du xii⁰ siècle et de l'art oriental. Quelques passages d'Émile Mâle montrent à quel point Malraux a simplifié le tableau : « Aucun art que l'art roman ne fait mieux sentir l'étroite union de l'Orient et de l'Occident » (*Ibid.*, p. 349); des légendes millénaires, venues du fond de l'Orient, parviennent jusqu'à nous (*Ibid.*, p. 351); « toute l'Asie apporte ses présents au christianisme comme jadis les Mages à l'Enfant » (*Ibid.*, p. 363 et p. 1); « ce n'est pas à l'imagination orientale que le moyen âge doit le terrible Satan des chapiteaux du xii⁰ siècle » (*Ibid.*, p. 370 : cette remarque vaut son pesant d'or quand on la compare à tout ce que Malraux dit du soi-disant Orient chrétien hanté d'ombre, de barbarie et d'un éternel qui dépersonnalise l'homme); l'origine du vitrail est presque certainement à chercher dans les étoffes orientales (*Ibid.*, p. 345) : la collection d'étoffes de la cathédrale de Sens est une sorte de résumé de tout l'Orient, y compris la Perse et l'Égypte (*Ibid.*, p. 341). On est effrayé de voir à quel point Malraux escamote l'unité *qui régnait encore aux XI*e*-XII*e *siècles entre Orient et Occident*, tant au point de vue économique que culturel et artistique : les études récentes n'ont fait que vérifier ces faits; ainsi, l'excommunication de 1054 n'a pas coupé les contacts entre Orient et Occident, car les pèlerins continuent à aller et venir *dans les deux sens;* la rupture se situe au début du xiii⁰ siècle,

2. Architecture sacrée et christianisme authentique

Les lacunes de la vision malruxienne de l'art chrétien se ramènent à deux : une ambiguïté jamais éclaircie dans la notion du sacré, et une absence explicite de l'architecture romane et gothique, celle-ci se réduisant du rôle de support des sculptures.

a. Ambiguïté de la notion du saeré.

Malraux n'a jamais vu, — du moins il ne l'a jamais dit, — qu'il y a *deux sortes de sacré*. Faute de cette distinction majeure, il n'a jamais parlé que du sacré qui, par son ambiguïté même, tend au surhumain, à l'inhumain. Voilà pourquoi sa notion de « transfiguration » est entachée d'imprécision, car le sacré ferait de l'homme « une chrysalide condamnée d'où sortira le papillon d'une sagesse unique » (p. 219). Cette formule exprime l'essence du sacré dans toutes les religions, *sauf une*, le christianisme. Celui-ci, en effet, échappe au monde du « mythe », puisqu'il brise le cycle des retours éternels par l'intrusion de Dieu dans l'histoire, par l'insertion de l'éternel dans le temporel. Le temporel est alors *sauvé en lui-même;* il l'est en étant *transfiguré;* mais la transfiguration n'est plus ici une destruction du visage humain, mais sa consécration par l'intérieur. En d'autres termes, Malraux n'a pas saisi le centre du mystère de l'Incarnation, dans lequel le transcendant, terrible et sacré, devient profondément immanent à l'humain, au point de se l'unir dans l'unité ontologique d'une seule personne, mais en sauvegardant dans cette unité même la puissance inaccessible du Verbe et l'intégrité de la nature humaine assumée. Comme le dit le

en 1204, lors de la prise de Constantinople par les latins. *Les relations de l'Orient et de l'Occident jusqu'au début du XIII⁰ siècle sont un fait dont l'importance ne fait que croître aux yeux des chercheurs :* Malraux le réduit à l'opposition des artistes à leurs modèles; il l'amenuise jusqu'à voir dans Charlemagne le sauveur des images et dans les patriarches, des iconoclastes; il réduit des siècles de relations fécondes à une croisade de l'Occident contre la « divinité éternelle » du Christ. Malraux se fait du moyen âge occidental et de l'Orient byzantin, une image romantique qui rappelle Hugo, Michelet, et même certaines pages de Viollet-Le-Duc : lorsque Hugo décrit « le soleil gothique qui se couche derrière la gigantesque presse de Mayence », lorsqu'il parle des artisans gothiques « inquiets, indépendants », on songe aux phrases de Malraux sur « l'humanisation de l'art »; ce thème se retrouve aussi dans Viollet-Le-Duc, parlant de l'indépendance « laïque » des francs-maçons. Il n'est pas question de nier l'apparition et le développement de l'esprit laïque au moyen âge (cfr P. DE LAGARDE, *La naissance de l'esprit laïque au déclin du moyen âge*, en cours de réédition, Louvain, 1956) mais la « transcription » *tout à fait profane* qu'en donne Malraux est une déformation.

Père Couturier, « le mariage de l'incarnation et de la transcendance fait le *sacré chrétien* ».

L'oubli de cette distinction explique une série d'erreurs dans les études de Malraux sur l'art byzantin et l'art romano-gothique. Dans l'art byzantin, il voit la « sacralisation » de l'homme et du monde, mais il n'y voit plus, ou à peine, l'aspect humain; par contraste, du Christ romano-gothique, il ne voit que l'aspect humain, ce par quoi l'art roman s'oppose à l'art byzantin : tout comme le Christ en majesté de Vézelay va vers le Beau-Dieu d'Amiens et vers les *pietà* du XIVe siècle, de même Dieu irait vers Jésus (p. 237). Il affirme bien que le gothique est art de l'Incarnation et que le christianisme se fonde sur un événement concret et irréversible, — « les dieux grecs avaient des « attributs » tandis que la Vierge présente son enfant et le Christ porte sa croix » (p. 217-218), — mais cette incarnation, conçue de manière nestorienne, est celle d'un *homme* divinisé, « le charpentier en agonie jusqu'à la fin du monde » (p. 221). Il y aurait ici une sorte de loi, car il écrit « qu'aucun art ne va de l'homme à Dieu mais que tous vont de Dieu à l'homme » (p. 281); du sourire gothique, qui est cependant la preuve expérimentale que le sacré chrétien ne détruit pas la nature mais la parfait, Malraux passe progressivement à Giotto et à l'art de la Renaissance qui redeviendra profane; il y verra l'origine de la décadence des arts de « fiction », mais, en même temps, et il y a là une contradiction, cette décadence découlerait nécessairement du principe même de l'art chrétien occidental : l'humanisation de Dieu.

Une phrase fera saisir l'essentiel de l'ambiguïté du sacré chez Malraux : « Toute figure romane est humanisée, encore profondément religieuse, elle n'est plus sacrée » (p. 230). Le sacré et l'humain seraient donc des notions contradictoires; or cette contradiction apparaît souvent dans les religions panthéistes de l'Asie, mais elle est absente du monde chrétien puisque, par définition, Dieu s'est incarné pour sauver l'humain, *pour le consacrer sans le détruire*. Il n'y a pas de différence non plus entre « religieux » et « sacré », comme Malraux semble le dire, à moins de définir l'âme « religieuse » par « l'angoisse profonde d'être homme », mais cette « définition » exprime seulement une des racines du sens religieux, non le contenu de la religion, *a fortiori* pas celui de la religion chrétienne.

L'absence du sens de l'incarnation, si profond chez un Péguy, explique l'incompréhension de Malraux devant l'art gothique qui a si miraculeusement « *introduit le sacré dans l'humain* » : à cette remarquable affirmation d'André Rousseaux (*Litt. du XXe siècle*, IV, p. 180) j'ajouterais simplement que l'art byzantin et l'art roman l'ont fait aussi, car c'est la caractéristique de tout art *chrétien*.

b. L'architecture chrétienne.

Le Christ consacre le monde et l'homme : la cathédrale gothique, l'abbatiale romane, la basilique romaine ou byzantine, toutes les églises de pierre qui nous reçoivent, — et jusqu'à la chapelle de Vence, — rendent sensible la consécration du monde, et de l'homme, roi de la création.

Pour Malraux, « le génie chrétien naît quand les tympans cessent d'être décoratifs » (MC, p. 72); les « statues colonnes » ne font pas partie du sanctuaire, car elles incarnent, non l'insertion de l'homme dans un monde sacré qui le consacre en profondeur, mais le défi de l'homme face au ciel vide. Si la statuaire romane était *aussi* un décor (elle n'est pas que cela, mais elle l'est peut-être surtout) ce serait, pour Malraux, proclamer la soumission de l'homme au « sanctuaire » hanté, au sacré dépersonnalisant, ce serait ressaisir ces hommes, comme par le dos, et les accoler aux voussures, aux architraves, aux portails de l'édifice architectural, ce serait les asservir. L'auteur des *Voix du silence* ne voit pas que la sculpture romane est décor parce qu'elle rend sensible *la participation* de l'homme à l'ordre vivant que le Verbe inscrit dans la création matérielle et spirituelle.

Ensuite, affirmer que la sculpture romane n'est pas un décor, *la séparer de l'édifice*, c'est dire équivalemment que le sommet de cette sculpture se trouve dans les dentelles de pierres et de statues qui sont « séparées » de la façade, par exemple à la cathédrale de Rouen; or la critique de la conception malruxienne des tympans sculptés a déjà montré la déformation historique qu'il faut imposer aux faits pour maintenir pareille affirmation. Émile Mâle cite du reste un texte qui donne la clef de l'architecture religieuse du moyen âge (*Art... XIII*e siècle, p. 402, n. 1) :

> *Urbem beatam Jerusalem, quae aedificatur ut civitas non saxorum molibus sed ex vivis lapidibus, quae virtutum soliditate firmatur et sanctorum societate numquam dissolvenda extruitur, sacro sancta militans Ecclesia mater nostra per manu factam et materialem basilicam repraesentat.* La très sainte Église militante ici-bas, notre Mère, représente par la basilique matérielle, faite de main d'homme, la bienheureuse ville de Jérusalem qui s'édifie comme une cité, non par la masse des rochers, mais de pierres vives, cette cité qui s'affermit par la solidité des vertus et s'achève, de manière à ne jamais être détruite, par la société des saints.

L'allusion à l'hymne liturgique de la Dédicace des églises montre que l'église de pierre est une image de l'église des hommes, construite

de pierres vives, fondée sur les saints et s'édifiant dans le ciel, Jérusalem
bienheureuse; le miracle du moyen âge, — mais c'est aussi le « miracle »
chrétien, — est que les citoyens du « ciel » soient en même temps si
« humains ». Jean de Jandun, en 1323, disait de la chapelle de la Vierge,
située derrière le chœur de Notre-Dame de Paris : « En y entrant, on
se croit ravi au ciel et introduit dans une des plus belles chambres du
paradis » (Mâle, *ibid.*, p. 402, n. 1). Ceux qui entrent dans ces
« chambres », ce sont les leudes de Moissac, ces gens simples, ces
paysans et ces vignerons qu'Émile Mâle n'ignore pas plus que Malraux :

> Pénétrons dans la cathédrale. La sublimité des grandes lignes
> verticales agit d'abord sur l'âme. Il est impossible d'entrer dans
> la grande nef d'Amiens sans se sentir purifié. L'Église, par sa
> seule beauté, agit comme un sacrement. Là encore nous retrouvons
> *une image du monde.* La cathédrale, comme la plaine, comme
> la forêt, a son atmosphère, son parfum, sa lumière, son clair-
> obscur, ses ombres. Sa grande rose, derrière laquelle le soleil
> se couche, semble être, aux heures du soir, le soleil lui-même
> prêt à disparaître à la lisière d'une forêt merveilleuse. Mais
> c'est un monde transfiguré où la lumière est plus éclatante que
> celle de la réalité, où les ombres sont plus mystérieuses. Déjà
> nous nous sentons au sein de la Jérusalem céleste, de la cité
> future. Nous en goûtons la paix profonde, le bruit de la vie se
> brise aux murs du sanctuaire et devient rumeur lointaine : voilà
> bien l'arche indestructible, contre laquelle les vents ne pré-
> vaudront pas. Nul lieu au monde n'a empli les hommes d'un
> sentiment de sécurité plus profonde (*Art... XIIIᵉ siècle*, p. 402).

Image du monde, de *ce* monde et de l'*autre* monde, céleste, la
cathédrale incarne deux univers, l'un *par* l'autre, l'un *dans* l'autre,
car le « ciel » n'est pas « ailleurs », il est « ici »; simplement, il est voilé,
pour un temps. L'architecture byzantine, qu'elle soit basilicale ou à
plan circulaire, rend plus sensible encore cette présence incarnée d'un
monde divin dans un univers consacré par lui : le chrétien « oriental »
entrant à Sainte-Sophie de Constantinople, comme le fidèle « romain »
pénétrant dans Sainte-Marie-Majeure, sent qu'il pénètre dans la
Jérusalem céleste, — qui est « ce » monde-ci, transfiguré en profondeur.
Les différences, parfois majeures, entre les styles architecturaux,
français, italiens, espagnols ou orientaux, — et que de variantes encore
dans cet « Orient »!, — ne suppriment pas cette *unité infiniment plus
importante que toutes les oppositions que Malraux souligne.* Rejeter
dans l'ombre des dieux de l'Asie sanguinaire dix siècles d'art byzantin
et tout l'art occidental jusqu'au xiᵉ siècle, parler de l'art du xiiᵉ siècle,
sans rappeler qu'à cette époque le moyen âge « monastique » était sans

cesse en contact avec l'Orient, ne donner de l'art chrétien qu'une infime partie, quelques statues, quelques sourires, mais rien de cette révélation *totale* qu'il fut aux xiie et xiiie siècles *en Orient comme en Occident,* c'est simplifier audacieusement l'histoire de quinze siècles.

L'architecture médiévale n'est pas seulement celle des églises, c'est aussi celle qui se reflète dans les quatre miroirs de Vincent de Beauvais : le miroir de la nature, le miroir de la science, le miroir moral, le miroir historique, c'est celle des *Sommes;* chaque cathédrale était aussi une école, et la cathédrale elle-même était un livre, une bible de pierre (*Art... XIIIe siècle,* p. 398, 345-346). Ce qui domine ce siècle, c'est *l'harmonie architectonique* de la pensée et de l'art :

> Ce que nous sentons encore aujourd'hui, combien plus vivement le sentirent les hommes du moyen âge! La cathédrale fut pour eux la *révélation totale.* Parole, musique, drame vivant des mystères, drame immobile des statues, *tous les arts s'y combinaient,* C'était *quelque chose de plus que l'art,* c'était la pure lumière, avant qu'elle ait été divisée en faisceaux multiples, par le prisme. L'homme, enfermé dans une classe sociale, dans un métier, dispersé, émietté par le travail de tous les jours et par la vie, y reprenait le sentiment de l'unité de sa nature; il y retrouvait l'équilibre, et l'harmonie, la foule, assemblée, pour les grandes fêtes, sentait qu'elle était elle-même l'unité vivante, elle devenait le corps mystique du Christ dont l'âme se mêlait à son âme. *Les fidèles étaient l'humanité, la cathédrale était le monde, et l'esprit de Dieu emplissait à la fois l'homme et la création.* Le mot de saint Paul devenait une réalité : on était, on se mouvait en Dieu. Voilà ce que sentait confusément l'homme du moyen âge, au beau jour de Noël ou de Pâques, quand les épaules se touchaient, quand la cité tout entière emplissait l'immense église (*Art... XIIe siècle,* p. 402-403).

CHAPITRE IV

Malraux et la « Mort de Dieu »

I. Malraux et le christianisme

Mauriac nous décrit, en 1937, Malraux parlant de la guerre d'Espagne à une assemblée haletante, prête à l'ovationner :

> Sur un fond rougeâtre, le pâle Malraux s'offre, hiératique, aux ovations. L'avant-bras qu'il replie, le poing serré, va-t-il se multiplier et faire la roue autour de sa tête d'idole? Les Indes et la Chine ont curieusement marqué ce Saint-Just... A travers cette forêt de poings tendus, il reprenait un dialogue interrompu depuis des années, du temps que ce petit rapace hérissé, à l'œil magnifique, venait se poser au bord de ma table, sous la lampe... Pas plus en public, aujourd'hui, qu'autrefois dans nos conversations privées, Malraux ne traite de la religion avec dédain. Il hait peut-être mais il ne méprise pas. Déjà, à dix-huit ans, quand il parlait du Christ, ce réfractaire savait de qui il parlait. Rien ne rappelle en lui cette horrible espèce de vieux radicaux maçons qui s'attendrissent sur le doux vagabond de Judée; Malraux connaît le Christ : ce doux vagabond est toujours son dur adversaire (*Journal*, II, p. 218-220).

Malraux sait en effet que, si agnostique qu'elle soit, sa génération est marquée par le christianisme :

> Le grand présent chrétien est celui de la réalité occidentale, et notre première faiblesse vient de la nécessité où nous sommes de prendre connaissance du monde grâce à une « grille » chrétienne, nous qui ne sommes plus chrétiens... De toutes les marques que nous portons, la chrétienne, faite dans notre chair, de notre chair même, comme une cicatrice, est la plus profondément tracée (JE, p. 137, 135).

Ces lignes laissent transparaître l'admiration et le refus; car, ainsi que l'explique E. Gannon, « le christianisme est, pour Malraux, la première rupture religieuse avec l'absolu» *(The world of André Malraux,* p. 23*).* Tout se passe comme si, dans le christianisme, il y avait deux « parts » : la « religion », centrée sur un absolu paralysant, et un apport « original » du Christ, le sens de l'individu qui s'épanouit, comme la « prédication romane », « dans le triomphe de l'homme sur Dieu » (Gannon, *ibid*, p. 24) :

> Le jour où Nicolas de Cuse écrivit : « Le Christ est l'homme parfait », un cycle chrétien se ferma en même temps que les portes de l'enfer; les formes de Raphaël purent naître (VS, p. 84).

Mais, avant que la « chrysalide » chrétienne pût ainsi donner le jour au papillon de la liberté humaine affrontée à l'univers, la part « religion » du christianisme n'a que trop asservi l'homme, sans pour cela le délivrer de son sentiment de solitude.

1. La chrétienté décadente

Malraux avait l'habitude de venir voir Mauriac dès l'âge de dix-huit ans :

> Alors il m'adressait la même question qu'il me jette ce soir : « L'Église a eu ce peuple (espagnol) sous sa coupe... Qu'en a-t-elle fait? » (*Journal*, II, p. 220).

La question posée à l'Église est celle de son efficacité temporelle, de son pouvoir de libération des hommes, en leur donnant un espoir.

L'Espoir, qui évoque la guerre civile espagnole, nous présente un catholique, dans les rangs des républicains, le colonel Ximenès; le roman décrit aussi des paysans chrétiens opposés à l'Église : ce que ces chrétiens lui reprochent, c'est la richesse de ses ministres (E, p. 130), c'est aussi d'avoir, lors de la révolte des Asturies, obligé les paysans à se repentir de leur révolte, qui, à leurs yeux, était juste et nécessaire, car « le repentir, y a pas mieux dans l'homme » (E, p. 131); alors, « voler le pardon », comme l'ont fait les prêtres lors de cette rébellion, c'est forcer l'homme à déchoir, c'est l'atteindre dans ses œuvres vives. Puig, un anarchiste, le dit brutalement :

> Votre catéchisme et le mien, c'est pas le même : nos vies sont trop différentes. Je l'ai relu à 25 ans, le catéchisme : je l'avais trouvé ici dans un ruisseau (c'est une histoire morale). On n'enseigne pas à tendre l'autre joue à des gens qui depuis deux mille ans n'ont jamais reçu que des gifles (E, p. 27).

Un ancien moine défroqué, devenu milicien, imagine, à propos de l'adoration des Rois mages, qu'une étoile se lève au-dessus du monde lorsque les pauvres d'Espagne se dressent pour exiger leurs droits :

> Et ils comprirent avec leur cœur que le Christ était vivant dans la communauté des pauvres et des humiliés de chez nous... et quand la dernière file de pauvres se mit en marche... une étoile qu'on n'avait jamais vue se leva au-dessus d'eux (E, p. 131-132).

Pour Guernico, un autre « anarchiste catholique », la foi, ce n'est pas l'absence d'amour (p. 225), la charité, ce ne sont pas les prêtres navarrais qui permettent que l'on fusille en l'honneur de la Vierge, ce sont les prêtres basques qui ont continué à bénir et à absoudre les miliciens anarchistes qui avaient cependant incendié leurs églises; il décrit alors ces prêtres « de gauche » venant donner des absolutions et dire les prières des morts : tous ces anarchistes, qui « ont tous été élevés par des prêtres », répondent aux paroles liturgiques (E, p. 226).

Si le christianisme était apparu à Malraux comme la religion des pauvres, de ceux qui ne sont plus à même de se sentir « respectés », peut-être eût-il jugé autrement. C'est en tous les cas ce qu'il fait dire à Ximenès, le colonel catholique : devant les destructions d'Églises, très explicables car les gens confondent la religion et ses ministres (E, p. 129), il déclare que la haine « des hommes finira par s'user, elle aussi, et que, bientôt, ils verront le véritable visage de la chrétienté ». Il ajoute alors « plus lentement, comme s'il eût résumé des années d'inquiétude » :

> Dieu, lui, a le temps d'attendre... Mais pourquoi, pourquoi faut-il que son attente soit ceci (la guerre, les meurtres, les destructions)? (E. p. 133).

Guernico, devant certain sacerdoce trop installé, a ces mots magnifiques :

> « Dieu seul connaît les épreuves qu'il imposera au sacerdoce; mais je crois qu'il *faut* que le sacerdoce redevienne difficile...» Et, après une seconde, « comme peut-être, la vie de chaque chrétien... » (E. 227).

Un autre texte élargit encore le thème :

> La chrétienté... est pleine de gens qui ne sont pas chrétiens... Je ne parle pas de ceux qui sont athées, bien sûr! Non : ceux auxquels je pense ne sont rien; simplement, ils ne sont rien (NA, p. 101).

2. Le christianisme, cause de déchéance de l'homme?

Le problème qui hantait Nietzsche, qui hante Malraux, c'est celui de la *Veredlung* : comment ennoblir l'homme, le rendre digne de lui-même, éviter sa déchéance dans la facilité, le conformisme, la détente de mauvais aloi? Ximenès avait dit à Puig, l'anarchiste :

> Dieu n'est pas fait pour être mis dans le jeu des hommes comme un ciboire dans une poche de voleur;

et, à l'objection que les ouvriers de Barcelone n'avaient jamais entendu parler de Dieu que par des prêtres inféodés « aux riches », il répond que Dieu parle

> par les seules choses qu'un homme entende vraiment dans sa vie : l'enfance, la mort, le courage... Pas par les discours des hommes (E, p. 27).

C'est aussi le point de vue de Manuel, celui qui fait la guerre d'Espagne pour essayer de rendre aux hommes le sens de leur dignité. Il le dit à Ximenès :

> Voyons, enfin, mon Colonel, regardez ce pays. Qu'est-ce que l'Église en a fait d'autre qu'une espèce d'affreuse enfance? Qu'est-ce qu'elle a fait de nos femmes? Et de notre peuple? Elle leur a enseigné deux choses : à obéir et à dormir... (E, p. 129).

Non seulement l'Église aurait chloroformé l'Espagne, mais, de manière plus générale, partout elle aurait asservi l'homme :

> Le catholicisme romain a créé une civilisation *soumise;* la rupture qui donne au monde moderne son aspect de hasard et d'abandon suit sa révolte contre cette soumission, et son invo- lontaire acceptation d'une direction de la vie en constante transformation parce que constamment détruite par son irréduc- tible nature (JE, p. 135-136).

C'est dans la mesure où le catholicisme participerait de la foi au « divin » « oriental », dans la mesure aussi où il aurait hérité de l'ordre romain, qu'il aurait créé une civilisation « soumise », et le terme est souligné par Malraux lui-même, ce qui indique l'importance qu'il lui accorde : en face de cet ordre, le monde moderne ne pouvait naître que de la « révolte ». Mais, en même temps, cette révolte enfante un univers où plus rien n'a de ligne ferme, car tout se transforme sans cesse. Malraux explique cette instabilité en comparant ce « monde moderne » à celui de l'Église :

> Il semble que l'Église ait été préoccupée de détacher l'homme de lui-même. Elle n'eût pu ni l'ignorer ni l'abaisser trop : il était lié à Dieu. Mais elle s'appliqua à lui épargner, à la fois, la douleur et le droit de se juger. Elle institua la direction de conscience; et, pendant des siècles, soumettant toutes les velléités, toutes les singularités, toutes les craintes des cœurs chrétiens, elle construisit, comme une cathédrale, l'image du monde qui nous domine encore, la figure chrétienne selon laquelle le monde peut s'imposer à l'homme (JE, p. 136).

L'abandon de la foi chrétienne va river l'homme à lui-même, en une adhésion douloureuse, sanglante, comme les lèvres d'une plaie à vif, ainsi que *La tentation de l'Occident* le dit : « De quelle étreinte l'homme s'est-il lié à lui-même! » (TO, p. 124); l'Église aurait choisi une voie moyenne entre l'asservissement *radical* de l'homme au divin et sa libération *complète :* elle lui aurait enlevé le droit de se juger, mais en même temps elle l'aurait *épargné* en l'empêchant de se déchirer dans une quête de soi qui est nécessairement rencontre de l'absurde. C'est ce que Malraux appelle *la direction de conscience.*

Dans cette « miséricorde » de l'Église voulant détacher l'homme de l'étreinte qui le lie à lui-même, Malraux voit une lâcheté, car « le monde... est ma représentation » (JE, p. 151) et toute affirmation d'une réalité extérieure à l'homme est arbitraire; si « les catholiques... sont débarrassés de toute tyrannie du Moi » (JE, p. 137, n. 1), ils ne le sont que moyennant la perte de la fierté d'être homme. Un texte de 1926, dans *La Tentation de l'Occident,* le dit :

> Certes, il est une foi plus haute : celle que proposent toutes les croix des villages, et ces mêmes croix qui dominent les morts. Elle est amour et l'apaisement est en elle. Je ne l'accepterai jamais; je ne m'abaisserai pas à lui demander l'apaisement auquel ma faiblesse m'appelle (TO, p. 124).

* * *

Ce n'est pas seulement au niveau de la collectivité et des civilisations que le christianisme serait cause de déchéance; il l'est aussi pour l'individu, du moins pour ceux à qui il enseigne le doute de soi, la honte secrète et l'angoisse.

Élevé par un luthérien venu sur le tard au pastorat, Tchen s'est laissé attirer par son maître : celui-ci essayait d'oublier dans la charité

active son angoisse devant la « justice divine »; Tchen avait bien été
mis en garde par le confucéen Gisors, surtout devant la doctrine de
l'enfer, mais, sans le vouloir, il s'était laissé prendre. Gisors veut
alors l'arracher à ce sentiment de déchéance et le lancer dans l'action :

> Quand, au christianisme, Gisors avait opposé *non des arguments*
> mais *d'autres formes de grandeur*, la foi avait coulé entre les
> doigts de Tchen, peu à peu, sans crise (CH, p. 79).

André Blanchet (*Études*, juillet-août 1949, p. 46) note que ce ne sont
pas des arguments qui provoquent la perte de la foi : ce n'est plus par
raisonnement que l'on rejette la religion, mais en vertu d'une option
qui, elle, est fondée sur la grandeur, la vie dangereuse; il y a refus
plutôt que négation[1]. C'est « l'homme qui doit naître » dans la grandeur
qui oriente la pensée de Tchen et de Gisors; la foi chrétienne n'est
qu'une étape vers le véritable héroïsme :

> Détaché par elle de la Chine, habitué par elle à se séparer du
> monde au lieu de se soumettre à lui, il avait compris à travers
> Gisors que tout s'était passé comme si cette période de sa vie
> n'eût été qu'une initiation au sens héroïque (CH, p. 79).

On comprend dès lors que, à une des objections du Pasteur : « quelle foi
politique rendra compte de la souffrance du monde? », Tchen réponde :

> J'aime mieux la diminuer que d'en rendre compte. Le tong (*sic*)
> de votre voix est plein d'humanité. Je n'aime pas l'humanité
> qui est faite de la *contemplation* de la souffrance... Il y en a une
> autre du moins qui n'est pas faite *que d'elle* (*souligné par Malraux*,
> CH, p. 200).

3. Incroyance par expérience religieuse déçue

Malraux met dans la bouche de Vincent Berger, le père du narrateur
de *La lutte avec l'ange*, une confidence émouvante :

> Il avait attendu jadis une première communion fervente,
> arrêtant le curé de Reichbach chargé de l'hostie pour s'accuser
> d'un péché oublié à la confession de la veille (« Ce n'est rien, mon
> petit Vincent : trois actes de contrition et trois Ave... »); *au*

---

1. Blanchet parle de « haine » : à part quelques passages isolés, par exemple
dans *La voie royale* (cfr n. 13), je ne crois pas qu'il y ait de la haine chez Malraux,
mais simplement un refus de la foi chrétienne.

lieu d'un bouleversement, il n'avait trouvé que son attente. Ce soir comme alors, il se sentait libre, — *d'une liberté poignante* qui ne se distinguait pas *de l'abandon* (NA, p. 59).

C'est probablement une expérience de ce genre qui inspire Malraux quand il écrit :

Quelque profonde que soit l'expérience chrétienne du monde, elle culmine toujours dans une *solitude* (*Tableau de la littérature Française, XVIIe-XVIIIe siècles*, p. 419).

S'il faut se défier des « expériences de la grâce », car la foi n'est pas le « bouleversement » que Berger en attendait, nous sommes ici devant un des textes les plus secrets de Malraux. La hantise de la solitude et des « prières inexaucées », le paradoxe de la « nuit des sens et de l'esprit », propre à toute vie religieuse, trop de chrétiens les oublient apparemment qui donnent parfois le spectacle d'une « possession confortable » de la vérité. Malraux semble n'avoir vu dans la foi que son aspect « kierkegaardien », ainsi qu'il appert des mots du pasteur qui éleva Tchen :

Croyez-vous que toute vie réellement religieuse ne soit pas une conversion de chaque jour? (CH, p. 201).

La foi est l'éclair qui jaillit entre les trois pôles *conjoints* de sa *liberté*, de son origine *surnaturelle* et de son caractère *raisonnable;* elle est une certitude et une pénombre, une liberté et l'envahissement d'un amour; elle est risque, certitude, joie, sortie constante de la ténèbre et plongée dans la nuée lumineuse; elle n'est donc ni « possession confortable », ni tension paradoxale du désespoir qui deviendrait le signe majeur de son authenticité. Très loin de cette « geste » un peu romantique, la foi est démarche née de l'amour, car elle en a la confiance dans le don, le charme irrésistible dans l'appel et la lumière discrète qui éclaire la vie de tous les jours. Les personnages de Malraux n'ont jamais, semble-t-il, appréhendé cette dimension de la foi, parce que l'amour, ainsi que nous le dirons, fit tragiquement défaut dans leur vie; voilà pourquoi l'expérience chrétienne culminait chez eux dans le sentiment de la solitude, et la « foi » dans la tension d'une volonté vigilante, reposant sur le néant intérieur.

II. La « Mort de Dieu »

Sartre, avec « cette espèce de vulgarité qui colle trop souvent à ses propos », écrit à propos de la « mort de Dieu » :

> Il y a des hommes qu'on pourrait appeler des survivants. Ils ont perdu, de bonne heure, un être cher, un père, un ami, une maîtresse, et leur vie n'est plus que le morne lendemain de cette mort. M. Bataille survit à la mort de Dieu. Et à cette mort... notre époque survit tout entière... Dieu est mort, mais l'homme n'est pas pour autant devenu athée (Sartre, *Situations*, I, p. 152-153).

Malraux ne s'est jamais « donné des airs de petit jeune homme évolué dans une famille restée vieux jeu ; la famille c'est, si vous voulez, le grand-père Nietzsche, c'est Kafka, c'est George Bataille » (A. Blanchet, *Études*, juillet-août 1954, p. 46). La vie de Malraux n'est pas le « morne lendemain » de la mort de Dieu, mais elle n'est pas non plus affectation de la « négation pure et simple » ; enregistrée comme un constat de clerc de notaire, l'inexistence de Dieu ne poserait plus de problème pour Sartre ; pour Malraux elle les pose tous : « il est un être dont l'originalité la plus profonde consiste peut-être non seulement à questionner sur la nature des choses mais à s'interroger sur sa propre essence » ; alors que Sartre opte pour une «éthique de la désinvolture », « l'homme problématique » qu'est Malraux sent peser de tout son poids l'angoisse de la mort de Dieu (G. Marcel, *L'homme problématique*, p. 73, 151).

1. Agnosticisme fondamental

a. Le « mythe » de l'âme et le « mythe » de l'absolu.

Malraux désespère de la vérité. Dans son premier écrit il parle de sa génération comme de celle qui ne sait plus ce qu'est la vérité (TO, p. 124). Dans *Les noyers*, Möhlberg, qui exprime certainement une part des idées de l'auteur, explique la naissance de la croyance en *l'immortalité* de l'âme : ayant pris conscience de la mort, l'homme fidèle à son destin qui est de défier la fatalité, essaya de nier la mort ; l'esprit, alors, enfanta la théorie du double qui serait immortel :

> On a beaucoup parlé du double comme d'une idée complexe. Elle est claire : le double est au cadavre, ce que l'esprit *qui rêve*

est au corps endormi. Et, comme lui, irresponsable. Jusqu'à ce que les hommes inventent le jugement divin... Un double responsable et jugé, eh bien! ça s'appelle une âme... Après un millénaire de balbutiements l'humanité est parvenue à inventer l'âme immortelle (NA, p. 96).

Outre que cette « invention » de l'immortalité fait partie d'un cycle de civilisation (l'égyptienne) révolu, et sans commune mesure avec les cycles suivants, l'immortalité est invention de l'esprit; elle n'a *pas plus de valeur que le rêve*.

L'idée de Dieu et de l'absolu est vaine : la réalité qui dépasse l'homme et s'imposerait à lui, n'est qu'une création de l'esprit, un acte de foi arbitraire. A l'affirmation de Ling au sujet de la « perte de toute conscience, qui est communion avec le principe, l'unité des rythmes » (TO, p. 95), A. D. répond que « *tout* cela lui semble arbitraire, aussi arbitraire que le pire système, que la plus fausse de nos philosophies », car à l'origine de cette recherche il trouve « un acte de foi » :

> Dans l'extase, le penseur ne s'identifie pas à l'absolu comme l'enseignent vos sages; il appelle absolu le point extrême de *sa* sensibilité (TO, p. 99).

On a beau affirmer que « toutes les extases sont identiques, puisque toutes commencent où le monde finit », cela ne prouve pas que l'on ait rejoint l'âme du monde, la conscience même; on est dans « l'indéterminé, hors du monde des analogies, car il n'y a d'analogie qu'entre les choses déterminées » (TO, p. 99-100) :

> Il ne s'agit là que de perdre conscience *d'une certaine façon*. « C'est trouver la conscience même, me disent-ils, se lier à l'âme du monde ». *Une* conscience, ai-je désir de répondre, *une* idée... (TO, p. 100)[2].

Je crois que nous voici au centre de l'agnosticisme de Malraux : tout absolu religieux ou mystique, — et, on le verra, toute vérité « objective » quelle qu'elle soit, — est représentation d'*une* conscience; elle est « une » idée, non point « *L'*idée », « *la* » conscience. Toute vérité est mythe, y compris la vérité religieuse; ainsi, la mystique taoïste est fausse « par l'importance qu'elle prête à ces mouvements que la sensibilité ne doit qu'à elle-même » (TO, p. 100). Sans vouloir entrer dans

---

2. Les mots en italiques sont soulignés par Malraux lui-même. On pourra lire le livre toujours très actuel de J. Maréchal, *Études sur la psychologie des mystiques*, Bruges, 1924.

le détail d'une réponse, bornons-nous à dire qu'il est périlleux de vouloir
juger de la valeur objective d'une expérience mystique lorsque celle-ci
est laissée à elle-même, lorsque, surtout, comme dans le cas de
mystiques orientales de l'Inde et de la Chine, le « contenu » de l'extase
est identique à l'indétermité, à l'*advaïta*, à la « non-dualité »; il est possible
cependant qu'une réelle expérience du divin y soit donnée, parce que
Dieu accorde sa grâce à toute âme de bonne volonté, et toute mystique,
au-delà de la nuit des sens et de l'esprit, plonge dans une zone où les
concepts et les images sont un danger d'erreur et de rétrécissement;
mais Malraux a raison de dire qu'on ne peut en juger sur la *seule*
expérience, laissée à elle-même; cependant, la mystique chrétienne,
ouverte sur le contact avec la « personne » de Dieu en Jésus incarné,
est plus susceptible que n'importe quelle autre d'échapper à cet
« indéterminé » des mystiques de l'Extrême-Orient.

b.   Le « moi » et l'absurde.

L'idée de l'âme, l'idée de Dieu sont donc des mythes. Il reste
l'homme :

> En face de ses dieux morts, l'Occident tout entier, ayant épuisé
> la joie de son triomphe, se prépare à vaincre ses propres énigmes...
> Un élan dirige tout le xixᵉ siècle, qui ne peut être comparé pour
> la puissance et l'importance, qu'à une religion. Il se manifeste
> d'abord par un goût extrême, une sorte de passion de l'homme,
> qui prend en lui-même la place qu'il donnait à Dieu; et ensuite
> par l'individualisme (JE, p. 134, 138).

Citant le mot de Nietzsche : « L'homme est le seul objet digne de
notre passion », Malraux ajoute :

> Nous voilà donc contraints à fonder notre notion de l'Homme
> sur la conscience que chacun prend de soi-même. Dès lors quels
> liens nous attachent à notre recherche! La première apparition
> de l'absurde se prépare (JE, p. 139).

Fonder la notion d'homme sur la conscience de soi, c'est tendre à
l'absurde parce que le fond de la conscience est imagination, vie involontaire, rêves, vains désirs, espoirs, démences de toute sorte (JE, p. 142,
TO, p. 64, 100), « triomphe de l'incertitude » (TO, p. 64, 101); sans doute,
la vie profonde est « intensité », et celle-ci ne peut appartenir à l'esprit
« qui le sait et tourne à vide, belle machine que tachent quelques gouttes
de sang », mais cette vie profonde « est aussi la plus rudimentaire et sa
puissance, qui montre l'arbitraire de l'esprit, ne saurait nous délivrer

de lui ». La vie profonde dit à l'esprit : « Tu es mensonge et moyen de mensonge, créateur de réalité... » (TO, p. 123-124). Autrement dit, la vie profonde, réservoir d'intensité, de puissance, est un domaine incommensurable à l'esprit; il s'y perd; inversement, l'esprit paraît n'être rien d'autre, selon Malraux, que la faculté qui découpe dans cette « vie profonde » des projets, qui « crée des réalités » : l'idée du moi, «suggestion de probabilités » (TO, p. 64), semble bien être une création de l'esprit occidental; alors que l'Oriental veut être « calme dans le rêve », l'Européen veut être « mouvement dans le rêve » (TO, p. 69) :

> L'importance excessive que nous avons été amenés à donner à « notre » réalité n'est sans doute que l'un des moyens dont se sert l'esprit pour assurer sa défense. Car les affirmations de cette sorte nous soutiennent plus qu'elles ne nous expliquent. Les hommes qui depuis plusieurs milliers d'années cherchent leur limite et leur image, n'ont jamais été satisfaits que par la destruction de leur recherche. Ils se sont trouvés dans le monde et en Dieu. Ceux que vous venez d'observer se cherchent en eux-mêmes (TO, p. 61).

Or, *nos actes* sont insuffisants à nous « fonder » : le lien que nous mettons entre les principes et les actions n'existe vraiment qu'en relation avec les actes des autres : « l'univers réel, soumis au contrôle et aux nombres, n'est que celui où se meuvent les autres hommes » (TO, p. 61); croire qu'un homme peut se juger lui-même, « établir des rapports constants entre les principes qu'il a acceptés et ses actions..., c'est prêter à la conscience se considérant elle-même des traits qui ne sont les siens que lorsqu'elle considère autrui et que l'esprit la soutient » (JE, p. 140). Autrement dit, le lien que nous voyons entre les actions et les principes qui les justifient est une pure illusion, une projection, une « représentation » (JE, p. 151) qui ne vaut que dans ce réseau que notre esprit crée de toutes pièces pour y faire entrer autrui. Si nous considérons l'expérience que notre conscience peut prendre d'elle-même, le tableau est tout le contraire de l'ordre et de la liaison logique : « La rêverie hante notre univers, avec son collier de victoire » (TO, p. 61); notre intérieur est « une démence qui se contemple » (TO, p. 63), « mouvement dans le rêve » (TO, p. 62), « jeux dont l'absurdité semblerait terrible si elle n'était commune » (TO, p. 62). Nos actes personnels, ou bien nous ne pouvons les « retrouver que privés de vie... que comme des noms, mais alors ils sont morts », ou bien ils sont « liés à une intensité, à une possibilité particulière de nous émouvoir », mais alors ils nous échappent également par leur intensité même et ils nous arrachent à nous-mêmes (JE, p. 140-141).

Si ce ne sont pas nos actes qui forment « la conscience de ce que notre vie a de distinct », ce n'est pas non plus « *l'image* » qui accompagne notre conscience lorsqu'un de nous pense « Moi »; cette image, née de notre intérieur le plus intime, située au-delà des faits et des actes, est aussi notre « déformation spéciale du monde » : « victoires imaginaires, triomphes futurs, actions violentes ou heureuses » (JE, p. 141-142), « rien de défini, ni qui nous permette de nous définir, une sorte de puissance latente... » (TO, p. 63); tous « ces trophées nous viennent des heures où l'imagination habite ou domine notre rêverie » (JE, p. 142)

> Le Moi, palais du silence où chacun pénètre seul, recèle toutes les pierreries de nos provisoires démences mêlées à celles de la lucidité; et la conscience que nous avons de nous-mêmes est surtout tissée de vains désirs, d'espoirs et de rêves (JE, p. 142).

L'intérieur de l'homme, selon Malraux, est hanté par l'inconscient, la vie involontaire, l'imagination, bref par un chaos de rêves, de démences lucides. Dans cette mer des Sargasses, impossible de découvrir une réalité stable, un sol où ancrer solidement la notion du moi. Si la « réalité chrétienne » est mythe, si « le réel catholique n'est tel que grâce à un acte de foi antérieur » (JE, p. 237, n. 1), donc dépourvu d'objectivité, mais seulement valable pour les catholiques *(ibid.)*, *la notion du moi, est, elle aussi, « acte de foi »* :

> Si nul ne peut se saisir soi-même, qu'importe une notion du moi? Et, si nous ne pouvons connaître notre image que par un acte de foi, quelle tragique ironie monte des combats de deux siècles! Ils nous ont apporté les meilleures armes dont nous puissions nous meurtrir. Après avoir affirmé son existence et ses droits, l'homme commence sa propre queste, comme ces chevaliers à qui leurs victoires permettaient de pénétrer dans les palais dont ils attendaient l'objet de leurs rêves, et où ils ne trouvaient que de profondes perspectives d'ombre (JE, p. 146-147).

La victoire remportée par l'homme d'Europe au xxᵉ siècle, c'est celle qui a fait mourir Dieu; mais au moment où l'homme se trouve aux portes du palais enchanté que la mort de Dieu devait lui livrer, au moment où le jeune chevalier va pénétrer dans le sanctuaire du moi, enfin rendu à lui-même, au moment où il croit rencontrer au fond des chambres secrètes de la conscience, désormais libérées des angoissants gardiens qui en barraient les accès, la princesse élue, l'épouse non épousée, qu'il va pouvoir visiter de son amour, le chevalier ne rencontre que le vide de profondes perspectives d'ombre. L'homme, débarrassé de Dieu, allait au-devant de lui-même; c'était lui-même qu'il voulait embrasser, c'était avec lui-même qu'il se voyait déjà réconcilié, en une étreinte à la fois douloureuse et exaltante : mais voici qu'il marche le long d'immenses corridors d'angoisse et de solitude. Nous ne pouvons connaître notre image que par un acte de foi : autant dire que nous nous retrouvons devant nous-mêmes comme devant l'inconnu et le noir isolement de l'abîme. Le nihilisme marque l'Occident au moment même où, ainsi que nous l'avons dit, l'Orient se tourne vers lui pour lui demander une aide dans sa volonté de se libérer d'une léthargie séculaire :

> Notre époque, où rôdent encore tant d'échos, ne veut pas avouer sa pensée nihiliste, destructrice, foncièrement négative (JE, p. 158).

Une fois de plus, l'absurde pointe au bout de cette « queste » de l'homme laissé à lui-même, car l'idée de personnalité n'est pas la doctrine expliquant « la conscience d'être un », mais plutôt la *légende* qui pare cette sorte de « folie » qu'est le sentiment du moi :

> De même que les légendes religieuses satisfont un sentiment très puissant mais dont l'objet peut varier, de même ces doctrines (de la personnalité) parent d'une fine mythologie notre moi profond, singulier surtout par la qualité de ses successives démences (JE, p. 144).

Le moi profond est inconnu; le mot « personnalité » n'est qu'une sorte de mythe qui recouvre, qui pare un instant nos « démences », nos rêveries de puissance; prendre au sérieux les images du monde que nous projetons à partir de notre « personnalité », c'est tendre à l'absurde :

> Pousser à l'extrême la recherche de soi-même, *en acceptant son propre monde*, c'est tendre à l'absurde (JE, p. 144),

car la conscience que chacun prend de lui-même n'est que chaos, mythe :

> L'on songe à ces tragédies antiques, inhumaines et pourtant poignantes où la nuit retentit des lamentations de la terre. Quelle notion de l'homme saura tirer de son angoisse la civilisation de la solitude, celle que sépara de toutes les autres la possession des gestes humains?... La vieille inquiétude... se dresse aujourd'hui en face du seul objet qui lui reste : l'homme (JE, p. 134).

Or la civilisation occidentale moderne, en récupérant pour l'homme les gestes humains autrefois aliénés dans les religions et les mythes, affronte l'homme à lui-même :

De quelle étreinte l'homme s'est lié à lui-même! Patrie, justice, grandeur, vérité, laquelle de ces statues ne porte de telles traces de mains humaines, qu'elle ne soulève en nous la même ironie triste que les vieux visages autrefois aimés. Et cependant, quels sacrifices, quels héroïsmes injustifiés dorment en nous... (TO, p. 124-125).

Somme toute la question revient à celle de Gisors dans *La condition humaine :* « Que faire d'une âme quand il n'y a plus ni Dieu, ni Christ? » (CH, p. 79).

2. L'irrationnel du défi

a. Une « métaphysique » de l'intensité.

S'il n'y a pas d'âme immortelle, pas de Dieu, pas de moi personnel, la notion d'homme ne peut se fonder que sur un « *irrationnel* »; une fois de plus, après Nietzsche, désespérant de la *Wahrheit*, la vérité, Malraux recherche la *Warhaftigkeit*, l'authenticité; il va reporter sa mise sur une attitude plutôt que sur une doctrine. Puisque l'univers « se réduit à un immense jeu de rapports, que nulle intelligence ne s'applique plus à fixer » (JE, p. 152), la jeunesse « européenne est plus touchée par ce que le monde peut être que par ce qu'il est. Elle est moins sensible à la mesure dans laquelle il affirme sa réalité qu'à celle dans laquelle il la perd. Elle veut voir en chaque homme l'interprète d'une réalité provisoire » (JE, p. 151). Puisqu'il n'y a pas de vérité, « il faut aujourd'hui retrouver l'accord de l'homme et de sa pensée, sans conformer l'homme à une pensée posée *a priori* » (JE, p. 150); « il semble que notre civilisation tende à se créer une métaphysique d'où tout point fixe soit exclu » (JE, p. 152).

L'irrationnel qui va fonder la notion d'homme peut être inspiré du sentiment nocturne de la vie, dans la rêverie passive, à la Jean-Jacques Rousseaux, ou au contraire d'une mystique « diurne », inspirée du volontarisme nietzschéen. On devine que jamais Malraux ne fera confiance aux irrationnels du sentiment, du rêve et qu'il va opter pour le défi métaphysique :

Doctrine, religions, qu'il est dur à l'homme de ne point vous faire hommage de sa solitude, et de n'appliquer son âme désenchantée qu'à certains gestes vains qui luisent parfois, comme des éclats d'armures en marche, à travers ces ténèbres où l'Occident s'épuise à se délivrer d'un excessif amour... (JE, p. 148).

Certains « systèmes » agnostiques livrent l'homme au pragmatisme ou à l'irrationnel des sentiments, quand ce n'est pas à celui de la chair et du sexe, comme le fait Lawrence; « l'irrationnalisme » malruxien fait appel à des attitudes de combat; les gestes vains luisent « comme des éclats d'armure », durant cette « queste » où l'Occident s'épuise à se délivrer de l'excessif amour qu'il a mis dans les doctrines et les religions, ces étais provisoires qui l'ont soutenu longtemps. Malraux choisit l'irrationnel d'une volonté qui s'oppose; sa pensée va se définir par le mot « contre » : au lieu de dire que l'homme est un être qui va vers quelque chose, comme le pèlerin; au lieu de dire, avec Sartre et Heidegger, « l'homme est un être-*pour*-la-mort », *zum Tode*, Malraux préfère dire : « l'homme est un être contre la mort » (MPLM, p. 74) :

> Cette jeunesse éparse sur toutes les terres d'Europe, unie par une sorte de fraternité inconnue, que voyons-nous en elle? La volonté lucide de montrer *ses combats à défaut d'une doctrine* (JE, p. 148).

Malraux a beau dire qu'« il n'y a là que faiblesse et que crainte », il choisit, lui aussi, le combat à défaut d'une doctrine, et renonce à justifier par un « système » l'ardeur qu'il manifeste à l'égard de tout ce qui est humain :

> Une exaltation qui doit être justifiée est bien près de disparaître. Si Nietzsche trouve tant d'échos dans des cœurs désespérés, c'est qu'il n'est lui-même que l'expression de leur désespoir et de leur violence (JE, p. 139).

La violence, l'exaltation sont en quelque manière élevées à la dignité d'arguments; mieux encore, elles dispensent de tout raisonnement. Les mots intensité (JE, p. 141), combat (JE, p. 148), violence (JE, p. 139) apparaissent alors, escortant le désespoir :

> Que les constellations d'un désespoir semblable à celui qui suit les amours déçues, dominent toute jeunesse attachée à l'esprit, on n'en saurait douter. Cœurs lourds qui sur toutes les terres d'Europe apprenez peu à peu à vous détacher de vous-mêmes, que de conquêtes passées vous payez de votre tristesse et de votre violence! (JE, p. 147-148).

« Voici presque deux ans que j'observe la Chine, écrit AD à Ling, dans *La tentation de l'Occident*. Ce qu'elle a transformé d'abord en moi, c'est l'idée occidentale de l'homme. Je ne puis plus concevoir l'homme indépendant de son intensité ». Les idées générales n'expliquent pas grand-chose de nos actes, continue Malraux; on « se heurte à l'absurde, c'est-à-dire au point extrême du particulier; la clef de cet absurde n'est-elle pas l'intensité toujours différente qui suit la vie? » (TO, p. 100). Ling répond en disant :

> L'intensité que les idées créent en vous me semble aujourd'hui expliquer votre vie mieux qu'elles-mêmes. La réalité absolue a été pour vous Dieu, puis l'homme; mais *l'homme est mort*, après Dieu, et vous cherchez avec angoisse à qui vous pourriez confier son étrange héritage... L'histoire de la vie psychologique des Européens, de la nouvelle Europe est celle de l'envahissement de l'esprit par des sentiments *que désordonne leur intensité égale*. La vision de tous ces hommes appliqués à maintenir l'Homme qui leur permet de surmonter la pensée et de vivre, tandis que le monde sur lequel il règne leur devient, de jour en jour, plus étranger, est sans doute la dernière vision que j'emporterai de l'Occident (TO, p. 106).

Texte à mon avis essentiel : la vérité est remplacée par l'intensité; le monde sur lequel l'homme « règne » lui devient de plus en plus étranger, la seule « clarté » est la fulgurance d'une volonté qui rend plus opaque ensuite la ténèbre environnante. C'est ainsi que Kyo prend conscience de son exil : il ne s'est pas reconnu en écoutant les disques qui ont enregistré sa voix, parce qu' « on entend la voix des autres avec ses oreilles, la sienne avec la gorge »; « sa vie aussi, on l'entend avec la gorge », car elle est intensité :

> « Mais moi, pour moi, pour la gorge, que suis-je? Une espèce d'affirmation absolue, d'affirmation de fou : une intensité plus grande que celle de tout le reste. Pour les autres je suis ce que j'ai fait ». Pour May seule, il n'était pas ce qu'il avait fait; pour lui seul, elle était tout autre chose que sa biographie. L'étreinte par laquelle l'amour maintient les êtres collés l'un à l'autre contre la solitude, ce n'est pas à l'homme qu'elle apportait son aide; c'était au fou, au monstre incomparable, préférable à tout, que tout être est pour soi-même et qu'il choie dans son cœur. Depuis que sa mère était morte, May était le seul être pour qui il ne fût pas Kyo Gisors, mais la plus étroite complicité. « Une complicité consentie, conquise, choisie », pensa-t-il, extraordinairement d'accord avec la nuit, comme si sa pensée n'eût plus été faite pour la lumière. « Les hommes ne sont pas mes semblables, ils sont ceux qui me regardent et me jugent; mes semblables, ce sont ceux qui m'aiment et ne me regardent pas, qui m'aiment contre tout, contre la déchéance, contre la bassesse, contre la trahison, moi et non ce que j'ai fait ou ferai, qui m'aimeraient tant que je m'aimerais moi-même, — jusqu'au suicide compris... Avec elle seule, j'ai en commun cet amour déchiré ou non, comme

d'autres ont, ensemble, des enfants malades et qui peuvent mourir... » Ce n'était certes pas le bonheur, c'était quelque chose de primitif qui s'accordait aux ténèbres et faisait monter en lui une chaleur qui finissait dans une étreinte immobile, comme d'une joue contre une joue, — la seule chose en lui qui fût aussi forte que la mort (CH, p. 67-68).

Les mots essentiels sont ceux qui terminent le passage : il faut trouver une réalité qui soit *aussi forte que la mort;* la fraternité virile de la révolution est une complicité avec cette « affirmation absolue », cette « *intensité* plus grande que tout le reste »[3].

b. La croisée des chemins.

Une question décisive se pose maintenant : pourquoi Malraux a-t-il choisi *cette* forme d'irrationnel qu'est la violence, le combat, le défi? Un texte de *D'une jeunesse européenne,* passé inaperçu jusqu'ici, apporte une réponse; il a trait à la vie profonde de la conscience, où rêves de puissance, provisoires démences, espoirs vains, se succèdent en une sorte de danse des ombres :

Notre vie involontaire, — presque toujours bien loin d'être inconsciente, — dominerait l'autre sans un effort constant (JE, p. 142).

Un texte parallèle de *La tentation de l'Occident* éclaire ces lignes de notre passage :

Avec quelque force que je veuille prendre conscience de moi-même je me sens *soumis* à une série désordonnée de sensations sur lesquelles je n'ai point prise, et qui ne dépendent que de mon imagination... Car la rêverie, qui est encore action, est soutenue par une imagination passive, qui consiste en substitutions involontaires (TO, p. 64).

Dès que la génération que Malraux représente devine une quelconque menace qui affaiblirait sa prise sur elle-même, elle se cabre, ainsi que nous l'avons vu à propos du catholicisme comme civilisation « soumise »;

---

3. On pourrait dire de l'œuvre de Malraux qu'elle est centrée sur le mythe de l'intensité : rien que par ces termes on peut se rendre compte de l'aspect d'adolescence durcie qui la caractérise. Lorsque Malraux dit que « le sentiment d'avoir vieilli lui est inconnu » (MPLM, p. 32), il faut sous-entendre qu'il est resté un éternel adolescent, recherchant l'*intensité comme critère de la vérité;* c'est par là qu'il fascine la jeunesse.

cette jeunesse refuse avec la même violence cette forme de passivité
intérieure qu'est la rêverie *involontaire*, l'imagination. Cependant,
ici, il ne s'agit plus de forces *divines* qui paralyseraient les énergies
vives de *l'homme*, mais seulement de ce moi intérieur rendu enfin à
chacun de nous. Alors, pourquoi ce réflexe de révolte contre cette vie
profonde? Proust, lui aussi, avait choisi le monde intérieur, mais les
phénomènes de mémoire *involontaire* étaient, pour lui, privilégiés,
plus riches d'être et de réalité que ceux de la mémoire volontaire; la
scène célèbre des « intermittences du cœur »[4] montre que Proust attend
la vraie révélation de ce monde intérieur involontaire : les « grandes
ombres solennelles et qui nous laissent tout en larmes » qu'il
voit se lever aux bords « du Styx intérieur aux sextuples replis », sont
plus vraies que les images que nous composons avec notre volonté

---

4. Le narrateur vient de perdre sa grand-mère, qu'il avait profondément aimée;
mais il n'a pas encore vraiment pris conscience de la réalité de cette mort. Lors
d'un séjour à Balbec, au bord de la mer, il se retrouve dans la chambre qu'il occupait
à l'hôtel, à côté de celle où dormait sa grand-mère quand elle l'accompagnait; au
moment où le narrateur, se penchant pour délacer ses souliers, éprouve un sentiment
d'étouffement, une sensation mystérieuse l'envahit; le phénomène qu'il ressent,
analogue à celui de la « petite madeleine », est un fait de mémoire *involontaire :*
liés au geste matériel, les événements et les sentiments qu'il éprouvait lors de
ses séjours avec sa grand-mère vivante lui font comprendre par l'intérieur que,
cette fois, elle est morte. Voici un fragment du récit : « *Bouleversement de toute ma
personne.* Dès la première nuit, comme je souffrais d'une crise de fatigue cardiaque,
tâchant de dompter ma souffrance, je me baissai avec prudence et lenteur pour
me déchausser. Mais à peine eus-je touché le bouton de ma bottine, ma poitrine
s'enfla, remplie d'une *présence* inconnue, divine, des sanglots me secouèrent, des
larmes ruisselèrent de mes yeux. L'être qui venait à mon secours, *qui me sauvait
de la sécheresse de l'âme,* c'était celui qui, plusieurs années auparavant, dans un
moment de détresse et de solitude identique, *dans un moment où je n'avais plus
rien de moi,* était entré, *et qui m'avait rendu à moi-même,* car il était moi et plus
que moi (le contenant qui est plus que le contenu et me l'apportait). Je venais
d'*apercevoir,* dans ma mémoire, penché sur ma fatigue, le visage tendre, préoccupé
et déçu de ma grand-mère, telle qu'elle avait été ce premier soir d'arrivée, le visage
de ma grand-mère, non pas de celle que je m'étais étonné et reproché de si peu
regretter et *qui n'avait d'elle que le nom,* mais de ma grand-mère *véritable,* dont...
je retrouvais *dans un souvenir involontaire et complet la réalité vivante...* et ainsi,
dans un désir fou de me précipiter dans ses bras, ce n'était qu'à l'instant, plus d'une
année après son enterrement, à cause de cet anachronisme qui empêche si souvent
le calendrier des faits de coïncider avec celui des sentiments, — que je venais
d'apprendre qu'elle était morte». J'ai mis en italiques les mots soulignés par Ramon
Fernandez dans sa citation de ce texte (*Proust,* p. 77), parce qu'ils permettent
de saisir l'aspect « religieux » des réalités révélées par la mémoire involontaire.
Nous sommes à l'antipode de Malraux : d'un côté il y a « inconscient » tutélaire,
souvenir qui ressuscite le « vrai moi », par abandon de l'être profond, au-delà de
la crispation des facultés de surface; de l'autre, il y a défiance, peur, terreur devant
un inconscient grouillant de larves et de spectres, hanté par le suicide du père,
ainsi qu'on le verra.

crispée et consciente. Malraux choisit la démarche exactement inverse. Est-ce parce que tout ce qui est source de passivité, *quel que soit son contenu*, doit être rejeté comme étant une aliénation de l'homme? En ce cas le refus l'emporterait sur l'agnosticisme et Malraux serait à ranger dans les antithéistes caractérisés. Est-ce au contraire parce que le *contenu* de la rêverie « passive » est tel que Malraux, *pour se défendre* de lui, opte pour la volonté nue, pour l'esprit comme projection de « probabilités » pratiques? En ce cas l'agnosticisme serait lui-même secondaire, phénomène induit d'une expérience plus profonde encore, celle que les héros malruxiens ont de leur vie.

C'est la seconde hypothèse qui est la vraie, pensons-nous. Il nous faut donc essayer de décrire l'*expérience fondamentale* qui oriente secrètement l'univers d'André Malraux.

III. L'expérience fondamentale de la vie

1. Le souvenir comme menace

a. Les « rêves » d'une enfance hantée.

C'est la fascination, c'est-à-dire la peur et l'attrait de ce monde intérieur, en partie dévoilé, et parfois déchaîné, par le freudisme, — tel que le voit Malraux naturellement, — qui est la clef du problème.

D'abord, cette vie involontaire est le moyen par lequel nous entrons en contact avec le monde extérieur, soit inanimé soit humain :

> Ce qu'il y a d'élémentaire dans (notre vie involontaire) *nous relie à l'univers;* d'elle dépend tout un ordre de sensations que nous avons seulement devinées jusqu'ici : celles qui nous viennent de l'imagination, et, plus précisément, de la faculté que nous avons de nous assimiler à des personnes que nous ne choisissons pas toujours. Le mécanisme des passions et des sentiments les plus forts, j'entends : ceux dont l'objet est humain, ne se départit jamais d'une subtile ironie. Soumis à eux nous éprouvons deux ordres de sensations : les nôtres, et celles que nous prêtons à notre partenaire. Que le jeu de l'amour serait différent, s'il n'impliquait la supposition involontaire *et constante* des sentiments de la personne aimée... (JE, p. 142-143)[5].

---

5. Souligné par Malraux lui-même.

L'expérience inscrite dans ces lignes est à la fois celle d'une *menace* et celle d'une *solitude*.

Une *solitude* d'abord, ainsi que le dit la fin du passage, sur l'amour qui enferme l'homme en un dialogue entre les sensations personnelles et celles *que l'on prête* involontairement au partenaire : « Tout le jeu érotique est là, commente *La tentation de l'Occident*, être soi-même *et l'autre;* éprouver ses sensations propres et celles du partenaire » (TO, p. 64). Garine, Perken, Ferral, Tchen ont vécu jusqu'à l'obsession cette solitude de la chair : voulant à la fois être eux-mêmes et, pour mieux se connaître, être aussi l'autre, s'imaginer subissant les sentiments de l'autre, ils espèrent mieux s'éprouver eux-mêmes, ressentir jusqu'à l'intensité d'une volupté qui en même temps les écartèle, la réalité de leur moi. L'érotisme, chez Malraux, est essentiellement lié au choc produit par la présence brute des sensations de l'autre, que l'on ne peut qu'imaginer.

Une *menace*, ensuite, parce que le *contenu* de l'expérience de la vie involontaire de la conscience est le « non-moi » contemplé sur *un visage de Gorgone*. Le « monde extérieur » avec lequel le rêve nous met en relation, ne nous apparaît pas comme lié à l'homme (TO, p. 60); il n'est à aucun titre un « *vestigium Dei* », une « parole » qui serait sacrée, reflet de Dieu, et dont l'homme aurait « besoin » en quelque sorte[6]; non seulement c'est « le monde » qui a besoin de l'homme, mais il doit être maté, annexé, conquis par l'homme, car il est pour lui une menace permanente :

> Cette défense *contre* l'incessante sollicitation du monde est la marque même du génie européen (TO, p. 64).

Le petit mot « contre » réapparaît ici, significatif de cette hostilité selon laquelle Malraux appréhende l'univers. Mais, on l'a vu, ce n'est pas seulement l'univers extérieur qui apparaît étranger, c'est aussi l'univers *intérieur* qui menace sans cesse le « moi conscient ».

Ensuite, les héros de Malraux semblent *n'avoir jamais éprouvé la vie dans un climat rassurant et chaud;* ce sont des personnages hantés. Tchen le terroriste est obsédé de rêves atroces :

> S'il n'y avait que ça... Nong *(sic)*. Les rêves c'est pire. Des bêtes... Des bêtes... Des pieuvres, surtout. *Et je me souviens toujours.*

---

6. E. GANNON, *The World of André Malraux*, p. 210. Un Proust, un Kafka, selon moi à cause de leur judaïsme foncier, valorisent la création, tandis que Malraux la rejette au néant, incapable d'y voir un « livre divin », un « *vestigium Dei* », selon le mot de saint Paul.

Lorsque Kyo qui « se sent près de lui comme dans une chambre fermée » lui demande s'il y a longtemps que ça dure, Tchen répond :

> Très. *Aussi loin que je remonte.* Depuis quelque temps, c'est moins fréquent... *Je déteste me souvenir,* en général. Et ça ne m'arrive pas : ma vie n'est *pas dans le passé,* elle est *devant* moi... La seule chose dont *j'aie peur,* — peur, — c'est *de m'endormir.* Et je m'endors tous les jours... *Ou de devenir fou.* Ces pieuvres, la nuit et le jour, toute une vie... (CH, p. 178).

Au lieu que le sommeil soit un berceau tiède qui le rende, neuf et lustral, à la vie du matin, il est pour Tchen, menace permanente de rêves hideux. Mais ce n'est pas seulement le rêve nocturne qui menace, c'est celui qui hante le jour, ce sont ces pieuvres énormes qui tordent leurs tentacules dans la conscience de cet adolescent douloureux; il ne peut se sauver que dans une « *fuite en avant* » : sa vie est en avant de lui, dit-il, pas en arrière, pas dans le souvenir, parce que le souvenir est pour lui chute dans l'épouvante et dans la folie menaçante. Alors que Proust cherchait dans le souvenir « le temps perdu », alors qu'il heurtait parfois d'un orteil le sol de l'éternité dans la résurrection du passé, pour Tchen, le passé est « fosse aux serpents »; il veut agir, pas seulement parce que l'homme est ce qu'il fait bien plus qu'il n'est ce qu'il cache, mais aussi parce que ce qu'il cache *c'est l'expérience grosse de folie que sont ses rêves obsédants :* « Il s'agit d'être plus fort que ce qui se passe en lui à ce moment » : ces mots de Tchen, à propos de son meurtre, sont vrais aussi des rêves qui l'obsèdent (CH, p. 178).

On dira que le personnage de Tchen est trop particulier; mais, outre qu'il est marqué de cette violence désespérée qui déborde des premiers livres de Malraux, les plus riches de désespoirs et d'espoirs, il est frappant de voir que Kyo, un personnage équilibré, sans inquiétude, se donnant à la révolution avec calme et simplicité, dans la force de sa volonté, est lui aussi hanté de rêves; il les évoque dans la prison derrière les barreaux de laquelle il devine des êtres vivants :

> Ces êtres obscurs qui grouillaient derrière les barreaux, inquiétants comme *les crustacés et les insectes colossaux des rêves de son enfance,* n'étaient pas davantage des hommes. Solitude et humiliation totales (CH, p. 336).

Il a donc lui aussi, *durant son enfance,* été hanté de rêves inhumains. Or tous les rêves ainsi décrits sont centrés autour *d'images animales :* le cauchemar que Tchen vit, au moment où il vient de tuer, est animal, lui aussi :

> Il sursauta : un miaulement. A demi délivré, il osa regarder.
> C'était un chat de gouttière, qui entrait par la fenêtre sur ses
> pattes silencieuses, les yeux fixés sur lui (CH, p. 16).

Ce chat réapparaît dans la conversation avec Kyo, à laquelle nous
avons emprunté une série de notes :

> Je rêve presque chaque nuit, Il y a aussi la distraction, la
> rêverie. L'ombre d'un chat par terre... Dans le meurtre, le difficile
> n'est pas de tuer. C'est de ne pas déchoir (CH, p. 177-178).

« L'ombre d'un chat par terre » : le premier meurtre de Tchen s'évoque
en lui.

Tchen rêve de pieuvres, Kyo, de crustacés et d'insectes colossaux :
ces rapprochements sont trop caractéristiques pour ne pas cacher une
expérience fondamentale de la vie, l'envers d'une « immonde fatalité »
(CH, p. 336)[7]. Le monde intérieur de la rêverie est inhumain, sous-humain,
métamorphosé en masques d'animaux grimaçants ; le monde « extérieur »
est impénétrable, inconnu, qu'il soit inanimé ou animé, car l'amour ne
délivre pas de la solitude. L'homme est acculé.

b. État secourable ou permanente menace.

Il y a deux races d'hommes, celle pour qui le « souvenir flottant est
un état secourable », et celle pour qui il est « une menace » ; Malraux, qui
a toujours éprouvé une « instinctive répugnance » à l'égard de la psychanalyse et de la religion contemporaine de l'inconscient (TO, p. 61,
VS, p. 416 sv., MPLM, p. 61), ne voudra retenir de l'homme que « sa
part de volonté et de conscience » (MPLM, p. 61), affirmée contre la
jungle intérieure dont celle du Cambodge, dans *La voie royale*, est
peut-être la transposition artistique ; il commente en effet ainsi une
affirmation de Gaétan Picon sur le primat de la volonté et de la
conscience sur les « souvenirs » de l'enfance :

> Le problème que vous soulevez ici dépasse de loin mes livres :
> c'est celui de la présence des souvenirs. Séparons-le de celui
> du mécanisme de la mémoire. Nous semblons admettre, chez tous
> les hommes, une disponibilité commune des souvenirs, intel-
> ligiblement limitée par des refoulements. Mais voyez dans la
> correspondance de T. E. Lawrence, à quel point ce qu'il voudrait
> refouler l'assiège, et à quel point l'humiliation de son enfance

---

7. Les dessins de Malraux sont presque tous consacrés à des animaux, surtout
à des chats, dans *Malraux par lui-même*. Je crois ces recoupements significatifs.

est toujours prête à surgir; les actes éclatants qu'il a accomplis, il ne les retrouve que par une véritable prospection. S'il existe des hommes pour lesquels l'état de souvenir flottant dont est colorée la vie est *un état secourable*, et d'autres pour lesquels il est une permanente menace, la différence entre ces deux types est une des plus profondes qui puisse séparer les hommes (MPLM, p. 60).

Les héros de Malraux se rangent dans la catégorie des vivants qui éprouvent l'existence *d'abord* comme une menace; au lieu de « construire leur être *sur* des souvenirs de bonheur », ils édifieront leur destinée *contre* la menace intérieure. Gaétan Picon dit excellemment : « A son œuvre, Malraux ne confie que ce qu'il accepte de lui-même, et cette acceptation est *une conquête*. Que devient ici l'homme du songe et de l'amour, des souvenirs d'enfance et des rêves de bonheur, la complicité qui nous unit à nous-mêmes et qui a la tiédeur et l'intimité de notre sang? » (MPLM, p. 61). Et Malraux commente :

> Il y avait une scène là-dessus dans la partie perdue de *La Lutte avec l'Ange*... Le personnage construit peut l'être *sur* des souvenirs de bonheur, ou *contre* des souvenirs ennemis. Je suis persuadé que le processus créateur du romancier est lié à la nature du passé qui l'habite ou le fuit (MPLM, p. 60).

2. La mort du père

Peut-on tenter une approche plus intime, et se demander si l'angoisse des héros malruxiens ne trouverait pas son origine dans une tragédie vécue au moment de l'adolescence? Le suicide du grand-père[8] et du père de Malraux n'aurait-il pas interféré avec le sentiment fondamental de l'existence tel qu'il se dévoile à nous? On se souvient en effet de la demi-confidence des *Noyers* sur l'expérience religieuse déçue du père de Vincent Berger : l'enfant n'avait trouvé que son attente et une liberté poignante qui ne se distinguait pas de l'abandon (NA, p. 59), tout comme Tchen « qu'une liberté totale, quasi inhumaine, livrait totalement aux idées » (CH, p. 73). Or c'est *dans ce contexte* de désillusion religieuse et de liberté « pour rien » qu'apparaît le texte suivant :

> Cinq jours après son retour à Reichbach, son père se tuait. Comme s'il l'eût attendu, soit pour le revoir, soit pour être assuré que ses dernières volontés seraient exécutées (NA, p. 59).

---

8. Du moins pour le grand-père de Malraux, très longtemps, il crut qu'il s'était suicidé; en réalité, ce ne fut qu'un accident, dont le vigoureux homme sortit indemne.

Il est toujours délicat de rapprocher la fiction artistique de la réalité vécue, mais je suis frappé de voir que, dans les rares confidences faites par Malraux à un correspondant de presse[9], le suicide du père est mentionné : le futur auteur de *La condition humaine* avait quatorze ans lorsqu'il vit le corps de son père étendu sur son lit : « il s'était suicidé, et pour ne pas manquer,il avait avalé du poison avant de se tirer une balle dans la tête »; Malraux aurait ajouté : « Le milieu familial n'a eu aucune importance pour moi; ce n'était pas la réalité ».

Je me demande si la fascination des héros malruxiens devant la mort ne trouve pas sa racine dans cette expérience. La quatorzième année est une frontière périlleuse à franchir; à cet âge les chocs sont terribles sur une sensibilité qui s'éveille à la fois à l'amour spirituel, à la tendresse sensible et à l'appel de la chair; un contact trop brutal avec la réalité de la mort peut devenir une obsession; lorsqu'il se lie à l'éveil charnel, et comment ne le ferait-il pas à un âge où les « cloisons » intérieures sont fragiles et tout l'être en train « de se dissoudre pour se recomposer », la hantise devient fascination, c'est-à-dire à la fois attrait et épouvante.

Quoi qu'il en soit, les *héros* de Malraux éprouvent devant la mort volontaire une impression d'abandon brutal et absurde en même temps que d'admiration devant celui qui « meurt de *sa* mort, d'une mort qui ressemble à la vie » (CH, p. 360)[10]. Le vertige sanglant de personnages comme Hong, Perken, Tchen, qui leur fait poursuivre dans la mort une « intensité quasi extatique » (A. Rousseaux, *Revue de Paris*, octobre 1946, p. 126), s'explique sans doute par une *vision*, faite un jour, du corps d'un suicidé. L'initiation à la « vie du Père » si importante dans l'univers de Malraux[11], s'est faite, pour ses héros, dans le face à

---

9. J'emprunte ces détails à l'hebdomadaire *Paris-Match*.

10. Un mot de Marcel : « La mort nous ouvrira à ce dont nous aurons vécu sur terre », éclaire par contraste le drame des personnages de Malraux : la mort ne les « ouvre » à rien ; elle porte à son comble la volonté de lucidité et de grandeur du héros, mais au-delà de l'ultime flambée de défi métaphysique, il n'y a que la nuit noire.

11. Si j'insiste sur le suicide du père de Malraux, c'est parce que la réalité paternelle joue un rôle essentiel dans le développement de toute vie humaine, le drame de Kafka le montrera bien (cfr *infra*, p. 211); c'est ensuite parce que le thème de la paternité est important chez Malraux, mais il est *transposé* de manière très particulière. Seul, Gaétan Picon a relevé ce fait, dont voici quelques indices : Kyo a inscrit en marge du texte du discours de son père sur le marxisme : « Ceci est le discours de *mon père* » (CH, p. 372). Les *Noyers* peuvent s'appeler « l'histoire du fils repassant sur les traces de son père » (MPLM, p. 29), spécialement dans le beau texte que voici : « A quel point je retrouve mon père, depuis que certains instants de sa vie semblent préfigurer la mienne!... Il n'était pas beaucoup plus vieux que moi lorsqu'a commencé de s'imposer à lui ce mystère de l'homme

face lucide et un peu hagard de la mort. Mais l'expérience fut trop brutale, car elle a réduit en cendres et rejeté dans une sorte de *no man's land* les souvenirs secourables de la première enfance, elle a desséché les « douceurs maternelles » qui subsistaient. L'éveil de la chair en a reçu un traumatisme mortel : il semble que les personnages les plus typiques de Malraux soient incapables de voir dans la vie des sens un moyen de « connaissance » des autres; l'image de la mort volontaire, dans un vertige d'anéantissement, s'est comme superposée à celle de l'abandon charnel et lui a communiqué cette frénésie de destruction de soi qui caractérise l'érotisme des premiers romans. La chair devient une image de la mort.

3. Une adolescence fascinée

Le souvenir éprouvé comme une menace, l'expérience de la mort faite trop tôt, un éveil de la tendresse brutalement coupé de ses prolongements sensibles expliquent sans doute l'aspect d'adolescence fascinée et crispée de tant de personnages de Malraux.

Hong, dans *Les conquérants*, est un vrai gosse (C, p. 29, 30), il a parfois une expression presque enfantine (C, p. 151); Garine, au moment où il le voit, après son arrestation, hausse les épaules « comme avec un gosse » (C, p. 202). Hong s'imagine que Garine se moque de lui; il veut se précipiter sur lui pour le tuer, comme si, derrière le masque de dureté

---

qui m'obsède aujourd'hui... »; et ailleurs : « Ayant un père, j'étais heureux, — et parfois fier, — que ce fût lui. » Seulement, cette paternité se situe en quelque manière au-delà de la chair, car elle paraît se retrouver entre Claude et Perken, entre le narrateur et Garine, dans *La voie royale* et dans *Les conquérants*, qui ne sont pas liés par une paternité charnelle. Picon a très bien vu que « les personnages appartiennent souvent à des étapes différentes de la formation humaine; il y a entre eux la distance qui sépare celui qui a subi l'épreuve et celui qui ne l'a pas encore subie. La distance n'est nullement une opposition... mais une hiérarchie : distance de l'adolescent à l'homme mûr et, sinon du disciple au maître, du moins fort au plus fort » (MPLM, p. 29). La paternité se situe donc entièrement sur le plan de l'initiation héroïque; elle ne va pas de pair avec une chaude communion parentale; nous sommes loin du monde de Proust et de Kafka, car le lien de parenté ne délivre pas de la solitude : « Cette solitude totale, même l'amour que Gisors avait pour Kyo ne l'en délivrait pas » (CH, p. 77, 82, 84); Gisors avait cependant aimé Kyo comme peu d'hommes aiment leur enfant et Kyo le rattachait aux hommes (CH, p. 397, 403). La paternité malruxienne est dans le lien de l'adolescent à son maître en vie héroïque; il y a ici rivalité, admiration : on comprend maintenant comment et pourquoi le suicide de son père a pu fasciner Malraux comme un modèle et aussi l'épouvanter comme un gouffre : sa sensibilité, son monde intellectuel, tout bascula dans cet abîme à la fois désiré et craint.

fanatique et sanguinaire, un enfant timide et apeuré, susceptible et ombrageux en sa solitude, se cachait. Dans *La condition humaine*, Peï, le « disciple » de Tchen, a aussi le visage d'un gosse ou d'un adolescent (CH, p. 223-202); Tchen méprise la tendresse « et surtout en a peur » (CH, p. 70); s'il garde de l'affection pour son ancien maître, le pasteur luthérien qui l'a élevé, ce n'est pas sans rancune (CH, p. 199). Les terroristes de Malraux sont hantés par une enfance qui transparaît sur leur visage *sans qu'ils s'en doutent*, mais qu'ils ne reconnaissent pas en eux sans agacement.

Ensuite, dans l'âge « adulte » de ses héros, le *lien entre la mort et l'érotisme* apparaît fréquemment. La fureur avec laquelle Perken se jette vers sa mort a quelque chose de sexuel; il se sent aussi seul en allant vers elle qu'au moment où il possède pour la dernière fois un corps de femme :

> Il possédait comme s'il l'eût frappé ce corps *inhumain* et immobile comme la transe des arbres sous la grande chaleur; jamais il ne trouverait dans cette *frénésie* qui le secouait autre chose que la pire des *séparations*. Il se rejeta sur lui-même comme sur un poison, ivre d'anéantir à force de violence ce visage anonyme qui le chassait vers la mort (VR, p. 190)[12].

---

12. Ce thème du vertige sexuel devant la mort, et du vertige de la mort devant l'érotisme remplit tout le roman : lorsque Perken arrache patiemment des statues ensevelies dans des lianes, « des coups répétés, de la perte de sa lucidité, un plaisir érotique montait comme de tout combat lent » (VR, p. 103-104). Dans le texte cité en pleine page, la cruauté érotique est rendue sensible par *le silence* des partenaires (coupé seulement par le grattement de l'ongle sur le drap); ici, il est donné par la *lenteur*. En un autre passage, Perken dira, en montrant du doigt la menaçante majesté de la nuit : « Exister contre tout cela, exister contre la mort », et sa voix avait quelque chose de si inhumain que Claude se sentit séparé d'elle comme dans une folie menaçante : « Vous voulez mourir avec une conscience intense de la mort... sans faiblir? J'ai failli mourir, répondit Perken : vous ne connaissez pas l'exaltation qui sort de l'absurdité de la vie, lorsqu'on est en face d'elle comme d'une femme dé... » Il fit le geste d'arracher, « déshabillée. Nue, tout à coup » (VR, p. 132); aussi bien « la lutte contre la déchéance se déchaînait en lui ainsi qu'une fureur sexuelle » (VR, p. 159). La suite du récit détaille mieux encore cette fulgurance qui jouit d'elle-même et se détruit : « La passion de cette liberté qui allait l'abandonner l'envahit jusqu'au délire. Au bord de l'atroce métamorphose qui l'obsédait, il se raccrochait à lui-même, les mains crispées s'enfonçant dans la chair des cuisses... la peau comme un nerf. Jeté sexuellement sur cette liberté à l'agonie, soulevé par une volonté forcenée se possédant elle-même devant cette imminente destruction, il s'enfonçait dans la mort même, le regard fixé sur le rayon horizontal qui là-haut, s'allongeait de plus en plus, délivré de ces ombres sinistres et vaines dont l'affût se perdait dans l'obscurité qui montait de la terre » (VR, p. 163). Enfin, au moment où l'ombre de la mort s'étend sur lui : « Il n'y a pas... de mort... Il y a seulement... moi » un doigt se crispa sur la cuisse..., « moi... qui vais mourir... » (VR, p. 222). On saisit ici l'espèce de mystique à la fois sexuelle et destructrice qui le fait s'enfoncer

Durant cette lutte, le seul bruit qui s'entend est le grattement d'un ongle sur le drap, comme pour mieux souligner l'horrible solitude qui s'abat sur cet amoureux frénétique. Tchen fait la même expérience de l'amour mêlé à la mort : son premier meurtre, — « les autres ne savent pas... que c'est la première fois », dit-il à Gisors (CH, p. 71), — le fait entrer dans une « patrie » hantée de fantômes, éclairée du blanc des yeux du mourant, qui se sont ouverts une seconde, au moment même où le coup mortel était porté; cette caricature de « baptême » le fait songer à sa première expérience charnelle, au moment où il retrouve ses compagnons :

> Il semblait qu'il les découvrît, — comme sa sœur la première fois qu'il était revenu d'une maison de prostitution (CH, p. 22).

Lui, « pourtant, savait ce qu'était la mort » (CH, p. 22); il gardait dans son bras blessé, le souvenir physique de la dureté de cette chair, de ce corps qui avait rebondi, de ce « corps frappé que le sommier élastique renvoyait contre le couteau » (CH, p. 14, 22, 71); il avait gardé aussi, sans doute, gravé dans sa chair, le souvenir du corps de la prostituée qu'il avait possédée pour la première fois : il éprouva de « l'orgueil... de ne pas être une femme », mais il s'était aussi « senti séparé,.. oui, terriblement », et, sans transition, il explique à Gisors :

> Et vous avez raison de parler de femmes. Peut-être méprise-t-on beaucoup celui qu'on tue. Mais moins que les autres. Que ceux qui ne tuent pas : les puceaux » (CH, p. 73).

Pour Tchen, être homme, c'est *avoir possédé une femme et avoir tué*; car la première possession sexuelle est une sorte de meurtre « sacré » et une initiation à la solitude de l'existence, dans l'orgueilleuse lucidité; le premier meurtre est lui aussi une initiation.

---

dans la mort même, c'est-à-dire dans le néant; incapable d'exorciser leurs fantômes intérieurs, les héros de Malraux se sont jetés sur eux pour les tuer une fois pour toutes, même s'ils devaient y périr eux-mêmes : cette frénésie porte la marque d'une mystique d'adolescent, recherchant en tout la sensation immédiate, voulue pour son intensité même; l'érotisme solitaire, fréquent à cet âge, peut expliquer cette fureur.

4. L'impatience aventurière

a. La mystique du terrorisme.

Le monde de Malraux est d'impatience et d'intensité; la tendresse a été rejetée de l'autre côté d'une sorte de rideau de fer séparant pour jamais la tiède enfance des visions obsédantes de l'adolescence : la tendresse a été chassée d'un côté, la sensualité, de l'autre; entre les deux mondes, plus de passages, sinon clandestins, inavoués, comme entre May et Kyo.

La mort de Dieu a cependant creusé un abîme dans ces sensibilités ardentes : aussi bien l'impatience adolescente des héros malruxiens va les jeter dans la quête d'une sorte d'absolu de la sensation; mais au lieu qu'il s'agisse des « instants voluptueux » d'une vie « dorée », c'est dans le terrorisme que les uns poursuivront « le sentiment de leur existence », tandis que les autres voudront l'éprouver dans la minute de leur mort volontaire. Tout cela évoque à nouveau la frénésie vaine d'une adolescence qui se consume elle-même.

On retrouve chez Tchen et chez Perken, le même geste de la main qui se crispe sur la cuisse, du bras qui blesse l'autre bras, au moment de la plus grande intensité de l'action qui tue : à la minute où Tchen va frapper, dans la chambre obscure, il se blesse au bras avec le couteau et cette blessure va l'accompagner tout au long du drame. Au moment où il décide de jeter une bombe sous l'auto de Chang Kai-shek, il entrevoit ce geste comme lui ouvrant l'accès à une sorte « d'extase vers... vers le bas » (CH, p. 179); cette extase, il voit mieux encore ce qu'elle sera, depuis qu'il a décidé de se jeter lui-même avec l'engin de mort sous les roues de l'auto du généralissime, car il veut « faire du terrorisme non pas une religion mais le sens de la vie » :

> La... Il faisait de la main le geste convulsif de pétrir, et sa pensée semblait haleter comme une respiration. « ...La possession complète de soi-même ». Et pétrissant toujours : « Serré, serré, comme cette main serre l'autre, — (il la serrait de toutes ses forces), ce n'est pas assez, comme... » Il ramassa l'un des morceaux de verre de la lampe cassée. Un large éclat triangulaire, plein de reflets. D'un coup il l'enfonça dans sa cuisse. Sa voix saccadée était possédée d'une certitude sauvage, mais il semblait bien plus posséder son exaltation qu'être possédé par elle. Pas fou du tout. A peine si les deux autres le voyaient encore, et pourtant, il remplissait la pièce (CH, p. 221-222).

C'est l'idée de « sa » propre mort qui lui donne ce sentiment d'extase « vers le bas », ainsi que Kyo le comprend :

Toujours cette voix de distrait. « Il se tuera », pensa Kyo. Il avait assez écouté son père pour savoir que celui qui cherche aussi âprement l'absolu ne le trouve que dans la sensation. Soif d'absolu, soif d'immortalité, donc peur de mourir : Tchen eût dû être lâche; mais il sentait, comme tout mystique, que son absolu ne pouvait être saisi que dans l'instant. D'où sans doute son dédain de tout ce qui ne tendait pas à l'instant qui le lierait à lui-même dans une possession vertigineuse... Ce camarade maintenant silencieux rêvassant à ses familières visions d'épouvante avait quelque chose de fou, mais aussi quelque chose de sacré, — ce qu'a toujours de sacré la présence de l'inhumain... Peut-être ne tuerait-il Chang que pour se tuer lui-même... Kyo sentait tressaillir en lui-même l'angoisse primordiale, celle qui jetait à la fois Tchen aux pieuvres du sommeil et à la mort (CH, p. 179-180).

* * *

Cette frénésie ne peut vaincre la *solitude*. Tchen en est véritablement hanté : il se sent « extraordinairement seul » dit-il à Gisors le soir du meurtre du courtier chinois (CH, p. 71); « obsédé résolu, il s'est jeté dans le monde du meurtre..., et le meurtre est solitaire » (CH, p. 76); durant l'insurrection, il éprouve que la « violence lui donne la sensation d'une action solitaire »; il ne savait pas se lier à ses hommes », s'il « mourait aujourd'hui, il mourrait seul »; même quand il retient la chaîne des combattants, aux bords du toit « il n'échappait pas à la solitude » (CH, p. 122, 120, 108, 125); il sent que la révolution va le rejeter à lui-même et à ses souvenirs d'assassinats (CH, p. 153), et, au moment où il éprouve une mystérieuse euphorie quand il décide de se jeter lui-même sous les roues de la voiture, il ajoute : « jamais il n'eût cru qu'on pût être si seul » (CH, p. 224). Durant les minutes qui le séparent de l'arrivée de l'auto du généralissime, Tchen éprouve à son paroxysme le sentiment de l'immensité de la solitude dans l'espace et dans le temps :

Tchen regardait toutes ces ombres qui coulaient sans bruit vers le fleuve, d'un mouvement inexplicable et constant; n'était-ce pas le Destin même, cette force qui les poussait vers le fond de l'avenue où l'arc allumé d'enseignes à peine visibles devant les ténèbres du fleuve semblait les portes mêmes de la mort? Enfoncés en perspectives troubles, les énormes caractères se perdaient dans ce monde tragique et flou comme dans les siècles; et de même que si elle fût venue, elle aussi, non de l'état-major mais des temps bouddhiques, la trompe militaire de l'auto de

Chang Kaï-shek commença à retentir sourdement au fond de la chaussée presque déserte (CH, p. 278).

Malraux excelle à prolonger une vision dans le temps : l'homme du quaternaire évoqué, le soir, à Marseille, lors du retour de Dietrich Berger, les temps bouddhiques, dont semble sortir la trompe de l'auto du Chang Kaï-shek. C'est au cœur de cette solitude presque palpable que Tchen se ruera avec sa bombe :

> L'auto du général était à cinq mètres, énorme. Il courut vers elle avec une joie d'extatique, se jeta dessus, les yeux fermés. Il revint à lui quelques secondes plus tard... Il avait sombré dans un globe éblouissant... Il n'était plus que souffrance... Rien n'existait que la douleur... Tchen voulut demander si Chang-Kaï-Shek était mort, mais il voulait cela dans un autre monde; dans ce monde-ci cette mort même lui était indifférente (CH, p. 279-280).

La joie d'extatique, le globe étincelant dans lequel il sombre, la souffrance à laquelle il s'identifie : comment ne pas voir en tout cela l'envers de la vraie mystique, celle qui est ouverture de soi pour aller au-devant de quelqu'un. Tchen se détruit, souffre, s'éblouit lui-même de la flamme qui le dévore, mais il reste seul, à l'intérieur de son propre incendie :

> Des éphémères bruissaient autour de la petite lampe. « Peut-être Tchen est-il un éphémère qui secrète sa propre lumière, celle à laquelle il va se détruire... Peut-être l'homme même... » (CH, p. 189),

songe Kyo : peut-être que l'homme lui-même n'est que cela, cet éphémère qui secrète un instant cette lumière qui le détruit au moment où elle jaillit de lui-même.

b. La « fuite en avant ».

L'impatiente adolescence, qui recherche l'intensité pour elle-même, se retrouve dans Garine, pour qui « la révolution ne représente guère plus que l'aventure; elle est une grande action quelconque » (MPLM, p. 79); Malraux commente lui-même :

> L'aventure, ce mot connut, vers 1920, un grand prestige dans les milieux littéraires; prestige auquel se sont opposées plus tard l'annexion comique des vertus bourgeoises par le communisme français, et l'annexion sérieuse de l'ordre par le stalinisme. Il est naturel que l'esprit révolutionnaire ne soit pas hostile

à l'aventurier, allié contre leur ennemi commun, et le devienne, à l'aventurier tenu pour son adversaire. L'aventurier est évidemment hors la loi; l'erreur est de croire qu'il soit seulement hors la loi écrite, hors la convention. Il est opposé à la société dans la mesure où celle-ci est *la forme de la vie;* il s'oppose moins à ses conventions rationnelles qu'à sa nature. Le triomphe le tue : Lénine n'est pas un aventurier. Napoléon non plus : l'équivoque ne s'établit que par Sainte-Hélène... De même que le poète substitue à la relation des mots entre eux une nouvelle relation, l'aventurier tente de substituer à la relation des choses entre elles, — aux « lois de la vie », — une relation particulière. L'aventure commence par le dépaysement, au travers duquel l'aventurier finira fou, roi ou solitaire; elle est le réalisme de la féerie (MPLM. p. 78, 80).

Il y a deux manières de suivre l'aventure, car il y a deux itinéraires possibles à partir de l'adolescence, celui de l'impatience et celui du voyage intérieur. L'aventure affirme la royauté de l'homme sur le monde, mais, avant d'être élevé au-dessus des contraintes de l'existence, il faut aussi être *le roi de soi-même.* Je me demande si la plupart des personnages de Malraux ne sont pas secrètement marqués d'une sorte de découragement initial, accepté dans l'adolescence : ils ont renoncé à vaincre en eux-mêmes le déferlement des rêves inhumains, peut-être aussi la pesée d'une tentation d'ordre moral[13]. Ils ont alors, devant le chaos de leur être *intérieur,* reporté avec une violence accrue de leur secrète capitulation, leurs énergies spirituelles sur le monde *extérieur;* autrement dit, désespérés de jamais « évangéliser » par une persuasion lente et attentive les terres inconnues de leur conscience intime, ils ont brûlé les étapes; au lieu d'humaniser, d'apprivoiser *avec patience* cette terre vierge, hantée de monstres inhumains, grouillante aussi de menaces d'ordre moral, ils ont préféré la couper, l'amputer. Le comportement de pas mal de personnages de Malraux est marqué de

---

13. Sans vouloir donner à un détail une importance exagérée, je suis frappé de ce que Malraux note à propos de Tchen : il n'avait jamais réussi à vaincre « le seul péché plus fort que sa volonté, la masturbation »; lorsque, à l'université de Péking, il a connu des prostituées, Tchen a « résolu » le problème (CH, p. 79). Il faut remarquer d'une part que le christianisme n'est pas dans la crispation stoïcienne qui permet de vaincre une faute d'ordre moral, mais bien dans l'amour de plus en plus profond pour les hommes et pour Dieu, qui nous aide à dépasser le péché; d'autre part, Tchen a *capitulé* devant une force qui le dépassait; il a renoncé à « évangéliser » ses terres intérieures, en les *intégrant* dans une ferveur de tout l'être; il s'est *rué* sur le monde extérieur et a cherché dans le terrorisme une sorte de substitut de la religion. Ce détail me semble caractéristique du genre de capitulation intérieure qui marque les principaux héros de Malraux dans leur frénésie.

l'impatience de l'adolescent qui veut trancher dans le vif, couper d'un coup sec le nœud gordien des problèmes métaphysiques et moraux : ils cherchent alors une sorte de victoire immédiate dans l'affirmation d'eux-mêmes, face à ce qu'ils viennent de déclarer n'être pas « eux-mêmes ».

La royauté de l'homme, ainsi maintenue, est allégée aussi de tout l'effort moral et mystique, de toute intériorité, pour ne plus être que le défi recherché pour lui-même. Ainsi, toute une jeunesse ne croira plus qu'en la révolution politique et sociale, et ne verra que perte de temps dans la révolution intérieure, d'ordre moral. Même si les conjonctures extérieures, politiques, économiques, sociales, sont d'une importance majeure dans l'aide ou l'obstacle qu'elles apportent à cette révolution spirituelle et morale, « changer l'homme » demeure plus important que « changer les institutions ». L'accent de victoire des héros malruxiens ne serait pas si crispé, si anxieux, s'il ne cachait pas cet abandon premier, cette défaite devant le monde inhumain de l'inconscient, devant celui de la faute morale. Les héros malruxiens sont des « obsédés résolus » (CH, p. 76).

* * *

Malraux va tenter d'acquérir la force sereine et grave ; progressivement, les personnages frénétiques, les « aventuriers », les terroristes vont faire place dans l'œuvre à « l'homme fondamental » qui « lutte avec l'ange » et regarde la mort avec l'indulgence et même avec ironie (NA, p. 195). Malraux va se conquérir « contre » les souvenirs menaçants, après avoir été cet obsédé résolu dont témoignent les premiers écrits, jusques et y compris son chef-d'œuvre, *La condition humaine*.

Seulement, même dans les écrits sur l'art, ce ne sera pas en intégrant le réel intérieur et le monde des civilisations que Malraux va atteindre la grandeur ; là aussi il désespérera trop vite de pénétrer jamais l'apport des cultures du passé ; devant leur grouillement, chaotique peut-être mais vivant, réel, gros de larmes et d'espoirs *d'hommes*, il préférera laisser tomber ce qui pèse trop lourd, ce qui est menace pour la clarté intérieure de l'esprit, pour la dureté du défi volontaire surtout. On ne peut se défendre de l'impression que c'est une solution de facilité, une manière de « résoudre » le problème *en le supprimant*. Ramener l'art à ce par quoi il s'oppose au destin, c'est juger comme un adolescent ombrageux et fier, mais trop pressé, se débarrassant trop vite de ce qu'il ne peut comprendre *tout de suite*.

D'un bout à l'autre de son œuvre, Malraux reste donc le témoin de personnages qui ont effacé leur enfance, opté pour un volontarisme monolithique et crispé, une notion de l'homme ramenée à l'acier étincelant d'une puissance de négation toujours à l'affût.

* * *

Il ne faut donc pas ranger Malraux dans les anti-théistes[14]; son incroyance comporte sans doute un refus de se soumettre, mais elle s'enracine dans une philosophie agnostique; celle-ci n'est elle-même que l'envers d'une expérience fondamentale qui fait éprouver le monde comme une menace. Il faut veiller sans cesse, dans le monde de Malraux, mais cette veillée n'est pas attente de la venue de l'époux, elle est le guet du pas feutré de l'inhumaine fatalité, celle qui ressemble à ce chat dessiné par Malraux, avec la légende : « Écœuré, le Dyable s'en va » (MPLM, p. 97). Il ne faut pas dormir, non point pour ouvrir avec amour le fond de l'être à la visitation d'en haut, mais pour être comme « le petit veilleur condamné contre lequel ne prévaut point la menace divine » (I, p. 11), comme ce petit veilleur « éveillé » dans « l'ombre du schéôl qui s'approfondit tandis que montent les étoiles du déluge » (I, p. 11)[15].

---

14. Le seul texte vraiment « anti-théiste » de Malraux est dans le final de *La voie royale*, lorsque Claude, témoin de la mort impuissante de Perken, « se souvient haineusement de la phrase de son enfance : « Seigneur, assistez-nous dans notre agonie... » Le terme « haineusement » doit lui-même être expliqué : il s'agit d'un *effet* et non d'une *cause*; autrement dit, l'élément premier n'est pas la haine, mais la blessure reçue dans l'adolescence, la hantise de la mort trop vite éprouvée, la menace de forces surhumaines. La suite du texte doit s'expliquer de la même manière : « Presque tous ces corps perdus dans la nuit d'Europe ou le jour d'Asie, écrasés eux aussi par la vanité de leur vie, pleins de haine pour ceux qui au matin, se réveilleraient, se consoleraient avec des dieux. Ah! qu'il en existât, des dieux, pour pouvoir, au prix des peines éternelles, hurler, comme ces chiens, qu'aucune pensée divine, qu'aucune récompense future, que rien ne pouvait justifier la fin d'une existence humaine, pour échapper à la vanité de le hurler au calme absolu du jour, à ces yeux fermés, à ces dents ensanglantées qui continuaient à déchiqueter la peau... à cette défaite monstrueuse » (VR, p. 221-222). Certes, May, à la fin de la *Condition humaine*, parle de la consolation abjecte des prières et, dans *Les voix du Silence*, Malraux affirme que le destin n'est pas la mort, mais « est fait de tout ce qui opprime l'homme » : il y a donc rêve de toute puissance (cfr *infra*, chapitre V, p. 185). Malgré tout, je crois que la haine et le ressentiment devant ceux qui « croient » en Dieu provient d'une expérience religieuse déçue.

15. L'âme de Malraux se laisse entrevoir à partir des trésors de tendresse intérieure qui ont été brutalement brisés et piétinés plutôt qu'à partir de son défi; ce dernier n'est si intense que par suite de la pesée secrète des eaux d'une enfance toujours présente mais jamais acceptée : *Malraux ou la pudeur dans la tendresse*, un travail pourrait être fait sur ce thème; de l'adolescent, Malraux a la brusquerie hautaine et la douceur qui se trahit trop rarement. En voici des exemples tirés de *La condition humaine* : c'est la part d'enfance qui affleure chez Ferral « cet homme impérieux » (CH, p. 139) ou dans un mouvement puéril, comme s'il

5. La seule aventure est en nous

Je crois les héros de Malraux exemplaires d'une des formes majeures de l'angoisse de ce demi-siècle : les jeunes ont peur des monstres qu'ils découvrent en eux, et que la psychanalyse les a aidés à percevoir; ils chancellent devant le carrousel des cultures du passé et du présent, qui tourne de plus en plus vite; ils sont sollicités sans trêve par des images de violence et de volupté, car elles s'étalent sur tous les murs, où elles « criaillent », ainsi que le disait Apollinaire. La jeunesse a toujours été impatiente : bienheureuse ferveur, force fraîche qui nous entraîne et nous force à nous relever sur la route, mais danger aussi de secouer avec humeur frondeuse le patient effort sans lequel on ne forme pas un homme. Notre siècle, lassé de ses luttes intérieures, essaye de percer la muraille qui l'entourait : la brèche une fois ouverte, c'est avec une violence inouïe qu'il se sent arraché en dehors de lui et projeté dans le monde incommensurable des astres et des cultures. Cette force qu'il aurait fallu apprivoiser est maintenant déchaînée, *lancée sans but dans le musée de l'homme et dans celui de l'histoire.* La « fuite en avant » est la tentation qui guette les fervents de l'espoir planétaire en cette moitié du XXe siècle :

> En abordant sur les rives de Chine, j'apportais encore un espoir. Si par elle-même, me disais-je, l'exploration de l'espace

---

boudait, chez Hemmelrich (CH, p. 245), ou enfin, dans l'attitude de Kyo, comparaissant devant son tortionnaire, mais « mordant dans le pain comme un enfant » (CH, p. 342). Malraux rappelle que la plupart des hommes qui allaient mourir dans les tortures « avaient des enfants » (CH, p. 361) et que, même malade à mourir, l'enfant éveille l'espoir chez son père : Hemmelrich, la moitié de la journée, souhaite que son enfant meure; « et si ça vient, il souhaitera qu'il reste, qu'il ne meure pas, même malade, infirme... » (CH, p. 246), car, « sa souffrance, il lui était possible de l'accepter, pas celle des gosses » (CH, p. 215). May, elle, aussi, a toujours eu le désir passionné d'avoir un enfant, mais après la mort de Kyo, ce désir lui semble une trahison (CH, p. 402). Aussi bien, quand Gisors dit à May « qu'il faut soixante ans pour faire un homme, soixante ans de sacrifices, de volonté, de... tant de choses! Et quand cet homme est fait, quand il n'y a plus en lui rien de l'enfance ni de l'adolescence, quand, vraiment, il est un homme, il n'est plus bon qu'à mourir » (CH, p. 403), il faut comprendre que, en un sens, on est homme seulement quand les espoirs et les désirs légers de l'adolescence se sont évanouis, quand l'être n'est plus qu'une volonté à l'état pur, un défi permanent; mais en un autre sens, aucun des héros de Malraux n'a réussi à évacuer entièrement l'enfant et l'adolescent qu'il a été; en réalité, l'âge vrai des personnages de Malraux est celui d'une adolescence épouvantée devant une mort qui les regarde dans les yeux et les fascine; au-delà de ce masque durci, sans sérénité, on devine souvent le « lait de la tendresse humaine ».

et du passé est un effort dans le vide, si la seule véritable connaissance des choses gît dans la prévision de la construction de
l'avenir graduellement réalisé par la vie — quelle meilleure
occasion puis-je souhaiter de m'initier et de m'associer à l'édifi-
cation du futur que d'aller me perdre, de longues semaines,
dans la masse en fermentation des peuples de l'Asie? Là, sans
doute, je rencontrerai en formation les courants de pensée et de
mystique qui s'apprêtent à rajeunir et à féconder notre monde
d'Europe. La Terre pour devenir adulte a besoin de tout son sang
(P. TEILHARD DE CHARDIN, *Lettres de voyage*, p. 60).

Le parallélisme de ce texte du Père Teilhard de Chardin, — il date
d'octobre 1923, — avec les premiers émois de Malraux est frappant;
certes, chez l'un, il y a l'exaltation de l'espoir humain en une planète
qui obéit et, souple, s'humanise à la main de l'homme, tandis que,
chez l'autre, il y a l'angoisse; mais c'est l'Asie, la Chine qui émeut
l'âme de ces deux grands Européens :

> ...Autrefois, il y a vingt ans, si j'avais été engagé dans ce
> voyage, je serais parti, je crois, avec l'espoir obscur de soulever
> un peu, en m'avançant sur une terre inconnue, pour en sonder
> l'histoire, le rideau qui cache aux hommes le grand Secret.
> J'étais un peu comme ces naïfs anciens qui pensaient que les
> dieux habitent les lieux cachés du monde et qu'à nos plus lointains
> aïeux ils se sont montrés. Cette illusion qu'on ne peut approcher
> la Vérité que par un voyage, je l'ai perdue depuis longtemps.
> Je le savais en quittant l'Europe : l'espace est un voile sans
> couture, sur lequel on peut cheminer indéfiniment sans rencontrer
> le moindre jour ouvert sur les zones supérieures de l'être; —
> et la lumière que nous croyons voir briller au fond du passé
> n'est qu'un mirage ou qu'un reflet venu d'en haut. Plus le monde
> est pris loin et en arrière, moins il existe, plus, par la suite il est
> pauvre et stérile à notre pensée. Aussi n'ai-je éprouvé aucune
> déception en ne recevant la moindre impression vive ni de la vue
> de steppes où les gazelles courent comme aux temps tertiaires,
> ni de la fréquentation des yourts où les Mongols vivent comme
> il y a mille ans. On ne trouve rien de vraiment nouveau ni dans
> ce qui est ni dans ce qui fut (*ibid*, p. 59-60).

Il n'y a de vrai « voyage » qu'*intérieur*, mais celui-ci, en même temps
qu'il ne se termine jamais, nous fait entrer en participation avec le
monde de l'être :

> Le voyage était fini. J'ai vivement senti combien, de soi, le
> déplacement dans l'espace n'ajoute rien à l'homme. Revenu à
> son point de départ, *à moins qu'il n'ait augmenté sa vie intérieure*,

chose qui n'apparaît pas au dehors, il est comme tout le monde (*ibid.*, p. 51).

La jeune génération espère surprendre le secret de l'être dans l'exploration de l'espace et du temps, mais Valéry disait, il y a longtemps déjà, « que c'est toujours le même paysage que l'on montre du haut du même promontoire ». Les héros de Malraux ont réduit l'homme à une quintessence de volonté recherchée pour elle-même, faite de *la soustraction impatiente de tout ce qui ne se laisse pas dominer immédiatement*. Malraux fuit la vie, de plus en plus, car il renonce à explorer le monde intérieur, il prend un raccourci, mais en laissant tomber tout ce qui n'est pas le « refus » de s'incarner. Les vrais grands hommes ne sont pas du type des héros de Malraux, réduit à l'éclair d'une épée face au destin, ce sont plutôt ceux qui ont introduit dans leur cœur, *fortement et suavement*, tout l'humain.

* * *

Charles de Foucauld, le « frère universel », est un témoin du « voyage intérieur ». « En cette fin du XIXᵉ siècle, le grand raz de marée de l'athéisme est si agressif, si spectaculaire qu'il en dissimule un autre non moins important : l'appel de toutes les religions non chrétiennes »[16]. C'est l'Islam qui va réveiller en Foucauld le sens du sacré et bientôt le sens du Christ, mais c'est au contact « d'une pauvreté si terrible qu'elle fait pâlir celle des moines » (p. 123), qu'il va découvrir sa « vocation » personnelle d'ermite du Hoggar. En l'année 1897, celle où Gide écrit les *Nourritures terrestres*, la « pauvreté ne suffit pas à Frère Charles; il veut l'abjection »; il a compris « qu'il est honteux d'être si bien avec ceux qui égorgent nos frères... C'est honteux pour l'Europe » écrit-il d'Antioche, à propos de massacres faits par les Turcs contre les chrétiens d'Arménie (p. 138, 124). Il est l'homme des frontières, désireux de créer des liens entre monde musulman et monde occidental, entre Maroc et Algérie (p. 167). Cet idéal, *il le vit dans la solitude du désert*, à la recherche des pauvres : « Ce divin banquet dont je devenais le ministre, écrit-il en 1901, il fallait le présenter non pas aux parents, aux voisins riches, mais aux boiteux, aux aveugles, aux pauvres, c'est-à-dire aux mêmes âmes manquant de prêtres. Au Maroc, grand comme la France, avec dix millions d'habitants, pas un seul prêtre à l'intérieur; au Sahara, sept ou huit fois plus grand que la France et

---

16. M. CARROUGES, *Charles de Foucauld, explorateur mystique*, éd. du *Club du livre religieux*, Paris, 1956, p. 86-87. Les chiffres entre parenthèses renvoient à cet excellent volume.

bien plus peuplé qu'on ne le croyait autrefois, une douzaine de missionnaires! Aucun peuple ne me semblait plus abandonné que ceux-ci » (p. 157).

Certes, pour ces esclaves qui « vivent dans la haine et le désespoir » (p. 176), il essayera d'obtenir la liberté : hélas, à cette époque, l'autorité française reste muette et lui, qui ne vit que d'aumônes, comment pourrait-il racheter ces malheureux? Il n'en put racheter que cinq ou six, mais en revanche quel témoignage impérissable ne laisse-t-il pas à Beni Abbès et à Tamanrasset, quelle fécondité en ce « voyage intérieur » opéré dans sa seule âme, *mais qui rayonne sur l'immense continent nord-africain*. Apparemment, c'est la défaite sur le plan humain et l'évasion sur le plan religieux :

> Il faut passer par le Désert et y séjourner pour recevoir la grâce de Dieu : c'est là qu'on se vide, qu'on chasse de soi tout ce qui n'est pas Dieu et qu'on vide complètement cette maison de notre âme pour laisser toute la place à Dieu seul. Les Hébreux ont passé par le désert, Moïse y a vécu avant de recevoir sa mission, saint Paul, saint Jean Chrysostome se sont aussi préparés au désert... C'est un temps de grâce, c'est une période par laquelle toute âme qui veut porter des fruits doit nécessairement passer. Il lui faut ce silence, ce recueillement, cet oubli de tout le créé au milieu desquels Dieu établit son règne et forme en elle l'esprit intérieur... Montez plus haut : regardez saint Jean-Baptiste, regardez Notre-Seigneur. Notre-Seigneur n'en avait pas besoin, mais il a voulu donner l'exemple (p. 168).

Devant les héros de Malraux, épandus sur le globe, en Chine, au Laos, au Touran, en Espagne, en France, devant les voix innombrables des arts du passé, devant le grouillement multiforme des cultures de la planète, celles que le *Musée imaginaire* projette sur l'écran de nos imaginations, combien la solitude du frère Charles semble vide, combien mesquine et peureuse paraît cette « fuite » au désert à un jeune vivant qui s'est laissé fasciner par *La voie royale*, ce tome premier d'une série, jamais poursuivie du reste : *Puissances du désert*. Charles de Foucauld est resté seul jusqu'à la fin, car pas un disciple ne vint se joindre à lui.

Et cependant, en 1933 ont été fondés *Les Petits Frères de Jésus*, et, en 1939, *Les Petites Sœurs* : peu de formations spirituelles semblent aussi providentiellement en harmonie avec les besoins de notre siècle où l'espoir est immense, certes, mais immense aussi le risque, et atroce la puissance de la pauvreté et de la souffrance qui s'abat sans prévenir sur des millions d'êtres :

> Leur but est de suivre l'idéal de Jésus de Nazareth tel que le Père de Foucauld l'a connu et pratiqué. Ils vivent par groupes de trois, quatre ou cinq, dans de petites fraternités. Dans les milieux prolétariens ou nomades, ils vivent comme les plus pauvres, dans les mêmes maisons ou sous les mêmes tentes; ils pratiquent les mêmes métiers manuels. Mais dans chaque fraternité, ils vivent, en même temps, une vie de recueillement et d'adoration. Ni missionnaires, ni prêtres-ouvriers, ils sont des religieux qui portent des vêtements laïcs et vivent la pauvreté moderne, comme les moines d'autrefois ont vécu la pauvreté d'autrefois (p. 305-306).

Ce n'est pas d'aventuriers que nous avons besoin, mais d'êtres qui fassent leurs les mots de Charles de Foucauld :

> Avant-hier, fini la moisson... Ce travail, plus pénible qu'on ne le pense..., donne une telle charité pour les ouvriers, les laboureurs! On sent si bien le prix d'un morceau de pain, quand on voit par soi-même combien il en coûte de peine pour le produire! On a tant pitié pour tout ce qui travaille, quand on partage ces travaux! (p. 111-112).

Que ce « voyage intérieur » auquel s'est limité Charles de Foucauld soit une force plus grande que toutes celles des structures économiques, sociales, techniques et politiques, Lyautey en est un témoin quand il décrit la messe du Père de Foucauld :

> C'était un dimanche et je savais que nous ne pouvions lui faire de plus grande joie que d'assister à sa messe. Cette chapelle était une pauvre masure aux murs de toub, au sol de terre battue. Il y avait là quelques arabes venus non pas pour se convertir, — il s'abstenait rigoureusement de toute pression directe à cet égard, — mais attirés par sa sainteté. Et, devant cet autel, qui n'était qu'une table en bois blanc, devant ces vêtements sacerdotaux d'étoffe grossière, ce crucifix et ces chandeliers en étain, devant toute cette misère, mais aussi devant ce prêtre en extase offrant le sacrifice avec une ferveur qui emplissait le lieu de lumière et de foi, nous éprouvâmes tous une émotion religieuse, un sentiment de grandeur que nous n'avions jamais ressenti au même degré dans les cathédrales les plus somptueuses, en face de la pompe des offices solennels (p. 192).

En ces lignes de Lyautey, il me semble entendre le témoignage d'un héros de Malraux devant l'aventure intérieure d'un des « frères universels » les plus graves et les plus rayonnants du début de ce siècle. On aurait envie de dire à chaque enfant des hommes, en ces temps de

« satellites » : c'est le voyage intérieur qui est le premier, celui que tu fais en ta jeunesse, celui que tu dois faire faire aux hommes, car seul il conduit aux sources intarissables et donne un sens éternel à l'espoir inscrit dans les institutions terrestres. Pie XII l'a dit :

> Découvrant avec enthousiasme les moyens de connaissance et d'action qui s'offrent à eux, les jeunes chrétiens s'en emparent sans hésiter, les utilisent sans arrière-pensée et se lancent à la conquête d'un univers, dont la science et la technique reculent chaque jour les limites. La vitesse accrue et la commodité des moyens de communication, l'abondance des livres et périodiques, la radio, le cinéma, la télévision les mettent en contact avec toutes les formes de la vie et de l'activité humaines. Saisis dans ce tourbillon qui ne leur laisse plus le loisir de la réflexion et du recueillement, comment n'en viendraient-ils pas insensiblement à perdre le sens d'autres réalités plus hautes, mais aussi plus austères, celles de la vie spirituelle, dont ils conservent malgré tout comme une nostalgie, mais qui risquent de s'estomper progressivement jusqu'à perdre à leurs yeux toute valeur et toute signification... Le monde moderne s'édifie comme une construction aux dimensions gigantesques, mais l'âme humaine, malgré son émerveillement et attachement à cette nouvelle demeure, ne pourra jamais échapper au mystère de son origine et de sa destinée, à l'emprise de son Créateur pour qui elle est faite et à qui elle doit retourner[17].

Dieu n'est pas dans le bruit et la fureur, ni dans la violence, mais dans la douceur du souffle qui fit Élie se voiler le visage. Les héros de Malraux sont des amputés de l'âme, car ils ont désespéré du voyage intérieur. « Le Royaume de Dieu est en vous »; il n'est pas question de vouloir rétrécir l'âme, mais de la dilater par le voyage intérieur, qui n'est pas exil et perte de la route, mais départ en avant, comme Abraham, qui fit confiance et partit. Nous ne laisserons pas ce monde, car le Royaume sera aussi « nouveau ciel et nouvelle terre », mais le *premier pas* est au plus secret du désert intérieur, là où Frère Charles nous appelle, *car notre espoir y ressuscite des morts.*

---

17. Alloc. de S. S. Pie XII, le 3 avril 1956 au 13ᵉ Congrès de la *Féd. mond. des Jeunesses féminines catholiques*, dans *Doc. cath.*, n° 1224, 29 avril 1956, col. 517-518.

CHAPITRE V

L'espoir et la conversion au monde

I. L'espoir-défi

La voix des vivants, celle des morts, l'angoisse de la mort de Dieu, sont des visages de l'espoir tel que le conçoit l'auteur de *La condition humaine* : lié à l'angoisse, parce qu'il est lié à la fraternité, il est mise en question du monde, il est espoir de rien.

1. Angoisse et fraternité

Gisors, le père de Kyo, dans *La condition humaine*, représente, comme Alvéar, dans *L'espoir*, un type de penseur presque contemplatif. Pour lui, il n'y a pas de réel, de monde avec lequel l'homme puisse se joindre, pas d'au-delà, de malheur ou de bonheur : il n'y a que l'homme, qui est angoisse quand il pense avec l'esprit et qui n'échappe à elle que dans la bienveillante indifférence de l'opium, l'audition de certaine musique et la contemplation de certaines œuvres d'art qui parlent de la charité et de la mort.

Par un curieux paradoxe, Gisors a enseigné le marxisme à ses étudiants universitaires; il l'a fait parce que son fils est parti se dévouer à la révolution : « J'ai aimé Kyo comme peu d'hommes aiment leurs enfants, vous savez... » dira-t-il à May, après la mort du jeune révolutionnaire. Il a donc voulu être le « penseur » de cette révolution de l'Asie, mais, alors que, pour Kyo, celle-ci est avant tout «volonté», pour Gisors elle est « fatalité », s'accordant avec son angoisse de la mort (CH, p. 397).

Maintenant, son enfant est mort, abattu dans la répression de Chang Kaï-shek : Gisors « n'avait rien attendu de positif de Kyo, ni réussite ni bonheur, mais, que le monde fût sans Kyo, il ne le pouvait imaginer » (CH, p. 373); la mort de son enfant lui révèle que, au fond de lui-même, il y avait aussi l'espoir :

Sans doute, au plus profond, Gisors était-il espoir comme il
était angoisse, espoir de rien, attente, et fallait-il que son amour
fût écrasé pour qu'il découvrît cela (CH, p. 373).

L'angoisse et l'espoir, ces deux *notions* contradictoires sont unies par
la médiation *vivante* de *l'amour paternel*, car « l'enfant était la soumission
au temps, à la coulée des choses » (CH, p. 373) ; Gisors a vécu cette coulée
dans l'amour de son enfant ; celui-ci tué, il se sent rejeté hors du temps,
dans une sorte d'immobilité cataleptique. L'enfant incarne donc la
coulée des choses, leur fluidité, leur ouverture à d'autres visitations et
la paternité est médiatrice entre l'angoisse et l'espoir.

La *fraternité* nourrit, elle aussi, l'espoir des hommes et les fait
accéder à un niveau inaccessible par ailleurs, ainsi que l'explique Scali
à Alvéar :

Vous avez parlé tout à l'heure de l'espoir : les hommes *unis à
la fois par l'espoir et par l'action* accèdent, comme les hommes
unis par l'amour, à des domaines auxquels ils n'accéderaient pas
seuls. L'ensemble de cette escadrille est plus noble que presque
tous ceux qui la composent (E, p. 233).

Nous voici devant un centre de la pensée malruxienne, *le lien
intime qui joint angoisse et espoir :* au plus profond de la condition
humaine il y a l'angoisse, le sens que le réel est inexistant, que tout est
vain, mais il y a aussi l'espoir, le rattachement à une certaine coulée,
la « soumission au temps ». Plus que n'importe lequel de ses héros, Gisors
incarne la pensée secrète de Malraux : au fond de lui-même, il y a le
sentiment de l'absurde, « dans lequel on ne peut pas vivre, mais que
l'on peut affronter » ; il exerce sur lui une véritable fascination, il lui
enseignerait de renoncer à tout effort, pour seulement « penser avec
l'opium » la vanité universelle et être jeté hors du temps. Seulement,
il y a, pour Malraux comme pour Gisors, l'appel lancé par le monde des
hommes ; il y a l'enfant de Gisors, il y a, peut-être, les enfants de
Malraux, il y a l'effroyable misère de ce temps, en Asie, en Espagne, il
y a la complicité lâche d'hommes gavés d'illusions, rassurés par un art
charmeur, bercés par les ronrons démocratiques, il y a ces millions
d'hommes qui ne sont pas « lucides », pas « éveillés », mais endormis
dans le sommeil de la mort spirituelle, que Malraux veut « convertir,
éveiller ». C'est ce cri de la misère, de ceux-là qui ne peuvent pas
s'endormir, car ils n'ont pas de lit pour dormir, pas de nuit à passer,
car ils ont faim, pas de volupté à connaître, car ils sont malades et
abrutis de fatigue, c'est le cri de ces miséreux qui rattache Malraux
« à la coulée des choses » : alors, de la même force avec laquelle il montre

que le fond de l'homme est angoisse, il affirme qu'il est espoir, mise en question du monde. C'est par la fraternité que l'espoir apparaît dans la pensée de Malraux.

2. Fraternité et mise en question du monde

Ainsi que le dit Gaétan Picon, « à une littérature individualiste et bourgeoise, liée au culte de la différence individuelle et à la civilisation du plaisir, et dont le thème presque unique a été la sensualité amoureuse, Malraux oppose une littérature de la fraternité virile; et à la psychologie des individus, la tragédie de la condition de l'homme ». De « *La condition humaine* à *L'espoir*, l'œuvre est une exaltation de la fraternité virile...; les plus grandes scènes sont des apothéoses de la fraternité » (MPLM, p. 69, 82, 93)[1]. Ainsi Kassner, à travers les murs de la prison, communique avec des camarades inconnus et la fraternité lui semble aussi forte que le destin (MPLM, p. 95) :

> Kassner s'était bien des fois demandé ce que valait la pensée en face de deux cadavres sibériens, au sexe écrasé, des papillons autour du visage. Aucune parole humaine n'était aussi profonde que la cruauté, mais la fraternité virile la rejoignait jusqu'au plus profond du sang, jusqu'aux lieux interdits du cœur où sont accroupis la torture et la mort (TM, p. 84).

Le xxᵉ siècle connaît des millions de ces cadavres, car il a « fabriqué » la mort en série, comme le disait Rilke; en face d'eux, la pensée pure semble dérisoire, non que la pensée de l'homme ne puisse essayer de comprendre ces atrocités, mais un décalage subsiste entre les balances de fil d'araignée dans lesquelles le « spectateur pur » de Duhamel pèse les œufs de mouche, et l'écrasement sanglant qui broie le sexe d'un homme, créé à l'image de Dieu, pour dominer le monde et

---

1. Cette fraternité n'est jamais une communion, pas plus que la paternité du reste; on dirait « que hanté par la fraternité virile, Malraux l'est sans doute dans la mesure où elle lui échappe », écrit G. Picon : le peuple évoqué dans *Les noyers* est toujours séparé du héros, devant une conscience individuelle, douloureuse, orgueilleusement séparée et l' « humanité fondamentale n'y est pas incarnée en une figure qui prendrait place parmi ses héros; elle demeure globale, presque abstraite »; l'humble, l'enfant, la femme apparaissent à peine; enfin, même dans les scènes qui sont les plus riches de la fraternité des hommes, on doit dire, avec Picon, à qui nous empruntons du reste tous ces commentaires : « Qu'elle semble fragile et anxieuse la fraternité de cette étroite communauté tragique qui ne lutte contre le néant d'une vie humaine qu'appuyée sur le néant d'une autre vie » (MPLM, p. 45, 47, 49, 82, 93, 95).

donner la vie. Lucrèce loue les « *templa serena* » du haut desquels il est si doux *(suave)* de contempler les efforts de ceux qui sont encore aux prises avec la mer et les vents déchaînés : la sagesse antique triomphait dans le détachement serein de l'épicurisme ou du stoïcisme; allant de pair avec le *taedium vitae* d'un Horace, les chants voluptueux d'un Ovide et d'un Pétrone, elle essayait d'échapper à la vision des milliers d'esclaves crucifiés sur la voie Appienne : après tout, les esclaves n'étaient-ils pas des chiens? Durant le xviiie siècle, « la douceur de la vie » était le pôle magnétique que des Talleyrand, des Voltaire, célébraient. L'homme de notre siècle au contraire ne peut oublier les cadavres des guerres et des révolutions, ceux des torturés, ceux des miséreux : il a honte d'une pensée qui ne serait que sérénité, organisation d'un système permettant d'intégrer le « mal » dans une vision d'ensemble[2]. Malraux ne veut opposer au mal que la fraternité virile contre le destin; ainsi, au moment où Kyo va se donner la mort, il évoque le cœur des hommes :

> Comment, déjà regardé par la mort, ne pas entendre ce murmure de sacrifice humain qui lui criait que le cœur viril des hommes est un refuge à morts qui vaut bien l'esprit? (CH, p. 362).

Cette donnée se retrouve chez Camus, dont on a pu dire qu'il semblait chercher dans le cœur des certitudes que l'esprit ne pouvait lui donner (A. Rousseaux, *Litt. xxe siècle*, t. III, p. 103). Il est vrai, la fraternité doit fonder toute pensée qui se veut réaliste, car, sans elle, nous ne serions que mandarins voluptueux et désabusés. Rien n'est plus émouvant que ce frôlement de deux êtres, ce contact doux et fort entre deux vies qui regardent « du même côté », disait Saint-Exupéry : il y a dans cette dimension fraternelle de l'amour qui unit l'homme et la femme une fraîcheur, une pudeur virile, timide et hardie, qui nous changent des coucheries « sentimentalo-sensuelles » qui remplissent magazines et « romans » modernes et encombrent « l'art » et le rêve « cinématographique » de millions d'Occidentaux.

Cette fraternité des héros de Malraux n'est pas une valeur positive, créatrice, car elle lie les hommes *contre* le destin, en mettant le monde en question.

---

2. La seule réalité qui « tienne » devant ces cadavres, c'est la passion de Jésus qui s'est fait esclave avec les esclaves et a connu la mort qui, à cette époque, était la plus ignominieuse, celle de la croix : cette réalité « tient » parce qu'elle est aussi prégnante, — comme une mère est prégnante de son enfant, — de la résurrection, car ceux qui sont morts sont déjà « dans le Christ », surtout ces « pauvres » qui ne savent même plus leur nom, mais qui se réveilleront sur l'épaule du Seigneur.

Cette mise en question est la substance de l'espoir tel que le conçoit Malraux; il s'en explique dans une lettre à Gaétan Picon, à propos de *La condition humaine,* en 1934 :

> C'est dans l'accusation de la vie que se trouve la dignité fondamentale de la pensée, et toute pensée qui justifie réellement l'univers, s'avilit dès qu'elle est autre chose qu'un espoir (MPLM, p. 93).

Comme le dit le destinataire de cette lettre, ces « lignes mettent en lumière le lien de l'accusation et de l'espoir. Accusation et espoir : le contraire de toute idéologie fasciste et réactionnaire, qui est acceptation de ce qui est, volonté de maintien ou de restauration » comme l'affirme un passage de la conférence de Malraux, en 1936, sur l'héritage culturel :

> J'ai toujours été frappé de l'impuissance où sont les arts fascistes de représenter autre chose que le combat de l'homme contre l'homme... Alors que, du libéralisme au communisme, l'adversaire de l'homme n'est pas l'homme, c'est la terre. C'est dans le combat contre la terre, dans l'exaltation de la conquête *des choses*[3] que s'établit, de Robinson Crusoë au film soviétique, une des plus fortes traditions de l'Occident (*cité dans* MPLM, p. 92-93).

L'espoir se dresse contre toute pensée qui voudrait justifier le monde tel qu'il est, par exemple contre l'optimisme du xxᵉ siècle auquel il faut reprocher « le poing imposteur » dont il a voulu « clore la bouche de la destinée ». Comme Marx et Nietzsche, Malraux est l'homme du conflit, de l'incompatible (MPLM, p. 92); il refuse de soumettre l'homme à quelque réalité que ce soit, vivante ou morte : il rejette le combat des hommes contre les hommes, il veut que, fraternellement unis, les vivants se dressent contre le destin :

> Quelque chose d'éternel demeure en l'homme, — en l'homme qui pense... quelque chose que j'appellerai sa part divine : c'est son aptitude à *mettre le monde en question* (NA, p. 102)[4].

---

3. Souligné par Malraux lui-même.
4. Au-delà de l'agnosticisme de Möhlberg, il y a la continuité de l'homme, face au destin : « Moins les hommes participent de leur civilisation et plus ils se ressemblent... mais moins ils en participent et plus ils s'évanouissent » (NA, p. 101); cette « permanence » qui, d'un point de vue, est donc « permanence dans le néant », d'un autre est « permanence dans le fondamental » (NA, p. 101). Du point de vue des civilisations, aucune communion n'est possible entre les hommes; un texte des

Cette mise en question, l'aventure, la révolution et l'art en sont des concrétisations. Ainsi, l'insurrection espagnole est animée de la volonté de dépassement qui est la respiration même de l'homme : lié à la « coulée du temps », conscient que l'homme est plus grand que le monde, l'espoir réveille sans cesse le sens de la responsabilité, il empêche de s'endormir :

> Il y avait cette nuit chargée d'un *espoir trouble et sans limite,* cette nuit où chaque homme avait quelque chose à faire sur la terre (E. p. 14). Pour la première fois Puig, au lieu d'être en face d'une tentative désespérée, comme en 1934,... se sentait en face d'une victoire possible... La révolution à ses yeux avait toujours été une jacquerie. Face à un monde sans espoir, il n'attendait de l'anarchie que des révoltes exemplaires; tout problème politique se résolvait donc pour lui par l'audace et le caractère (E, p. 23-24). La plus grande force de la révolution c'est l'espoir (E, p. 35). *Un monde sans espoir est irrespirable,* ou alors physique... La vie a toujours été physique pour presque tous. Mais pas pour nous... Si rien en toi n'est lié à l'espoir qui est en eux, alors, va en France (E, p. 166). Des organisations ouvrières dans lesquelles il mettait d'autant plus d'espoir qu'il n'en mettait aucun dans ceux qui, depuis plusieurs siècles, gouvernaient son pays (E, p. 31).

Noyers le dit clairement : « Sous les croyances, les mythes, et surtout sous la multiplicité des structures mentales, peut-on isoler une donnée permanente, valable à travers les lieux, valable à travers l'histoire, sur quoi puisse se fonder la notion d'homme ? » (NA, p. 91). « La forme de notre fatalité, c'est l'histoire, elle-même fondée sur la découverte de la catégorie du temps » (NA, p. 92-98); seulement l'histoire et le temps n'ont aucun sens durable : « Nous ne sommes hommes que par la pensée; nous ne pensons que ce que l'histoire nous laisse penser, et sans doute n'a-t-elle pas de sens. Si le monde a un sens, la mort doit y trouver sa place, comme dans le monde chrétien; *si le destin de l'humanité est une Histoire,* la mort fait partie de la vie; mais sinon, la vie fait partie de la mort. Qu'on l'appelle histoire ou autrement, il nous faut un monde intelligible. Que nous le sachions ou non, lui seul assouvit notre rage de survie. Si les structures mentales disparaissent sans retour comme le plésiosaure, si les civilisations ne sont bonnes à se succéder que pour jeter l'homme au tonneau sans fond du néant, si l'aventure humaine ne se maintient qu'au prix d'une implacable métamorphose, peu importe que les hommes se transmettent pour quelques siècles leurs concepts et leurs techniques : *car l'homme est un hasard, et, pour l'essentiel, le monde est fait d'oubli* » (NA, p. 99). Malgré tout, les hommes s'unissent dans la commune « condition » ainsi que le dit NA : « Tous les hommes mangent, boivent, dorment, forniquent, bien sûr; mais ils ne mangent pas les mêmes choses. Ils n'ont guère en commun que de dormir quand ils dorment sans rêves, — *et d'être morts* » (NA, p. 102). C'est sur cette base qu'il faut fonder *l'espoir malruxien :* « Le seul espoir qu'ait la nouvelle Espagne de garder en elle ce pour quoi vous combattez, vous, Jaime, et beaucoup d'autres, c'est que soit maintenu ce que nous avons des années enseigné de notre mieux... la *qualité de l'homme...* L'âge du fondamental recommence » (E., p. 234).

3. « L'espoir de rien »

La mise en question du monde est recherchée pour elle-même, car l'espoir est « espoir de rien » (CH, p. 373); il n'est pas lié à la quête d'un bonheur qui entraînerait une « complicité avec l'ordre qui nous écrase ou une justification de l'inhumain » (AMP, p. 91-92). Il n'est donc pas question de poursuivre la réalisation d'une société heureuse et rationnellement organisée; le conflit qui donne son intensité au livre *L'espoir* est la lutte entre ceux qui veulent « organiser l'apocalypse », dépasser « l'illusion lyrique » pour fonder une société juste, et ceux qui savent qu'on ne peut aller au-delà de l'« exercice d'apocalypse »; « être et faire », ce dilemme domine le livre; or un apologue raconté par Alvéar fait comprendre que l'espoir tient à « l'être » et qu'il ne *peut* être comblé :

> En Amérique du Sud..., au matin... il y a dans la forêt une grande clameur de singes : et la légende veut que Dieu leur ait jadis promis de les faire hommes à l'aurore[5]; ils attendent chaque aurore, se voient encore trompés et pleurent sur toute la forêt (E, p. 232).

De même, depuis la « mort de Dieu », il demeure en l'homme un espoir tellement profond qu'aucune action politique ne peut l'assouvir :

> Il y a *un espoir terrible et profond* en l'homme... Celui qui a été injustement condamné, celui qui a trop rencontré la bêtise, ou l'ingratitude, ou la lâcheté, *il faut bien qu'il reporte sa mise...* La révolution joue, entre autres rôles, celui que joua jadis la vie éternelle, ce qui explique beaucoup de ses caractères. Si chacun appliquait à lui-même le tiers de l'effort qu'il fait aujourd'hui pour la forme du gouvernement, il deviendrait possible de vivre en Espagne (E, p. 233).

On saisit donc comment quelques lignes auparavant, Alvéar a pu dire à Scali :

> Je veux avoir des rapports avec un homme pour sa nature, et non pour ses idées. Je veux la fidélité à l'amitié, non l'amitié suspendue à une attitude politique. Je veux qu'un homme soit

---

5. On rapprochera cet apologue du très curieux écrit de Kafka, *Rapport pour une académie*, dans *La métamorphose*, qui narre l'histoire d'un singe « devenu homme » et, cependant, demeuré « singe » encore : chez Kafka, l'objet de l'espoir existe, mais il est inaccessible; chez Malraux, il n'y a pas d'objet correspondant à l'espoir, mais seulement l'espoir.

responsable de lui-même, — vous savez bien que c'est là le plus difficile, quoi qu'on en dise, monsieur Scali, — et non devant une cause, *fût-ce celle des opprimés* (E, p. 232).

* * *

« Être homme, plus absurde encore qu'être un mourant »; ce cri de Perken montre que « l'espoir de rien » est aussi le refus de *toute* dépendance, car il est anti-destin et le « destin est fait de tout ce qui nous domine » :

> Nous savons que nous n'avons pas choisi de naître, que nous ne choisirons pas de mourir. Que nous n'avons pas choisi nos parents. Que nous ne pouvons rien contre le temps. Qu'il y a entre chacun de nous et la vie universelle une sorte de ... crevasse. Quand je dis que chaque homme ressent avec force la présence du destin, j'entends qu'il ressent... l'indépendance du monde à son égard.

Et méditant sur le suicide de son père, Vincent Berger songe que le secret de l'homme est

> bien moins celui de la mort que celui de la vie, un secret qui n'eût *pas été moins poignant si l'homme eût été immortel.*

Enfin, *Les voix du silence* précisent :

> Le destin n'est pas la mort; il est fait de *tout ce qui impose à l'homme la conscience de sa condition;* même la joie de Rubens ne l'ignore pas, car *le destin est plus profond que le malheur.* (Tous ces textes dans MPLM, p. 75).

« Saturne », une image dont Malraux s'est servi pour symboliser les forces qui dépassent l'homme, n'est donc pas d'abord le malheur, la solitude, la mort, car le destin est plus profond que les masques successifs dont il se revêt, il est ce qui limite la liberté; même immortel, l'être humain serait toujours dominé par un monde qui l'ignore, par une condition qui le fait naître sans qu'il l'ait choisi. Si l'homme est « contre-la-mort » (MPLM, p. 74), il est surtout « contre-le-destin », il est « anti-destin » et veut donc *devenir tout-puissant;* l'impatience de *toute* limite lui inspire finalement ce choix de l'œuvre d'art comme étant le domaine où il échappe presque totalement à *tout* destin. C'est l'espoir d'accéder à cette liberté *radicale* devant *toute* forme de dépendance qui est la qualité humaine essentielle : en ce sens « l'homme est espoir », car il est « volonté de déité », il veut « être Dieu sans perdre sa personnalité » (CH, p. 272-273).

Si le monde avait un sens, l'homme devrait le reconnaître et donc *accepter une dépendance;* l'absurdité devient ainsi une condition de l'espoir : « On ne peut pas vivre dans l'absurde » affirme Garine, car on ne peut s'enliser dans un univers inhumain, « mais on peut vivre en acceptant l'absurde » car si « l'homme ne peut lâcher la terre », « il ne se défend qu'en créant » (C, p. 231); Garine a « contribué à créer l'espoir des hommes..., leur raison de vivre et de mourir » (C, p. 170), mais « il n'y a pas de *vraie vie*[6] sans la certitude, sans la hantise de la vanité du monde »; aussi bien, son ami commente :

> Je sais qu'à cette idée est attaché le sens même de sa vie, que c'est de cette sensation profonde d'absurdité qu'il tire sa force : si le monde n'est pas absurde, c'est toute sa vie qui se disperse en gestes vains, non de cette vanité essentielle, qui, au fond, l'exalte, mais d'une vanité désespérée (C, p. 229).

« Cette vanité essentielle qui, au fond, l'exalte » : cet aveu met à nu le lien de l'espoir et de l'absurde : il y a une forme de désespoir qui est *stérile,* sans doute, mais cela n'implique pas que l'espoir soit orienté vers une terre promise : il *doit* être un espoir *de rien*[7].

II. L'espoir qui désespère

L'image la plus émouvante que Malraux nous ait laissée de l'espoir est l'amour de Kyo et de May. Nous sommes ici au-delà de l'érotisme, dans un autre univers que ces « baths petits coïts ambulants de gens qui ont l'air de s'aimer » (CH, p. 246-247). Sans doute, cet amour n'apportait rien à Kyo, mais s'il en était privé, son espoir

---

6. Souligné par Malraux lui-même.
7. En 1927, à propos de Rouault, Malraux disait déjà que « l'homme dont la mort oriente la pensée n'est nullement une sorte de désespéré. La mort donne à la vie une couleur particulière, elle ne tend pas à la lamentation mais à l'absurde » (MPLM, p. 71). En 1954, Malraux ajoute à ce texte la note suivante : « Cet étrange soleil (de la mort) fait apparaître comme une ombre immense la face mystérieuse de la vie, — surtout dans certaines civilisations à des époques où l'homme se trouve séparé du cosmos. Peut-être ne peut-il retrouver qu'ainsi le cosmos perdu » (MPLM, p. 70). Rapproché du texte de CH, p. 400, où Gisors voit la mort comme une sorte d'accord avec le monde, ce texte semble dire que l'univers est « mort » et que communier à la mort, c'est communier à l'univers. Quoi qu'il en soit, Malraux ne veut pas que la découverte de la mort soit désespoir, lamentation stérile, découragement, fatalisme; il veut qu'elle soit découverte de l'absurde qui nous lance en avant dans le défi : le désespoir comme tel est aussi stérile que le bonheur est abject.

disparaîtrait : « Si elle mourait, Kyo ne servirait plus sa cause avec espoir mais avec désespoir » (CH, p. 60). Il y avait « entente charnelle » entre eux (CH, p. 60), mais « le désir sexuel que May lui inspirait reposait sur la tendresse, sur ce qu'ont de tendresse et de violence mêlées tous les gestes virils de l'amour » (CH, p. 63, 242). Au seuil de la mort, Kyo se souvient encore de « la lancinante fuite dans la tendresse des corps noués pour la première fois » (CH, p. 361) :

> Depuis plus d'un an, May l'avait délivré de toute solitude, sinon de toute amertume (CH, p. 361).

May, une jeune allemande, née à Shangaï, mais ayant étudié la médecine à Heidelberg et à Paris, n'a rien du style sophistiqué de la *pin-up* ou de la *star;* elle est virile en sa marche et son visage : elle a la bouche large, le nez court, les pommettes marquées des Allemandes du sud, le front dégagé, masculin; ses yeux sont longs, clairs, grands et transparents; elle est pour Kyo « sa chère guerrière », celle qui combat la mort dans les hôpitaux. Seules, « les lèvres gonflées, qui lui font une bouche sensuelle, l'ombre du front dans les orbites allongées, les seins haut placés, faisant penser à ses pommettes », féminisent cette figure si franche, et, en sa bonne volonté, souvent si maladroite. Elle est une femme : la souffrance, à l'hôpital, lui fait penser plus à la vie qu'à la mort, « à cause des accouchements, peut-être » (CH, p. 57-59); si elle est prête à aller au bagne avec Kyo, elle ne le ferait pas « pour la cause », — « car cela, ce sont des idées d'homme », — ce ne serait pas par morale, mais par amour (CH, p. 62-63).

* * *

Cependant les deux amants ne se connaissent pas. L'union des corps n'est pas, pour Kyo, une manière de connaître celle qu'il aime mais « un vertige dans lequel il la perdait tout entière; *ils n'avaient pas à se connaître* quand ils employaient toutes leurs forces à serrer leurs bras sur leurs corps » (CH, p. 65)[8]. Malraux souligne surtout la solitude au sein de

---

8. Jamais Malraux n'admettrait l'expression biblique qui parle de « connaître » à propos de l'union de l'homme et de la femme. Du reste, de manière générale, pour l'auteur des *Noyers de l'Altenburg*, il n'y a pas de connaissance des êtres : « personne ne connaît plus personne » affirme Gisors qui « se sent posséder avec angoisse une solitude interdite; cette solitude totale, même son amour pour Kyo ne l'en délivrait pas » (CH, p. 77, 82, 83, 84). Malraux lui-même, dans une note au livre de Picon, écrit : « Le mot « connaître » appliqué aux êtres m'a toujours fait rêver! Je crois que nous ne connaissons personne. Ce mot recouvre l'idée de communion, celle de familiarité, celle d'élucidation, — et quelques autres » (MPLM, p. 48-50).

l'amour parce qu'il ne peut se satisfaire de « l'eden » charnel à quoi se réduit le rêve de « mariage parfait » de trop de gens; la chair ne peut pas « tenir » en face de la fatalité :

> Cet amour souvent crispé qui les unissait comme un enfant malade, ce sens commun de leur vie et de leur mort, cette entente charnelle entre eux, rien de tout cela n'existait en face de la fatalité qui décolore les formes dont nos regards sont saturés (CH, p. 60).

Kyo acceptera d'entraîner May avec lui dans cette sortie qui se terminera par son arrestation parce qu'il a enfin compris que refuser de le faire c'est obscurément vouloir se venger et vouloir la consoler (CH, p. 243, 241), alors que la seule manière de la consoler et de lui pardonner[9] c'est de lui permettre d'affronter le destin avec lui :

> Avant d'ouvrir, il s'arrêta, écrasé par la fraternité de la mort, découvrant combien, devant cette communion, la chair restait dérisoire malgré son emportement. Il comprenait maintenant qu'accepter d'entraîner l'être qu'on aime dans la mort est peut-être la forme totale de l'amour, celle qui ne peut pas être dépassée (CH, p. 243-244).

Lorsque May se trouve devant le cadavre de Kyo, elle « parle par la pensée à la dernière présence de ce visage avec d'affreux mots maternels qu'elle n'osait prononcer de peur de les entendre elle-même » :

> « Mon amour », murmurait-elle, comme elle eût dit « ma chair », sachant bien que c'était quelque chose d'elle-même, non d'étranger qui lui était arraché; « ma vie... » Elle s'aperçut que c'était à un mort qu'elle disait cela. Mais elle était depuis longtemps au-delà des larmes (CH, p. 370).

Il y a ici une sauvagerie dans la douleur mêlée à une tendresse d'amante et de mère qui rejoint ce que Malraux a écrit de plus grand; mais c'est au moment où l'amour se rapproche de la tiédeur maternelle que l'absurdité de la mort d'un être aimé apparaît dans toute son horreur :

> Elle le regarda partir dans la pièce voisine... Tant que Kyo était là, toute pensée lui était due. Cette mort attendait d'elle

---

9. Il devait lui « pardonner » parce que May, ayant pris à la lettre la liberté sexuelle qu'ils s'étaient mutuellement accordée, s'était, par compassion, donnée à un des aides-médecins de l'hôpital : Kyo, devant la réalité brusquement substituée à la théorie, avait senti s'éveiller en lui une douleur inconnue et une sorte de haine.

quelque chose, une réponse qu'elle ignorait, mais qui n'en existait pas moins (CH, p. 371).

A la mort d'un être aimé surtout, il doit y avoir une réponse : May ne sait pas quelle est cette réponse; tout comme Gisors qui « ne croyait à aucune survie, n'avait aucun respect des morts » (CH, p. 370), elle est agnostique; elle est même plus qu'agnostique, car il y a en elle quelque chose de la fureur qui envahissait Claude Vannec voyant mourir son ami Perken et pensant avec haine aux prières de son enfance :

> O chance abjecte des autres, avec leurs prières, leurs fleurs funèbres! (CH, p. 371).

May essayera de défier seule la mort de l'être qu'elle a le plus aimé au monde :

> Une réponse au-delà de l'angoisse qui arrachait à ses mains les caresses maternelles qu'aucun enfant n'avait reçues d'elle, de l'épouvantable appel qui fait parler au mort par les formes les plus tendres de la vie. Cette bouche qui lui avait dit hier : « J'ai cru que tu étais morte », ne parlerait plus jamais; ce n'était pas avec ce qui restait ici de vie dérisoire, un corps, c'était avec la mort même qu'il fallait entrer en communion. Elle restait là, immobile, arrachant de ses souvenirs tant d'agonies contemplées avec résignation, toute tendue de passivité dans le vain accueil qu'elle offrait sauvagement au néant (CH, p. 371).

Il faut une réponse venue d'au-delà de l'angoisse, d'au-delà de cet appel qui fait parler encore, au mort, le langage de la vie. Nous voici à la croisée des routes : impossible de parler en termes de vie à quelqu'un que l'on sait mort pour jamais. La jeune femme qui vêt son époux défunt, — comme l'Église célébrant le samedi-saint la veillée funèbre auprès de son Époux crucifié, — la jeune femme qui veille et qui se demande où s'en est allé son « doux printemps », si elle croit à Jésus, elle peut parler de la vie, elle peut parler à celui qui a partagé sa couche durant des années, et lui dire ces mots maternels que l'amour inspire, — tout comme l'Église en ces jours saints parle à son Époux en termes de vie et non de mort : « Dans la paix, oui en elle, je me coucherai, je me reposerai et je dormirai », — elle peut parler en mots de vie, parce qu'elle sait que « la vie est changée mais non enlevée ». L'espoir se mue alors en espérance; il porte au-delà du voile jusqu'au sanctuaire intime de la divinité; dans les chants en sourdine des Matines du samedi-saint, en leur climat de divinité en veilleuse, percent progressivement les échos d'une autre musique, celle de la Jérusalem qui va se dresser de son tombeau, le troisième jour : « Lève-toi, dépose tes vêtements de deuil », chante l'Église qui croit en la résurrection. May ne peut espérer; son espoir est mort, car il était espoir de rien, il était marié à l'angoisse et à la solitude. Les caresses maternelles qu'elle donne au corps de Kyo n'ont de sens que dans la foi au Christ, en qui son épouse revivra. Et cependant, ces caresses, ces mots de la vie, May les donne, les prononce, malgré tout, tant est profondément inscrite en l'homme l'image de la mort *qui conduit à la vie* éternelle.

May se détourne alors du cadavre de Kyo, de ce reste dérisoire de vie, de ce souvenir de la vie semblable à la lumière d'une étoile qui nous parvient encore mais est éteinte depuis des milliers d'années; elle s'offre à la mort avec laquelle elle doit « communier », car *le seul « sacrement » de la mort sans espoir est la mort.* Devant elle, May est immobile, car le désespoir est *immobile,* et seuls ceux qui espèrent encore bougent; elle est toute *tendue,* s'offrant *sauvagement,* alors que l'espoir est souplesse, accueil, disponibilité; elle est passive, car, cette fois, elle ne peut plus rien opposer au néant; elle est toute *tendue de passivité,* car elle doit juguler l'élan de l'espoir qui porte au-delà de la mort, vers l'espérance. Le mot qui définit l'espoir de rien, c'est celui de *néant ».*

III. Le retour au monde

L'homme, selon Malraux, est une incandescence momentanée qui éblouit et laisse entrevoir au moment où elle s'éteint l'abîme absurde dont nous sortons. L'univers est cette noirceur plus opaque qui tombe sur nous lorsque le guignol des cultures a fermé ses portes, après que l'homme a brillé une seconde dans l'infini silencieux; il n'est qu'un « *monde prétexte »,* car il est nécessaire que tout soit absurde : sur ce fond de nuit, branchée sur cette électricité survoltée pour sa petite puissance d'accueil, la lampe de la conscience n'en brille que plus fort, avant de s'éteindre dans la nuit.

Dans cette ténèbre cosmique, Malraux a plongé ses filets; il nous a montré les hommes serrés les uns contre les autres dans la communion tragique et fraternelle du défi au destin, dans le « Non » des aventuriers et des combattants, dans le « Non » des œuvres d'art.

Mais les hommes sont seuls, car il n'y avait pas de monde; il n'y avait plus de monde, plus de cité, plus de temple; il n'y avait plus d'architecture et donc plus de maison.

Il est temps de revenir à la maison. Il est temps de revenir au monde, de naître à ce monde. Il nous faut redécouvrir une architecture. Si notre siècle a rejoint quelques sommets en peinture, en sculpture, certainement, en musique, peut-être, il n'a rien créé encore de durable en architecture, car il est incapable d'offrir une maison à ceux qui n'ont pas de maison, un monde à ceux qui n'ont pas de monde, un sol, de l'air, une loi, pour tous ceux qui n'ont pas eu le temps de comprendre qu'on leur arrachait leur maison et leur cité.

Notre temps n'a pas de grande architecture, parce qu'il n'a plus de métaphysique objective; il a retrouvé le sens de la solidarité, de la responsabilité; mais les héros malruxiens, qui fascinent les jeunes, n'ont pas de foyer pour nous accueillir. Il nous faut nous convertir : cet orgueil qui nie le sens du monde et qui ne veut pas s'enraciner dans l'humble sol où il y a nos pères et nos mères, nos garçons et nos filles, nés de notre sang et de notre désir, de notre amour et de notre espoir insensé mais indéracinable, cet orgueil mis au monde par Nietzsche, *il nous tue*.

Les images sculptées qui arrêtent Malraux au seuil du sanctuaire roman et lui font oublier l'architecture dont elles font partie, sont belles, mais elles ne sont rien, séparées du temple. Le temple de Jérusalem était sans image : pure architecture, il devait incarner l'harmonie du monde créé et *habité* par Dieu, ce monde dont l'homme a été fait le roi, — et non un rival qui le défie. Les statues isolées dans *Le musée imaginaire* de Malraux, on les voit mieux que dans la pénombre de ce portail d'Église en ce village de France auquel je songe. Mais, vues à la place où le sculpteur les a mises, ces statues m'invitent à entrer dans le sanctuaire : je suis alors *reçu* par quelque chose qui me visite. Comme le disait Matisse, de la chapelle de Vence, celui qui y pénètre doit se sentir mystérieusement allégé de ses angoisses, recueilli, relayé, sans même qu'il le sache, par les volumes, les lignes et la lumière. Il est vrai : quelque chose répond, dans la pénombre dorée de la basilique de Paray-le-Monial, ou dans l'Église de La Charité-sur-Loire; l'univers y redevient fraternel. Sans doute, il ne me sera pas moins demandé, en courage et fierté, parce que le monde répond; il me sera même demandé plus. Mais quelque chose fait écho; un signe, enfin, se dessine, un mouvement s'esquisse : cette architecture paysanne et maçonne me dit, naïvement et sagement, qu'il y a un rangement des choses, et que d'autres hommes, qui sont morts, sont avec moi, très proches, parce que le ciel n'est pas ailleurs, il est « ici », qui nous enveloppe. La vie n'est pas un cri d'angoisse rentré sous les lèvres serrées par le défi; elle est aussi dialogue entre l'être vivant et le monde fragile qui lui tend une main de poussière. Ce dialogue est l'ombre des épousailles de Dieu avec son peuple.

Il nous faut revenir au monde, pour que l'espoir refleurisse; il nous faut l'aimer, le découvrir. En caressant une chevelure d'enfant, sans penser à rien, nous naissons au monde, nous aidons l'enfant à naître au monde. *Laissons notre œil devenir lumière*, disait Gœthe : laissons nos mains caresser ces fronts d'enfant, nos enfants. Quand Malraux apprend à ses trois garçons à jouer avec des « kachinas », qui sont les « anges gardiens » des petits Indiens Hopis, il leur révèle qu'il y a un monde, un monde où il y a d'autres enfants.

Malraux a le sens religieux, puisqu'il vient encore de dire en mars 1955 :

> Le problème capital de la fin du siècle sera le problème religieux, — sous une forme aussi différente de celle que nous connaissons, que le christianisme le fut des religions antiques, — mais il ne sera pas le problème de l'être (*Preuves*, mars 1955, p. 15).

Ce problème sera certainement celui de l'espoir, d'un espoir qui n'aura de sens que suspendu aux valeurs sacrées qui, sur cette terre, sont l'ombre de la cité d'en haut.

Peut-être Malraux entendra-t-il la voix de son grand aîné, mort en 1924, à 41 ans, qui, toute sa vie, exclu du « monde », privé « de sol, d'air et de loi », abandonné entre un judaïsme évaporé trop tôt et un christianisme effleuré trop tard, nu, exclu de la terre promise, incapable d'y entrer jamais, pétrifié en une marche sur place hallucinante, incapable de vivre et d'espérer pour lui-même, espéra *pour les autres* et continua d'affirmer, par son œuvre et sa vie, que ce monde, cette terre promise, *elle existe*.

DEUXIÈME PARTIE

Franz Kafka
ou la terre promise sans espoir

Il est sans doute trop tard et mon retour aux hommes se fait par un étrange détour.

Ce n'est pas parce que sa vie était trop brève que Moïse n'est pas entré en Chanaan, c'est parce que c'était une vie humaine.

Il y a quarante ans que j'erre au sortir de Chanaan.

Franz KAFKA.

CHAPITRE I

La génération de Kafka

Écrire sur Kafka est actuellement déraisonnable. D'abord, le texte de l'œuvre est incertain : d'une édition à l'autre, il se « complète » de « fragments » extraits « d'autres cahiers »; si nous sommes redevables à l'ami de Kafka, Max Brod[1], de l'édition d'écrits géniaux, nous nous demandons dans quelle mesure, avec la meilleure bonne foi du reste, l'éditeur-poète n'a pas infléchi sa vision de l'œuvre dans un sens très limité[2]. La prudence nous inspire donc d'user presque exclusivement de textes autobiographiques comme le *Journal*, la *Lettre au père*, les *Lettres à Milena* qui semblent édités intégralement[3] et permettent d'approcher une vérité « minima »[4].

---

1. Max Brod vit actuellement à Tel-Aviv. Selon J. MOLITOR, *Asmodai in Praag, Franz Kafka, zijn tijd en zijn werk* (coll. *Paria Reeks*), s'Graveland, 1950, p. 20, 30, Oscar Pollack aurait été un ami bien plus intime que Brod.

2. La seconde édition en huit volumes (deux tomes de *Briefe* sont annoncés) *Lizensausgabe, Schocken Books*, New-York, reprise par Fischer Verlag à Francfort, est assez différente de la première, en six volumes, surtout par une série d'additions dont rien ne faisait prévoir l'importance. Un exemple en est le texte du *Château* : la dernière édition allemande comporte deux chapitres et demi en plus dans le final; ce « complément » publié en 1946 n'a pas été repris dans l'édition française (traduction A. VIALATTE, excellente du reste) publiée en 1947 et rééditée sans cesse, par exemple en 1953; il est cependant de capitale importance, car, des chapitres I à XX, un cercle est bouclé et le héros « recommence » à zéro. M. ROBERT vient de publier la traduction française de *Hochzeitsvorbereitungen* sous le titre *Préparatifs de Noces à la campagne* (Paris, 1957); on y retrouvera aisément les passages que je cite moi-même, soit dans des traductions antérieures, soit dans la mienne (cfr, *infra*, n. 3).

3. Le *Journal* a été traduit et annoté excellemment par Marthe ROBERT (Paris, 1954), qui reproduit le volume *Tagebücher* de l'édition allemande; mais on se demande si cette édition est elle-même complète, car, dans le volume de fragments divers publié sous le titre *Hochzeitsvorbereitungen auf dem Lande*, les cahiers *in octavo* semblent bien combler la lacune du *Journal* de février 1917 à février 1918. La *Lettre au père* existait déjà partiellement en traduction dans *La nouvelle Nouvelle revue française*, avril, mai, juin 1953. Les *Lettres à Milena* ont été éditées par W. HAAS, dans les Œuvres complètes, et traduites récemment par

Ensuite, à propos des « mythes » kafkaïens, autant il y a de critiques, autant il y a d'interprétations : depuis l'exégèse religieuse de Rochefort[5] et de Max Brod[6], la gamme s'étend jusqu'à la vision entièrement

---

A. VIALATTE, Paris, 1956 (je cite toujours l'édition allemande, avec ma traduction que j'ai voulue très littérale; lorsque je cite la traduction Vialatte j'ajoute le sigle LM et la page). Il est peut-être utile de dire dès à présent que Milena était la première traductrice en tchèque des œuvres de Kafka; elle vivait à Vienne; entre 1920 et 1921, un amour passionné mais orageux se noua entre elle et Franz Kafka; on trouvera une bonne analyse de la traduction des *Lettres* dans *Nouvelles Littéraires* du 5 juillet 1956, sous la plume de Robert KEMP. L'édition est incomplète.

4. J'indique ici les sigles des références principales : *Journal* = J; *Journal intime*, Paris 1945 (qui contient la traduction de fragments du *Journal* et de certains fragments épars, mais très importants), trad. P. KLOSSOWSKI = JI; *Tentation au village et autres récits extraits du Journal*, trad. Marthe ROBERT, Paris, 1953, = TV; *Le procès*, trad. A. VIALATTE, Paris, 1943, = P (éd. allemande = Pr.); *Le château*, trad. A. VIALATTE, Paris, 1953 = C (éd. allemande = S); *Amérique*, trad. A. VIALATTE, Paris, 1946 = A; *La colonie pénitentiaire*, trad. A. VIALATTE, Paris, 1948, = CP; *La métamorphose*, trad. A. VIALATTE, Paris, 1946, = M; *La muraille de Chine*, trad. J. CARRIVE et A. VIALATTE, coll. *Du monde entier*, Paris, 1950 = MC; *Lettres à Milena*, trad. A. VIALATTE, coll. *Du monde entier*, Paris, 1956, = LM (éd. allemande = BM); *Hochzeitsvorbereitungen auf dem Lande*, Francfort, 1953, = HL; *Lettre au Père* (dans HL) = BV (trad. française, dans NNRF, = LP); Gustav JANOUCH, *Kafka m'a dit*, trad. C. MALRAUX, Paris, 1952, = KMD; Max BROD, *Franz Kafka, Eine Biographie*, 3e éd., Francfort, 1954 = MBFK (cette édition contient un chapitre inédit encore dans la traduction française faite sur la première édition, Paris, 1945; ce chapitre nous fait connaître une série de lettres de Milena, traduites du tchèque par Max BROD lui-même); Max BROD et F. WELTSCH, *Franz Kafka Glaube und Denken*, Munich, 1948, = FKGD; *The Kafka Problem*, publié sous la direction de A. FLORES, coll. *New direction Books*, New-York, 1946, = KP. Je tiens à exprimer ici ma reconnaissance à tous ceux qui m'ont éclairé de leurs conseils pour cet essai sur Kafka : le professeur A. de Waelhens, de l'Université de Louvain, le professeur Herman Uyttersprot, de l'Université de Gand (dont je cite en cours d'étude les principaux travaux sur Kafka); l'abbé René Timmermans, professeur à l'Institut supérieur des Sciences Religieuses de l'Université de Louvain (dont la thèse encore inédite, mais dont je souhaite une publication rapide, est, à mon sens, un des travaux les plus complets sur la signification philosophique de Kafka; on en trouvera un aperçu dans *Dietsche Warande en Belfort*, février 1955, p. 70-80, = DWB); le Père Démann, Directeur des *Cahiers sioniens*, qui m'a procuré de précieux articles sur Kafka et m'a encouragé de ses conseils. Ceux que je cite ici verront eux-mêmes tout ce que cette étude leur doit.

5. Robert de ROCHEFORT, *Kafka ou l'irréductible espoir*, coll. *Les témoins de l'esprit*, Paris, 1947; selon l'A., Kafka aurait essayé de prouver que le néant est la seule réalité, mais il aurait été forcé malgré lui de reconnaître la réalité d'un espoir; le livre est profond, mais écrit avant la publication de BV et de BM, ainsi que de J, il ignore une série de données fondamentales.

6. Dans les *post-faces*, reproduites le plus souvent dans les traductions françaises, ainsi que dans MBFK et FKGD, Max Brod a donné une exégèse qui a pesé lourdement sur les premiers commentateurs de Kafka; si Brod insiste à juste titre sur le sens sacré que le judaïsme de Kafka lui a inspiré en face de la femme, de l'amour,

profane de Jan Molitor, qui termine son étude par ces mots : « Il y a
une nouvelle révélation, celle de saint Kafka; merci bien, Monsieur
Brod »[7]; pour lui, le dessein de l'œuvre serait uniquement satirique,
clouer au pilori la prolifération d'une société « moloch » derrière laquelle
se profilerait le « moloch » de la « figure du Père »[8]. Entre ces deux
extrêmes, l'un profane, où le « diabolique est seulement de configuration
sociale », l'autre « sacré », où la même société « sordide » qui entoure
par exemple le *Château* devient l'image paradoxale de la « grâce » telle
que Kierkegaard la représente, il y a l'exégèse purement philosophique
d'un Emrich, — il n'y aurait pas de juge, pas de lois objectives, dès
que l'on se place « au point de vue d'Archimède »[9], — et l'interprétation
purement psychanalytique qui voit dans Kafka un cas clinique, —
les médecins affirment carrément qu'il est fou, — un des exemples les
plus nets du complexe d'Oedipe[10]. Naturellement, de même que, selon
certains, la « bureaucratie » du *Château* représente celle du Vatican[11]
ou les intrigues des Jésuites[12], selon d'autres, — et ce sont parfois les
mêmes, — il y aurait des traces d'homosexualité dans certaines situations

---

du mariage et des enfants, il se trompe du tout au tout en identifiant le christianisme avec un refus total de ces réalités : dans FKGD, p. 33, 69, 122 et *Revue de
la pensée juive*, été 1952, nº 10, p. 87-103, il interprète le christianisme à travers
sa version « Kierkegaard »; par rapport à la vie terrestre, représentée par une ligne,
le judaïsme dessinerait un angle droit, tandis que le christianisme serait une ligne
allant *à rebours* de la nature; il cite alors saint Augustin, Origène, Pascal, Savona-
role, François d'Assise et Kierkegaard : on est rêveur devant ce cortège, plus rêveur
encore devant la vision du christianisme qu'il suppose. Le « château », « l'au-delà »
que Kafka voulait atteindre n'est pas « la grâce » au sens religieux, ou « dieu »,
mais *ce monde-ci*, ainsi que l'ont bien vu G. ANDERS, *Kafka. Pro et contra*, Munich,
1950 (le travail de Anders date de 1946) et R. TIMMERMANS, dans DWB.
    7. J. MOLITOR *op. cit.*, n. 1; le mérite de Molitor est de connaître les sources
slaves qui permettent d'éclairer le cas de Kafka; le livre est très violent de ton,
mais intéressant; le passage cité se trouve p. 132-133.
    8. J. MOLITOR, *op. cit.*, p. 96, 100, 128-129.
    9. W. EMRICH, *Franz Kafka*, dans *Deutsche Literatur im Zwanzigsten Jahrhundert*,
herausgegeben von H. FRIEDMANN u. O. MANN, Heidelberg, 1954 (je cite DLZJ),
p. 230-249; je fais remarquer que le texte de base est cité incomplètement : le
contexte, dans J, p. 11-12, indique que le principe général invoqué par Kafka est
concrétisé par la situation du *célibataire!*
    10. G. F. MOUNIER, *Étude psycho-pathologique sur l'écrivain Franz Kafka*,
Univ. de Bordeaux, Fac. mixte de Méd. et de Pharmacie, nº 185, Bordeaux, 1951,
date malheureusement d'avant la publication intégrale de BV. Je ne nie pas les
implications médicales de la situation de Kafka; je cherche seulement à décrire
comment, à partir de cette situation fondamentale, il a essayé de vivre; c'est le
point de vue de DWB que je reprends ici.
    11. KP, p. 316; s'il y a un *background* réaliste à ces descriptions, il faut songer
plutôt à la bureaucratie de la double monarchie.
    12. J. MOLITOR, *op. cit.*, p. 80-81; ils ne pouvaient manquer au rendez-vous!

centrales de l'œuvre. Le vice à la mode ne pouvait manquer d'être appelé au tribunal[13].

Comment s'étonner dès lors que Mounier dise : « Nous ne classerons pas Kafka, inclassable », et que la question ait été posée : « Faut-il brûler Kafka? »[14]. C'est ce que Kafka avait pensé de son œuvre, lui qui, dans son testament de 1921, avait demandé que *tout*, sans exception, soit détruit[15]. Puisque Brod a passé outre et publié les textes, — au compte-gouttes et à la manière d'une bombe à retardement, ainsi que je l'ai dit, — il est permis d'interroger l'auteur du *Procès* sur le sens qu'il donne à l'espoir et au désespoir.

Je sais bien qu'il y a les spécialistes de Kafka : je leur dois du reste l'essentiel de cette partie[16], et ce n'est qu'avec « crainte et tremblement », — expression qui ne fut jamais plus en situation qu'à propos du grand écrivain tchèque, puisqu'il fut un des premiers à deviner l'importance de Kierkegaard, — que je prolongerai leurs conclusions dans la ligne que l'on verra.

---

13. J. Molitor, *op. cit.*, p. 53; un de ces jours une grosse thèse paraîtra sans doute qui y verra la clef de Kafka!

14. G. Anders, *op. cit.*, p. 7 et E. Mounier, *Introduction aux existentialismes* dans *Esprit*, avril 1946, p. 526 (cité par Anders).

15. H. Uyttersprot, *Kleine Kafkaiana*, coll. *Levende Talen*, n° 44, Bruxelles, s. d., cite une interview de Dora Dymant, la jeune juive avec laquelle Kafka a vécu les derniers temps de sa vie : « *Er wollte alles verbrennen, was er geschrieben hatte, um seine Seele von diesen « Geistern » zu befreien* » (p. 21, n° 6); autrement dit, il voulut tout brûler de ses œuvres afin de délivrer son âme de ces fantômes. L'auteur s'est donné tort à lui-même d'avoir choisi l'isolement de l'artiste; il a concrétisé ce jugement en voulant détruire son œuvre. Kafka est à la fois le plus artiste et le moins « homme de lettres » qui fût jamais.

16. J'ai déjà nommé les professeurs A. De Waelhens, l'abbé R. Timmermans; du professeur H. Uyttersprot, je cite les travaux qui m'ont servi : *Zur struktur von Kafkas « Der Prozess »*, *Langues vivantes*, n° 42, Bruxelles, 1953 (qui restitue une version du roman probablement plus exacte que celle de Brod, en suggérant la succession suivante des chapitres I, IV, II, III, V, VI, IX, VII, VIII..., X, et en reliant le thème général de manière claire à celui du père et de la mère, ainsi qu'aux projets de mariage de Franz; *Beschouwingen over Franz Kafka*, dans *De vlaamse Gids*, 37 (1953), p. 449-459 (sur l'esprit dialectique de Kafka), p. 534-549 (sur le style de l'art de narration « linéaire »), 38 (1954), p. 541-555 (sur un rapprochement entre la légende de Rimbaud et celle de Kafka, p. 595-606 (où A, C, CP, et d'autres récits sont analysés comme le *Procès*, ce qui permet de déceler à quel point ces romans sont restés inachevés); *Kleine Kafkaiana*, coll. *Levende Talen*, n° 44, (*Kafka de « Aber-Mann »*, *Kafka ou la procession d'Echternach :* sous ces deux thèmes, l'A. analyse très finement le vocabulaire de Kafka et la construction de ses phrases : les « mais, peut-être, etc. » surabondent, portant la subtilité dialectique jusqu'au délire). Je dois aussi rappeler les précieuses introductions de Marthe Robert aux traductions qu'elles nous a données de Kafka; elle doit être citée parmi les spécialistes du grand écrivain tchèque.

Il n'est pas question de donner ici une affirmation, un *statement* dirait Gabriel Marcel, mais seulement une approximation. Je crains de déconcerter les lecteurs pour qui Kafka est le créateur de mythes où ils voient, à la suite de Max Brod dont ils ont lu les « post-faces », la quête de l'absolu divin : ils vont être scandalisés de devoir quitter ces « cimes » pour cheminer pédestrement à la suite d'un homme qui essaya seulement de vivre *ici-bas*. C'est précisément parce que l'espoir de Kafka porte sur *ce monde-ci*, — je ne dis pas qu'il nie l'autre, mais seulement qu'il pèlerine *d'abord* vers l'ici-bas, — qu'il figure dans ce livre consacré à l'espoir des hommes[17].

I. Un homme trois fois déraciné

Franz Kafka est né en 1883 à Prague et est mort près de Vienne le 3 juin 1924. Il appartenait à la minorité juive, de langue allemande, elle-même enclavée, à la manière d'un îlot, dans la ville tchèque. Kafka est donc dès l'origine triplement déraciné : « Cette fatalité ne tient pas uniquement au fait que Kafka était juif, dans un pays où l'antisémitisme, au moins sous sa forme latente, était pour ainsi dire traditionnel. Elle est en grande partie déterminée par la situation historique, sociale et ethnique de Prague, situation qui n'a plus d'équivalent dans l'Europe d'aujourd'hui et dont l'œuvre de Kafka, précisément, donne peut-être l'image la plus fidèle. Tout, dans cette capitale qui n'est en fait qu'une petite ville, semble concerté pour faire naître l'idée d'une distance absurde, infranchissable, entre les hommes apparemment liés par les mêmes intérêts et le même genre de vie. Les différences de langues, de mœurs et de culture qui maintiennent strictement séparés les trois groupes humains rassemblés là depuis des siècles, sont d'autant plus dérisoires qu'aucun de ces groupes n'a de peuple véritable derrière lui. Les Tchèques, affaiblis par la longue politique de germanisation des Habsbourg, ne peuvent pas plus que les Juifs se rattacher à une nation, et les Allemands de Bohême, séparés de l'Allemagne depuis deux

---

17. Je ne donne pas la chronologie des œuvres, car elle est par trop problématique et sans doute impossible à établir avant la publication intégrale, qui ne se fera sans doute pas avant la mort de Max Brod. On trouvera un schéma de la vie de Kafka dans n'importe laquelle de ses biographies par Brod, ainsi que dans l'édition française de J. En général, je cite les traductions françaises quand elles sont suffisantes; sinon, je renvoie à l'édition allemande, cfr, *supra*, p. 195, n. 2, 3.

siècles, se trouvent dans la position d'un petit groupe de colons qui ne pourrait se réclamer d'aucune métropole. A l'intérieur de leurs quartiers respectifs, les différentes couches de la population vivent dans un isolement d'autant plus figé que les différences de langues et de races se doublent de différences sociales tranchées. Si les Bohémiens allemands (Sudètes) et les Juifs forment une classe où dominent la haute bureaucratie et la bourgeoisie commerçante, le fond de la population laborieuse est constitué par les Tchèques. Comme intellectuel juif de langue allemande appartenant à une famille aisée de commerçants presque entièrement germanisés, Kafka se voit placé dans une situation qui, par son anomalie même, l'oblige à justifier son existence plus qu'aucun homme ne s'est cru tenu de le faire. La justification, ici, n'est pas seulement dictée par une loi intérieure, elle est imposée par les circonstances qui, sans cesse, viennent fortifier du dehors le soupçon de Kafka contre lui-même.

« Juif, il est triplement suspect aux yeux des Tchèques, car il n'est pas seulemment Juif, il est aussi Allemand, il est aussi le fils d'un commerçant dont la plupart des employés sont Tchèques... Mais Allemand, il ne l'est que par la langue, ce qui, certes, le relie fortement à l'Allemagne, mais nullement aux Allemands de Bohême qui, à ses yeux, ne peuvent être qu'une piètre caricature. Il est d'ailleurs séparé d'eux non seulement par leurs préjugés de race, mais encore par le *ghetto* aux murs invisibles dont la bourgeoisie juive s'est volontairement entourée. Ainsi, Prague donne chaque jour à Kafka le spectacle d'une société où la proximité ne fait qu'aggraver la distance, où la séparation, fondée sur une loi tacite, est tacitement observée par tous, comme si la ville elle-même était victime d'un charme... En changeant de quartier, Kafka changeait aussi de monde; en prenant un train de banlieue, il se trouvait confronté avec ce monde des « autres »[18] qui, dans ses livres, forme toujours un bloc compact et inattaquable; en abordant une jeune fille tchèque dans la rue, il sentait se dresser un mur que sa connaissance correcte du tchèque ne pouvait abattre... Pour une sensibilité depuis toujours en éveil, pour un esprit apte à saisir le sens invisible qui enveloppe de toutes parts le monde visible, pareille situation devait devenir le schéma d'une condition infiniment plus générale »[19].

La « langue allemande souffrait, — dans le chef de l'écrivain allemand de Prague, — du même déracinement que les hommes », parce que « coupée de tout langage populaire..., desséchée par un usage restreint »

---

18. Cfr le récit qui a donné son titre au tome VIII des œuvres complètes, *Prépaatifs de noces à la campagne*, dans HL, p. 7-38 (inédit en français).
19. Marthe Robert, dans J, p. xii-xvi.

et en même temps «corrompue par les deux autres langues qui empiétaient sur son territoire : le bohémien et le yiddisch... elle n'offrait au poète que de maigres ressources naturelles et l'obligeait à tirer du néant ses propres moyens d'expression »[20].

II. L'absurde Autriche-Hongrie

Le « déracinement » social de Kafka était encore aggravé par la situation de la double monarchie austro-hongroise sous le régime de laquelle il a vécu durant la majeure partie de sa vie. La prolifération d'une bureaucratie à la fois sclérosée et solennelle est un fait dont on retrouve l'équivalent dans les écrits kafkaïens : la présence de bureaux dans d'innombrables greniers sordides et surchauffés frappe le lecteur du *Procès*, au point de lui donner le sentiment d'une société secrète tapie dans d'obscurs repaires; en réalité, dans la Prague d'avant la guerre 14-18, d'innombrables maisons particulières étaient transformées en bureaux. L'aspect juridique des écrits de Kafka fait songer aux discussions talmudiques, sans doute, mais aussi aux lois autrichiennes. L'empereur, dans *La muraille de Chine*, cette satire à la fois grave et corrosive d'une société, est calqué sur François-Joseph : on ne sait plus très bien son identité, car, vivant au loin, depuis longtemps, on ignore si c'est « lui » ou un « autre » déjà qui lui a succédé; de François-Joseph, presque centenaire, on disait aussi « qu'il était mort depuis longtemps mais qu'il était le seul, encore, à ne pas s'en être aperçu! » Le sans-gêne des employés dans *Le château*, s'explique peut-être par le slogan devenu sacré dans la double monarchie : un employé est un « bon parti ». Le château qui aurait inspiré ce livre serait celui de Friedland, car on y voit partout, dans le domaine et dans le village adjacent, le monogramme de la famille Clam-Gallas, détail qui se retrouve dans le nom du chef des employés, Clamm. Enfin, le style baroque praguois a influencé certains textes de

---

20. *Ibid.*, p. xvii; Kafka fera de pauvreté « vertu » :ainsi, en reprenant les mots selon leur strict sens étymologique (coupé de l'usage), Kafka les « ramène à un stade où le sens propre et le sens figuré ne sont pas dissociés, où toutes les analogies de son et d'image sont possibles. Ainsi l'usage qu'il fait de l'homonymie des mots : *Schloss*, signifiant à la fois *clé* et *château*, *Prozess*, signifiant à la fois *procès* et *processus*, *Bau*, signifiant à la fois *construction* et *terrier*, etc... » (*Ibid.*, p. xxi, n. 1; Cfr HL, p. 421-426, son discours sur la langue *yiddisch*). J. MOLITOR, *op. cit.*, p. 19, fait remarquer que Kafka connaissait très bien la littérature tchèque.

Description d'un combat, de *La colonie pénitentiaire* et de *Amérique*[21].
Il y a en tout cela une force comique qui a échappé à trop de commentateurs[22]. Coupé de tout lien vital avec un peuple et une tradition,
Kafka se sent en même temps écrasé par une bureaucratie absurde,
par un art déclamatoire voulant créer l'illusion « au-delà du réel », enfin
par « l'ordre » vermoulu de l'empire des Habsbourg à l'époque de sa
décadence : un *melting pot* Europe-Centrale où la Contre-Réforme
s'allie au style baroque, où une noblesse indigente et féodale fait
alliance avec des aristocraties religieuses « trop compromises dans le
soutien d'un cadre condamné »[23].

La publication du *Journal*, de la *Lettre au père* et des *Lettres à
Milena*, révèle cependant que si le *background* racial et politique est
infiniment plus important qu'on ne le croyait, il n'est qu'un point de
départ, un cadre mystérieusement préétabli dans lequel va s'exprimer
une expérience du tragique personnel qui est unique. En particulier,
les textes récemment publiés montrent que la « terre promise » n'est
pas un « autre monde », un au-delà *religieux*, elle est située « ici-bas » :
le « messianisme » de Kafka est temporel; si son élan est « religieux »,
son objet ne l'est pas, — sinon en ce sens que, pour un Juif, la terre,
la famille, les enfants, bref l'enracinement du « nomade » dans une
terre de « promission » est réalité sacrée[24]. Autrement dit, l'image du

---

21. Tout ceci dans J. MOLITOR, *op. cit.*, p. 23, 80, 81; l'officier de CP serait
inspiré d'un « martyre baroque » représenté à Prague (p. 60); la « présence » de
l'Autriche de la double monarchie est détaillée *ibid.*, p. 42, 46, 79, 84, 89, 99, 105-106;
le thème du « *Château* » est indiqué *ibid.*, p. 88-89; la « Chine », *ibid.*, p. 108-109, 126.

22. J. MOLITOR, p. 90; cfr *infra*, p. 269, *Un humour à la Charlie Chaplin*.

23. J. MOLITOR, p. 113-114. Je crois que la « superposition » du thème de l'exil
au cœur de Prague, tel que Marthe ROBERT le détaille, avec celui de la bureaucratie
pouilleuse de la double monarchie doit servir de toile de fond historique à toute
étude sur Kafka; mais ce décor prend une signification universelle et métaphysique
du fait qu'il va servir de projection à l'image du père qui domine toute la vie de
Kafka. La multiplicité d'exégèses possibles de l'œuvre tient à ce triple entrelacement
de thèmes : le déracinement juif, le système vermoulu de la double monarchie,
l'image du père. On éviterait bien des erreurs si l'on voulait commencer par le
commencement.

24. Cfr *supra*, n. 6; J. MOLITOR, *op. cit.*, rejette toute interprétation religieuse
(cfr p. 128-129, 131-132); il a raison contre Brod de nier que Kafka ait cru au
Dieu des Juifs; mais il ne voit pas non plus que le déracinement ontologique vécu
par Kafka est pour lui un mal *religieux;* il y a là une sorte de « messianisme »
qui est « religieux » sans être sioniste ni rattaché à une foi en Dieu : toute
cette étude veut en être une preuve. Je crois que le caractère juif de Kafka est
essentiel; voici quelques articles et études sur ce point : A. NEMETH, *Kafka ou
le mystère juif*, trad. du Hongrois par V. HINTZ, Paris, 1947 (qui contient de très
bonnes remarques, par exemple, sur le « nom », p. 91, sur la différence entre

père projette son ombre sur la ville de Prague endormie dans son charme médiéval et sur l'Autriche-Hongrie, mais elle dessine surtout une constellation d'isolement et de solitude en face d'une terre promise désirée mais inaccessible. Un mot de Kafka résume tout ceci : « Le Juif n'est nulle part étranger et nulle part il n'est assimilé ». Dès le départ la double hantise, celle du nomadisme et celle de l'enracinement marque cette vie.

III. Expressionnisme et sentiment de l'existence

Après une enfance de jeune Juif remarquablement intelligent, Kafka fit ses études de droit, puis pratiqua jusqu'à la fin de sa vie le métier monotone d'employé. Il fut fiancé trois fois,[25] mais il ne se maria jamais[26], tout comme Kierkegaard dont il découvrit *Le Livre du juge* en 1917, et dont il perça, semble-t-il, le désespoir radical[27]; l'auteur danois lui inspira une série d'*Aphorismes* qui demeurent la partie la

---

Kierkegaard qui eut trop confiance en son père et Kafka qui en eut peur, p. 174-184, sur la « trinité » kafkaïenne, le père, Israël, l'expression artistique, p. 20-21; cfr aussi p. 44, 81-83, 128-131, etc...); C. GREENBERG, *The Jewishness of Franz Kafka*, dans *Commentary*, avril 1955, p. 320-324, avec une controverse dans le nº de juin 1955, p. 595-596 (remarquable article soulignant le rôle de la *Halachach* ou dérivation rationnelle et application de la loi du Pentateuque que Kafka doit créer lui-même, puisqu'il est devenu irréligieux, p. 321); RABI, *Kafka et la Néo-kabbale*, dans *Terre retrouvée*, 15 février 1955, p. 3 (excellent article, mais qui semble rapprocher trop la kabbale de l'anthroposophie et de certains systèmes dualistes; par ailleurs, des pages remarquables sur le caractère collectif, dynamique, du salut dessiné par Kafka); cfr *supra*, n. 6, les études de Max Brod et de F. Weltsch.

25. Il fut fiancé deux fois avec F. B., la mystérieuse berlinoise (que selon J. MOLITOR, *op. cit.*, p. 76, on retrouverait dans *Frau Bürstner* du *Procès*), en 1912 et en 1917, puis avec une jeune praguoise, en 1920 (qu'il abandonna pour Milena, elle-même abandonnée en juillet 1923, quand il connut Dora Dymant).

26. Il eut cependant un enfant qui avait sept ans quand il est mort (en 1924), ce qui placerait la naissance en 1917 environ; cfr MBFK, p. 296, qui nous apprend cela et précise que jamais Kafka n'a connu l'existence de cet enfant.

27. Cfr Jean WAHL, *Esquisse pour une histoire de « l'existentialisme »*, Paris, 1949, p. 107-152 *(Kafka et Kierkegaard)*, montre que Kafka s'écartait fort du penseur danois, précisément dans le sens du réalisme juif; on a répété à l'envi que, dans C, l'épisode Amalia-Sortini (qui serait « réel », car inspiré d'une sorte de fait divers « arrivé », cfr A. NEMETH, *op. cit.*, n. 24, p. 195-197) s'explique par la vision kierke-gaardienne : K. est reçu dans une seule famille, précisément celle qui a coupé tous les liens avec le « château » et est donc polarisée sur le néant, etc... Je suis des plus sceptiques sur cette interprétation.

plus énigmatique, mais peut-être la plus riche, de son œuvre de penseur[28].

C'est dans ses « tentatives littéraires » que Kafka essaya d'affirmer son indépendance; ses premiers écrits, *Description d'un combat* et *Préparatifs de noces à la campagne* (vers 1907), semblent quelque peu laborieux; *Le verdict, La métamorphose,* écrits en 1912, ouvrent la véritable période de création littéraire qui culminera dans les œuvres célèbres *Le procès, Le château, Amérique, Le terrier, Recherches d'un chien, Joséphine la cantatrice, Un champion de jeûne* et *La muraille de Chine*[29].

L'expressionnisme fut son tremplin; l'étiquette, créée vers 1911 (à propos de Cézanne, van Gogh, Matisse), fit prendre conscience de tendances présentes dans la littérature occidentale depuis Baudelaire, Dostoïewski et Whitman. Ce mouvement artistique est un retour au spirituel, à l'irrationnel mythique et visionnaire dévoilé par la plongée dans les profondeurs de la conscience; il est une réaction contre l'univers trop « clair » et trop logique élaboré par le positivisme, dans le sens d'une renaissance de la conscience métaphysique et religieuse qui se manifeste depuis la fin du XIXe siècle. Avec sa génération, Kafka est en relation contre « le monde étroit de ses pères »; il proclame le danger que la bourgeoisie européenne fait courir à la culture[30].

*   *
*

Kafka ne suivit le mouvement que tout au début et, à part les premiers textes, son style ne fut jamais « expressionniste »[31]. Ses écrits témoignent de la révolution copernicienne du récit épique qui se marqua à partir de 1914. Bien avant l'existentialisme proprement dit, le nihilisme s'est revêtu de gravité et de dignité chez quelques grands poètes

---

28. Ces aphorismes devraient faire l'objet d'un travail d'exégèse à partir des lectures de Kafka; une étude du texte s'impose aussi : par exemple, Brod, dans FKGD, p. 33, commente un texte de Kafka sur la liberté (= aphorisme 95, HL, p. 51), sans préciser que d'après HL, p. 438, ce texte a été barré par Kafka lui-même sur le manuscrit! Quoi qu'il en soit du sens de ces textes mystérieux, il demeure que les catégories du bien et du mal, du péché et de la chute, y paraissent constamment, ce qui nous situe dans un climat différent de celui de l'existentialisme sartrien.

29. Cette liste n'est pas exhaustive, ni classée dans un ordre strictement chronologique, celui-ci étant précis seulement dans les grandes lignes et pour certaines œuvres.

30. DLZJ, p. 109-110, 116. Sur l' « expressionnisme flamand dans la peinture, qui échappe au danger de cérébralisme inhérent à l'expressionnisme allemand, voir *supra*, p. 103, n. 20.

31. DLZJ, p. 132, 156.

français et allemands, Rilke, Kafka, Valéry[32] : les *Cahiers de Malte Laurids Brigge,* ce « roman » publié en 1910, représentait la première tentative d'un « récit » qui ne soit pas fondé sur la « psychologie » au sens classique du terme, mais sur l'existence, — le *Dasein* de Heidegger, — vécue comme privée de salut et tendant à l'échec. Alors que Thomas Mann par exemple décrira la tentation de l'abîme dans l'Europe décadente d'avant 1914 (dans *Buddenbrooks,* 1901, *Zauberberg,* 1924) en l'éclairant des mille feux et projecteurs de psychologies diverses, Rilke s'oriente déjà dans le sens que Heidegger indiquera après son expérience décisive de 1913. Kafka, à son tour, vivra la parole du philosophe : « Durant le siècle de la nuit cosmique l'abîme du monde doit être éprouvé et affronté. Mais pour cela il est nécessaire qu'il y en ait qui atteignent l'abîme. *Im Weltalter der Weltnacht muss der Abgrund der Welt erfahren und ausgestanden werden. Dazu aber ist nötig, dass solchen sind, die in den Abgrund reichen* »[33]. Cet « affrontement » de l'abîme doit être décrit à l'aide de procédés neufs, qui n'ont rien à voir avec la psychologie classique : des romans comme *Le château, Le procès,* semblent être une minutieuse description d'une réalité accidentelle; en réalité, ils dévoilent ce que Husserl nomme des « phénomènes », parce que, au-delà de l'apparence superficielle, ils font descendre au plan où les rapports fondamentaux d'être et d'existence deviennent visibles, ce qu'on peut nommer le « plus essentiel » *(wesentlicher).* Alors que, dans l'ontologie classique, la réalité est présentée selon une perspective, — ainsi l'univers de Proust, avec sa géographie intérieure et extérieure, — dans l'ontologie « fondamentale » d'un Heidegger l'accent est mis sur la « possibilité », et donc sur le « projet » *(Entwurf)* par lequel le personnage humain s'affirme en face de l'univers : ainsi K. dans *Le château* combat pour « quelque chose de vivant et de proche », il doit « se légitimer » dans l'existence, sous peine d'être « jeté hors du chemin *(aus dem Weg räumen)*[34].

On comprend que, dans ce cadre, les personnages de Kafka soient « sans épaisseur » : dès le début du *Château,* par exemple, le fil est coupé qui relierait le héros à son milieu familial et à sa patrie; ainsi K. vient

---

32. DLZJ, p. 19-20 : « *Der Nihilismus hat in einigen grossen deutschen und französischen Dichtern, schon vor der Herausbildung des eigentlichen Existentialismus, die höchsten Formen des Ernstes und der Würde angenommen, nämlich in Rainer Maria Rilke, Franz Kafka und Paul Valéry* ».

33. DLZJ, p. 191; l'auteur précise que cet « abîme » ne doit pas être compris « religieusement », du moins pas au sens d'une religion positive.

34. DLZJ, p. 24-26; ces perspectives « philosophiques » sur l'œuvre de Kafka sont justifiées, à condition qu'elles ne fassent que prolonger le « *Sitz in Leben* » que j'ai signalé avec Marthe ROBERT et Jan MOLITOR.

« d'un » pays, il a quitté « une » famille et se rend dans un
village « anonyme »; il n'a pas d'intériorité, en ce sens qu'il est réduit
aux structures fondamentales de l'homme aux prises avec l'existence;
d'où le caractère presque *abstrait* de l'art de Kafka, propre à l'art
moderne également, qui fuit la « copie » du « réel » et incarne plus la
« question » que l'homme pose au monde que la « réponse » découverte[35];
d'où aussi la richesse de « sens » que ses symboles et ses mythes
revêtent. La poésie devient ainsi symbole; elle fait songer au « *Alles
Vergängliches ist nur ein Gleichnis* » du final de *Faust*, de Gœthe[36];
elle est un système d'images, de mythes qui cache le réel de l'existence
en même temps qu'il le révèle[37]. « Plus de psychologie », dira Kafka :
ces mots signifient surtout que, avec lui, l'évolution est faite qui va
de l'art littéraire « réaliste » à une vision de l'art d'écrire qui implique
une invasion de la métaphysique dans la conscience des lecteurs :
bien avant Malraux, Rilke et Kafka ont fait du roman le véhicule d'une
angoisse « existentielle »[38].

L'obsession de la « nuit cosmique » est si forte que l'image conductrice
(Leitbild) de « l'humanité » que, depuis Gœthe, on essaye sans cesse
de redresser sur l'horizon de la pensée et de l'art, n'éveille plus aucun
enthousiasme dans la génération de Rilke, Kafka, Werfel, Pollack,
Brod, Broch, Mann[39]. De l'expressionnisme au « sentiment tragique de
l'existence », l'itinéraire est achevé, qui conduit, avant Malraux et
tutti quanti, en « Absurdie ».

---

35. Cfr *supra* le chapitre sur l'art, dans Malraux et *infra*, p. 264.

36. A mon avis, on a trop négligé l'admiration de Kafka pour Goethe : je pense
même que « le passage à l'objectif », si caractéristique du poète de Weimar, est une
des clefs de l'absence de révolte chez Kafka (cfr *infra*, p. 305).

37. DLZJ, p. 197-198, 199. Une comparaison avec les « mythes » foisonnants
de Franz Werfel (par exemple *Étoile de ceux qui ne sont pas nés*) montre la différence
des deux arts, l'un exubérant, l'autre secret et glacial.

38. DLZJ, p. 205-206; on saisit ici l'origine de cette caractéristique de la littérature kafkaïenne : tous les repères psychologiques, sociaux, individuels sont
supprimés; il reste une sorte de signe algébrique de « l'homme » dans une situation;
les « initiales » qui suffisent à « nommer » certains personnages (une seule lettre
dans C) ne sont pas seulement dues au fait que, sur les manuscrits, Kafka
mentionnait son personnage par une lettre, pour aller vite (Molitor a l'air de le
penser, mais c'est se tromper, puisque les autres personnages ont des noms complets),
mais la volonté de réduire l'homme à une épure, « monsieur tout le monde »; on
songe ici à HCE (*Here Come Everybody* de Joyce dans *Finnegans Wake;* cfr Louis
GILLET, *Stèle pour James Joyce*, Paris, 1941, p. 75).

39. DLZJ, p. 191-192; le mot allemand est « *Humanität* » dont la saveur
goethéenne est indiscutable; Kafka est à la fois hanté par Goethe (cfr *supra*, n. 36),
surtout dans la dernière partie de sa vie, et obsédé par la question métaphysique
posée par l'homme; son art va de l'expressionnisme le plus échevelé (surtout dans
Description d'un combat) à la paix dorée des textes de *La muraille de Chine*.

IV. Prague et la « germanité slavo-juive »

L'angoisse du déracinement prend une forme originale chez Kafka du fait de son appartenance au milieu artistique très particulier de la capitale de la Bohême durant les années antérieures à la première guerre mondiale. Herman Broch parle à juste titre d'une génération d'artistes « apocalyptiques » autrichiens, car ils ont tous plus ou moins repris quelque chose à la « peur et à la prière » *(Bangen und Beten)* qui marquent l'œuvre de Gustav Mahler, également un Juif de langue allemande, né à Kalisch, en Bohême. Le style des phrases musicales de Mahler est parfois lourd et diffus, mais l'influence du compositeur est indéniable sur la musique atonale et sérielle; surtout, l'atmosphère d'angoisse et de foi *(Angst und Beten)* propre au musicien se retrouvera dans Kafka; il a en commun avec lui sa « germanité slavo-juive » *(slavojüdisches Deutschtum)*, dont un indice est le culte commun que les Tchèques, les Juifs et les Allemands de Prague vouent à Mahler[40].

Sans doute, le *vocabulaire* de Kafka, par le choix de mots pauvres, à l'antipode de l'opulence verbale d'un autre écrivain juif, Franz Werfel[41], n'a rien du style « wagnérisant » de Mahler; mais la composition de la *phrase*, longue, balancée, sans cesse coupée d'incises, exprime à merveille les angoisses de l'écrivain, ces « rêves éveillés » interminables, interrompus une seconde seulement pour reprendre immédiatement : le rapprochement entre ce *tempo* kafkaïen et celui de Mahler s'impose cette fois, car, de part et d'autre, le cœur semble étouffer sous la pression de doigts impitoyables[42]. C'est du reste autour de Vienne et de Prague qu'une des métamorphoses de l'art moderne s'est opérée avec les tentatives de Berg, Rilke, Broch, Schönberg, Mahler et Kafka : les « mythes » que ces artistes veulent créer ne représentent plus, comme dans les « classiques », l'action éternelle des forces divines[43], ou la force

---

40. DLZJ, p. 326-327; que reste-t-il de cela dans la Prague de 1956? Combien de documents n'ont-ils pas été détruits par la Gestapo durant l'occupation nazie?

41. DLZJ, p. 280; cfr *supra*, n. 37.

42. Marthe ROBERT, dans J, p. XXI, explique que les phrases de Kafka ressemblent quelque peu à celles de Proust, mais que ce qu'elles véhiculent est différent; d'un côté une vision de plus en plus sensible du temps qui passe, de l'autre, une lucidité insoutenable de l'esprit qui pèse le pour et le contre, et qui provoque bientôt une sensation d'oppression bizarre à laquelle presque jamais la « résolution » n'apporte l'apaisement.

43. J. DANIÉLOU, *Dieu et nous*, Paris, 1956, p. 29, sv, explique bien l'abîme qui sépare les mythes « païens », centrés sur le « retour éternel », et la vision chrétienne du « temps » et de l'histoire; les histoires de Kafka s'inscrivent à la fois sur

du héros s'opposant aux puissances démoniaques[44], mais l'impuissance comme telle (*die Hilflosigkeit an sich*, explique Broch)[45], ou l'angoisse de l'homme en quête d'une réponse et d'une patrie. Le tremblement et l'angoisse se retrouvent dans la musique de Schönberg; elle ne se résoud jamais en un accord consonnant mais nous écartèle sans cesse pour inscrire en notre chair le déchirement métaphysique. Le chef-d'œuvre de Mahler, *Le Chant de la terre* s'ouvre sur les mots *Dunkel ist das Leben und der Tod, ténébreuse est la vie, et la mort* et se termine sur l'évocation de l'éternité muette *(ewig, ewig)* où l'infinie désolation du thème évoque la paix cosmique d'un univers où l'homme est comme effacé. Les romans de Kafka ne se résolvent jamais non plus; ils laissent leur lecteur devant ce monde à la fois proche et inaccessible dont parle Marthe Robert dans son introduction au *Journal*, car, avec Rilke, l'auteur du *Procès* a éprouvé le monde, dès l'enfance, comme une menace mortelle[46]. Kafka témoigne également du « dépaysement » onto-logique et de l'angoisse de l'être qui se sent « jeté » dans un univers qui ne l'attend pas; autrement dit, le double sentiment si bien exprimé par Heidegger quand il parle de *Unheimlichkeit* et de *Geworfenheit*[47], se retrouve transcrit dans l'œuvre kafkaïenne. Enfin, avant Malraux, Sartre et Camus, Kafka exprime de manière hallucinante le sentiment de la singularité, de la liberté et de la responsabilité qui pèse sur chacun à chaque minute, dans un lacis de gestes quotidiens dont les méandres donnent le vertige. Tout lecteur de Kafka s'est demandé un jour si l'œuvre n'exprimait pas de manière glaciale le non-sens absolu *de tout*, en une sorte de lucidité presque démoniaque.

---

les deux registres, celui du cycle, par le sentiment oppressant d'une organisation sans faille de la « bureaucratie » planétaire, et celui de la révélation biblique par le climat mystérieux qui fait pressentir une réponse possible (bien que hautement problématique) adressée à un héros qui n'est pas « fort et victorieux » mais faible et mendiant.

44. DLZJ, p. 323; nous ne trouvons cette « force » ni chez Kafka, ni chez Joyce; elle est apparente chez Malraux.

45. DLZJ, p. 324; je vois ici un aspect « juif » des héros de Kafka, car les « héros » de l'Ancien Testament sont faibles devant Dieu; mais ce « néant » est coupé ici de tout lien religieux avec un Dieu créateur.

46. DLZJ, p. 351 : « *In einer nicht intakten Eltern-Kind-Beziehung bildet sich für Kafka das Unheil der Welt modellartig ab* »; il en fut de même pour Rilke, tandis que, pour Musil, ce fut une mère hystérique qui provoqua les drames que l'on sait.

47. Gabriel MARCEL, *L'homme problématique*, Paris, 1955. coll. *Philosophie de l'Esprit*, p. 145.

* * *

Au cœur de l'angoisse, Mahler a toujours eu le sens du sacré et de la foi; si l'œuvre pousse l'angoisse et le tremblement au paroxysme, de nombreux traits l'orientent vers l'oraison et la prière; de plus, le musicien a toujours eu un grand amour pour la vie simple, dans la nature, et pour le monde de l'enfance, ainsi qu'en témoigne la *Quatrième symphonie*, spécialement sa dernière partie où le chant est inspiré d'une mélodie populaire et le texte, repris au recueil *Des Knaben Wunderhorn*. Il semble, et en cela il est profondément différent des autres « apocalyptiques » autrichiens de l'époque, que la rêverie slave, oppressante, s'est conjointe chez Mahler à la générosité de la vieille Autriche, si sensible dans la somptuosité orchestrale de ses œuvres et que l'ascendance juive a empêché l'auteur du *Chant de la terre* de maudire à jamais le monde qui le menaçait.

Je ne sais pourquoi, plus je pénètre dans les détours labyrinthiques de l'œuvre de Kafka, plus je devine une lumière et une présence des choses que l'on ne découvre jamais chez Malraux, mais qui, en revanche, fait songer à Mahler. Sans doute, les enfants apparaissent à peine dans les écrits kafkaïens, ou alors, dans *Le château* par exemple, de manière si fugitive; sans doute encore, Kafka était totalement agnostique et l'inhumaine souplesse avec laquelle les Juifs incroyants parviennent à s'assimiler les systèmes les plus divers, à les comprendre par l'intérieur et à les dépasser cependant comme des peaux mortes et des défroques illusoires se retrouve chez lui. Tout cela n'empêche pas le lecteur d'éprouver l'œuvre de Malraux comme la monotone répétition d'un *non* fier et crispé, tandis que, au travers des murailles, dans la neige silencieuse, dans la démarche de somnambule des héros kafkaïens se perçoit en écho cet autre mot, tellement plus difficile à prononcer et à vivre, *oui*.

Gustav Mahler, en composant en 1900-1901 ses *Kindertotenlieder*, avait-il le pressentiment que, lui-même, six ans plus tard, perdrait ses deux filles, emportées par la scarlatine, à quelques mois d'intervalle? Je l'ignore. Mais ce que tout auditeur de ces admirables chants sait, c'est que, au-delà de l'angoisse et de la douleur la plus déchirante, c'est également un *oui* qui retentit. Sans doute, en chantant *Nun will die Sonn' so hell aufgeh'n*, *Et voici que, malgré tout, le soleil se lève, si brillant*, en accompagnant ces mots par des coups de cloche qui glacent, Malher veut rendre la tragédie qu'est la vie de la nature, qui continue, malgré la mort d'un enfant; mais, progressivement s'exprime dans les sons des hautbois, stridents et tendres, que, si le soleil se lève tout de même, *c'est bien*, car il brille *pour les autres*.

Mahler dit « oui ». De même, dans le quatrième chant, les vers bouleversants de simplicité :

> Oft denk ich, sie sind nur ausgegangen
> Bald werden sie nach Hause gelangen
>
> Souvent je me dis : « Ils viennent à l'instant de partir,
> Bientôt, ils reviendront à la maison »

expriment la solitude insoutenable de la mère; mais une mélodie des violons fait entrevoir que les enfants nous ont précédés dans la demeure paternelle, et la rage désespérée, exprimée par les stridences de l'orchestre est, soudain, par une inversion magistrale, transposée en résignation et en espoir[48].

Kafka a vécu un drame plus atroce encore : toute sa vie il chercha à « naître », à devenir un vrai « fils »; il est parti en pèlerinage vers la « demeure paternelle ». On pouvait chanter, sur lui, le chant des « enfants morts », car le drame de celui qui n'a jamais réussi à entrer à la maison, « pour vivre entre ses parents le reste de son âge », il l'a vécu avec une intensité jamais égalée. Le « bientôt » du verset mahlérien,

> Bald werden sie nach Hause gelangen

semble bien s'être mué, pour Kafka, en un « nimmer », un « jamais il ne reviendra à la maison », dont les échos n'ont pas fini de nous parvenir...

Mais toute son œuvre, mystérieusement, nous parle de la « demeure paternelle ».

48. J'emprunte ce commentaire des *Kindertotenlieder* à C. HöWELER, *Sommets de la musique*, version française de R. HARTEEL, Gand, 1947, col. 540-542. — Maja GOTH, *Franz Kafka et les lettres françaises (1928-1955)*, Paris, 1956, donne d'abord un « bref historique de la divulgation de Kafka en France » (p. 239-255); les études sur l'influence de Kafka sur le mouvement surréaliste, sur H. Michaux, M. Blanchot, G. Bataille, S. Beckett, Camus et Sartre (p. 13-239) détaillent quelques étapes de la *permanente et tenace erreur d'interprétation* de ces écrivains dans leur lecture de Kafka. Les causes en sont évidentes: une acceptation trop peu critique des textes et commentaires de Max Brod; une ignorance totale du texte intégral de la *Lettre au Père* (qui ne fut publiée qu'en 1953 sans doute mais que l'on continue à ignorer); une lecture si rapide des textes kafkaïens que l'erreur dénoncée par Marthe Robert (cfr *infra*, p. 273, n. 3) fut sans cesse commise (on suppose que l'héros est *innocent* alors que selon les textes il est *coupable*); enfin, l'absence de prise en considération des travaux critiques comme ceux de H. Uyttersprot, sur la succession des chapitres dans *Le procès* et *Le château*. La dernière adaptation théâtrale de J.-L. Barrault, *Le château* se fonde sur l'hypothèse de l'innocence presque « clownesque » de K. (on verra dans le *Neue Zürcher Zeitung*, du 8 novembre 1957, à quel point l'adaptation française pour belle qu'elle soit en elle-même, n'a *rien* à voir avec Kafka. Espérons que les traductions de HL et BM, parues depuis, aideront à faire cesser cette erreur tenace. — La plupart des études de H. UYTTERSPROT, citées dans ce chapitre ont été reprises en un petit volume, sous le titre de *Franz Kafka, Kritische Studien*, Gand, 1957.

CHAPITRE II

L'incapacité de vivre

I. La relation avec le père

Max Brod (FKGD, p. 26) possède dans sa bibliothèque l'exemplaire du *Flaubert* de René Dumesnil qui lui vient de Kafka; les marques au crayon se rapportent surtout aux phrases qui parlent du père et de la mère de Flaubert. Cet indice caractéristique nous met sur la voie de l'obsession majeure de la vie de Kafka, celle qu'il expliqua dans sa *Lettre au père*, épître géante dont il parle à Milena (LM, p. 75). On peut dire que l'essentiel du drame se trouve dans un petit récit, qui peut servir d'apologue :

> Nous courions devant la maison. Un mendiant avec un harmonica se tenait là. Son vêtement, une sorte de *Talar*, était tellement en loques dans le bas qu'on aurait pensé que l'étoffe n'avait jamais été coupée dans une pièce de drap, mais avait été déchirée brutalement, avec violence. Et, de quelque manière, la mine égarée du mendiant évoquait la même chose, car il semblait réveillé d'un profond sommeil et il paraissait, malgré tous ses efforts, incapable de trouver son chemin. Il semblait que tout se passait comme si, à la fois, toujours il se rendormait et toujours on le réveillait.
>
> Nous, les enfants, n'osions pas lui parler, ni, comme on le fait habituellement avec des musiciens mendiants, lui demander un chant. Lui aussi nous poursuivait de ses regards, comme s'il remarquait bien notre présence, mais ne pouvait pas nous reconnaître aussi exactement qu'il le voulait.
>
> Nous attendîmes donc jusqu'à ce que le père vint. Il était derrière, dans l'atelier, et cela dura un certain temps avant qu'il eût traversé la longue pièce. « Qui es-tu? » demanda-t-il d'une voix haute et sévère dans la chambre annexe; son regard était grondeur, peut-être était-il mécontent de notre conduite à l'égard du mendiant; nous n'avions cependant rien fait et en tout cas rien gâté. Nous devînmes, si la chose était possible, plus silencieux encore. Il régnait un silence complet, seul le tilleul, devant la maison, bruissait.

« Je viens d'Italie », dit le mendiant, mais il le dit non point comme une réponse mais comme s'il confessait une faute. C'était comme s'il reconnaissait, en notre père, son seigneur. L'harmonica, il le pressait sur sa poitrine comme s'il était sa protection (HL, p. 354-355)[1].

Ces quelques lignes contiennent, en une sorte de microcosme, les données de la tragédie de l'angoisse. L'univers kafkaïen, au-delà d'un monde « enchanté », proche et inaccessible, au-delà d'un régime politique et juridique vermoulu, est dominé, ainsi que le disait Jan Molitor, par le « moloch » de la figure paternelle ; elle y est envahissante et solennelle comme une apparition silencieuse qui pétrifierait tout de son regard. Le dialogue entre le « père » et le « mendiant musicien » participe de la gravité du jugement de Dieu ; le mendiant, c'est Kafka ; toute sa vie il entendra la question : « Qui es-tu ? » ; sa réponse exprimera le sentiment de culpabilité qui s'identifiera à sa vie même et ne rendra que plus pitoyables les « tentatives artistiques » évoquées par le minable harmonica qu'il serre sur sa poitrine.

1. Omniprésence du Père

« Tu étais pour moi la mesure de toutes choses » (BV, p. 168, LP, p. 585), « tu étais tout pour moi » (BV, p. 174, LP, p. 590), « tu étais mon véritable éducateur » (BV, p. 175, LP, p. 591) :

---

1. Je cite le final allemand du texte, afin que le lecteur se rende compte de l'étrange beauté du style de Kafka : « *Wir warteten also bis der Vater kam. Er war hinten in der Werkstatt und dauerte ein Weilchen, ehe er den langen Flur durchschritt. « Wer bist du? » fragte er im Nebenzimmer laut und streng, sein Blick war mürrisch, vielleicht war er mit unseren Verhalten dem Bettler gegenüber unzufrieden, aber wir hatten doch nichts getan und jedenfalls noch nichts verdorben. Wir würden womöglich noch stiller. Es war überhaupt ganz still, nur die Linde vor unserem Haus rauschte. « Ich komme aus Italien », sagte der Bettler, aber nicht wie eine Antwort, sondern wie ein Schuldbekenntnis. Es war als erkenne er in unserem Vater seinen Herrn. Die Harmonika drückte er an seine Brust, als sei sie sein Schutz... *» On aura remarqué comment la voix du père s'entend à travers la paroi avant qu'on ne l'ait vu, puis, brusquement, son visage maussade apparaît ; le silence devient total, que souligne le bruissement du tilleul devant la maison ; puis la reconnaissance de la culpabilité s'accompagne du geste qui serre le misérable harmonica sur la poitrine, comme une protection et qui est un symbole de l'art littéraire où Kafka chercha un refuge ; enfin, la mention du *Talar* indique que le mendiant est un juif.

2. Sur BV, on lira J. H. Schouten, *Kafka's Brief aan zijn vader*, dans *De Gids*, novembre 1954, p. 359-372 ; selon l'A. cette lettre n'est pas la clé du destin de Kafka. Pour DWB, p. 74, la *Lettre* traduit l'expérience fondamentale à partir de laquelle il faut saisir la « conception de vie » de Kafka ; je pense que cette vue de René Timmermans est plus exacte.

Il m'arrive d'imaginer la carte de la terre déployée et de te voir étendu transversalement sur toute sa surface. Et j'ai l'impression que seules peuvent me convenir pour vivre les contrées que tu ne recouvres pas ou celles qui ne sont pas à ta portée. Étant donné la représentation que j'ai de ta grandeur, ces contrées ne sont ni très nombreuses ni très consolantes, et, surtout, le mariage ne se trouve pas parmi elles (BV, p. 217-218, LP, p. 1041).

On songe à ces gravures des *Voyages de Gulliver* où l'on voit un géant que d'innombrables petits êtres essayent d'enserrer dans des liens ridiculement ténus; on pense aussi à l'Ogre et à toutes ces représentations qui nourrissent depuis toujours les terreurs enfantines.

Après l'image « mythique », voici les traits réels du père de Kafka :

Grâce à ton énergie, tu étais parvenu tout seul à une si haute position que tu avais une confiance sans borne dans ta propre opinion. Ce n'était pas même aussi évident dans mon enfance que cela le fut plus tard pour l'adolescent. De ton fauteuil tu gouvernais le monde. Ton opinion était juste, toute autre était folle, extravagante, *meschugge* (c'est-à-dire qu'elle était comme celle d'un « timbré »), anormale. Et avec cela, ta confiance en toi-même était si grande que tu n'avais pas besoin de rester conséquent pour continuer à avoir raison. Il pouvait aussi arriver que tu n'eusses pas d'opinion du tout, et il s'ensuivait nécessairement que toutes les opinions possibles en l'occurrence étaient fausses, sans exception. Tu étais capable, par exemple, de pester contre les Tchèques, puis contre les Allemands, puis contre les Juifs, et ceci non seulement à propos de points de détail, mais sous tous les rapports et pour finir, il ne restait plus rien en dehors de toi. Tu pris à mes yeux ce caractère énigmatique qu'ont les tyrans dont le droit ne se fonde pas sur la réflexion, mais sur leur propre personne. C'est du moins ce qu'il me semblait (BV, p. 169, LP, p. 585-586).

Cet aspect de tyrannie énigmatique était fréquent, paraît-il, chez les pères de famille du xixe siècle dans les ghettos de l'Europe Centrale. Le père de Kafka s'était fait par lui-même une très grosse situation commerciale; il « avait un puissant appétit et une propension particulière à manger tout très chaud » (BV, p. 172, LP, p. 588); il avait un corps robuste (BV, p. 168, LP, p. 585) : une sorte de Pantagruel, la jovialité rabelaisienne en moins, la sévérité morale en plus.

* * *

Un autre passage de la *Lettre* permet d'entrevoir l'envers de cette figure énigmatique et accablante :

> Par bonheur, il y avait tout de même des exceptions; elles se produisaient quand tu souffrais sans rien dire, quand l'amour et la bonté appliquaient leur force à triompher de tout ce qui leur était contraire et à le saisir immédiatement. Certes, cela arrivait rarement, mais c'était merveilleux. C'était, par exemple, quand il faisait chaud, l'été, et que je te voyais somnoler au magasin après le déjeuner, l'air las, le coude appuyé sur le comptoir; ou bien le dimanche, quand tu venais, éreinté, nous rejoindre à la campagne; ou bien lors d'une grave maladie de maman, quand tu te tenais à la bibliothèque, tout secoué de sanglots; ou bien pendant ma dernière maladie, quand tu entrais doucement dans la chambre d'Ottla pour me voir, que tu restais sur le seuil, tendais le cou pour m'apercevoir au lit et te bornais à me saluer de la main, par égard pour ma fatigue. A de tels moments l'on se couchait et l'on pleurait de bonheur, et je pleure maintenant encore en l'écrivant (BV, p. 180, LP, p. 596).

Les instants où se laisse entrevoir le fond de l'être paternel sont de calme et d'immobilité; on dirait que le film de la vie s'arrête et révèle un homme appuyé sur une table, somnolant dans la paix solitaire d'une accablante après-midi, accoudé à une bibliothèque et pleurant en silence, ou contemplant de loin son enfant malade. Le secret de ce père énigmatique est qu'il souffre par ses enfants : « Je n'ai compris que plus tard que tes enfants te faisaient réellement souffrir » écrit Kafka (BV, p. 179-180, LP, p. 595)[3]. Cet homme qui souffrait silencieusement, savait aussi manifester sa bonté et sa douceur :

> Tu as aussi une façon particulièrement belle de sourire, silencieuse, paisible, bienveillante, un sourire qu'on rencontre rarement et qui pouvait vous rendre très heureux s'il vous était destiné. Je ne me rappelle pas que tu me l'aies expressément accordé mais cela a bien dû se produire, pourquoi me l'aurais-tu

---

3. L'impression s'impose à moi, malgré tout, que, à travers cet homme si terrible par moment, mais qui, soudain, au seuil d'une chambre, s'arrêtait, pleurait et souffrait, se laisse entrevoir le Dieu des Juifs (qui est aussi le nôtre). Il connaît aussi la méditation, le souci, devant ses « enfants » infidèles; cfr le final de *Verts pâturages*, de Marc CONNELLY, trad. Bernardine de MENTHON, coll. *Les îles*, Paris, 1936, p. 230-233, où se laisse deviner la « décision » d'incarnation, si j'ose dire; cette dimension de « miséricorde » manque à la vision que Kafka eut de son père.

refusé en ce temps-là, puisque tu me jugeais encore innocent et que j'étais ton grand espoir (BV, p. 180, LP, p. 596).

La manière paisible, *silencieuse*, de sourire, la bienveillance calme qui se lisait alors sur les traits, le reflet des profondeurs qui ne paraissait qu'à la faveur de cette « distraction » ou de ce recueillement qui détendent la garde que nous montons sans cesse autour de nous-mêmes, telles sont *les bénédictions de la paternité* que l'enfant poursuivit toute sa vie et dont il se crut frustré[4].

2. Angoisse et écrasement

La psychanalyse a mis en lumière l'importance du lien père-fils dans le développement d'un être humain[5]. Kafka avait parfaitement saisi l'ambiguïté de ses relations avec ses parents, le mélange de haine et d'amour qui les marquait[6]; une lettre du 18 octobre 1916, adressée à sa fiancée, éclaire cette ambiguïté :

> Moi qui ai vécu le plus souvent dans la dépendance, j'ai une soif infinie d'indépendance et de liberté dans tous les domaines... Mais enfin, je suis issu de mes parents, je suis lié à eux et à mes sœurs par le sang... mais je les respecte au fond plus que je ne crois le faire. Il arrive que je les poursuive aussi de ma haine... Mais à d'autres moments, je me rappelle qu'ils sont mes parents... J'ai tremblé devant eux et je tremble maintenant encore... Ils me dupent, mais comme je ne peux pas m'insurger contre la loi naturelle sans devenir fou, je retombe dans la haine, toujours dans la haine... Je monte positivement la garde devant ma famille et... je tourne sans relâche autour d'elle en brandissant mes couteaux pour *sans cesse et simultanément l'attaquer et la défendre* (J, p. 478-480).

Le texte intégral, qui comporte près de trois grandes pages, met mieux encore en évidence le rythme obsédant, l'alternance de l'attaque et de la défense; il permet de comprendre que la tragédie est plus profonde qu'un complexe mal surmonté.

---

4. Cette bonté entrevue par l'enfant augmentait encore son sentiment de culpabilité, puisqu'il se sentait indigne d'elle : « A la longue d'ailleurs, ces impressions agréables n'ont pas eu d'autre résultat que d'accroître mon sentiment de culpabilité et de me rendre le monde encore plus incompréhensible » (BV, p. 180-181, LP, p. 596).

5. La relation père-fils est déterminante dans la vie de milliers d'êtres; il faut mettre en parfaite clarté les phases que le document absolument unique que nous analysons permettent de détailler.

6. Cfr le livre de C.-F. MOUNIER cité p. 197, n. 10.

L'origine du déchirement est un déséquilibre de forces :

> Comme père, tu étais trop fort pour moi, d'autant que mes
> frères sont morts en bas âge, que mes sœurs ne sont nées que bien
> plus tard et que, en conséquence, j'ai dû soutenir seul un premier
> choc pour lequel j'étais beaucoup trop faible (BV, p. 164, LP,
> p. 581).

Du reste Franz tenait plutôt de sa mère que de son père :

> Fais une comparaison entre nous : moi, en abrégeant beaucoup,
> un Löwy avec un certain fond Kafka qui, justement, n'est pas
> stimulé par cette volonté qui porte les Kafka vers la vie, les
> affaires, la conquête, mais par un aiguillon Löwy dont l'action
> plus secrète, plus timide, s'exerce dans une autre direction, et
> souvent même cesse tout à fait. Toi, en revanche, un vrai Kafka
> par la force, la santé, l'appétit, la puissance vocale, le don
> d'élocution, le contentement de soi-même, le sentiment d'être
> supérieur au monde, la ténacité, la présence d'esprit, la connais-
> sance des hommes, une certaine générosité, tout cela, bien
> entendu, avec les défauts et les faiblesses que comportent ces
> qualités et dans lesquels tu es rejeté par ton tempérament et
> souvent par tes accès de colère (BV, p. 164-165, LP, p. 581).

Le déséquilibre entre le père et le fils éclate dans la disparité des
tempéraments : d'un côté, l'homme « extraverti », robuste, prêt à
« transcender » le réel, à se « pro-jeter » en avant, de l'autre, un être de
repli, animé par un aiguillon secret, poussant exactement dans la
direction contraire, celle de l'introversion à son paroxysme[7].

* * *

Le jeune garçon se sentait écrasé par la stature géante de son père.
Un souvenir, peut-être le plus ancien, et donc essentiel, le montre :

> De mes premières années, je ne me rappelle qu'un incident.
> Peut-être t'en souvient-il aussi. Une nuit, je ne cessai de pleur-
> nicher en réclamant de l'eau, non pas assurément parce que
> j'avais soif, mais en partie pour t'irriter[8], en partie pour me

---

7. Max Brod a tellement insisté sur l'aspect « naturiste », sportif, joyeux qui
devait apparaître chez Kafka (cfr J, p. 641 sv, les notes de Kafka sur son séjour
dans la colonie naturiste de Jungborn, en 1912) qu'il est bon de rappeler l'aspect
« intraverti », aussi essentiel chez lui.

8. Je ne sais pourquoi la traductrice passe soudain du « tu » au « vous »; je
restitue ce que je crois le sens original.

distraire. De violentes menaces répétées plusieurs fois étant restées sans effet, tu me sortis du lit, me portas sur la *pawlatsche (sorte de balcon ouvert ou vitré qui donne généralement sur la cour et prend tout un étage)* et m'y laissas un moment seul en chemise, debout devant la porte fermée. Je ne prétends pas que ce fut une erreur. Peut-être t'était-il impossible alors d'assurer le repos de tes nuits par un autre moyen; je veux simplement, en le rappelant, caractériser tes méthodes d'éducation et leur effet sur moi. Il est probable que cela a suffi à me rendre obéissant par la suite, mais, intérieurement, cela m'a causé un préjudice. Conformément à ma nature je n'ai jamais pu établir de relation exacte entre le fait, tout naturel pour moi, de demander de l'eau sans raison et celui, particulièrement terrible, d'être porté dehors. Bien des années après je souffrais encore à la pensée douloureuse que cet homme gigantesque, mon père, l'ultime instance, pouvait presque sans motif me sortir du lit la nuit pour me porter sur la *pawlatsche*, prouvant par là à quel point j'étais nul à ses yeux (BV, p. 167, LP, p. 583-584).

Rien n'est plus fréquent qu'un enfant un peu capricieux qui geint la nuit pour demander quelque chose, soit pour occuper sa solitude et se rassurer lui-même en parlant tout haut, soit pour exercer déjà à l'égard de ses parents cette épreuve de force qui consiste à les irriter « pour voir ». Rien de plus courant aussi qu'une correction du genre de celle que le père impose ici à son fils en le faisant attendre un instant, en pénitence, devant la porte. Depuis que le monde est monde ces faits se sont produits des milliers de fois, et si l'enfant en a été effrayé, décontenancé, très normalement, plus tard, les choses s'équilibrent et la sérénité revient. Kafka lui-même laisse entendre que cette « punition » n'avait rien que de naturel et qu'elle eut de l'effet. Mais c'est là jugement d'adulte : à l'enfant la disproportion entre la « faute » et le « châtiment » parut écrasante; des impressions très fortes, qui deviendront obsession, se sont gravées à une très grande profondeur : l'angoisse de l'être jeté devant la porte, seul, — *allein vor der geschlossenen Tür*, — le fait particulièrement terrible d'être porté « dehors », — *das ausserordentliche Schrekliche des Hinausgetragenwerdens*, — l'apparition soudaine de cet homme gigantesque, son père, la dernière instance, — *der riesige Mann, mein Vater, die letzte Instanz*, — enfin, répété à nouveau, car c'est cela qui l'obsède, le fait d'être sorti du lit, la nuit, — *in der Nacht, aus dem Bett*[9].

---

9. On songe à la pièce de W. BORCHERT, *Draussen, vor der Tür, Dehors, devant la porte*, qui raconte l'odyssée d'un soldat qui, retour de Stalingrad, trouve sa femme remariée, et est rejeté partout « dehors »; mais, du moins, ce soldat *a eu* un foyer,

Les épisodes « diurnes », à leur tour, ne faisaient que renforcer le sentiment d'écrasement :

> Autrefois j'aurais eu besoin d'encouragement en toutes circonstances. Car j'étais déjà écrasé par la simple existence de ton corps. Il me souvient par exemple que nous nous déshabillions souvent ensemble dans une cabine. Moi, maigre, chétif, étroit; toi, fort, grand, large. Déjà, dans la cabine je me trouvais lamentable et non seulement en face de toi, mais en face du monde entier, car tu étais pour moi la mesure de toute chose. Mais, quand nous sortions de la cabine et nous trouvions devant les gens, moi te tenant la main, petite carcasse pieds nus vacillant sur les planches, ayant peur de l'eau, incapable de répéter les mouvements de natation que, dans une bonne intention, certes, mais à ma grande honte, tu ne cessais littéralement pas de me montrer, j'étais très désespéré et à de tels moments, mes tristes expériences dans tous les domaines s'accordaient de façon grandiose. Là où j'étais encore le plus à l'aise, c'est quand il t'arrivait de te déshabiller le premier et que je pouvais rester seul dans la cabine pour retarder la honte de mon apparition publique, jusqu'au moment où tu venais voir ce que je devenais et où tu me poussais dehors. Je t'étais reconnaissant de ce que tu ne semblais pas remarquer ma détresse, et, d'autre part, j'étais fier du corps de mon père (BV, p. 168-169, LP, p. 585).

« Je me trouvais lamentable, non seulement en face de toi, mais en face du monde entier, *car tu étais pour moi la mesure de toute chose* » : en face de cette mesure du monde, Kafka se voit « petite carcasse, pieds nus vacillant sur les planches ». Lorsqu'il le peut, il reste dans la cabine, il se cache, il attend, il retarde le plus possible le moment de son apparition en public[10].

* * *

La suprématie du père était écrasante aussi dans l'ordre du *spirituel :* « De ton fauteuil, tu gouvernais le monde » (BV, p. 169, LP, p. 585);

---

avant, il peut « se souvenir »; Kafka ne l'a jamais eu; il n'a comme souvenir que celui d'un géant qui apparaît soudain et l'écrase, fait de lui un néant *(ein solches Nichts)* paralysé par un sentiment de nullité *(Gefühl der Nichtigkeit)* (BV, p. 167, LP, p. 584).

10. Nous avons ici la racine psychologique du thème du « terrier », si important dans l'œuvre : l'enfant, écrasé par la corpulence de son père, veut se faire tout petit, presque disparaître; en même temps, *il admire profondément la force du corps de son père*, mais, pour échapper à sa menace, il va faire de sa propre prison une citadelle : « *Mein Gefängniszelle-meine Festung* » (HL, p. 421) (ma cellule de prisonnier est aussi ma forteresse) dit un fragment non daté des *Paralipomena*.

Kafka était un enfant craintif *(ein ängstliches Kind)*, têtu sans doute comme tous les enfants, mais dont on aurait obtenu beaucoup en lui parlant sur un ton affectueux (BV, p. 166, LP, p. 582); il savait que son père, au fond, était bon et tendre, « mais tous les enfants n'ont pas la persévérance et l'audace de chercher aussi longtemps qu'il faut pour arriver à la bonté » (BV, p. 166, LP, p. 583) :

> Au vrai, tu avais si souvent raison contre moi que c'en était surprenant; rien de plus naturel quand cela se passait en parole, car nous allions rarement jusqu'à la conversation, mais tu avais raison même dans les faits... J'étais lourdement comprimé par toi en tout ce qui concernait ma pensée, même et surtout là où elle ne s'accordait plus avec la tienne. Ton jugement négatif pesait dès le début sur toutes mes idées indépendantes de toi en apparence; il était presque impossible de supporter cela jusqu'à l'accomplissement total et durable de l'idée. Ici, je ne parle pas de je ne sais quelles idées supérieures, mais de n'importe quelle petite affaire d'enfant. Il suffisait simplement d'être heureux à propos d'une chose quelconque, d'en être rempli, de rentrer à la maison et de le dire, et l'on recevait en guise de réponse un sourire ironique, un hochement de tête, un tapotement de doigts sur la table : « J'ai déjà vu mieux », ou bien : « Viens me dire ça à moi », ou bien : « Je n'ai pas la tête aussi reposée que toi », ou bien : « Ça te fait une belle jambe! » ou bien encore : « En voilà un événement! » Il va sans dire qu'on ne pouvait pas te demander de l'enthousiasme pour chacune de nos bagatelles d'enfant, alors que tu étais plongé dans les soucis et les peines... L'important, c'est... que le courage, l'esprit de décision, l'assurance, la joie de faire telle ou telle chose ne pouvaient pas tenir jusqu'au bout quand tu t'y opposais ou même quand on pouvait te supposer hostile; et cette supposition on pouvait la faire à propos de presque tout ce que j'entreprenais. Cela s'appliquait aussi bien aux idées qu'aux personnes (BV, p. 170-171, LP, p. 586-587).

Très souvent les parents mesurent mal leur puissance : « tout se passait comme si tu ne te rendais pas compte de ta force » (BV, p. 171)[11] affirme la suite du texte. Les parents opposent trop souvent une sagesse dite classique, une sorte de lassitude, ou simplement leur distraction, à ce monde perpétuellement renouvelé, naissant, que les enfants découvrent pour la première fois. L'expérience que l'enfant fait de la « distraction » des grandes personnes, — « il faut être très patient avec les grandes

---

11. « *Es war, als hättest Du keine Ahnung von Deiner Macht* » : de combien de parents cette phrase n'est-elle pas rigoureusement vraie. Cfr E. DE GREEF, *Nos enfants et Nous*, Tournai-Paris, 1956.

personnes » dira Saint-Exupéry, — lui apprend, après un repli
momentané sur lui-même, à affronter le monde de la solitude, à
mesurer la part de relativité qu'il y a dans l'univers. Chez Kafka, ces
faits ont tous, sans exception, produit des catastrophes; il avait
l'impression d'être *absolument seul* en face de son père, dans la solitude
d'un monde où d'un côté il y avait un géant fantômal et de l'autre un
petit être trébuchant et perdant confiance en lui-même :

> Quand j'entreprenais quelque chose qui te déplaisait et que
> tu me menaçais d'un échec, mon respect de ton opinion était
> si grand que l'échec était inéluctable, même s'il ne devait se
> produire que plus tard. Je perdis toute confiance dans mes
> propres actes. Je devins instable, indécis. Plus je vieillissais,
> plus grossissait le matériel que tu pouvais m'opposer comme
> preuve de mon peu de valeur; peu à peu les faits te donnèrent
> raison à certains égards (BV, p. 177, LP, p. 593).

Le cercle vicieux est évident : le père, en annonçant l'échec paralyse
à tel point l'enfant que celui-ci échoue; mais chaque échec nouveau
grossit la masse des arguments que le père va lui opposer pour lui
prédire à nouveau qu'il va échouer. C'est la boule de neige qui devient
avalanche, mais ici, ce qui roule, c'est un être humain emporté par une
force qu'il déchaîne lui-même et qui le détruit :

> La méfiance que tu cherchais à m'inculquer, tant au magasin
> qu'à la maison (nomme-moi une seule personne ayant eu quelque
> importance pour moi, dans mon enfance, que tu n'aurais pas,
> au moins une fois, critiquée jusqu'à la réduire à néant) et qui,
> chose remarquable, ne te pesait pas le moins du monde (tu étais
> bien assez fort pour la supporter, du reste ce n'était peut-être
> rien d'autre pour toi que l'emblème du despote) — cette méfiance
> qui, à mes yeux de petit garçon, ne se trouvait confirmée nulle
> part puisque je ne voyais partout *que des êtres parfaits, inacces-*
> *sibles*, s'est transformée en défiance de moi-même et en peur
> perpétuelle des autres (BV, p. 196, LP, p. 800).

Le père avait rêvé de faire de Franz l'héritier de son négoce et
l'initiait aux « détours du sérail »; mais au lieu que la défiance à l'égard
des « autres » donne confiance à l'enfant, comme c'était le cas chez le
père, elle revient sur lui comme un *boomerang*, le détruit, tandis que
le monde des autres hommes se pare d'un prestige presque sacré[12].

---

12. Cette impression d'enfant, — de ne voir dans les autres que des êtres
parfaits, — est à l'origine d'un trait des personnages des romans de Kafka : ils
ont beau se promener dans les lieux les plus sordides, les couloirs crasseux et torrides

3. Le sentiment de culpabilité

Ce père qui l'écrasait, Kafka, sans doute, en fait un portrait accablant de lucidité; mais jamais il ne le condamne, car il le respectera toujours et se donnera tort à lui-même. La solitude et l'étouffement vont donner naissance à un sentiment de *culpabilité* qui est la clef de son œuvre et de sa vie. Il faut détailler les aspects du jugement presque « biblique » qui condamne ains ile jeune enfant.

a. Un jugement sans appel.

Kafka a vécu sans cesse dans la hantise de son père, ce vivant qui le jugeait au nom de lois impossibles à mettre en pratique; se voyant condamné d'avance, quels que soient ses efforts, le jeune homme passait de longues heures oisives, étendu sur un canapé, loin de son père qui le croyait au travail :

> Vraiment, je ne me crois pas lâche de caractère, mais il n'y avait rien à faire pour moi. Là où je vivais, j'étais rejeté, jugé et condamné *(abgeurteilt)*, écrasé, et l'idée de fuir n'importe où me réconfortait certes très fort, mais ce n'était pas à faire, car il s'agissait de quelque chose d'impossible qui pour mes forces, sauf de petites exceptions, était inaccessible (BV, p. 205-206).

Là où j'étais, j'étais condamné : non seulement son imagination avait donné à son père des proportions formidables, mais Kafka se sentait *damné*, rejeté dans l'oisiveté coupable du canapé; il sombra dans un enfer de silence, de solitude et d'inactivité, dans le sentiment paralysant d'un jugement qui, à travers les murs épais, le transperçait et le pétrifiait. Félix, le petit-fils du père de Kafka, subissait le même traitement, seulement pour lui son grand-père *n'était pas tout*, il pouvait considérer le vieillard comme un être « curieux »; Franz ne pouvait « choisir ce qui lui plaisait »; son père n'était pas pour lui « une curiosité »; il lui fallait tout prendre ou tout rejeter d'un père qui n'acceptait pas la discussion, mais jugeait :

---

de la « justice » dans *Le procès*, les minables chambres d'employés dans *Le château*, jamais ils ne semblent remarquer la bêtise pompeuse et pompière des lieux et des personnages qu'ils côtoyent; on dirait qu'ils se considèrent comme eux-mêmes dignes de châtiment, et que le monde des autres, crasseux, idéal et inaccessible, dans lequel ils marchent comme des somnanbules, est innocent.

Tu ne parles plus que pour ajouter : « Fais ce que tu veux;
s'il ne tient qu'à moi, tu es libre; tu es majeur, je n'ai pas de
conseils à te donner », et tout cela avec cette voix basse, enrouée
et effrayante, qui exprime la colère et la condamnation totale
(Unterton des Zornes und der vollständigen Verurteilung) et qui
me fait moins trembler aujourd'hui que dans mon enfance,
parce que le sentiment de culpabilité exclusif *(das ausschliessliche
Schuldgefühl)* ressenti par l'enfant est remplacé en partie par
une certaine connaissance de notre détresse à tous deux
(BV, p. 174-175, LP, p. 590-591).

Les mots qui expriment le caractère exclusif *(ausschliesslich)* du
sentiment de culpabilité font comprendre l'isolement de Kafka dans
un univers réduit à *deux personnes :* celle de l'enfant, et celle du père
qui le condamne *totalement.*

* * *

Pour tout enfant la loi morale s'incarne dans la figure du père,
mais la présence de la mère en adoucit la puissance, y introduit une
douceur qui, sans rien renier de sa force, la rend plus humaine. L'univers
de Kafka est privé de toute médiation; le choc entre l'enfant et son
père est direct[13]. Sans doute « ou pouvait toujours se réfugier auprès
d'elle (sa mère), mais ce n'était encore que par rapport à toi; elle t'aimait
trop et t'était trop fidèlement dévouée pour pouvoir à la longue
représenter une puissance spirituelle indépendante ». Plus elle vieillira,
plus elle s'attachera à son mari; tout en sauvegardant son autonomie
personnelle avec grâce et délicatesse, de plus en plus, pour la paix, elle
se mettra du côté de son époux dans la question des enfants. Sa situation
était du reste de plus en plus difficile : prise entre son mari et ses
enfants, elle fut sans cesse frappée, des deux côtés : « Brutalement, toi
de ton côté, nous du nôtre, nous l'avons martelée de coups ». Kafka
voit bien que sa mère n'aurait pu supporter tout cela si elle n'avait pas
aimé son époux et ses enfants, mais il resta seul dans le « combat »
contre son père :

Ma mère était infiniment bonne pour moi, c'est vrai, mais ce
n'était que relativement à toi, c'est-à-dire, pour moi, dans un
mauvais rapport. Sans le savoir elle jouait le rôle du rabatteur
à la chasse. Pour le cas bien improbable où, en engendrant le
défi, la répulsion, voire la haine, ton éducation put me permettre

---

13. Tout ceci dans BV, p. 189, LP, p. 793-794 : l'absence de médiateurs me
paraît une des idées essentielles de l'œuvre kafkaïenne.

de marcher seul, ma mère compensait une fois de plus ce risque
par sa bonté et ses paroles raisonnables (dans le gâchis de mon
enfance, elle était l'idéal même de la raison), par son intercession,
et j'étais encore une fois rejeté dans ton cercle d'où, sans cela,
je me serais peut-être échappé pour notre bien commun. Ou
encore les choses étaient telles que nous n'en venions pas à une
vraie réconciliation, ma mère se contentait de me protéger en
secret contre toi, me donnait, me permettait quelque chose en
secret, et j'étais de nouveau la créature sournoise, le tricheur
qui se sentait coupable et qui, du fait de sa nullité, était incapable
d'obtenir autrement que par des chemins détournés même les
choses auxquelles il pensait avoir droit. Plus tard, bien sûr, je
l'habituai à prendre également ces chemins pour rechercher ce
qui ne me revenait nullement de droit, même à mes propres yeux.
La conscience de ma culpabilité s'en trouva encore aggravée
(BV, p. 182, LP, p. 786)[14].

Le respect de l'enfant pour sa mère, — « elle représentait dans le
gâchis de son enfance l'idée même de la raison », — l'empêchait de céder
à la haine et au défi à l'égard de son père; les sentiments bienveillants
que la mère entretenait dans le cœur de l'enfant l'ont emprisonné plus
fortement encore dans le cercle vicieux de la haine mêlée au respect.
Comme un rabatteur à la chasse, sa mère le ramenait devant le tribunal
paternel, devant les lois inapplicables, devant le verdict définitif, ou
bien, lorsque, en secret, elle lui accordait par indulgence ce que le père
refusait, Kafka éprouvait le sentiment d'être un tricheur *(ein Betrüger)*,
coupable et conscient de sa culpabilité; ses efforts ou ceux de ses héros,
pour se terrer, se cacher, fuir la lumière, éviter les chocs de la vie,
apparaissent coupables : les trois mots sont joints dans la même phrase :
« *dann war ich wieder vor Dir das lichtscheue Wesen, der Betrüger, der
Schuldbewusste* » (BV, p. 182). L'enfant se croit traqué : qu'il fuie dans
la solitude des bois, ou qu'il soit rabattu vers la vie, et forcé de
démontrer sa capacité de vivre, il est toujours « devant son père »[15].

14. Cfr J, p. 479, sur Ottla, sœur de Franz, qui lui paraît « être ce qu'il attendait
confusément d'une mère »; les autres frères et sœurs ont laissé l'enfant totalement
seul dans le « combat ».

15. « Que je descende au plus profond des enfers, ou que je monte au plus haut
des cieux, Tu es là », chante le Psaume : celui qui, ainsi, scrute les reins et les cœurs,
c'est un Dieu terrible et jaloux, certes, mais aussi puissant, bon, miséricordieux,
un Dieu qui rend aux hommes leur liberté, un Dieu qui dit : « Quand bien même
une mère oublierait ses enfants, Moi je ne vous oublierai pas, dit le Seigneur » (*Isaïe*,
49, 15). J'ai souvent eu l'impression que l'antinomie, dont l'intensité croît progressivement dans l'Ancien Testament, entre le Dieu Saint, inaccessible, dont on n'ose
dire le nom, et le Dieu de miséricorde, proche de son peuple, se résoud,
dans l'Incarnation, par une « réponse » inouïe de « proximité de Dieu »; dans

Or, tout comme Franz se croyait seul à éprouver la solitude et l'écrasement, de même, il se croit le *seul* coupable :

> La conscience de ma culpabilité me vient trop réellement de toi, elle est aussi bien trop convaincue de son caractère unique *(Einzigartigkeit)*, je peux même dire que ce sentiment d'être unique fait partie de sa nature douloureuse, aussi une répétition *(dans mes enfants éventuels, en cas de mariage)* est impossible (BV, p. 218, LP, p. 1041-1042)[16].

b. Un jugement arbitraire.

Il faut faire un pas encore dans l'analyse, car le jugement de condamnation se fondait sur l'arbitraire d'un tyran *qui n'observait pas lui-même les lois qu'il promulguait;* le « dieu » était énigmatique et injuste en ses verdicts :

> Pour l'enfant que j'étais, tout ce que tu me criais était positivement un commandement du ciel, je ne l'oubliais jamais, cela restait pour moi le moyen le plus important dont je disposais pour juger le monde, avant tout pour te juger toi-même, et sur ce point tu faisais complètement faillite. Étant enfant, je te voyais surtout aux repas et la plus grande partie de ton enseignement consistait à m'instruire dans la manière de se conduire convenablement à table. Il fallait manger de tout ce qui était servi, s'abstenir de parler de la qualité des plats, mais il t'arrivait souvent de trouver le repas immangeable, tu traitais les mets de « boustifaille », ils avaient été gâtés par cette « idiote » (la cuisinière). Comme tu avais un puissant appétit et une propension particulière à manger tout très chaud, rapidement et à grandes bouchées, il fallait que l'enfant se dépêchât; il régnait à table un silence lugubre entrecoupé de remontrances : « Mange d'abord, tu parleras après », ou bien : « Plus vite, plus vite, plus vite », ou bien : « Tu vois, j'ai fini depuis longtemps. » On n'avait pas le droit de ronger les os, toi, tu l'avais. On n'avait pas le droit de laper le vinaigre, toi, tu l'avais. L'essentiel était de couper le pain droit, mais il était indifférent que tu le fisses avec un couteau dégoûtant de

---

le Judaïsme, depuis la venue du Christ, il n'est plus demeuré qu'une des branches de l'antinomie, celle de la grandeur de Dieu : voilà pourquoi, si souvent, la mystique juive est hantée par l'impossibilité de joindre Dieu; autrement dit, l'image du Dieu-Père, dans l'Ancien Testament, devient, surtout dans le judaïsme agnostique, une sorte d'épouvantail de la paternité réduite à la seule « force et puissance ».

16. Les héros de Kafka, eux aussi, sont seuls devant l'univers entier; ils n'entrent jamais dans la communauté des autres vivants, *pas même celle des autres coupables;* il n'y a pas trace ici de la fraternité virile des hommes, contre l'univers, comme chez Malraux.

sauce. Il fallait veiller à ce qu'aucune miette ne tombât à terre, c'était finalement sous ta place qu'il y en avait le plus. A table, on ne devait s'occuper que de manger, mais toi, tu te curais les ongles, tu te les coupais, tu taillais des crayons, tu te nettoyais les oreilles avec un cure-dents. Je t'en prie, père, comprends-moi bien, toutes ces choses étaient des détails sans importance, elles ne devenaient accablantes pour moi que dans la mesure où, toi qui faisais si prodigieusement autorité à mes yeux, tu ne respectais pas les ordres que tu m'imposais (BV, p. 172-173, LP, p. 588-589)[17].

L'arbitraire de l'autorité paternelle se déploie sans contrainte dans un ciel vidé de tout médiateur; or, dans le subconscient de Kafka, son père représentait une autorité quasi divine; sa toute-puissance énigmatique fait penser à certains aspects du Dieu de l'Ancien Testament, tel qu'il est présenté trop souvent encore dans une catéchèse fondée sur la crainte, mais elle évoque plus encore une idole hindoue dont le rire muet fracasse les vivants.

Gide, privé de son père dès l'âge de onze ans, fut éduqué par des femmes qui étaient des modèles de vertu, si bien que jamais il ne put imaginer que les créatures idéales qui se penchèrent sur ses premières années pouvaient connaître les désirs qui le déchiraient en secret; si l'idéal que sa mère et, plus tard sa femme, représenteront, lui semblait, dans son cas particulier, totalement inaccessible, du moins le miroir demeurait une eau transparente que rien ne venait rider et dans laquelle l'âme pouvait contempler l'image d'elle-même qu'elle devait rejoindre. Chez Kafka, la situation est inversée : son père semble le seul vivant dans un univers vidé de tout le reste et il représente l'idéal moral; seulement, le miroir est terni dès l'origine, car *le père ne pratique pas la loi qu'il promulgue.* Aussi bien le texte donne le sentiment d'une sorte de métamorphose du père en un être « animal » suant et soufflant, menaçant et inattaquable[18] mais tout ensemble innocent :

---

17. On songe ici à la description du père d'Antoine et Jacques Thibault, dans R. MARTIN DU GARD, *Les Thibault,* tome V *(La Sorellina),* qui se termine par les mots : « Un monument ».

18. BV, p. 187, LP, p. 790-791, décrit le comportement coléreux du père contre le personnel de la maison de commerce qu'il dirigeait : c'est là que l'enfant apprit que son père pouvait être injuste. Le conflit avec le père est chose inévitable, mais il ne doit pas se résoudre en termes de lutte : il faut passer de la « communauté » biologique avec le père à une « communion » librement assumée, à un « être avec », qui est celui de la participation commune à une réalité plus haute; souvent, ce passage ne se fait pas sans heurt. Kafka est resté toute sa vie au premier stade, celui de l'écrasement psychologique par un père qui prenait dans son imagination des proportions énormes.

Je ne me rappelle pas que tu m'aies jamais injurié de façon directe ou avec de vrais gros mots. Ce n'était d'ailleurs pas nécessaire, tu avais tant d'autres moyens à ta disposition et, au surplus, les injures pleuvaient si fort sur les autres personnes de mon entourage, — tant à la maison qu'au magasin, surtout au magasin, — que, petit garçon, j'en étais parfois étourdi; je ne voyais pas pourquoi elle ne m'auraient pas été destinées, les gens que tu injuriais n'étant assurément pas pires que moi et ne te donnant sûrement pas plus de mécontentement. Là encore je retrouvais ta mystérieuse innocence, le mystérieux pouvoir qui te rendait inattaquable, tu injuriais les gens sans t'en faire le moindre scrupule; qui plus est, tu condamnais les injures chez les autres, auxquels tu les interdisais (BV, p. 176-177, LP, p. 592).

« Ta mystérieuse innocence[19], le mystérieux pouvoir qui te rendait inattaquable » *(Deine rätselhafte Unschuld und Unangreifbarkeit)* : le père de Kafka était devenu pour son fils une réalité énigmatique, impénétrable, irritante et décourageante. La tragédie est que le père injuste reste père : le mystère religieux de la paternité se joint à une ironique laideur, dédaigneuse et cruelle. Le père est innocent, mais non pas à la manière d'une limpidité jeune ou d'une maturité qui conjoint la force et la douceur; son innocence en devient presque provocante, car l'enfant ne peut pas la « saisir » (ainsi se rend bien la nuance du terme *Unangreifbarkeit*). Tout ce passage exprime à la fois l'amour et la haine devant une énigmatique idole de la paternité.

Kafka va projeter sur l'univers sa culpabilité *personnelle* en même temps que l'énigmatique *innocence de son père* :

Toi qui faisais si prodigieusement autorité à mes yeux, tu ne respectais pas les ordres que tu m'imposais. Il s'ensuivit que le monde se trouva partagé en trois parties : l'une, celle où je vivais en esclave, soumis à des lois qui n'avaient été inventées que pour moi et auxquelles par-dessus le marché je ne pouvais jamais satisfaire entièrement, sans savoir pourquoi; une autre, qui m'était infiniment lointaine, dans laquelle tu vivais, occupé à gouverner, à donner des ordres, et à t'irriter parce qu'ils n'étaient pas suivis; une troisième, enfin, où le reste des gens vivaient heureux, exempts d'ordres et d'obéissance (BV, p. 173, LP, p. 589).

Le tourment essentiel des personnages de Kafka est l'expérience d'un monde infiniment proche et infiniment inaccessible; l'enfant se voit

---

19. Le thème de l'innocence paternelle se trouve fréquemment indiqué dans BV, p. 163, 173-175, 213.

ligoté à la personne de son père, tandis que « les autres » lui apparaissent libérés de toute loi. Autrement dit, il y a d'un côté un monde qui se réduit à lui et à son père, de l'autre il y a tout le reste de l'univers, à la fois proche et inaccessible comme en un cauchemar. Toutes les tentatives pour « sortir du cercle paternel » (*Durchbruch aus Deinem Kreis*, BV, p. 190, LP, p. 794) devaient échouer :

> J'étais constamment plongé dans la honte car, ou bien j'obéissais à tes ordres et c'était honteux puisqu'ils n'étaient valables que pour moi; ou bien je te défiais et c'était encore honteux, car comment pouvais-je me permettre de te défier? Ou bien je ne pouvais pas obéir parce que je ne possédais ni ta force, ni ton appétit ni ton adresse, — et c'était là en vérité la pire des hontes. C'est ainsi que se mouvaient, non pas les réflexions, mais les sentiments de l'enfant (BV, p. 173, LP, p. 589).

La honte *(Schande)* barre toutes les issues de secours : ou bien l'enfant se soumet à des lois qu'il ne voit faites que pour lui, et c'est une honte de suivre des injonctions dont il ne voit pas la vérité objective, car il le fait par peur, ou bien il ne veut pas obéir, mais c'est nier l'autorité du père, ou bien enfin, la honte le submerge parce qu'il ne peut pas obéir, à cause de sa faiblesse. Autrement dit, ou bien il se révolte, ou bien il obéit par peur, ou bien il désobéit par faiblesse.

e. Un jugement qui dure toute la vie.

Le châtiment dont son père le menace ne fait lui aussi qu'accroître le sentiment de frustration et d'instabilité de l'enfant :

> Tu renforçais les injures par des menaces qui, elles, me concernaient bel et bien. Terrible était, par exemple, — bien que je ne fusse pas sans savoir que rien de terrible ne s'ensuivrait (il est vrai qu'étant petit, je ne le savais pas), — ce « je te déchirerai comme un poisson », mais que tu en fusses capable se serait presque accordé à l'image que j'avais de ton pouvoir. Terribles aussi étaient ces moments où tu courais en criant autour de la table pour nous attraper, — tu n'en avais pas du tout l'intention mais tu faisais semblant, — et où maman, pour finir, avait l'air de nous sauver. Une fois de plus, — telle était l'impression de l'enfant, — on avait conservé la vie par l'effet de ta grâce et on continuait à la porter comme un présent immérité (BV, p. 177, LP, p. 593).

Un autre passage complète celui-ci :

> Il est encore vrai que tu ne m'as pour ainsi dire jamais vraiment battu. Mais tes cris, la rougeur de ton visage, ta manière hâtive

de détacher tes bretelles et de les disposer sur le dossier d'une chaise, tout cela était presque pire que les coups. Il en va de même pour un homme qui est sur le point d'être pendu. Si on le pend vraiment, il meurt et tout est fini. Mais qu'on l'oblige à assister à tous les préparatifs de la pendaison, qu'on ne lui communique la nouvelle de sa grâce que lorsque le nœud lui pend déjà sur la poitrine, il se peut qu'il ait à en souffrir toute sa vie. Pour comble, l'accumulation de tous ces moments où, selon l'opinion que tu manifestais clairement, j'aurais mérité des coups et n'y avais échappé de justesse que par l'effet de ta miséricorde, faisait naître en moi, une fois de plus, une grande conscience de ma culpabilité. Je tombais sous ta coupe de tous les côtés à la fois (*Von allen Seiten her kam ich in Deine Schuld*. BV, p. 181-183, LP, p. 786-787).

Dostoïewski raconte l'histoire d'un condamné à mort gracié en dernière instance et il est probable que Kafka, qui lisait l'écrivain russe, a songé à cette scène dans ces deux passages : la vie devient pour lui une succession d'instants que la mort guette sans cesse; mais sans cesse aussi il y échappe, il se retrouve vivant, gracié, sans l'avoir mérité :

Mais comme je n'étais certain d'aucune chose, comme j'attendais de chaque instant une confirmation nouvelle de mon existence, que rien... ne m'appartenait tout à fait en propre et exclusivement, — en vérité un fils déshérité, — je perdis la certitude de ce qui était même le plus proche de moi, mon propre corps (BV, p. 204-205)[20].

Le châtiment peut aussi *précéder* la faute :

Tu avais une confiance spéciale dans l'éducation par l'ironie, elle s'accordait d'ailleurs au mieux avec ta supériorité sur moi. Dans ta bouche une réprimande prenait généralement cette forme : « Tu ne peux pas faire cela de telle ou telle manière? C'est déjà trop te demander, je suppose? Naturellement, tu n'as pas le temps? » et ainsi de suite. Chacune de ces questions s'accompagnait d'un rire et d'un visage courroucé. *On se trouvait en quelque sorte déjà puni avant de savoir qu'on avait fait quelque chose de mal* (BV, p. 178, LP, p. 593)[21].

---

20. Cfr aussi BM, p. 226, où Kafka imagine quelqu'un qui aurait joué sa vie avec légèreté et serait soudain traîné en jugement *(plötzlich zur Strafe)*; p. 227, il ajoute qu'il n'avait pas de « sol » sous ses pieds *(ich hatte keinen eigentlichen Boden unter mir)*.

21. On saisit ici un lien de BV avec l'œuvre : Joseph K. est arrêté un matin sans savoir pourquoi; Karl (dans *Amérique*), un jeune garçon de seize ans, plein de fraîcheur et de courage, de tendresse et de simplicité, avide de pureté, bourré

Enfin, dernier cercle de cet enfer, le père semble en état *permanent* de colère et de menace[22]. A propos des sarcasmes avec lesquels son père imitait, pour lui faire remontrance, le comportement de Elli, la sœur de Franz, il écrit :

> Que de fois ces scènes et d'autres semblables se sont répétées, quel piètre résultat elles ont donné en fait! Cela tient, je crois, à ce que ton déploiement de colère et d'irritation ne paraissait pas se trouver dans un rapport juste avec la chose elle-même; on n'avait pas le sentiment que ta colère avait été provoquée par cette circonstance insignifiante, qu'on était trop loin de la table, mais qu'elle avait été là d'emblée dans toute son ampleur, et que c'était par hasard si elle avait saisi juste cette raison d'éclater (BV, p. 179, LP, p. 594).

---

de bonne foi, est déjà châtié par son oncle, avant même qu'il le sache (malgré qu'il le réclame la lettre avant minuit, on ne la lui donne qu'après, quand c'est « trop tard »). Il faut citer aussi un aphorisme mystérieux de Kafka : « Nous ne sommes pas seulement pécheurs à cause du fait que nous avons mangé de l'arbre de la connaissance, mais encore à cause du fait que nous n'avons pas encore mangé de l'arbre de la vie. L'état dans lequel nous nous trouvons est celui de pécheur indépendamment d'une faute » *(Sündig ist der Stand, in dem wir uns befinden, unabhängig von Schuld)* (HL, p. 101). On songerait à première vue à une sorte de doctrine dualiste dans laquelle l'état de créature est lui-même une sorte de péché primitif de « l'Un »; mais, s'il y a des traces de Kabbale dualiste chez Kafka, je ne crois pas que cette interprétation s'impose *ici*. Le sens du texte me paraît être que Kafka est « pécheur » parce qu'il n'a pas réussi à justifier *sa vie* (d'où la mention de l'arbre de vie, liée au thème du péché, alors que, dans la Bible, c'est l'arbre de la *connaissance* qui est lié à la faute) devant le jugement de son père. Une glose qui suit immédiatement, « Arbre de vie — Seigneur de la vie » *(Baum des Lebens-Herr des Lebens)*, confirme cette exégèse : l'arbre de vie n'est rien d'autre que la maîtrise de la vie personnelle, qui est la base de toute existence. Un *Aphorisme* : « Sein » signifie en allemand deux choses à la fois « *Dasein und Ihmgehören* » (existence et le fait de lui appartenir) (HL, p. 44, JI, p. 259), va dans le même sens : être, c'est exister, c'est aussi appartenir à quelque chose; l'arbre de vie dont il *faut* manger (sinon on est pécheur, autre différence encore avec le récit génésiaque où la faute consiste *à manger* le fruit de l'arbre), est cette vie au cœur de laquelle il faut pénétrer, à laquelle il faut appartenir. Kafka se sent incapable d'obtenir ce jugement lui permettant d'appartenir à la vie paternelle, la seule vraie; l'état normal dans lequel il se trouve *(sich befinden)* est celui du pécheur exclu du paradis. En termes plus simples, et que je reprends à DWB, p. 73, l'incapacité de vivre, chez Kafka, était ressentie comme *coupable* : c'est cela « ne pas avoir mangé à l'arbre de vie ». On voit comment, lus attentivement, les textes les plus « bibliques » de Kafka nous ramènent toujours à un « au-delà » qui est « ce monde-ci », ainsi que le dit G. Anders.

22. Le texte de HL, p. 131-132 précise que la menace du père, « je te déchirerai comme un poisson », ne s'est réalisée que plus tard, mais indépendamment de lui, car « le monde » (représenté par F., la fiancée berlinoise) et « le moi » de Kafka ont déchiré son être en un conflit impossible à réconcilier.

Cette menace perpétuelle, comme une nuée d'orage planant sans cesse dans son ciel intérieur, nourrissait une maussaderie, une inattention, une désobéissance permanente, un besoin de fuite; mais, en même temps, la monotonie de la menace engendrait la monotonie du désespoir : l'enfant Kafka s'est vu exclu du paradis que représentait, pour lui, le monde du père; comme il n'y avait pas d'autre monde que celui-là, en être exclu était vivre une vie qui était une sorte de mort. Kafka s'est vu lui-même comme un « néant en sursis ».

II. Enfance et adolescence

Comme tous les garçons, Kafka rêva d'être « conducteur de tramways, pour être puissant et considéré, conduire sa voiture tout autour de la ville et pouvoir se pencher très bas sur les enfants »; mais il voulut vivre ce métier d'abord pour « devenir, joyeusement et en tout, participant *(um auch so fröhlich und überall teilnehmend zu werden)* (BM, p. 211) ».

La différence avec les enfants « normaux » est caractéristique : alors que ceux-ci veulent être reconnus comme « grands et considérés » et s'affirment en combats puérils et comédies de métiers, imitant plus ou moins celui du père, Kafka reste *en deçà* : il doit d'abord devenir *(werden)* un être qui participe à la vie des autres. A l'école, il ne rêvait que rarement de devenir grand, mais il recherchait la chaleur humaine du voisinage sur les bancs : « *Es war das Wohlbefinden und Nicht-fremdsein das ich etwa als Schüler bei mein Nebensitzenden fühlte* »; cette joie de ne plus se sentir étranger, quand il était assis à côté de Ehrenstein, il la détaille :

> J'étais bon pour lui, il m'était irremplaçable, nous étions alliés devant toutes les horreurs de l'école, je me cachais moins devant lui que devant n'importe qui d'autre, mais, au fond, c'était un lien lamentable (BM, p. 241)[23].

Ce lien n'était qu'une alliance *contre* les terreurs de l'école, mais non point une participation positive à l'existence de l'autre. Le bien-être,

---

23. J, p. 522 (25 octobre 1922) rapproché de BM, p. 241 et de KMD, p. 65 permet de mieux comprendre ce qu'était Ehrenstein pour Kafka, car c'est à propos de sa visite qu'il raconte à Milena cette expérience d'école; dans KMD, il ajoute : « Albert Ehrenstein est de la race de ceux d'aujourd'hui. C'est un enfant qui crie, perdu dans le vide » : à l'école, déjà, Kafka et lui étaient deux enfants perdus.

le sentiment de ne pas être étranger : tous les héros de Kafka combattront jusqu'à la mort pour connaître ce bonheur, qui est la chose la plus simple, la plus rare et la plus essentielle.

1. Étranger dans sa propre famille

Qu'il se soit senti étranger dans son propre foyer, tout ce qui précède l'a montré; un souvenir, daté du 19 janvier 1911, mais certainement plus ancien, montre que Kafka fut avide d'être reconnu, reçu. S'étant rendu chez ses grands-parents, il s'occupait à écrire le début d'un roman :

> Un dimanche après-midi, comme nous étions en visite chez mes grands-parents et que nous avions mangé ce pain beurré, particulièrement tendre, qu'on trouvait toujours chez eux, j'écrivis quelque chose sur ma prison[24]. Il est bien possible que je l'aie fait en grande partie par vanité et que, en déplaçant ma feuille de papier sur la table, en la tapotant du bout de mon crayon, en jetant des coups d'œil à la ronde par-dessous la lampe, j'aie voulu inciter quelqu'un à me prendre des mains ce que j'avais écrit, à le lire et à m'admirer. Dans ces quelques lignes, je décrivais principalement le corridor de la prison, avant tout son silence et le froid qui y régnait; je disais également un mot de compassion sur le frère qui restait là parce que c'était le bon frère. Peut-être ai-je eu sur-le-champ le sentiment que ma description n'avait aucune valeur, mais avant cet après-midi-là, je n'avais jamais prêté grande attention à des sentiments de ce genre quand j'étais parmi les membres de ma famille auxquels j'étais habitué (mon anxiété était si grande que, pour peu qu'elle restât dans l'habituel, elle me rendait presque heureux), assis autour de la table ronde dans une pièce familière, sans pouvoir oublier que j'étais jeune et, du fond de cette quiétude présente, appelé à de grandes choses. L'un de mes oncles, volontiers moqueur, finit par prendre la feuille que je ne tenais plus que mollement, y jeta un bref regard, et me la rendit sans même rire, en disant simplement aux autres qui le suivaient des yeux : « Le fatras habituel », à moi il ne dit rien. Je restai

---

24. L'histoire qu'imaginait l'enfant était celle de deux frères dont l'un s'en va en Amérique tandis que l'autre reste enfermé dans une prison européenne : ces deux personnages qui forment un de ces « couples » si nombreux dans l'œuvre de Kafka (les deux policiers, les deux aides, les deux exécuteurs, etc.) ne sont que le dédoublement de son propre moi (il n'est donc pas question d'homosexualité). On en a un indice ici même, si l'on fait un rapprochement avec *Amérique*, où Karl, soi-disant innocent, est, lui aussi, coupable.

> assis, certes, et continuai à me pencher comme avant sur ma
> feuille apparemment inutilisable, mais, en fait, j'étais chassé
> de la société d'un seul coup, le jugement de l'oncle se répéta en
> moi avec une signification déjà presque réelle et j'acquis, au sein
> même du sentiment familial, un aperçu des froids espaces de
> notre monde, qu'il me faudrait réchauffer à l'aide d'un feu que je
> voulais chercher d'abord (J, p. 33).

Kafka est tellement habitué à l'anxiété que, dans la vie de tous les
jours et lorsqu'il n'y a pas d'incidents nouveaux, elle est quasiment
oubliée, devient même une sorte de bonheur, car au sein de cette
quiétude un peu animale, il se sent appelé à de grandes choses; pour
lui, écrire est la vocation par excellence; il souhaite que l'un des
membres de la famille lise ce qu'il vient de composer, afin de lui
accorder un jugement d'admiration : Kafka parle de vanité, mais
quel enfant n'a péché de cette vanité-là?

Voici donc une amarre qu'il lance vers les siens, afin qu'elle soit
saisie et arrimée à un quai : un des oncles, celui qui aime plaisanter, se
lève et vient voir ce qu'il écrit; l'instant est grave pour un être aussi
émotif... « Le fatras habituel » dit l'oncle *aux autres;* à l'enfant *il ne dit
rien.* En cette minute, sans que le comportement extérieur de Kafka
ait changé, — il prend soin de noter qu'il « continue à se pencher sur sa
feuille », — il se sent chassé de la société, d'un seul coup; il y a eu « jugement », mais de condamnation; au sein du sentiment familial, Kafka
acquiert un aperçu « des froids espaces de notre monde, qu'il lui
faudrait réchauffer *à l'aide d'un feu qu'il voulait chercher d'abord* »[25].

« Je suis descendu pour apporter le feu sur la terre, et que veux-je,
sinon qu'il brûle », a dit le Christ. Ce feu, c'est celui de l'amour divin,
certes, mais réfracté par des êtres *humains;* le drame de Kafka a été
de devoir chercher en dehors de sa famille, en dehors du foyer normal,
le feu de l'amour qui seul pouvait lui rendre la paix.

---

25. Le rapprochement déjà esquissé *supra,* n. 24, se précise encore : lorsque,
dans *Amérique,* Karl a débarqué à New-York, il y rencontre « providentiellement »
son oncle, un homme d'affaires très puissant et très prisé sur le marché; le jeune
garçon rejeté par sa famille, pour avoir été corrompu par une servante, — il n'a
jamais très bien su lui-même ce qui s'était passé, — est obligé de se trouver lui-même
une place; voici qu'il rencontre l'oncle qui l'héberge, l'éduque et le prépare
aux hautes fonctions dans les affaires... Seulement, l'oncle exige que ses moindres
gestes soient contrôlés par lui; ayant accepté trop vite, au jugement de l'homme
d'affaires, une invitation à une soirée chez un confrère de la finance, Karl, sur le
coup de minuit doit lire la lettre qui lui fait ressentir à nouveau « les froids espaces
du monde au cœur même de la famille » : « Je suis obligé de te chasser » dit la lettre
(A, p. 110); il est alors rejeté « sur la route de Ramses ». Toute la suite de *Amérique*
concrétisera les « froids espaces de notre monde ».

Sans doute, la scène que raconte le *Journal* du 19 janvier 1911 est banale : combien de fois les enfants n'ont-ils pas été moqués, par leurs parents ou par leurs oncles et tantes, lorsqu'ils essayaient de prouver à eux-mêmes et au monde qu'ils étaient capables de faire de grandes choses. Ces brimades obligent à affronter le réel, mais, avec un enfant paralysé par le verdict de son père, elles prennent les proportions d'un événement majeur ; je ne suis pas loin d'attribuer à cet épisode la même importance qu'à la scène du « balcon », pour la petite enfance : ce que fut l'effroi du tout petit garçon, de se sentir brusquement, et sans raisons apparentes, rejeté hors de la maison, le jugement de l'oncle le fut pour le « grand » garçon qui s'essayait à composer des histoires.

2. Un écolier qui veut mourir

A l'école, auprès de ses condisciples, Kafka se sentait rassuré, mais il y avait les professeurs qui, peut-être, « sauraient, un jour, combien l'enfant était méchant ».

L'histoire qu'on va lire n'a rien que de très banal, en elle-même, mais elle hantera de manière terrible un enfant incapable de distinguer la menace réelle et l'ironie[26]. Dès la première classe de l'école populaire de Prague (à peu près nos *primaires*), le cauchemar de la peur obsédait le petit garçon :

> Notre cuisinière, une petite femme sèche, maigre, au nez pointu, aux joues creuses, jaunâtre de teint, mais solide, énergique et réfléchie, notre cuisinière me conduisait chaque matin à l'école. Nous habitions dans la maison qui sépare le petit *Ring* du grand *Ring*. On allait donc d'abord sur le *Ring*, ensuite dans la *Teingasse*, ensuite, à travers une sorte de porte voûtée, dans la *Fleischmarktgasse*, pour descendre sur la *Fleischmarkt*. Alors, chaque matin se répétait la même chose, durant près d'un an. Au moment de sortir de la maison, la cuisinière disait qu'elle raconterait au professeur, combien j'avais été peu sage à la maison. Sans doute, je n'avais pas été très méchant, mais j'avais été têtu, oisif *(nichtsnutzig)*, morose, bougon et, de tout cela, on aurait pu vraisemblablement rassembler un très joli bouquet pour le professeur. Cela, je le savais, et je ne prenais donc pas à la plaisanterie la menace de la cuisinière. Cependant je

---

26. Kafka explique à Milena que tout peut être menace pour lui *(alles kann mir auch Drohung sein)*; ainsi, elle l'a appelé « petit enfant » *(Kindchen)*, mais ce mot lui a fait peur, car il n'a jamais été très solide, et, de plus, il a acquis en matière de menace des « yeux de microscope » (BM, p. 63); suit alors le récit que je traduis.

m'efforçais de croire sur le moment que le chemin vers
l'école était immensément long, que beaucoup de choses pouvaient
encore se passer (c'est de ces apparentes légèretés d'enfants que
se développent petit à petit, puisque les chemins ne sont pas
immensément longs, cette anxiété-là et ce mortel sérieux);
moi-même, du moins lorsque nous étions encore sur le *Altstädter
Ring*, j'étais très sceptique sur le fait de savoir si la cuisinière qui,
sans doute, était une personne respectable, mais, tout compte
fait, seulement une fille de maison, oserait parler avec la personne
méritant le respect du monde entier *(Welt-Respekt-Person)*, le
professeur. Peut-être disais-je quelque chose de ce genre, car
alors la cuisinière répondait habituellement, brièvement, de ses
lèvres étroites et sans pitié, que je ne devais pas le croire, mais
qu'elle le dirait. Aux environs du passage conduisant à la *Fleisch-
marktgasse*, — ce site a encore une minuscule signification historique pour moi (en quelle région as-tu vécu comme enfant?) — la
crainte l'emportait sur la menace. Sans aucun doute l'école était
déjà pour moi une terreur et voici que la cuisinière voulait
encore l'alourdir. Je commençais à supplier; elle hochait la tête,
plus je suppliais; plus valable me paraissait ce que je demandais,
d'autant plus grand aussi le danger; je m'arrêtais, demandais
pardon, elle me traînait plus avant; je la menaçais d'un châtiment
par mes parents, elle riait : ici, précisément, elle était toute-puissante; je me retenais aux galeries des boutiques, aux pierres
d'angle, je ne voulais pas aller plus loin avant qu'elle m'ait
pardonné, je la tirais en arrière par sa robe (elle ne l'avait pas
facile!) mais elle me traînait plus loin en m'affirmant que, cela
aussi, elle le raconterait au professeur; il se faisait tard, huit heures
sonnaient à l'église Saint-Jacques, on entendait les cloches
de l'école, d'autres enfants commençaient à courir; c'était devant
le fait d'arriver trop tard que j'avais la plus grande angoisse;
maintenant nous devions nous aussi courir et sans cesse la
question me hantait : « elle le dira, elle ne le dira pas »; — cette
fois, elle ne le disait pas, jamais elle ne le disait, mais elle en avait
toujours la possibilité et même une possibilité croissante et
jamais elle ne la perdait. Et souvent, — songes-y, Milena, — elle
frappait du pied contre la porte, par colère contre moi; enfin, une
petite marchande de charbon se trouvait souvent aux environs,
et *regardait*. Milena, quelles sottises que tout cela, et comment
puis-je être à toi, avec ces cuisinières et ces menaces et toute
cette poussière énorme que trente-huit ans ont fait tourbillonner
et qui s'est mise dans mes poumons! (BM, p. 63-66).

J'ai essayé de rendre la phrase, interminable et oppressante, qui
matérialise la panique de l'enfant, l'apaisement momentané quand il
est sûr qu'« elle » ne « le » dira pas aujourd'hui, suivi du renouveau

d'angoisse, car « elle » garde la *possibilité* de le dire demain ; le texte
monte vers le petit mot : « *und schaute zu* », car le tableau est achevé
par le regard de la petite marchande de charbon sur l'enfant maussade
et menacé[27].

La scène se renouvela pendant une année, chaque matin. Songeons
au supplice du garçon et à l'absurdité des menaces que l'on fait si
souvent aux enfants : « Je vais le dire au maître, je vais le dire à ton
bon papa, je vais le dire à ta tante Ursule, etc. » Chez un enfant
sensible comme Franz Kafka, chez un petit Juif qui portait l'angoisse
d'un peuple qui depuis deux mille ans ne reçoit plus que des gifles
(je reprends ici le mot de Malraux), de tels propos devaient nourrir
un mortel sens du sérieux. Ce n'est pas en menaçant de révéler les
méchancetés d'un enfant au « dieu-tabou », qui « voit tout », — « *God
ziet mij, hier vloekt men niet* », — que l'on éduque une sensibilité humaine.
On crée la tentation de se terrer, de se faire tout petit, ver de terre,
pour échapper à l'angoisse, ou bien l'on provoque un ressentiment
terrible, qui éclate un jour en des révoltes comme celle de Nietzsche,
de Malraux, de Gide, de Sartre. Le risque est d'autant plus grave qu'il
s'agit ici, non point de la crainte, mais de l'angoisse, au sens fort du
terme : celle-ci est une hantise devant la *possibilité* permanente de voir
dire par la servante les méchancetés de l'enfant ; tandis que la *crainte*
naît devant une menace *précise*, l'angoisse s'éveille devant un danger
vague, dont on ne sait ni l'origine ni la nature[28].

Durant les heures de classe, l'angoisse inspirait à Kafka la nostalgie
de disparaître en se volatilisant :

> Et naturellement aussi le désir de mourir *(Sterbe-Wunsch)*,
> le vœu de rencontrer cette mort « commode », nous l'avons en

---

27. L'image du « regard » est capitale chez Kafka : lors de l'arrestation de
Joseph K., par exemple, une femme regarde ce qui se passe, de la fenêtre de la
maison d'en face ; au moment de l'exécution, quelqu'un se penche par une fenêtre ;
dans le dessin de la page 230 de BM (non reproduit dans LM) le regard de
l' « inventeur » du supplice se pose avec une sorte de dédain sur le supplicié ;
cfr aussi la fin de ce paragraphe.

28. On comprend que, devant cette menace, on finisse par se jeter sur le danger :
un apologue imagine une bête s'emparant du fouet de son maître pour se fouetter
elle-même (HL, p. 359). Kafka considéra sa tuberculose qui apparut dès 1917
comme le débordement d'une maladie spirituelle *(ein aus-dem-Ufern-treten der
geistigen Krankheit)* (BM, p. 50) ; dans la même ligne, il dira de la psychanalyse
qu'elle manque l'essentiel, à savoir que les maladies psychiques sont provoquées
d'abord par manque d'ancrage spirituel, par privation de foi, avant de l'être
par une autre cause (HL, p. 335-336). Le besoin de confiance dans les autres a, à la
fois, une signification religieuse et une incidence médicale ; c'est la même réalité
envisagée à deux points de vue, différents mais *complémentaires*.

commun, mais, bien sûr, c'est là le vœu d'un petit enfant, comme
celui que je faisais pour moi-même d'une manière ou d'une autre,
au moment du règlement des comptes, lorsque je voyais, en haut,
dans sa chaire, le professeur feuilleter son journal de classe et
vraisemblablement chercher mon nom et que je comparais avec
son regard plein de force, de terreur et de réalité, mon inaccessible
néant de connaissances; à ce moment, à moitié rêvant, à cause
de l'angoisse, je souhaitais pouvoir me lever à la manière d'un
fantôme *(geisterhaft)*, parcourir, comme un fantôme, le chemin
entre les bancs, passer en volant, devant le visage de mon professeur, et, devenu aussi léger que ma science mathématique,
franchir la porte, me rassembler dehors et cette fois être
libre au grand air, qui, sur toute la surface du monde qui
m'était connu, n'avait nulle part la même tension que, là, dans
la classe (BM, p. 145).

La nostalgie du « terrier » est ici remplacée par le rêve, vieux comme
le monde, de devenir « oiseau », de se volatiliser, d'acquérir la légèreté
d'un fantôme pour échapper au poids d'une menace mortelle.

Kafka, qui connaissait les explications psychanalytiques (BM,
p. 112), perce à jour le caractère infantile de ces tentatives de fuite,
car, évidemment, il ne pouvait pas *réellement* devenir invisible[29] :

Oui, cela aurait été « commode ». Mais ce ne fut pas. Je fus
appelé, reçus un exercice pour la solution duquel on avait besoin
de la table de logarithmes; je l'avais oubliée chez moi, mais
je mentis, affirmai qu'elle se trouvait dans mon banc (car je pensais
que le professeur me prêterait la sienne); je fus renvoyé à ma
place pour la chercher; je remarquai alors avec une terreur qui
n'était pas feinte (jamais je ne devais jouer à la terreur, à l'école)
que le livre ne s'y trouvait pas et le professeur (hier je l'ai rencontré encore) me dit : « Vous êtes un crocodile! » J'eus
une note d'insuffisance et c'était très bien, car je la recevais
d'une manière purement formelle et, en outre, injustifiée (j'avais
sans doute menti, mais personne ne pouvait me le prouver, est-ce
injuste?) mais, avant tout, je n'avais pas dû montrer ma honteuse
ignorance. De la sorte, dans l'ensemble, tout cela était encore
assez « commode » *(bequem)* et, grâce à des circonstances
heureuses, on pouvait, également dans la chambre (de classe),
« disparaître » *(verschwinden);* les possibilités étaient infinies

---

29. C'est, une fois de plus, une phase de sa vie d'adulte qui éveille chez Kafka
ce souvenir. Il est resté infantile toute sa vie, ainsi qu'il en témoigne lui-même,
indirectement, quand il dit que « pour ce qui est de son visage, sauf les cheveux
gris, il a à peine changé depuis sa seizième année » (BM, p. 68); les portraits en
font foi.

et l'on pouvait aussi dans la vie « mourir » *(und man konnte auch im Leben « sterben »)*[30] (BM, p. 145-146).

C'est par de telles expériences qu'un enfant « normal » s'éduque à la sincérité et au courage; l'écolier Kafka saisit au contraire tous les alibis qui le dispensent de montrer au jour son incapacité, mais, en même temps qu'il la dissimule, elle s'accroît, au point d'empêcher le choix libre d'une carrière :

> Dans cette situation, je reçus ainsi la liberté de choisir ma carrière. Mais étais-je encore capable, en aucune manière, d'user à proprement parler de cette liberté? Avais-je encore assez de confiance en moi-même pour songer à pratiquer une vraie profession? Mon estimation de moi-même dépendait bien plus de toi *(son père)* que de n'importe quoi d'autre, par exemple d'un succès extérieur. Celui-ci me réconfortait un instant, mais il restait sans effet, tandis que, de l'autre côté, ton poids tirait de plus en plus fort vers le bas (BV, p. 206).

L'influence occulte et paralysante du père réapparaît encore : au lieu que les succès remportés nourrissent progressivement un sentiment de confiance en soi, ils sont trop sporadiques, trop accidentels pour contrebalancer le poids du jugement paternel, qui l'entraînait inexorablement vers le bas. Le vertige d'une catastrophe finale entraîne l'enfant :

> Jamais, pensais-je, je n'arriverais à dépasser la première primaire, mais je réussis, j'obtins même une récompense; mais l'épreuve d'admission au Gymnase, celle-là, je ne pourrais pas l'affronter; mais je le pus; mais maintenant, j'allais m'effondrer durant la première année de Gymnase; non, je ne m'effondrai pas, et cela se passa ainsi, d'étape en étape. De tout cela, cependant, il ne sortit aucune confiance, toujours j'étais persuadé — et je voyais dans ta mine réticente une preuve de cela, — que, plus cela tournait bien pour moi, d'autant plus terrible serait l'issue finale (BV, p. 206; *non repris dans LP*)[31].

Kafka fut un écolier d'une remarquable intelligence, pas du tout un cancre, mais le « progrès » de son esprit semble réduit à néant devant

---

30. Souligné par Kafka lui-même.
31. On retrouve le même schéma dans *Amérique,* car chaque succès de Karl amène presque automatiquement la chute, et dans *Le château,* où l'entrée dans la famille de Barnabé est aussi l'insertion dans le seul milieu qui a perdu tout contact avec le château!

l'angoisse vertigineusement accélérée de la culbute finale : ainsi, celui qui a marché des heures dans un labyrinthe, se retrouve à son point de départ. Le masque de « gorgone » du père de l'enfant prolifère, si l'on ose dire, et vient se superposer sur les visages des professeurs et des examinateurs (comme plus tard il le fera sur toute la société). *Le monde va se « peupler » de « pères » énigmatiques* dont l'ombre s'étendra sur la ville de Prague et sur la bureaucratie poussiéreuse de la double monarchie. Le tribunal des examinateurs s'élargit aux dimensions du monde, *mais il ne concerne que le seul Kafka;* je verrais l'adolescent, minuscule, tremblant, essayant de se cacher, car il est nu devant un tribunal énorme dont les lignes se perdent dans l'infini; alors, petite carcasse vacillante, il ne rêve que d'une chose : se métamorphoser, rentrer sous terre ou se volatiliser; mais il ne le peut, car il sera jugé :

> Souvent je m'imaginais la terrible réunion des professeurs (le Gymnase est seulement l'exemple le plus caractéristique, mais partout, autour de moi, il en était ainsi), je voyais comment, lorsque j'aurais passé la première classe, sans doute dans la seconde, quand j'aurais réussi celle-là, alors dans la troisième, et ainsi de suite, comment ces professeurs se réuniraient pour enquêter sur ce cas unique, et qui criait vengeance au ciel : « Comment le plus incapable et sans contredit le plus ignare, avait-il pu se glisser *(schleichen)* jusqu'à cette classe? » Alors, devenu l'objet de l'attention générale, je serais immédiatement chassé *(ausspeien)* pour la plus grande jubilation de ces justes enfin libérés de ce poids lourd comme les Alpes (BV, p. 206-207).

L'indignité du coupable est devenue tellement criante qu'elle a comme débordé des digues intérieures, elle s'inscrit sur le visage et le corps de l'accusé : celui qui a su se traîner *(sich schleichen)*, larve immonde, blatte ou cloporte, parmi les vivants, ne peut même pas bénéficier de l'alibi de sa « métamorphose »; il s'est glissé *incognito* parmi les hommes, mais l'enquête (*Untersuchung*, terme emprunté au langage du droit) est à son terme et le jugement va être prononcé. On dirait que, enfin, les vivants, les « vrais », ceux qui ont le droit de respirer, de rire et d'aimer, ont été distraits; mais voici qu'ils regardent cet être indigne, cet écolier qui *mérite* la mort : sa seule existence crie vengeance, elle pèse comme les Alpes sur la poitrine des justes; il faut qu'ils vomissent cette larve.

3. Un adolescent qui choisit l'indifférence

Dans ce climat d'autopunition et d'angoisse, le choix de la profession ne fut qu'une comédie : Kafka va choisir la carrière qui lui permettra de sauver cette « indifférence » intérieure qui, du moins, amortissait les coups que la vie lui portait sans cesse :

> Vivre avec de pareilles imaginations *(de condamnation et de jugement)* n'était pas chose facile pour un enfant. En quoi, en ces circonstances, l'enseignement pouvait-il m'intéresser? Qui aurait été capable de faire jaillir de moi la moindre parcelle de participation *(Anteilnahme)*? L'enseignement m'intéressait, — et pas seulement l'enseignement, mais tout, autour de moi, en cet âge décisif de ma vie, — à peu près autant qu'un banquier en faillite, qui est encore en place et tremble devant la découverte du pot aux roses, s'intéresse aux affaires courantes de la banque, ces affaires qu'il a encore toujours à accomplir comme employé. Aussi petit et lointain était tout cela en face de la chose essentielle...[32] A vrai dire, je n'étais pas libre dans le choix de ma profession, je pensais ceci : tout ce qui ne touchera pas l'essentiel me sera aussi indifférent que les matières enseignées au Lycée; il s'agit, par conséquent, de trouver la profession la plus propre à me permettre cette indifférence sans qu'elle blesse par trop ma vanité. Il était donc évident que je choisirais le droit (BV, p. 207; MBFK, p. 55 éd. française, sur la 2ᵉ éd. allemande; éd. all. p. 54-55)[33].

On se demande pourquoi le droit permettait de sauvegarder « l'indifférence » de Kafka! Quoi qu'il en soit, l'auteur du *Procès* assimilera avec une redoutable puissance dialectique les arguties

---

32. Les lignes que je saute résument la carrière scolaire de Kafka.
33. Max Brod prétend que le « rôle de la victoire du père » dans le choix de la carrière de Kafka est une construction imaginée après coup; le vrai motif des hésitations aurait été que, tout comme Brod lui-même, Kafka ne songeait à rien d'autre qu'à la carrière littéraire et qu'aucune étude ne pouvait lui plaire; on sait du reste que Brod diminue autant que faire se peut le rôle du père dans la vie de Kafka, car il y voit une exagération tardive provoquée par le découragement du poète. Il semble que l'indifférence dont il est ici question, en face des carrières, n'ait rien à voir avec celle de l'artiste qui a besoin de son temps; elle est liée à la blessure portée par le père; Brod ne commence sa citation qu'à l'endroit où l'équivoque devient possible sur le sens du mot « *Gleichgültigkeit* », c'est-à-dire exactement là où j'ai mis l'appel de la note 32; de plus, un autre passage de BV parle, à propos du même thème, « d'indifférence animale » (BV, p. 204) : elle n'a évidemment rien à voir avec l'indifférence et la disponibilité de l'artiste. Ces procédés très approximatifs sont fréquents chez Brod (cfr aussi, p. 266, n. 41).

juridiques, tout en éprouvant un effroyable sentiment de vide durant ses études :

> Autant dire que pendant les quelques mois qui précédaient l'examen, soumettant mes nerfs à une rude épreuve, je nourrissais littéralement mon esprit de sciure de bois, que, par ailleurs, des milliers de bouches avaient déjà mâchée avant moi (BV, p. 207; MBFK, éd. fr. p. 55, éd. all. p. 54)[34].

* * *

Au seuil de la vie adulte, le monde est grouillant de « regards innocents » qui se posent sur l'adolescent et le jugent :

> Pour moi le bureau, — et il en est allé de même pour l'école primaire, le lycée, la faculté, la famille, tout, — le bureau est un être humain, un être vivant qui me regarde, où que je sois, de ses yeux candides *(unschuldsvolle Augen)*, un être auquel j'ai été lié de je ne sais quelle mystérieuse façon bien qu'il me soit plus étranger que les gens que j'entends en ce moment passer en auto sur le *Ring* (BM, p. 138-139, LM, p. 146).

Un Cocteau transforme les réalités vivantes en décors de carton pâte, allant ainsi de la vie à la mort; pour Kafka, le processus est inversé : les réalités les plus impersonnelles deviennent personnelles, vivantes, mais d'une sorte de vie monstrueusement proliférante, qui brille dans des regards fixes et des yeux « innocents »; le coupable se sent plus étranger à ces « yeux » qu'aux autos qui passent sur le boulevard principal de Prague; l'ombre du père, devenue gigantesque, le traque partout; le monde « est plein d'espions qui écoutent » (BM, p. 255).

Une précieuse lettre de Milena à Max Brod concrétise cette angoisse maladive devant les réalités les plus simples de la vie sociale :

> Pour lui (Franz) la vie est quelque chose de tout à fait autre que pour les autres hommes; avant tout, l'argent, la bourse, la centrale de change, une machine à écrire sont pour lui des réalités tout à fait mystiques (et elles le sont en fait, mais pas pour nous), elles sont pour lui l'énigme la plus rare, devant laquelle il ne se

---

34. On sait l'abondant usage que Kafka devait faire du vocabulaire juridique dans son œuvre : le pilpoul rabbinique, la dextérité des juristes de la double monarchie inspirent ces pages hallucinantes du *Procès* où Titorelli explique la différence qui existe entre l'acquittement définitif, l'acquittement provisoirement définitif, l'acquittement définitivement provisoire.

présente absolument pas comme nous... Pour lui, l'emploi *(das Amt)*, même le sien, a quelque chose d'aussi énigmatique, d'aussi digne d'admiration que, pour un enfant, une locomotive. Les choses les plus simples de l'univers, il ne les comprend pas.

Milena raconte alors comment une simple opération de payement à la poste devient chose « mystique » : Kafka rend une couronne qu'on lui a donnée par erreur, puis, s'il voit qu'en fait on lui a payé la somme exacte et qu'il doit donc réclamer la couronne qu'il vient de rembourser, il se demande ce qu'il va faire, se sentant incapable de laisser les choses ainsi. Le même homme qui donnerait avec enthousiasme vingt mille couronnes à Milena, se demande comment lui donner vingt mille *et une* couronnes, car, comme il n'a pas la monnaie nécessaire, il ne veut pas laisser une seule couronne en trop :

> Son étroitesse *(seine Beengheit)* en face de l'argent est presque la même qu'en face de la femme. Sa peur devant l'emploi, également *(Seine Angst vor dem Amt)*. Je lui ai télégraphié, un jour, je lui ai téléphoné, écrit, supplié au nom de Dieu, de venir pour un jour près de moi... Je l'ai maudit par la vie et par la mort. Durant des nuits entières il n'a pas dormi, il s'est rongé lui-même, il a écrit des lettres entières où il se déchirait, s'anéantissait lui-même, *mais il n'est pas venu*. Pourquoi? Il n'a pas pu demander l'autorisation. Il n'a pas pu, à ce directeur, ce même directeur qu'il admire du plus profond de son âme (sérieusement!) parce qu'il écrit si rapidement à la machine, il n'a même pas su lui dire qu'il venait chez moi! Et lui dire autre chose, — encore une lettre désespérée, — comment cela? Mentir? Dire un mensonge à un Directeur? Impossible (MBFK, 3ᵉ éd. allemande, p. 278-280; la lettre traduite du tchèque par Brod, est retraduite ici en français).

Ces textes de 1920-1922 montrent que l'angoisse n'a fait que grandir dans l'âme de Franz Kafka : l'innocence inaccessible du « père » est passée d'abord au personnel de sa maison de commerce, ensuite au tribunal des professeurs, enfin elle s'est étendue à la société tout entière : celle-ci, malgré ces mesquineries parfois sordides que Kafka décrira, demeure parée d'une grandeur sacrée : lui mentir est impensable; elle est devenue monstrueusement juste et menaçante, puisque, sur tous les visages des hommes dans le monde social, le masque du père, énigmatique et sacré, innocent et condamnant, s'est posé.

En face, Kafka, seul coupable, seul condamné, *vit* chaque jour, chaque minute, *l'incapacité de vivre qu'est sa vie*.

CHAPITRE III

Les tentatives de salut

A la fin de la *Lettre*, Kafka donne la parole à son père; celui-ci accuse alors son fils d'impuissance coupable :

> Incapable de vivre, voilà ce que tu es; mais pour pouvoir t'installer commodément dans ton incapacité et y rester sans te faire de souci ni de reproches, tu démontres que je t'ai enlevé ton aptitude à vivre et que je l'ai mise dans ma poche (BV, p. 122; LP, p. 1045).

La culpabilité se dédouble ici en un *sentiment* éprouvé par Kafka et un *jugement* porté par les autres sur le coupable.

Le *sentiment* de culpabilité était lié à l'incapacité de vivre que l'adolescent éprouvait devant le jugement paternel : en même temps que son père voulait, par ses ordres et conseils, que son fils s'affirme victorieusement comme capable de vivre, il annihilait les forces vitales de l'enfant par l'excès de sa force et par le jugement qui le condamnait avant même qu'il sache ce qu'il avait fait, avant même qu'il ait commencé à le réaliser. Cette culpabilité est d'ordre *vital*, et s'identifie au sentiment de l'existence, au mode selon lequel Kafka éprouva la vie, dès les premiers souvenirs.

Se *justifier* de ce « sentiment » de culpabilité[1] c'était prouver la vie en la vivant, manifester sa capacité de vivre : les héros kafkaïens vont

---

1. Un texte de février 1918 indique bien ce besoin de justification qui anime Kafka : « Personne ne crée ici quelque chose de plus que la possibilité spirituelle de sa vie; selon les apparences, il travaille pour sa nourriture, son vêtement, mais cela est chose accessoire; avec chaque bouchée visible, une invisible lui est accordée, avec chaque vêtement visible, un invisible, et ainsi de suite. C'est la justification de chaque homme. Selon l'apparence, il approuve son existence et les justifications sont ajoutées après, mais ce n'est là qu'écriture psychologique à lire dans le miroir; en réalité, l'homme établit sa vie sur ces justifications. Sans doute, chaque homme doit pouvoir justifier sa vie (ou sa mort, ce qui est la même chose), il ne peut échapper à cette obligation. Nous voyons chaque homme vivre sa vie (ou mourir sa mort). Sans justification interne, cette œuvre serait impossible,

essayer de se fixer dans la vie *(sich festzustellen)*, mais la *Lettre* veut montrer que vouloir vivre, prouver la marche en marchant, est, pour Kafka, un acte *impossible*, car le père l'en empêche, et un acte *coupable*, car, en face des obstacles mis par le père à la vie, la seule issue est la révolte contre lui : la situation initiale est donc *absurde*, car pour ne plus *être* coupable, Kafka doit *devenir* coupable, par la révolte, seul moyen de vivre.

Le *jugement* de culpabilité porté par le père et la société implique, lui, que le drame de Kafka est né d'*une vraie faute morale*, qui aurait pu être évitée[2] : il ne s'agit plus, cette fois, de prouver sa capacité de *vivre, par exemple en se mariant*, mais d'établir son *innocence* devant un *tribunal*. Mais nous sommes de nouveau au rouet, parce que le *seul* tribunal réel est celui du père, dont le verdict condamne avant toute tentative de justification. La seule issue encore ouverte sera de *prévenir* en quelque sorte le jugement, en se punissant soi-même par avance, par exemple en se terrant, en se cachant, en se détruisant soi-même : c'est le thème de l'*autopunition*, essentiel dans l'œuvre.

Il y a deux tentatives de salut, c'est-à-dire de justification, chez Kafka : une, réelle, celle de *la femme*, l'autre, irréelle, mais destinée à prouver l'impossibilité du salut, celle de *la littérature*. Chercher une

---

aucun homme ne peut vivre une vie qui ne soit pas justifiable *(ungerechtfertiges Leben)* » (HL, p. 121-122). Ce texte est à mettre en relation avec celui qui nous servira de *leitmotiv* dans le chapitre V sur la nécessité d'un sol, d'une loi. Le thème est incompréhensible chez un Malraux et un Sartre; ce qui frappe en tout ceci, c'est la problématique juive : la justification est une légitimation devant *quelqu'un*.

2. Je traduis ici le texte remarquable de R. TIMMERMANS, dans DWB, p. 73-74 : « La conscience qui obsédait Kafka, de se trouver dans un état d'impuissance coupable en face de la vie, il l'a résumée de manière admirable à la fin de sa *Lettre au père*. Il donne la parole au père lui-même et celui-ci, comme accusation, prononce la parole suivante : « Incapable de vivre, voilà ce que tu es; mais pour pouvoir t'installer commodément dans ton incapacité et y rester sans te faire de soucis ni de reproches, tu démontres que je t'ai enlevé ton aptitude à vivre et que je l'ai mise dans ma poche » (BV, p. 122; LP, p. 1045). La vie de Kafka fut réellement sous le signe de ce paradoxe : parce qu'il n'était pas éduqué à la vie, — le père en était la mesure, — il se sentait coupable, et le père juge et condamne cette impuissance comme étant l'attitude facile devant la vie, celle du parasite dans la société. Il porte en lui *et* la culpabilité de sa vie même *(levensschuld)*, cette culpabilité qui croissait *en* lui, *et* l'accusation de culpabilité *(de beschuldiging)* que le monde laisse tomber *sur* lui. Le père est omniprésent : comme incarnation de la vie que Kafka veut, mais ne peut atteindre, comme héraut du monde qui le condamne. Sur ce chemin, croît en lui la double conscience, à cause de son manque de force vitale, être exclu de la vie et être jugé par le monde comme le coupable qui se soustrait à la vie... En face du monde, Kafka *se sent* coupable et le monde *juge* qu'il est coupable. La distance entre les deux concepts de faute donne en même temps une dimension nouvelle au chemin qu'il doit parcourir. Son *impuissance* coupable, le monde la voit comme *lâcheté* coupable ».

femme, dans la paix du mariage, c'est poursuivre la première forme de
justification, celle qui doit délivrer du *sentiment* d'incapacité coupable;
écrire des œuvres littéraires, c'est poursuivre la seconde, tenter de
prouver devant un tribunal que le jugement est injuste, que l'on est
innocent, que l'incapacité de vivre n'est pas un alibi. L'échec de ces
deux tentatives se traduit par la volonté de se faire tout petit, de vivre
dans un terrier où plus rien ne peut vous atteindre; mais c'est encore
être condamné, non plus par les autres, mais par soi-même : le coupable
devient à la fois *son propre juge et son propre bourreau;* au thème du
terrier se conjoint celui de l'autopunition, incarné dans *La colonie
pénitentiaire*[3].

   Le « projet » de Kafka, c'est-à-dire l'œuvre qu'il va réaliser à
partir de son expérience fondamentale de la vie, sera de franchir
la distance qui sépare le *sentiment* de culpabilité lié à l'impuissance
vitale et le *jugement* de culpabilité que les autres portent sur lui : « sa
vie sera une approche de la vie qui durera toute la vie »[4], un « tourment
de la naissance »[5], une « marche sur place »[6].

------

   3. DWB, p. 74 me sert de base en tout ceci : « La vie n'est jamais pour lui une
reconnaissance de droits; elle pèse sur lui en termes d'une tâche *(opgave)*, comme
une conquête... Chaque homme se trouve devant la vie, et à partir de ce point de
départ, il construit sa vie. Cependant, Kafka se découvre lui-même loin en arrière
de ce point de départ; la ligne de départ se trouve pour lui bien avant. Il doit
d'abord franchir la distance qui le mènera au-delà de son impuissance afin d'atteindre
ce point de départ, afin de prouver au monde son innocence, c'est-à-dire sa volonté
de vivre. Dès le commencement, la tâche de vivre revêtira donc pour lui le caractère
de l'absurdité ».
   4. DWB cite alors G. ANDERS, « Sa vie est une approche de la vie qui dure
toute la vie *(Sein Leben ist ein lebenslängliches Ankommen)* »; le mot sert de titre
à un paragraphe de *Franz Kafka, pro et contra*, p. 20.
   5. Le 24 janvier 1922, Kafka écrit dans J : « Hésitation devant la naissance.
S'il y a une transmigration des âmes, la mienne n'a pas encore atteint le degré
le plus bas. Ma vie est hésitation devant la naissance » (J, p. 537-538); le 15 mars
de la même année, il écrit : « N'être pas encore né et être déjà forcé de se promener
dans les rues, de parler aux hommes » (J, p. 554); un *Aphorisme* élargit ces perspectives, comme souvent chez Kafka : « L'instant décisif de l'évolution humaine dure
toujours. C'est pourquoi les mouvements spirituels et révolutionnaires, qui déclarent
nul tout ce qui fut jadis, le font à juste titre, car rien encore ne s'est produit *(denn
es ist noch nichts geschehen)* » (HL, p. 39-40, JI, p. 248-249). On voit clairement
que, en ce qui concerne Kafka lui-même, le point de départ est situé en deçà de
la ligne dont partent les autres. Il y a une idée plus profonde dans ces textes, à
savoir le néant de toutes les pensées de type cyclique, centrées sur le retour éternel
ou sur le mouvement qui est nécessairement dégradation, aliénation de l'un et de
l'immobile; pour Kafka, rien d'essentiel n'est encore arrivé; sa pensée est tendue
vers l'avenir. Ces passages montrent à suffisance que le besoin métaphysique et
religieux de Kafka porte sur *ce monde-ci* : il s'agit de *naître*.
   6. Le thème de la marche sur place est exprimé dans J, p. 536-537 : « ma vie
s'est déroulée jusqu'ici comme une marche sur place *(ein stehendes Marschieren)*,

I. La femme et l'amour

La femme et l'amour auraient seuls pu délivrer Kafka de son *sentiment* de culpabilité, car les filles d'Ève sont, ici-bas, une des patries de l'homme :

> La femme n'est pas la répétition inutile de l'homme mais le lieu enchanté où s'accomplit la vivante alliance de l'homme et de la nature. Qu'elle disparaisse et les hommes sont seuls, étrangers, sans passeport dans un monde glacial. Elle est la terre elle-même portée au sommet de la vie, la terre devenue sensible et joyeuse, et sans elle, pour l'homme, la terre est devenue muette et morte.[7]

Kafka est un homme « sans passeport » dans un monde glacial; il a décrit l'horreur de la vie du célibataire, il a dit le bonheur d'être père, d'être auprès de sa femme; il a aimé la jeunesse, les enfants. La tentative majeure de sa vie, celle qui devait l'égaler à son père, en une émulation pacifique et victorieuse, aura été de se marier :

---

sans évoluer, ou en évoluant tout au plus à la manière d'une dent cariée en train de pourrir » (23 janvier 1922). Une série de textes et de faits s'éclairent par ce thème : le 5 janvier 1912, dans J, p. 206 : « Uniformité. Histoire »; l'impression de Kafka de n'avoir jamais su sortir du centre du cercle où il était pour franchir la frontière; maintenant il est paralysé, car toutes les tentatives avortées ont dessiné à partir du centre une série de lignes qui n'ont pas abouti et qui barrent la route vers de nouvelles recherches (J, p. 537); les passages sur le célibataire qui n'a que l'instant présent (J, p. 11-13) et n'a aucun espoir de renouvellement (J, p. 188); la sexualité maladive et infantile insinuée dans l'image de l'enfant emmailloté (J, p. 137); le fait qu'il ne ressent pas la souffrance de l'attente (J, p. 170), qu'il ne croit pas au progrès, mais n'attend seulement qu'en rêve « le miracle » et cela dans la passivité (J, p. 199-202, 219, 385); enfin, l'insensibilité de Kafka à la musique qui est essentiellement art de mouvement (J, p. 164-165, p. 240). Le vrai sens de ce thème, qui n'est qu'apparemment en contradiction avec celui du tourment de la naissance, est indiqué dans BM, p. 248 : « Je ne puis, de moi-même, marcher sur la route que je veux suivre, oui certes, je ne parviens pas même à vouloir partir, je ne puis seulement qu'être calme *(still)* je ne puis rien vouloir d'autre, je ne veux également rien d'autre », complété par BM (p. 254) : « Être dans le silence est le seul moyen de vivre » *(Still sein ist das einziges Mittel zu leben hier und dort)* ». Chaque fois que Kafka parle de la marche sans avancer, il se considère lui-même, lui qui n'est pas encore vraiment né à la vie, encore détaché de son père, et ne pouvant l'être; seulement, cela ne change rien au fait que la vie est naissance, croissance, montée et non recommencement indéfini. Autrement dit, Kafka ne nie pas la réalité des choses qu'il ne parvient pas à vivre lui-même.

7. M. CARROUGES, cité dans Simone de BEAUVOIR, *Le deuxième sexe*, t. I, p. 232, n. 1. On traitera de ce livre dans le tome V de cette série; *Le deuxième sexe* vient d'être porté au catalogue de l'*Index.*

La femme, ou, pour le dire mieux, la femme dans le mariage, est le représentant de la vie, avec lequel tu dois t'expliquer (HL, p. 118)[8].

1. Solitude et célibat

« Il est sans doute trop tard, et mon retour aux hommes se fait par un étrange détour », écrit le *Journal*, le 4 février 1922 (J, p. 547); déjà, en février 1918 : « Le chemin vers mon prochain est pour moi très long » (HL, p. 131), mais il faut le suivre, « car la solitude ne peut apporter que des châtiments » (J, p. 383)[9]; « l'image de mon existence... est bien rendue par celle d'une perche inutile couverte de neige et de gelée, plantée légèrement et de travers dans le sol, sur un champ retourné de fond en comble à la lisière d'une grande plaine vue par une sombre nuit d'hiver » (5 décembre 1914, J, p. 108). Un passage isolé exprime de manière déchirante le poids de la solitude et le besoin d'être *conduit* par quelqu'un :

Loin d'ici! Loin d'ici! Ne me dis pas vers où tu me conduis. Où est ta main, ah! je puis à peine la trouver dans l'obscurité. Si seulement je tenais ta main, je crois, tu ne me rejetterais pas alors. M'entends-tu? Es-tu seulement dans ma chambre? Peut-être n'es-tu point ici. Et d'ailleurs qu'est-ce qui pourrait bien t'attirer au milieu des glaces et des brumes du nord où l'on ne devrait pas même soupçonner de présence humaine? Tu n'es point ici. Tu as évité ces lieux. Mais pour moi c'est une question de vie ou de mort que de décider si oui ou non tu es ici (HL, p. 272, JI, p. 286).

Il faut que « quelqu'un » vienne, parce que, vérité que Malraux veut ignorer, la solitude est un *exil* qui nous a banni loin d'une mystérieuse *patrie :*

---

8. Sur les péripéties matrimoniales de Kafka, voir MBFK, p. 170-205. Remarquons que l'idée de mariage est pour Kafka le renforcement de l'idée de la femme.
9. Il est bon de rappeler que Kafka avait *choisi* la solitude : « Je m'isolerai de tous », écrit-il, le 15 août 1913; être seul a sur lui un pouvoir unique, qui délie son être intérieur et laisse poindre les choses les plus profondes (26 décembre 1910, J, p. 24), par exemple, la création littéraire (21 juillet 1913, J, p. 281). Ce choix est exclusif jusqu'aux fiançailles de 1912 : le *Journal* du 11 février 1913 montre le lien de la composition du *Verdict* avec cette sorte de condamnation que Kafka a portée sur lui-même en tant que solitaire (J, p. 267-268); le récit *La promenade soudaine* incarne une « solitude qui, en raison de l'extrême degré qu'elle représente pour l'Europe, ne peut être qualifiée que de russe » (J, p. 206).

De nouveau, de nouveau, banni très loin, banni très loin. Montagnes, déserts, immenses pays, voilà ce qu'il s'agit de traverser (HL, p. 273).

L'exilé, le banni doit rejoindre, à travers les déserts, la terre promise, celle des hommes. Mais Kafka en resta toujours « exclu », spectateur clandestin et honteux qui erre autour du cirque et regarde le spectacle intérieur par un petit trou de la toile : « nous tous on nous tolère de la sorte pour un instant... jusqu'à ce qu'enfin l'on tombe à demi morts d'effroi dans les bras du policier qui, chargé de surveiller les abords du cirque, vous a légèrement tapé de la main sur l'épaule pour vous rappeler ce qu'a d'inconvenant ce regard tendu dont vous fixez un spectacle pour lequel vous n'avez rien payé » (HL, p. 302, JI, p. 222-223); « vraisemblablement, écrit-il à Milena, il n'y a pas dans le monde de poids suffisant pour élever mon pauvre petit poids personnel » (BM, p. 236).

Le célibataire incarne le degré zéro de la solitude; ce thème traverse tout le *Journal :* le 19 juillet 1910, on lit que « le célibataire n'a que l'instant,... la pointe de ses pieds peut seule le maintenir au monde;... il s'est couché comme les enfants qui se couchent çà et là dans la neige en hiver, pour mourir de froid; lui et ces enfants savent bien que c'est leur faute » (J, p. 11)[10]; le célibataire ressemble aussi aux personnages secondaires des pièces : ceux-ci ne sont « expressément autorisés qu'à rester dehors, et, se noyant dans l'arche de Noé sous les averses, à presser une dernière fois leur visage contre un hublot, afin que le spectateur du parterre aperçoive là un instant quelque chose d'obscur » (J, p. 19)[11].

Un texte peu connu résume ce drame de manière mi-tragique, mi-humoristique :

Célibat et suicide se tiennent sur le même degré de la connaissance, suicide et martyre, en aucune manière ne sont sur le même degré, mais peut-être mariage et mort de martyr le sont-ils (HL, p. 87; *texte de 1917, 24 novembre*).

La deuxième partie du passage laisse entrevoir pourquoi Kafka **avait** peur du remède au célibat et à la solitude, le mariage.

---

10. Cfr *supra*, p. 197, n. 9; c'est dans ce contexte que paraît le texte sur le « point d'Archimède » qui sert de base à l'étude de EMRICH sur Kafka dans DLZJ.
11. Voici quelques références : J, p. 331-332, 336, 402, 469, 519, 532.

2. Échec des fiançailles

Kafka voulait se marier pour devenir égal *(ebenbürtig)* à son père, dans l'indépendance; il aurait une famille « ce qui est, d'après lui, ce qu'on peut atteindre de plus élevé ». Hélas, « c'est trop, on ne peut pas espérer en obtenir autant »; le mariage est ce qu'il y a de plus respectable, mais aussi ce qui est le plus lié au père; or celui-ci emprisonne l'adolescent dans un cercle fermé, dont il ne peut sortir sans être puni; Kafka est semblable au « prisonnier qui a l'intention de s'évader... mais qui projette aussi, et ceci en même temps, de transformer sa prison en château de plaisance...; mais, s'il veut s'évader, il ne peut pas entreprendre la transformation, et s'il l'entreprend, il ne peut pas s'évader » (BV, p. 216-217, LP, p. 1040) :

> Précisément cette relation étroite (avec le père) m'attire également aussi vers le mariage. Je me représente cette « concitoyenneté » *(Ebenbürtigkeit)* qui alors naîtrait entre nous et que toi tu pourrais comprendre comme personne d'autre, je me la représente si belle précisément pour ce motif que je pourrais être un fils libre, reconnaissant, non-coupable, droit, et toi, un père qui n'oppresserait plus, qui ne tyranniserait plus, mais compatissant, content. Mais pour obtenir ce but il faudrait précisément que tout ce qui est advenu soit non-advenu *(alles Geschehenes ungeschehene)*, cela signifie que nous-mêmes devrions être supprimés *(ausgestrichen)* (BV, p. 217)[12].

On entrevoit ici la vraie paternité, celle qui délivre : il n'y aurait plus de conflit où se mêlent ressentiment et amour, mais seulement liberté, action de grâces, innocence et droiture, d'un côté, et de l'autre, douceur, débonnaireté, compassion et contentement; il ne faudrait plus « tuer son père » pour être soi-même; au contraire, un amour plus profond, une participation à la vie du père, *en devenant père soi-même*, créeraient entre le père et le fils une relation vivante.

Ce qui écarte Kafka du mariage, c'est l'idée qu'il devrait posséder « toutes ces qualités qu'il a reconnues en son père, bonnes et mauvaises, prises ensemble, c'est-à-dire de la force et du mépris pour les autres, de la santé et une certaine démesure, de l'éloquence et un caractère intraitable, de la confiance en soi et de l'insatisfaction à l'égard de tout ce qui n'est pas soi, un sentiment de supériorité sur le monde et de la tyrannie, une connaissance des hommes et de la méfiance à l'endroit

---

12. Les ressemblances et différences avec le cas de Kierkegaard sont frappantes.

de la plupart d'entre eux, — à quoi s'ajoutent des qualités entièrement positives, telles que l'assiduité, l'endurance, la présence d'esprit, l'ignorance de la peur » (BV, p. 219-220, LP, p. 1043).

Kafka cède à une critique de réduction quand il énumère avec mauvaise humeur la série de défauts (qu'il appelle « qualités », bonnes et mauvaises) qu'il devrait posséder lui-même pour se marier. Il essaye de se donner un brevet d'innocence dans son célibat, en cataloguant les « qualités » nécessaires au mariage. On surprend au naturel le mécanisme mental par lequel un être blessé en son âme profonde essaye de se rassurer. La maladie psychique[13] provoque ici un aveuglement à demi volontaire : l'absence des « qualités » paternelles est notée comme l'obstacle *essentiel* au mariage; c'est une conviction « maintenant indéracinable que pour pourvoir à la suffisance d'une famille et combien plus encore pour en être vraiment le chef », il faut avoir ces qualités. Kafka est tellement envoûté par son père qu'il ne peut se représenter rien de ce que le père éprouve, autrement que *comme* il l'éprouve; s'il considère de véritables qualités, qui impliquent force, courage, endurance, assiduité, il fait semblant d'y voir unis nécessairement la dureté et le mépris des autres. Il n'a pu entrevoir que de manière abstraite l'âme d'un véritable foyer, car, dans son tableau, la femme ne joue pas le moindre rôle : ce qui l'obsède c'est la tyrannie d'un *homme*, non point l'échange de deux amours et la communication de la vie d'un être à un autre. Les pages qui veulent décrire le « bonheur inouï d'être assis près du berceau de son enfant, à deux pas de sa femme », sont rêvées, elles se situent dans une autre existence, proche et inaccessible; lorsque, concrètement, le problème du mariage se posera pour lui, par exemple lors des deux fiançailles avec F. B., l'image du père qui monopolise ces qualités et défauts nécessaires au mariage[14] bloquera le mécanisme psychologique.

---

13. Cfr la thèse médicale citée *supra*, p. 197, n. 10.

14. Deux autres raisons sont données par Kafka dans BV : l'une concerne sa crainte, s'il se mariait, d'avoir des enfants qui « vous feraient payer plus tard les torts qu'on eut soi-même envers ses parents »; mais il l'écarte vite par suite du fait que « la conscience de sa culpabilité lui vient trop réellement de son père » et que ce sentiment « a un caractère unique qui fait partie de sa nature douloureuse de sorte qu'une répétition est insoutenable » (BV, p. 218, LP, p. 1041-1042). L'autre raison est que le mariage rendrait impossible « ces petits essais d'indépendance et de fuite » que Kafka a réussis dans son œuvre littéraire; un passage de J (9 mars 1914) affirme que c'est « principalement le désir de préserver son travail littéraire qui l'a empêché de se marier, si fort qu'il ait aimé F. » (J, p. 336).

* * *

Kafka est « spirituellement inapte au mariage » (BV, p. 216, LP, p. 1040) parce que la vision de son père le met devant un obstacle insurmontable, cinq marches à gravir *d'un coup*, alors que les autres les gravissent une à une (BV, p. 209, LP, p. 1034); un énorme vivant obstrue tout.

Pour Kafka, en effet, il n'y a pas *deux* vies, celle du père et la sienne qui pourraient coexister, il n'y a *numériquement* qu'une seule vie, celle du père, tout ce qui est en dehors d'elle, comme tout ce qui n'était pas recouvert sur la carte par le père, est inexistant. Pour vivre, il lui faudrait donc s'emparer de cette vie unique, en tuant le père, mais en même temps il faudrait ne pas s'en emparer, parce que, le père mort, *il n'y a plus de vie du tout :* Kafka n'a donc jamais vécu réellement[15].

Aucun drame ne révèle mieux que celui-ci comment la maladie psychique est, d'une façon ou d'une autre, *une incapacité de s'insérer dans le monde des autres, sinon sous forme de défiance, de menace, de lutte* pour la survivance du plus apte. La santé psychique est par contre l'entrée dans le monde de l'*amour*. Participer à la vie du père en devenant père soi-même, dans le mariage, en recevant du père de pouvoir donner la vie, c'est dépasser le plan de la lutte, transcender le « vouloir conquérir », la soif de « posséder », la rage de « prendre la place de l'autre ». « Toute paternité au ciel et sur la terre descend du père des lumières » : celle du père de Kafka ne lui fut donc donnée qu'un instant, pour qu'il puisse se réjouir un jour de la voir revivre en son fils, devenu père à son tour; le père de Kafka devait savoir, et savait sans doute, de par son ascendance religieuse juive, que l'homme n'est qu'un lieu de passage de la paternité, un sanctuaire provisoire, et qu'elle se parfait en se communiquant. Au lieu d'une paternité terrestre qui lui serait apparue un reflet de celle d'en haut, une vie unique dont son père *et* lui, ses enfants et les enfants de ses enfants, participeraient, l'adolescent Kafka n'a vu que l'ombre caricaturale de son père, se profilant, gigantesque, sur un ciel gris et le dominant, anonyme et condamnatrice, lui, petit garçon jamais entièrement né, recroquevillé sous le vent de la peur. Tout se passe sur le seul plan de la quantité et de *la matière*, donc sur celui de ces richesses qui ne peuvent se communiquer, sinon en se partageant, se divisant, pour

---

15. Cfr la nouvelle *Le verdict*, où les projets de mariage de Georges Bendeman sont interprétés par le père comme une volonté de l'étouffer; la malédiction du père provoque le suicide de Georges.

tendre à la mort, au lieu que les richesses *spirituelles* s'amplifient, *s'enrichissent en se communiquant* et rendent plus riches chacun de ceux qui en vivent.

Le Dieu-Trinité aurait pu apporter à l'enfant Kafka sa lumière : au lieu du « dieu » solitaire, omnipotent, énigmatiquement penché sur lui, qu'il voyait sur le visage de son père, il aurait trouvé dans *l'échange* vital qu'*est* la vie du Père et du Fils et de l'Esprit, cette transparence intérieure, cet épanouissement *des* personnes dans le don et l'oubli de soi. Dans la Trinité il n'y a qu'une seule vie, *numériquement*[16], mais cette vie *est* amour, car « Dieu est amour »[17] c'est-à-dire le *jaillissement* permanent, éternel, qu'*est* le Père, l'*engendrement* éternel qu'*est* le Fils, et la *communication*, l'amour éternel qu'*est* l'Esprit. La vraie paternité, sur la terre, reflet vivant de celle d'en haut, est assez riche, assez ample pour recevoir Kafka et des millions d'autres enfants, elle est assez puissante et généreuse pour donner à ces millions d'enfants de devenir, spirituellement ou charnellement, *pères* à leur tour[18].

3. L'incapacité d'aimer

Une vision spirituelle du Dieu vivant, Père-Fils-Esprit, aurait pu aider Kafka à réussir son ancrage spirituel et à vaincre le complexe qui le dévorait vivant; autrement dit, il eût fallu que l'enfant découvre

---

16. Cette notion est essentielle : il n'y a pas, dans la Trinité, unité abstraite de l'essence divine (ce serait l'erreur du « néo-nicénisme »), mais unité numérique concrète de la nature divine.

17. Le terme johannique est « agapè » qui implique la sortie de soi, le don total d'une vie qui est communication, transparence. C. TRESMONTANT, *Essai sur la pensée hébraïque*, coll. *Lectio divina*, n° 12, Paris, 1953, insiste sur cette catégorie de la pensée biblique qui, à propos de la création, souligne sa nouveauté jaillissante : il y a ici une analogie, au plan créé, du jaillissement, de la « circumincession » de la vie trinitaire.

18. Il est certain qu'une thérapeutique aurait pu aider Kafka à dépasser le dilemme de la vie. A l'intention des médecins, je transcris ici un passage où Kafka expose son opinion sur la psychanalyse : « Je ne vois dans la thérapeutique de la psychanalyse qu'une erreur désespérée. Toutes ces prétendues maladies, si tristes que soient leurs formes, elles sont des réalités de croyance, des ancrages de l'homme en détresse dans quelque sol maternel; aussi la psychanalyse, quand elle cherche le fond originel des religions, ne trouve-t-elle rien d'autre que ce qui fonde les « maladies » de l'individu; il est vrai qu'il manque aujourd'hui la communauté religieuse, que les sectes sont innombrables et se limitent le plus souvent à des personnes isolées » (HL, p. 335-336, JI, p. 287-288). Je ne puis juger en ces matières, mais je signale simplement les deux idées, les *Glaubenstatsachen*, ou réalités de croyances, les *Verankerungen*, les ancrages déficients dans un sol maternel. Cfr *supra*, p. 235 n. 28.

le vrai visage de l'amour : jamais il n'y est parvenu, parce que son père l'en empêchait, sans doute, mais aussi parce qu'il n'avait pas assez de force pour aimer, ainsi que le lui écrivit plus tard Milena (BM, p. 225)[19]. Une tragédie, intérieure cette fois, s'ajoute à la première.

a. Kafka et la vie de la chair.

Les lecteurs de Kafka ont tous été frappés par l'érotisme plutôt répugnant qui envahit de manière inattendue, un peu comme en un rêve, la scène du récit : les personnages croient que la femme, ainsi connue, les aidera à parvenir à leur but, entrer au *Château*, par exemple, ou accélérer leur procès, mais ce n'est qu'une impasse[20].

Pourquoi la femme apparaît-elle dans les romans et nouvelles, sous cet aspect de jeunes servantes faciles et un peu animales, dont l'amour est purement physique et qui n'hésitent pas à lâcher leur partenaire sans rime ni raison? Pourquoi ne voit-on jamais dans les romans un amour qui aboutit au point de vue humain, par exemple au mariage, aux enfants? Pourquoi l'absence presque totale d'une passion spirituelle d'un héros pour une femme? D'où vient dans l'œuvre romanesque cet érotisme fascinant par sa froideur glaciale?[21].

La réponse tient en quelques lignes : Kafka fut déchiré toute sa vie par l'obsession, *inscrite dans sa chair*, d'une sexualité sordide et sale et par une nostalgie de pureté inhumaine qui rendait *l'air irrespirable* à toutes celles qui auraient voulu vivre avec lui. Autrement dit, il y avait en lui *du bestial* dans la vie charnelle, et *de l'inhumain* dans la lucidité[22] de son amour spirituel.

---

19. Cette cause plus secrète de l'impuissance d'aimer n'a jamais été mise assez en valeur par les critiques : issue de la première tragédie, l'omniprésence du père, une autre, intérieure, va se jouer, le déchirement entre une sensualité sordide, anormale, et un amour désincarné, fait d'inquiétude et d'angoisse d'une part, d'interminable discussions « dialectiques » d'autre part. Il est difficile de savoir si, indépendamment du premier drame, la tragédie de la chair se serait produite, mais il est évident qu'il y a ici des éléments en soi indépendants de la relation au père.

20. L'exemple le plus connu est celui de Frida, la servante de « l'hôtel des messieurs », dans *Le château* : K. s'empare d'elle uniquement pour essayer d'arriver au château; de même, dans *Le procès*, Léni, la servante de l'avocat. Le thème est constant : la femme est une tentation sordide à laquelle on cède comme en rêve, et elle déçoit toujours les héros qui attendent d'elles un raccourci vers le but poursuivi.

21. Le personnage de Clara, dans *Amérique*, fait songer déjà à un certain type de fille américaine. On songe à *Chocolates for Breakfast* de Pamela MOORE.

22. Les portraits de Kafka laissent entrevoir quelque chose de cette antinomie : le regard est resté adolescent, d'un charme liquide, évanescent, telle est la première impression; on est frappé ensuite par quelque chose de trop fixe dans l'œil, une

* * *

Kafka ne fut pas précoce en matière de sexualité : « L'enfant s'était développé si lentement, ces choses lui étaient extérieurement trop éloignées; ici ou là, sans doute, se présentait la nécessité d'y songer, mais on n'aurait jamais cru que l'épreuve la plus dure, la plus longue et la plus amère, se préparait dans ce domaine » (BV, p. 208, *non traduit dans* LP). Cet aveu est précisé dans un texte plus tardif, du 10 avril 1922 :

> Jeune garçon, j'étais aussi innocent, aussi peu intéressé par les questions sexuelles (et je le serais resté très longtemps si l'on ne m'avait poussé à m'en occuper)[23] que je le suis aujourd'hui disons par la théorie de la relativité. Seuls des détails insignifiants attiraient mon attention (et même ceux-là, après qu'on m'eût fourni des éclaircissements précis), le fait, par exemple, que les femmes de la rue qui me semblaient les plus belles et les mieux habillées dussent précisément être mauvaises (J, p. 556)[24].

La seule chose qui se puisse deviner durant la période antérieure à la seizième année, ce sont des impressions sexuelles inconscientes liées chez lui à des comportements infantiles[25]; ce serait banal, si ce genre d'impression n'était demeuré gravé dans son être, car la sexualité de Kafka est restée infantile[26].

Vers la seizième année se produisit un choc décisif, sur lequel on n'a pas assez attiré l'attention. Le jeune garçon commençait à être

sorte d'immobilité un peu hagarde, de lucidité trop aiguë; on a le sentiment d'un être qui n'est pas entièrement sur terre, qui ne repose pas sur le sol, mais est happé par un autre monde que celui-ci, situé au-dessus, où l'ironie sceptique donnerait la main à une vision des fondements de l'existence; en même temps, on est mal à l'aise devant ce regard trop candide, trop immobile, trop obscur dans son humide fixité; on croit se trouver devant un vivant qui n'est pas encore parvenu à sa maturité, qui n'est pas encore né à l'humanité, mais est encore habité de la souplesse immobile, un peu féline, un peu caressante, des très jeunes bêtes de proie (cfr aussi BM, p. 226 et *supra*, p. 236, n. 29).

23. Y a-t-il ici une allusion à Karl, le garçon de 16 ans, héros de *Amérique* qui fut brutalement initié par une servante?

24. Julien Green a dit que cette innocence-là coûtait, plus tard, extrêmement cher (*Journal*, t. V, p. 29, et commentaire dans le tome I de cette série, *Silence de Dieu*, p. 304); un trait propre à Kafka est la froideur.

25. J, p. 133 : les détails donnés là se retrouvent toujours dans les personnages féminins des récits kafkaïens; cfr *supra*, p. 244, n. 6.

26. Je crois que l'expérience qu'il raconte à Milena a provoqué une sorte de blocage psychique de la vie charnelle et de certaines impressions infantiles éprouvées alors (cfr *infra*, p. 258).

préoccupé de ces questions. L'absence de confiance entre lui et son père fit que ce dernier intervint très peu pour éclairer son fils. La seule fois où une tentative eut lieu, elle fut catastrophique :

> Je me rappelle un soir où j'ai fait une promenade avec toi et maman...; je commençai à parler des choses « intéressantes », et je le fis bêtement, sur un ton vantard, en affichant un ton supérieur, de la fierté, de l'indifférence (ce qui était faux), de la froideur (ce qui était vrai), et en bégayant, comme je le faisais généralement quand je te parlais; je vous fis des reproches parce que vous m'aviez laissé dans l'ignorance, parce que mes camarades de classe avaient été les premiers à se charger de m'instruire et que j'avais côtoyé de grands dangers (là, je mentais à ma manière, effrontément, à seule fin de me montrer courageux, ma timidité m'empêchant d'avoir une idée plus précise des « grands dangers » en question), et pour conclure je vous fis comprendre que, maintenant, j'étais par bonheur instruit de tout, que je n'avais plus besoin de conseils et que tout était rentré dans l'ordre. Si j'avais abordé ce sujet, c'était d'abord pour avoir au moins le plaisir d'en parler, ensuite par curiosité, et enfin, pour me venger de je ne sais quoi sur vous (BV, p. 210-211, LP, p. 1035-1036)[27].

Nous sommes à une croisée des chemins : l'enfant tente un dialogue avec son père. Tout jeune garçon essaye d'accéder à ce plan une fois au moins dans sa vie : il a peur de son père, il désespère de jamais le rejoindre, mais il rêve aussi d'un contact où il serait accepté par lui, réellement introduit par lui dans la communion des hommes. Sans doute, quand un garçon interroge son père, il y a souvent de la provocation inconsciente, une sorte d'insolence affichée en tremblant (le bégayement de Kafka), une vanité puérile qui essaye de faire croire qu'on sait tout, alors qu'on ne sait rien, même et surtout si on « sait tout », car il y a la manière de le savoir, de l'entendre dire, de recevoir la vérité de vie et de mort qui concerne les choses « intéressantes »; mais c'est le rôle du père d'aller au-delà des apparences bégayantes, curieuses et frondeuses de son enfant, c'est la puissance paternelle qui doit vaincre la timidité paralysante qui s'interpose en ces matières; c'est la vocation du père d'introduire doucement dans ce monde merveilleux et si humble que l'adolescent, laissé à lui-même, trouvera sordide ou plein d'orgueil et de fausse virilité. La scène que nous lisons

---

27. Un texte daté du 18 octobre 1916 (J, p. 479-480) montre un mélange de ressentiment et d'admiration pour ses parents.

nous met donc sur le seuil de ce qui aurait pu être : l'entrée du père *et* du fils dans la découverte commune d'une vie dont tous les deux participent : l'un l'a donnée, l'autre l'a reçue, mais voici que celui qui l'a reçue reçoit maintenant la force de la donner à son tour; il faut alors que le père et l'enfant s'inclinent devant cette puissance de la vie dont ils vivent chacun; en cette minute, la lutte peut faire place à la *communion* librement assumée.

La plupart des enfants ne posent jamais ces questions à leur père; la plupart des pères, lorsque leur fils les pose, perdent la tête et répondent n'importe quoi; le père de Kafka sera d'un terrible positivisme :

> Tu pris cela selon ton caractère, fort simplement, et tu te bornas à dire que tu pouvais me donner un conseil pour me permettre de pratiquer ces choses sans danger. Peut-être avais-je justement voulu t'arracher une réponse de ce genre; elle s'accordait bien à la lasciveté d'un garçon bourré de viande, gavé de toutes les bonnes choses, physiquement inactif et perpétuellement occupé de soi-même; mais ma pudeur extérieure en fut, ou tout au moins s'en crut si gravement offensée que, bien malgré moi, je me trouvai dans l'impossibilité de continuer à parler et rompis l'entretien avec une insolence hautaine (BV, p. 211, LP, p. 1036).

La réponse coupe le souffle et on comprend qu'elle dut empêcher de poursuivre la conversation : il y avait dans la « franchise du père quelque chose d'écrasant qui vient pour ainsi dire de temps immémoriaux, mais elle révèle aussi une absence de scrupules parfaitement modernes » (BV, p. 211, LP, p. 1036-1037). L'enfant est introduit brutalement dans un monde sans pudeur, celui des adultes habitués à parler de ces choses et à les « faire » : cette simplicité du père rejoint la morale des « proverbes » ou la sagesse « classique » qui vise à limiter les dégâts; elle ne peut que heurter un adolescent qui se la voit asséner ainsi comme si, la porte cédant tout d'un coup, il se voyait projeté en avant, « adulte parmi les adultes »; on est ici en présence d'un judaïsme agnostique qui aborde tous les problèmes de la vie avec un cynisme froid et une prudence qui fait mal.

Le pire malheur ne fut pas la franchise de la réponse et l'absence de scrupule de son contenu, mais le cadre général des relations entre Kafka et son père :

> Le sens véritable de ta réponse, qui s'imprima profondément en moi dès ce moment, mais dont je ne pris à moitié conscience que bien plus tard, était le suivant : à tes yeux, et combien plus

encore selon mon sentiment d'alors, ce que tu me conseillais étais la plus grande saleté *(Schmutzigste)*[28] qui se pût concevoir. Il était secondaire que tu prisses soin de ne pas laisser mon corps rapporter quelque chose de cette saleté chez toi : par là tu ne faisais que protéger ta maison et te protéger toi-même. L'essentiel c'est bien plutôt que tu *restais à l'extérieur de ton conseil*, que tu restais un époux, un homme pur que ces choses-là ne peuvent pas atteindre[29]; cela eut des conséquences d'autant plus graves pour moi que le mariage lui-même me paraissait honteux et que je ne pouvais *donc* pas appliquer à mes parents les remarques abstraites que j'avais entendu faire à son sujet. Tu en fus encore plus pur à mes yeux, je te plaçai encore plus haut. Je ne pouvais concevoir qu'avant de te marier, par exemple, tu eusses pu te donner à toi-même semblable conseil. Ainsi, il ne restait sur toi presque aucune trace de boue terrestre. *Et c'était justement toi* qui, en me parlant franchement, me poussais à descendre dans la boue *comme si je lui étais destiné*. Si le monde ne se composait que de toi et de moi, ce que j'inclinais fort à croire, la pureté du monde finissait donc avec toi et, en vertu de ton conseil, la *boue (Schmutz) commençait avec moi*. Cette condamnation était en soi incompréhensible, je ne pouvais me l'expliquer que par une faute ancienne et par le plus profond mépris de ta part. Par là j'étais une fois de plus touché et très durement, au centre le plus intime de mon être (BV, p. 212, LP, p. 1037-1038).

Gide lui aussi ne pouvait s'imaginer que les femmes qui l'entouraient pussent connaître les désirs charnels qu'il connaissait lui-même; mais la situation est ici plus grave : c'est le père lui-même qui, par son conseil, semble rejeter à la boue son fils et le condamner; or,

---

28. Ce terme est caractéristique de la vision kafkaïenne de la vie charnelle; il se retrouve dans l'image de la bauge, du terrier, dans celle des *Recherches d'un chien* et même dans *Un champion de jeûne*. Le lien entre les thèmes du terrier, de la bête, entre l'idée de se faire petit (*sich verkriechen*, se recroqueviller) et la sexualité infantile et sale est évident chez Kafka. Il oriente vers l'introversion solitaire de l'adolescence, à l'inverse du caractère « oblatif » que la chair doit peu à peu revêtir dans un amour conjugal normal.

29. Je crois que c'est dans cette phrase que tient tout le drame : l'impossibilité de se représenter son père comme participant à ce genre de réalité (la haine ressentie à la vue de détails de la vie conjugale de ses parents s'apparente aussi peut-être à la volonté désespérée et infantile de maintenir ses progéniteurs sur un piédestal). L'exemple de Gide, cité dans le texte, est ici éclairant, bien qu'il porte sur les femmes qui ont entouré sa jeunesse; cfr *Silence de Dieu*, p. 96, à compléter par deux livres publiés depuis, J. DELAY, *La jeunesse d'André Gide*, I, *André Gide avant André Walter*, 1869-1890; t. II, *D'André Walter à André Gide*, 1890-1895, Paris, 1957, coll. *Vocations*, Paris, 1956-57 et J. SCHLUMBERGER, *André Gide et Madeleine*, Paris, 1956.

l'enfant le voyait toujours comme un tyran *inaccessible, énigmatique* et *innocent.* Plus précisément, le jeune garçon avait entendu raconter sur le mariage un tas de choses abstraites et honteuses, mais il refusait de faire rejaillir sur son père cette honte; il ne put donc imaginer que son père eut, de son côté, jamais mis en pratique son propre conseil, car il *devait* être au-dessus de ces choses-là; si donc il les conseillait à son fils, s'il lui ouvrait la voie de ces « saletés », c'est qu'il le condamnait à la boue, à la malpropreté des réalités charnelles, c'est que l'enfant était *destiné* à la boue et n'était destiné qu'à elle. Autrement dit, l'adolescent, incapable de penser que son père vivait la vie charnelle, se vit rejeté dans l'abîme qui l'attirait à la fois et le dégoûtait. Ce jour-là le lien fut rompu entre l'amour conjugal qu'il voyait vécu par son père et la chair; cette vie de la chair, *étant donné que le père n'y participait pas* (comment l'imaginer, lui qui était tout pour Kafka), ne pouvait être autre chose qu'une forme particulière de la vie bestiale et sordide qui restait à l'enfant et que son père le condamnait à vivre. Sans doute, le conseil aurait pu être assimilé et rendu inoffensif; s'il a marqué la brisure de toute une vie, *c'est que, précisément, il émanait du père de Kafka :*

> C'est peut-être ici que notre mutuelle innocence apparaît au plus clairement. A donne à B un conseil fort clair, correspondant à ses propres conceptions de vie; ce conseil n'est sans doute pas très beau, mais aujourd'hui il est absolument classique dans les villes, où il permet peut-être d'éviter de nuire à la santé. Ce conseil n'est pas moralement très réconfortant pour B, mais pourquoi ne pourrait-il, au cours des années, se dégager des conséquences fâcheuses de ce conseil? Du reste B ne doit pas suivre le conseil et en tout cas il n'y a dans le conseil aucune raison qu'il occasionne pour B un effondrement complet de son avenir. Et cependant quelque chose s'est produit, dans ce sens, mais uniquement parce que A, c'est toi et B, c'est moi (BV, p. 213)[30].

Aussi bien, lorsque Kafka parla plus tard de ses fiançailles à son père, celui-ci, brutalement et ironiquement, lui dit :

> Je suppose qu'elle a mis quelque corsage choisi avec recherche comme les juives de Prague s'entendent à le faire et là-dessus, naturellement, tu as décidé de l'épouser (BV, p. 213, LP, p. 1038).

---

30. Ce passage est à mon avis, essentiel pour saisir la clef du drame.

Autrement dit, le père a l'air de supposer que ce qui pousse son fils à épouser une jeune fille c'est un attrait purement extérieur, le désir sexuel éveillé par le corps et la toilette, ce désir bas auquel son père « l'a condamné » et qu'il prétend retrouver cette fois encore en lui[31].

* * *

Telle est l'origine du drame intérieur dans la vie charnelle et l'amour, chez Kafka : d'un côté, la chair lui apparaît, pour lui (mais il ne peut sortir de sa propre prison), sordide, sale; de l'autre, il y a le monde des hommes, celui du père, innocent, énigmatique, mais qui lui inspire l'angoisse, car il ne pourra jamais y pénétrer. Le *désir* et *l'angoisse*, tels seront aussi les deux pôles de son amour pour Milena (BM, p. 180, 183).

Ils seront inconciliables parce que Kafka a suivi le « conseil » donné par son père. Une lettre à Milena raconte comment, à l'âge de vingt ans, durant les journées de chaleur accablante où il étudiait ses examens universitaires, Kafka connut pour la première fois la femme. Son corps réclamait depuis « une éternité » le « repos qu'il connut enfin » au sortir de la chambre d'hôtel; malheureusement un détail va se graver pour toujours dans la mémoire de Kafka :

> Tout cela ne méritait même pas qu'on en parle, mais le souvenir *(Erinnerung)* resta; je sus au même moment que je n'oublierais jamais cela et, en même temps, je sus ou je crus savoir que cette chose dégoûtante *(abscheulich)* et sale *(schmutzig)*, extérieurement sans doute sans aucune nécessité, ferait corps *(zusammenhänge)* intérieurement avec le tout et que c'était précisément cette chose dégoûtante et sale... qui m'avait attiré avec une folle puissance dans cet hôtel, auquel, autrement, je me serais soustrait de toutes mes forces (BM, p. 181-182).

Willy Haas parle ici d'une sorte de « magie noire » (BM, p. 279, LM, p. 13); la première expérience charnelle fut une confirmation, pratiquement inévitable du reste, de la condamnation portée par le père : ce qui attira le jeune homme, ce fut la fascination de connaître enfin cette boue que son père lui destinait. Au sortir de la première expérience,

---

31. Dans *Le verdict*, le père accuse aussi son fils d'avoir voulu se marier parce qu'il a cédé à une séduction grossièrement sexuelle. Kafka a dit à Janouch qu'en composant le final du *Verdict*, il avait éprouvé un sentiment analogue à une très forte émotion charnelle; il est impossible de dire plus clairement que la volupté physique se liait chez lui à l'auto-punition; on verra aussi le commentaire du *Verdict* par Kafka lui-même dans J, p. 262-263, 267-268.

Kafka fut « heureux » de voir que cela n'avait pas été *encore* (le mot *noch* est souligné chaque fois) plus dégoûtant, plus sale; de la seconde expérience, deux détails vont le hanter et se lier pour toujours avec le désir physique, couper celui-ci, à jamais, du royaume de la pureté paternelle, du mariage et de l'enfant. Autrement dit, vie charnelle et « saleté » *(Schmutzigkeit)* vont être liés dans sa sensibilité :

> Et comme ce fut cette fois-là, ainsi ce le resta toujours. Mon corps, souvent calme durant des années, fut alors de nouveau secoué jusqu'à ne plus pouvoir le supporter, par ce désir d'une petite chose dégoûtante, légèrement repoussante, honteuse, sale; également dans les réalités les meilleures qu'il pouvait y avoir pour moi dans ce domaine, il y avait quelque chose de cela, une sorte de très légère mauvaise odeur, quelque chose du soufre, quelque chose de l'enfer. Cette poussée avait quelque chose qui faisait penser au juif errant, chassé sans but, errant sans rien comprendre dans un monde dépourvu de sens et sale (BM, p. 182)[32].

b. L'amour-angoisse.

Lorsque Kafka rencontra Milena, il se vit lui-même comme une bête cachée dans son terrier, chez elle seulement dans la saleté de la chair : « la crasse est ma seule propriété » (BM, p. 235, LM, p. 237); « je suis sale, Milena, infiniment sale, voilà pourquoi je fais tant d'histoires avec la pureté » (BM, p. 208, LM, p. 212); il imagina alors l'émouvant apologue de la bête des bois :

---

32. Kafka avoue, le 18 janvier 1922, que « le désir sexuel le presse et le torture jour et nuit » (J, p. 531; cfr aussi p. 200, 298, 470 et 159). L'érotisme chez Kafka semble lié à des images de mort (HL, p. 259-262, la « jeune fille et la mort »), de bête (HL, p. 294, 406-408, le « cheval-femme » qui fait songer à des métamorphoses mythologiques), de servantes « sur lesquelles repose la force du héros » (HL, p. 376-379). L'image qui domine est celle d'une luxure animale ainsi qu'il apparaît de la comparaison de textes barrés du *Château* avec les textes maintenus : voir édition allemande, S, p. 65-66 (image des chiens), p. 60 (image de la crasse sordide liée à celle d'un attrait dépourvu de sens, *unsinnige Verlockung*, et de la « perte du vrai chemin » par l'étranger qui n'a même pas d'air à respirer), p. 433 (l'image des dents, dans une phrase supprimée). De ces comparaisons, que seule l'édition allemande permet, il ressort que la chair est liée chez Kafka à la fascination d'une *vie animale*, qui est en même temps *irrésistible* et conduisant à une *impasse:* « Des heures passèrent là..., de battements de cœur communs, des heures durant lesquelles K. ne cessa d'éprouver l'impression qu'il se perdait, qu'il s'était enfoncé si loin que nul être avant lui n'avait fait plus de chemin; à l'étranger, dans un pays natal, où l'on devait étouffer d'exil et où l'on ne pouvait plus rien faire, au milieu d'insanes séductions, que continuer à marcher, que continuer à se perdre » (C, trad. Vialatte, p. 47 = S, p. 60). Cfr aussi p. 256 n. 28 et KP, p. 111-112 : Kafka a raison de dire que « dès l'adolescence sa sexualité était déjà maladive ».

C'est ainsi que nous nous demandons l'un à l'autre d'avoir compassion; je te demande de pouvoir maintenant *me terrer (mich jetzt verkriechen zu dürfen...)*. C'est à peu près ainsi : moi, bête des bois *(Waldtier)*, jadis, je n'étais déjà plus qu'à peine dans le bois, je gisais quelque part dans une tanière dégoûtante *(schmutzige Grube)*, dégoûtante seulement à cause de ma présence, naturellement; alors je te vis, dehors, dans le plein air, la chose la plus admirable que j'avais jamais regardée; j'oubliai tout, je m'oubliai moi-même entièrement, je me redressai, m'approchai; angoissé certes, je l'étais dans cette neuve mais pourtant encore familière *(heimatlich)* liberté; je m'approchai cependant plus près, je vins jusqu'à toi, tu étais si bonne; je me blottis à tes pieds, comme si j'en avais besoin, je posai mon visage dans ta main; j'étais si heureux, si fier, si libre, si puissant, tellement à la maison *(so zuhause)*, toujours cela, tellement à la maison, — mais au fond je n'étais encore toujours qu'une bête, je n'appartenais qu'au bois, je ne vivais en plein air que par ta grâce, je lisais, sans le savoir (car j'avais, oui, j'avais tout oublié) mon destin dans tes yeux. Cela ne pouvait pas durer. Tu devais, même quand avec ta bonne main tu me caressais, remarquer en moi des étrangetés qui indiquaient la forêt, cette origine et cet habitat réel; vinrent alors ces expressions nécessaires, se répétant nécessairement, sur l'angoisse qui nous mettaient les nerfs à nu... Je devais retourner dans l'obscurité, je ne pouvais supporter le soleil, j'étais égaré, réellement, comme une bête qui a perdu son chemin; je commençai à courir comme je pouvais, et toujours la pensée m'accompagnait : « Si je pouvais l'emmener avec moi », et la pensée : « Y a-t-il des ténèbres là où elle est? » Tu me demandes comment je vis? : c'est ainsi que je vis (BM, p. 223-224)[33].

Lorsque Milena lui dira « qu'il n'a pas la force d'aimer », Kafka se posera la question : « Cela ne serait-il pas une distinction suffisante entre l'homme et la bête? » (BM, p. 225); l'écart entre le monde animal et le monde humain, si fréquent dans l'œuvre kafkaïenne, ne signifie donc pas seulement *l'exil* de celui qui ne parvient pas à se légitimer dans la vie, mais aussi *l'abîme creusé entre la chair et l'esprit* (au sens platonicien du terme).

---

33. W. HAAS (BM, p. 278-279), montre que ces apologues dissimulent *aussi* une volonté tenace de se délivrer d'une femme qui l'empêchait de dormir et qui nuisait à son travail intellectuel.

* * *

Ainsi donc, Kafka refusa de se marier, non seulement parce que le mariage était par excellence le « domaine du père », mais aussi parce qu'il impliquait l'union des corps; voici ce qu'il en écrit à propos de son mariage possible :

> Le coït considéré comme un châtiment du bonheur de vivre ensemble. Vivre dans le plus grand ascétisme possible, plus ascétiquement qu'un célibataire, c'est pour moi l'unique possibilité de supporter le mariage. Mais elle? (J, p. 285, 14 août 1913)[34].

Ce qu'« elle » pense de tout cela? Nous n'avons pas d'écho de la mystérieuse fiancée berlinoise, mais une lettre de Milena à Max Brod apporte ici un témoignage :

> Ce qu'est son angoisse, je le sais jusqu'au plus intime de mes nerfs. Elle existait déjà avant qu'il me connaisse. J'ai

---

34. Cette idée est absolument contraire au mode sémitique de penser, contraire aussi à la valorisation accordée toujours par Kafka au mariage et aux enfants. Une recherche s'imposerait sur les sources de la pensée kafkaïenne; très à vol d'oiseau, je décèle trois plans. Le premier, qui comporte l'art de discuter vertigineusement sur des textes, s'apparente à la fois au juridisme minutieux des employés de la double monarchie (cfr *supra*, p. 201) et au *pilpoul* rabbinique ou don d'aligner des pages infinies de commentaires sur un texte. Le second, plus profond, se rattacherait à une sorte de Kabbale juive, mais non orthodoxe (la Kabbale orthodoxe continue à valoriser le réel matériel et temporel, tandis que la Kabbale « gnostique », au sens hétérodoxe du terme, est dualiste), car une série de textes dualistes apparaissent chez Kafka, surtout vers 1917-1918 (cfr J, p. 43, 45, mais cfr *supra*, p. 202, n. 24, p. 228, n. 21, et le curieux texte de J, p. 530, sur l'œuvre de Kafka qui serait, sans le sionisme, à l'origine d'une sorte de Kabbale). Enfin, au plan plus profond, un type de pensée profondément sémitique, valorisant l'enracinement *ici-bas*, dans un sol, une patrie, une famille (sans oublier que ce troisième plan est nourri également de l'admiration croissante de Kafka pour Goethe et son « passage à l'objectif »; cfr *infra*, p. 302). Faute de distinguer ces trois plans, on se perdra dans l'œuvre. On peut les concilier en faisant deux remarques : la première, que le plan « dialectique » et le plan « kabbale » sont toujours utilisés dans l'accusation que Kafka porte *sur lui-même*, mais *jamais* dans le jugement qu'il porte sur le monde, qui reste inaccessible, sans doute, mais valorisé pleinement; la seconde, qu'une évolution se produit dans la pensée de Kafka, de l'expressionnisme anarchique du début (surtout vers 1907) vers un classicisme goethéen, et d'une complaisance en l'isolement de l'artiste, qui lui fit choisir l'absurde et se détruire lui-même, vers une accusation de lui-même de plus en plus nette et une volonté de sacrifier son art au profit de la vie. Sur tout ceci, le chapitre V apportera, j'espère, quelque clarté, mais qui ne peut être définitive; il faut attendre des travaux universitaires sur la pensée juive de l'Europe centrale entre 1900-1925 (DLZJ, chapitres I-II, donne les grandes lignes). Cfr H. SEROUYA, *La Kabbale du point de vue religieux, philosophique et historique*, dans *Revue de synthèse*, t. 77 (1956), p. 171-177.

connu son angoisse avant de le connaître lui. Je me suis cuirassé
contre elle, dès que je l'ai comprise. Durant les quatre jours
que Franz a passés avec moi (à Vienne) il l'a perdue. Nous avons
ri d'elle[35]. Je sais, certes, qu'aucun sanatorium n'arrivera à le
guérir. Il ne guérira jamais, Max, tant qu'il souffrira de cette
angoisse. Cette angoisse ne se rapporte pas seulement à moi,
mais à tout ce qui vit sans honte *(alles was schamlos lebt)*, par
exemple aussi à la chair. La chair est trop dénudée, il ne supporte
pas de la voir. Cela aussi j'ai essayé de l'écarter (MBFK, *3ᵉ éd.
allemande*, p. 285-286).

Durant les quatre jours de leur rencontre à Vienne, Milena réussit
à chasser l'angoisse de la chair, mais la victoire ne fut que passagère,
car elle comprit que vivre avec Franz « signifierait pour toute la vie
l'ascèse la plus stricte ». Elle en avait quelque avant-goût dans ce souci
anormal de perfection, de pureté, qui frisait l'incapacité de vivre :
Franz ne savait accepter le moindre compromis, sa pureté, sa lucidité
inouïe, créaient un climat d'air raréfié, insupportable pour une femme
normalement passionnée de la vie; elle-même, elle l'avoue, était
trop femme au sens « banal » du terme, elle désirait la vie avec des
enfants « sur terre » (MBFK, p. 282, 286). Un peu plus tard, Dora
Dymant, la jeune juive de l'Est avec laquelle Kafka passa les derniers
mois de sa vie, devait avouer ne pouvoir « vivre que de courts moments
dans ce climat de logique trop recherchée » *(verdichtete Logik)* qui
entourait Kafka[36]. Lui-même avait déjà dit à Milena : « Dans mon
entourage il est impossible de vivre humainement » (BM, p. 251). Il
ne parvint jamais à dépasser l'antithèse qui sépare le désir purement
charnel, qui fascine, de l'extérieur, et le vrai amour qui « apporte vie,
de l'intérieur »; sans doute, il n'éprouvait pas de désir sordide pour
Milena, et, en cela, il respirait auprès d'elle quelque chose de l'air
paradisiaque, mais il ne pouvait pas non plus chasser l'angoisse, et
en cela ce n'était pas encore la totalité du climat paradisiaque qu'il
rêvait[37]. Malgré tout, la menace des forces obscures finit par prendre

---

35. Cfr BM, p. 79-104, les lettres numérotées de 3 à 17, qui font part de cet
apaisement momentané.

36. E. UYTTERSPROT, *Kleine Kafkaiana*, dans *Levende talen*, nᵒ 44, p. 21, n. 1.
On se demande comment il se fait que l'on ait eu si peu de détails sur ces dernières
années de Kafka; je crois qu'après la mort de Max Brod, certains témoins parleront
et certains textes pourront être publiés.

37. Kafka explique qu'il n'y a plus dans son amour pour Milena désir
(Touha, Sehnsucht, Begehren); seulement il y oppose non pas l'amour
spirituel, mais l'angoisse *(Strach, Angst,* selon les termes originaux) : « Il y avait
aussi des périodes durant lesquelles le corps n'était pas calme, durant lesquelles
du reste, rien n'était calme, mais où, malgré cela, je n'étais sous la contrainte de

le dessus, ainsi qu'une seconde rencontre semble bien en avoir apporté la preuve[38]. L'amour de Kafka pour Milena fut donc angoisse, car « si Milena est mariée à Vienne, à son époux légitime, lui, à Prague, est marié avec l'angoisse » (BM, p. 112-113); il avoue sa peur devant cette femme *trop* vivante, qui « envahit en quelque sorte sa chambre » et lui donne l'envie de se faire petit, de se cacher, de se blottir dans un coin, de se terrer sous un meuble (BM, p. 56), car tout son être est angoisse (BM, p. 70) et s'il « pouvait dormir aussi profondément qu'il s'enfonce dans l'angoisse, il ne vivrait plus » (BM, p. 73).

Cette angoisse grandit aussi à cause de l'omniprésence paralysante du père :

> Ce que je crains c'est seulement cette conjuration intérieure qui est dirigée contre moi (et que tu comprendras mieux par ma lettre à mon père, encore qu'imparfaitement parce que cette lettre n'est orientée que vers un but particulier); le prétexte de cette conjuration, c'est en gros que moi, qui ne suis même pas sur le grand échiquier le pion d'un pion, je veux maintenant, contre la règle et pour la confusion de tout le jeu, prendre la place de la reine, — moi, pion du pion, une figure qui n'est pas, une

---

rien; c'était une bonne vie, une vie reposée, non reposée seulement à cause de l'espérance (connais-tu une meilleure absence de repos?). Durant ces époques, pour autant qu'elles avaient quelque durée, j'étais toujours seul. Pour la première fois dans ma vie, il y a de *tels* jours dans lesquels je ne suis *plus seul*. Pour cela, il n'y a pas seulement ta proximité corporelle, mais toi-même me reposant et me faisant sortir du repos *(beruhigend-beunruhigend)*. Voilà pourquoi je n'ai aucun désir de la saleté..., je ne vois vraiment rien de sale *(Schmutz)*, rien de ces choses qui vous attirent de l'extérieur n'est présent, mais tout ce qui apporte vie, de l'intérieur; en un mot, il y a ici quelque chose de l'air que l'on respirait dans le paradis avant le péché originel. Seulement quelque chose de cet air, — et à cause de cela, le désir est absent, — mais pas cet air là tout entier, — voilà pourquoi il y a de l'angoisse » (BM, p. 182-183). Étant donné les forces animales qui existaient en lui, Kafka ne pouvait connaître que l'angoisse dans la vie d'amour; il n'a pu la dominer quelque peu que dans la rencontre de Vienne, ainsi qu'on vient de le voir.

38. Il semble que la rencontre de Gmund (qui fut la seule après celle de Vienne) ait été une catastrophe dans cet amour : BM, p. 199, p. 180-182 (impression d'être un étranger devant elle), p. 203 (Milena a peur de lui), p. 209 (elle se plaint de lui), p. 213 (il a trop voulu avoir Milena en sa possession), p. 226-227 (il a toujours vécu au-dessus de sa vraie terre, — entendons, sa bauge, — car son existence est faite de la menace de forces souterraines), p. 197 et 250 (la « vérité » apparaît comme des glaives et des supplices), p. 204 (la seule manière d'éviter l'angoisse est de vivre animalement, *tierisch*); la menace de sexualité animale impose de ne plus revoir Milena (p. 231); Kafka serait du reste épouvanté si Milena quittait son mari pour lui (p. 179). La dernière image est celle des premiers parents qui auraient joué avec la pomme, mais ne l'auraient pas encore mordue : le jeu est trop dangereux (p. 198-199). Tout cela n'empêche pas que le mariage soit la terre promise (BV, p. 209-210, 216, 217-220).

figure qui ne saurait jouer, — et que je veux peut-être même prendre celle du roi en personne, si ce n'est pas tout l'échiquier (BM, p. 73-74, LM, p. 83).

Kafka n'est rien sur l'échiquier de la vie, car il est une « pièce » qui n'existe pas; et c'est ce « rien » qui veut, en essayant d'unir sa destinée avec une femme, prendre la place de la reine, du roi peut-être, ou même de tout l'échiquier.

Tous les sortilèges de la magie paralysante s'unissent donc contre le désir d'aimer : déchirement entre la bauge de la chair et l'air paradisiaque du vrai amour, menace paternelle sur ce projet exorbitant, enfin, une intelligence monstrueusement affinée, qui se détruit elle-même dans une orgie d'autopunition, au point qu'aucune femme ne pouvait vivre dans ce climat raréfié d'infini déroulement talmudique des discussions sur la vie et la mort[39].

* * *

Échec devant le mariage, échec devant l'amour, double conflit entre la chair et l'intelligence, entre l'enfant et le père : de toutes parts les voies sont obstruées. Une ligne des *Lettres à Milena* transpose le drame sur le plan biblique :

On a été envoyé comme la colombe biblique, on n'a rien trouvé de vert, et l'on replonge de nouveau dans l'arche obscure (BM, p. 235).

Cette arche obscure, la seule qui lui reste, ce sera l'œuvre littéraire.

II. Une mythologie du désespoir

1. Une littérature qui condamne la littérature

Le père de Kafka est au cœur du drame de sa vie; il est aussi au cœur de son œuvre : « Mes écrits traitaient de toi; je me plaignais là de ce dont je ne pouvais me plaindre sur ta poitrine; c'était un adieu de toi prolongé avec intention » (BV, p. 203, *non repris dans* LP); il voulait

---

39. Cfr H. UYTTERSPROT, *Kafka praeceptor lectionis*, dans *De vlaamse Gids*, 37 (1953), p. 449-458.

intituler son œuvre : *Essai de fuite devant le père* (BV, p. 203, 219). Mais les voies sont barrées.

Fuir le père, vivre en dehors de son monde, comme le fit sa sœur Ottla, c'est encourir un *jugement de condamnation* radical :

> Ottla a perdu tout contact avec toi, il lui faut chercher son chemin seule, comme moi, et ce qu'elle a de plus que moi en fait d'assurance, de confiance en soi, de santé et d'absence de scrupules, *la rend d'autant plus méchante et plus perfide à tes yeux.* Je comprends, vue par toi, elle ne peut être autrement. Elle est d'ailleurs en état de se voir elle-même comme tu la vois, de ressentir ta souffrance et d'en être, sinon désespérée, — *le désespoir est mon affaire*, — du moins très triste (BV, p. 193, LP, p. 797).

Essayer de discuter avec le père, de se faire reconnaître innocent, c'est rechercher un *tribunal inaccessible et qui le condamne :*

> En contradiction apparente avec cela, tu nous vois souvent chuchoter et rire ensemble, tu nous entends parler de toi. Tu as alors l'impression que nous sommes des conspirateurs éhontés. Singuliers conspirateurs! Tu es depuis toujours, bien sûr, le thème principal de nos conversations comme de nos pensées, mais si nous nous réunissons, ce n'est vraiment pas pour ourdir quelque chose contre toi, c'est pour appliquer tous nos efforts à débattre ensemble dans tous les détails, en l'envisageant sous tous les angles et dans toutes les occasions, en ayant recours aux plaisanteries, au sérieux, à l'amour, à l'obstination, à la colère, à la haine, au dévouement, au sentiment de culpabilité, à débattre de près et de loin, avec toutes les forces de la tête et du cœur, ce terrible procès qui est suspendu entre toi et nous et dans lequel tu prétends sans cesse être juge, alors que, pour l'essentiel du moins... tu y es partie, avec autant de faiblesse et d'aveuglement que nous (BV, p. 193, LP, p. 797).

Il reste alors la possibilité d'*accepter le châtiment*, de mourir comme un coupable : mais la honte même survivra au coupable, ainsi que l'indique ce texte qui donne la clef du *Procès :*

> Il me suffit d'ailleurs de rappeler des choses révolues : par ta faute j'avais perdu toute confiance en moi, j'avais gagné en échange un infini sentiment de culpabilité. (En souvenir de cette infinité j'ai écrit fort justement un jour au sujet de quelqu'un : « Il craint que la honte ne lui survive »)[40].

---

40. Le texte en question se retrouve littéralement dans le final du *Procès;* de plus, les passages barrés ou corrigés montrent que la première version du dernier

Si le monde humain condamne l'accusé, il ne lui reste plus qu'à essayer d'y échapper; d'abord le coupable se fera tout petit, il se recroquevillera pour donner moins de prise au regard paternel et *se faire oublier;* c'est le thème du *Terrier,* si prenant chez Kafka :

> Tu disais : « Pas de réplique », voulant amener par là à se taire en moi les forces qui t'étaient désagréables, mais l'effet produit était trop fort, j'étais trop obéissant, je devins tout à fait muet, je baissai pavillon devant toi *(verkroch mich)* et n'osai plus bouger que quand j'étais assez loin pour que ton pouvoir ne pût plus m'atteindre, au moins directement (BV, p. 176, LP, p. 592).

A la limite, le désir de se faire tout petit devient le rêve de devenir *autre chose qu'un être humain,* de sortir du cercle des hommes et de se réveiller un matin changé en bête[41]; mais, alors que la « métamorphose », dans le récit qui porte ce nom, est un cataclysme dont le héros n'est pas coupable, car il est « en dehors de la vie », un autre écrit, datant de 1907 (HL, p. 434), *Préparatifs de noces à la campagne,* dévoile la complicité coupable cachée au cœur du désir de la métamorphose. La culpabilité attachée à *toutes* les tentatives de salut décrites par Kafka est si importante pour comprendre l'œuvre, elle est si souvent laissée dans l'ombre par les critiques, qu'il faut s'arrêter à ce premier récit.

Raban, le héros de *Préparatifs de noces* (non encore traduit) doit se rendre en province afin d'y rencontrer sa fiancée et l'épouser; le récit narre avec une minutie digne de Proust (estime

---

alinéa du roman était écrite à la première personne (P, *éd. allemande,* p. 311, à comparer à la p. 272, ligne 7), ce qui montre que Kafka voyait dans Joseph K. son double : le tribunal que Joseph K. recherche est bien celui du père; il est donc impossible qu'il le joigne jamais, vu la situation de Kafka en face de son propre père.

41. Le lien entre l'instinct de défense qui inspire le besoin de se terrer et l'indifférence animale de l'adolescent Kafka qui choisit comme seul domaine propre celui de la littérature apparaît dans un texte non traduit de BV : « J'avais, depuis que je suis capable de penser, un souci si profond de l'affirmation spirituelle de mon existence, que tout le reste m'était indifférent. Les lycéens juifs sont souvent, chez nous, très remarquables, on trouve dans ce domaine les choses les plus invraisemblables; mais l'indifférence animale et contente d'elle-même *(tierisch selbstzufriedene Gleichgültigkeit),* cette indifférence froide, à peine voilée, indestructible, enfantine et sans défense allant jusqu'au comique, d'un enfant se suffisant à lui-même mais aussi froidement imaginatif, celle-là, je ne l'ai retrouvée chez personne d'autre, mais elle était, ici aussi, la seule protection contre la dépression nerveuse provoquée par l'angoisse et le sentiment de culpabilité » (BV, p. 204).

Max Brod), les retardements et hésitations du voyage. En réalité, Raban n'éprouve que peur et indifférence devant les « noces »; tout cela se traduit par le rêve de se métamorphoser, qui est ainsi lié à un complexe infantile de fuite de la vie, mais dont le héros est *complice* :

> Et je puis, la chose paraîtrait toute naturelle, être faible et silencieux et laisser tout aller à mon sujet et cependant tout doit bien tourner, simplement par le déroulement des jours.
>
> Et en outre, ne puis-je faire ce que je faisais toujours comme enfant, lorsque des affaires dangereuses se présentaient? Il n'est absolument pas nécessaire que je parte moi-même en province (pour le mariage). J'envoie mon corps déguisé. S'il chancelle sur le seuil de ma porte, le fait de chanceler ne montre pas la peur mais seulement son néant. Ce n'est pas non plus émotion s'il butte sur les marches, s'il traverse le pays en sanglotant et mange en pleurant son repas du soir. Parce que moi, entre-temps, je suis couché dans mon lit, entièrement recouvert de couvertures jaunes-brunes, exposé à l'air qui pénètre par la fenêtre légèrement entrouverte. Les voitures et les gens avancent dans la rue et marchent en hésitant sur un sol mat, parce que je rêve encore. Les cochers et les promeneurs sont hésitants et chaque pas qu'ils veulent faire en avant, ils m'en demandent la permission, lorsqu'ils me regardent. Je les encourage, ils ne rencontrent aucun obstacle.
>
> J'ai, durant le temps que je suis couché sur le lit, la forme d'un grand cafard, d'un cerf-volant ou d'un hanneton, du moins je le crois (HL, p. 11-12).

Le monologue intérieur s'interrompt un instant, — Raban choisit un chapeau au portemanteau, avant de s'en aller vers la gare — puis il reprend et se précise, au point que la comparaison avec le début de *La métamorphose* s'impose :

> Un cafard de grand format, oui. Je me le représente alors ainsi, comme s'il s'agissait d'un sommeil d'hiver, et que je pressais mes petites jambes sur mon abdomen. Et je chuchote un petit nombre de mots; ce sont les ordres à mon corps triste, qui se trouve tout près de moi et se penche vers moi. Bientôt je suis prêt, il s'incline, il s'en va légèrement et il fera tout pour le mieux, *tandis que je me repose* (HL, p. 12).

« *Während ich ruhe* » : les mots qui terminent le texte dévoilent le secret de la rêverie infantile de Raban; il veut diriger le monde sans devoir lever le petit doigt, sans devoir quitter les ténèbres tièdes d'un lit et d'un rêve. L'enfant « se voit » alors comme un cloporte géant; il a froid; il serre ses petites jambes sur son ventre, et pendant qu'il envoie dans la vie un « corps » douloureux, pleurnicheur, il repose.

Il paraît évident que Kafka *condamne* radicalement, *dans son œuvre littéraire, sa propre attitude devant la vie;* il donne de plus en plus « raison au monde », car le thème de la culpabilité, explicitement affirmé dans ce premier écrit, implicite dans ceux de la maturité, est de plus en plus net dans les derniers. Un passage d'une lettre à Milena dévoile du reste le lien intime qu'il voit entre le *sentiment* de culpabilité qu'il éprouve, le *jugement* de condamnation que les autres portent sur lui et la tentation de se métamorphoser en bête ou de vivre la vie d'un animal dans son *terrier.*

> Certes, Milena, tu as ici, à Prague, une possession, personne ne te la dispute, sauf peut-être la nuit, mais celle-ci combat pour la possession de toutes choses. Mais qu'est-ce donc que cette possession! Je ne la rapetisse pas, elle est presque assez grande pour enténébrer la pleine lune, là-haut, dans ta chambre. Et ne vas-tu pas prendre peur devant autant de ténèbres? Une ténèbre sans la chaleur des ténèbres? Afin que tu voies quelque chose de mes « occupations », je joins un dessin. Il y a quatre piliers; à travers les deux du milieu, des perches sont passées auxquelles les mains du « délinquant » sont attachées; à travers les deux autres poutres extérieures on passe des leviers pour les pieds. Dès que l'homme est bien attaché, les leviers de bois sont lentement levés vers le haut, jusqu'à ce que l'homme se déchire par le milieu. A la colonne, s'appuie l'inventeur; il fait une impression très grande avec ses bras et ses jambes croisées, comme si tout l'ensemble n'était qu'une trouvaille très originale, alors que cependant il s'est borné à prendre pour modèle le boucher qui a étendu devant sa boutique ouverte un cochon ouvert par le milieu (BM, p. 230).

*   *
   *

Ces exemples donnent la clef des écrits kafkaïens; ils dévoilent leur lien avec le père « omniprésent », mais ils prouvent surtout que Kafka n'a pas recherché dans l'art un monde magique. Beaucoup d'artistes ont voulu rattraper dans le monde de l'*art* les expériences manquées de *leur vie;* ils y voyaient une sorte de compensation, une rédemption laïque, l'entrée dans un monde romantique d'évasion[42]. Pour Kafka, l'art n'est pas un « moyen de retrouver le temps perdu »,

---

42. Cfr A. BÉGUIN, *L'âme romantique et le rêve,* 2ᵉ éd., Paris, 1939.

comme chez Proust, ou de défier le destin, l'univers absurde, comme pour Malraux : il est le miroir « de la situation absurde de l'écrivain dans la vie »[43], il est une « écriture objective de l'absurde »[44]; l'indépendance qu'il donne à Kafka n'est pas celle d'un démiurge qui rivalise avec la création, mais celle du ver de terre à moitié écrasé d'un coup de talon, qui se délivre en s'arrachant par sa partie avant et se glisse sur le côté; celui qui a donné le coup de talon, c'est le père (BV, p. 202, *non repris* dans LP). Autrement dit, rien n'est moins romantique que l'art de Kafka, puisque, au cœur de tous ses mythes, il y a *l'impossibilité de vivre*. Sa littérature condamne la littérature, en même temps qu'elle condamne le style de vie que Kafka avait vécu.

La merveille est que, à partir d'une expérience personnelle morbide, Kafka ait rejoint l'universel et créé une mythologie moderne du désespoir qui rejoint, dès 1920, la situation européenne.

2. Un humour à la Charlie Chaplin

Il y a d'abord dans l'œuvre la veine satirique que Jean Molitor a fort bien soulignée, et qui est un des aspects que je préfère. Un petit récit

---

43. Je traduis l'excellent résumé de R. TIMMERMANS. « C'est dans ce cercle vicieux que se trouve la signification des écrits de Kafka et de Kafka lui-même. L'élément créateur de l'art ne crée pas chez lui un monde dans lequel de nouvelles normes susceptibles de délivrer pourraient être fondées. Kafka n'échappe jamais à lui-même; l'élément d'auto-punition est présent dans son œuvre comme un facteur constant. Ce qu'il écrit se révèle infailliblement l'expression de son expérience personnelle de l'existence, selon ses fondements les plus essentiels : la culpabilité et les efforts absurdes pour y échapper. Ce sont les transpositions de ces caractéristiques mêmes qui le tiennent prisonnier sans espoir. Les personnages de ses écrits ne parcourent jamais le chemin que lui-même a dû parcourir à travers les divers stades de sa vie; ils sont simplement jetés dans une sphère de culpabilité problématique, et le lecteur peut alors les suivre dans leur effort sans espoir pour y échapper. Les histoires de bêtes et autres descriptions sont le plus souvent, envisagées en elles-mêmes, de parfaites absurdités et deviennent, replacées dans leurs perspectives exactes, des traductions, sous des formes diverses, du même fait fondamental. Kafka n'habite pas le pays de son art comme le pays de la rédemption. Il y est poussé comme vers la seule possibilité qui lui reste de s'exprimer, et, libéré de ses liens douloureux, d'être lui-même, mais il se retrouve dans la douloureuse conscience de la faute et dans son impuissance sans espoir » (DWB, p. 76). Plus loin, le savant critique ajoute : « le cœur de son existence se fixe dans le paradoxe d'un désir infini vivant dans l'espace d'un monde où toute possibilité de réalisation est exclue et dans laquelle *la défense de réalisation* (l'activité littéraire) *dont l'absurdité est devenue depuis longtemps évidente à la conscience est promue au niveau des raisons d'exister* » (p. 79).

44. Claude-Edmonde MAGNY, *Les sandales d'Empédocle*, coll. *Cahiers du Rhône*, Neuchâtel, août 1945, p. 173.

dont le titre pourrait être *Le grand nageur* raconte par exemple comment un « champion de nage », revenu des Olympiades d'Anvers, est reçu en triomphe dans sa ville natale. Celui qui a gagné le record du monde se trouve en face d'une multitude indécise, dans le crépuscule; une jeune fille « qu'il caresse distraitement sur les joues » entoure son cou d'une écharpe sur laquelle est brodée en langue étrangère : « Au vainqueur olympique »; une automobile passe, deux messieurs le poussent à l'intérieur, en même temps que le maire; ensuite, il se trouve dans une salle de fête; de la galerie, un chœur retentit à l'entrée du héros, en même temps que les messieurs se lèvent et poussent un cri en une langue incompréhensible; enfin, il se voit entre un ministre et une grosse dame dont les seins énormes lui apparaissent couverts de roses et de plumes d'autruche... Tout va bien, jusqu'au moment où l'on demande au champion « comment il a gagné son prix »; il est fort embarrassé, car, « en vérité, à proprement parler *(eigentlich), il ne sait pas nager,* ou, mieux, il n'a pas perdu la mémoire de ce qu'il était au moment où il ne savait pas nager... » (HL, p. 319-322, 332).

Je songe à Charlie Chaplin, le clown généreux fourvoyé dans des affaires saugrenues ou des triomphes absurdes fondés sur une équivoque; je revois la scène des *Temps modernes* où, enfin nanti d'un « chez lui », d'une petite patrie, il sort, à l'aurore, revêtu d'un ridicule maillot de bain; après une aubade au soleil, une cabriole, Chaplin, le grand nageur, devant son bassin de natation personnel, plonge, tête en avant, pour se retrouver bientôt assis sur son derrière, émergeant aux trois quarts de sa flaque d'eau et nous regardant avec un air navré et comique, comme s'il s'excusait. Bien sûr, le texte de Kafka prête aussi à d'autres exégèses : le fait que le nageur ne comprend rien, par exemple, à la langue parlée dans son village natal, symbolise l'isolement de l'auteur dans sa propre famille; la mémoire de ce qu'il était quand il n'était pas capable de nager le paralyse « au moment où il sait nager », parce que Kafka était pétrifié par une inhibition paralysante au moment même où il croyait remporter un triomphe dans sa vie personnelle. Mais le tragique n'exclut pas le comique, au contraire, ainsi que l'histoire des « tribunaux » présents dans chaque demeure praguoise le montre : cachés dans les greniers de maisons vétustes, les « bureaux de la justice » aspirent en quelque manière le prévenu, puisque Joseph K., dans *Le procès*, remettant au hasard le choix de la volée d'escalier qui le mènera devant « le juge », se trouve « miraculeusement » sur le bon chemin; à moins naturellement que, au bout de chaque escalier se trouve un tribunal. On voit d'emblée ce qu'un cinéaste comme Chaplin pourrait tirer de telles images. Enfin, Marcel Aymé n'a rien trouvé de plus fort comme caricature que celle des « Juges » peints par Titorelli dans une pose avantageuse : à y regarder de près, ces « dieux de la vengeance », prêts à bondir sur l'injustice et le crime, se révèlent grotesquement accroupis sur des casseroles recouvertes de grossières couvertures de cheval. Les médecins, notaires, avocats et juges ont toujours fait les frais de la comédie et Kafka ne manque pas au rendez-vous; s'il n'a jamais aimé les études de droit, les pilpouls de juristes sont transcrits dans ses œuvres avec une vertigineuse lucidité, un art des « peut-être » et des « mais » qui provoque le fou-rire[45].

Le rire kafkaïen est, sans doute, quelque peu macabre : la scène qui nous présente Block « prosterné » aux pieds de son avocat, en une sorte d'hystérie de soumission et d'anéantissement, et confessant avec « repentir » qu'il a « consulté d'autres avocats », déchaîne chez le lecteur un rire qui donne le malaise; la charge frise le grand guignol ou le théâtre de l'épouvante d'André de Lorde. Même rire à propos des « livres juridiques » qu'une servante montre à Joseph K., un jour de « relâche » et qui, ouverts, révèlent, non des textes rébarbatifs de juristes, mais des dessins obscènes dont la présence semble toute naturelle : les premières scènes de *La tête des autres* se retrouvent dans ces « coulisses » datant de quelque quarante ans.

3. Présence du monde

A côté de cet « humour » très particulier, il y a, dans les récits romanesques de Kafka, une présence du monde qui, pour très différente qu'elle soit de celle que nous avons découverte chez Malraux, n'en est pas moins unique. Sans doute, il n'y a dans la Chine, la Russie, l'Amérique de Kafka qu'une projection agrandie de l'empire des Habsbourg, ainsi qu'il a été dit, mais l'impression de dépaysement l'emporte chez le lecteur.

Amérique, qui nous raconte l'histoire de Karl Rossman, un garçon de 16 ans, est sans doute une peinture mythique de l'impossibilité éprouvée par Kafka de « se fixer » sur un sol, mais elle est aussi une étonnante évocation des U.S.A., à l'époque où la superbe Angleterre condescendait encore à ne pas s'inquiéter et même à permettre à sa jeune rivale de prendre un début de développement économique. Dans le roman, les États-Unis sont reconnaissables : il y a leur immensité, symbolisée par les interminables routes le long desquelles Karl erre à

---

45. H. UYTTERSPROT, *Kleine Kafkaiana*, analyse ainsi *Joséphine la cantatrice*, une des dernières œuvres de Kafka, et montre que chaque paragraphe détruit l'interprétation que le précédent semblait établir.

la recherche d'une place; il y a les hôtels énormes, les restaurants automatiques où l'on se sert soi-même, l'efficience des hommes d'affaires, doublée curieusement, en sourdine ou en contre-chant, par le « nomadisme » un peu gangstérisant de Robinson et Delamarche; il y a les filles froides, calculatrices et cyniques, mais en quête d'expériences sexuelles (on dirait déjà de Clara qu'elle est *sexy*); il y a enfin l'énorme entreprise de publicité barnumesque qu'est le *Naturtheater von Oklahoma*, où Karl est « reçu » à la fin : il fait songer à la fois aux statues baroques de Prague, aux mises en scène d'Hollywood (carton-pâte) et à l'optimisme sur commande. Tout cela sans doute paraît, actuellement, un peu « facile »; de plus, Dickens a joué son rôle dans ce roman « copperfieldien »[46], mais le contraste sur lequel le livre est construit demeure vrai : il oppose un immense pays optimiste, efficace, jeune et « rond » en affaires, et un presque petit garçon, un peu distrait, un peu imprudent, mais courageux, sensible, très pur et très droit, — il ne cédera pas aux approches de Clara — et tout compte fait « innocent »; son entrée au théâtre de la nature, — une « nature » aussi sophistiquée que Brunelda, la cantatrice tempêteuse et hystérique au service de laquelle il a dû travailler, — n'est pas l'accomplissement de son rêve, « se fixer » *(sich festzustellen)*, mais un échec; il est « gentiment mis de côté » explique Kafka, qui rapproche ce geste de celui qui tue Joseph K., le coupable, à la fin du *Procès*[47]; en réalité, Karl est « inséré » dans un monde de rêve, non dans ce « sol, cette loi » qu'il cherchait de toute son âme. Ce récit met en lumière l'aspect impersonnel des énormes organisations sociales, grossissement monstrueux de la société véritable que tout Juif recherche passionnément.

A partir de l'Europe centrale, le bouillon de culture que l'on sait, c'est l'immense Russie qui se profile dans *Souvenirs du chemin de fer de Kalda*. L'histoire de ce garde-barrière qui habite une bicoque le long de la ligne, — mais cette ligne est inachevée, car les crédits ont manqué, et le train n'arrive nulle part, — n'a sans doute plus rien à voir avec la Russie marxiste de 1956; mais, outre sa signification comme mythe de l'isolement d'un homme dans un monde désert, le récit transcrit l'état informe de la Russie d'avant la guerre de 14 : prenez une plaque de verre disait un professeur de Petersbourg, avant 1917, renversez-y un verre d'eau, observez les contours arbitraires que la tâche d'eau dessinera, et vous aurez une image exacte du nomadisme

---

46. On trouvera dans KP, une étude sur l'influence de Dickens dans la composition du roman *Amérique*.

47. Ce point est bien mis en lumière par H. UYTTERSPROT, dans *De vlaamse Gids* 38 (1954), p. 553 et 596-597.

russe, perdu dans un pays sans frontières. On n'oublie pas non plus les images de *La muraille de Chine* : l'empereur presque endormi dans sa ville lointaine, — on voit parfois son œil de poisson luire derrière les fenêtres de son palais, — le « message impérial » qui n'arrivera peut-être jamais, mais que « tu attends malgré tout, le soir, tendu que tu es vers le messager (MC, p. 112), le « colonel » représentant l'empereur dans la province éloignée du Sud, qui reçoit chaque année une délégation venant réclamer des réformes, écoute les discours, puis se borne à dire qu'il ne peut accepter et dissout l'assemblée dans un silence énigmatique; la « muraille de Chine » construite par fragments de 500 mètres, séparés les uns des autres, afin de ne pas « décourager » les travailleurs, et aussi pour « défendre » le royaume des invasions venues du Nord : tous ces morceaux, outre leur signification satirique, rendent sensible « le sommeil de trente siècles » qui a pesé sur la Chine et dont la révolution marxiste l'a réveillée, comme une princesse endormie, tirée de sa torpeur, non par le prince charmant, mais par les cris des blessés et les râles de ceux qui meurent de faim (MC, p. 98).

Le « monde » que l'œuvre évoque ainsi, en des images tour à tour comiques et tragiques, apparaît sous le signe, non de la misère, mais de la *solitude* immensément déroulée au long des plaines, des routes, des fleuves, en une « nature » *où les bêtes semblent être des hommes qui ne sont pas encore nés* et qui se terrent pour « vivre sans devoir vivre ». La Russie, évoquée déjà par Rilke dans ses *Récits*, est comme élargie aux dimensions de toute l'Asie et des U.S.A., chez Kafka; le monde est, chez lui, royaume de silence, de désolation, de solitude. Sur ces horizons, combien dérisoires apparaissent les institutions sociales, politiques, juridiques, qui prétendent faire régner l'ordre et la justice, combien comique aussi la prétention de l'homme qui veut se pavaner comme un roi. Ce sol immense est désert, inhabité; mais d'énormes terriers sont creusés silencieusement, sous terre, *où des êtres qui ont été des hommes se sont cachés* pour échapper à cette inexplicable absence qui rôde sur les étendues, cette absence qui est peut-être l'envers d'une présence, mais qui est à jamais inaccessible à Kafka[48].

---

48. On a voulu voir dans les récits kafkaïens une sorte de description, avant les faits historiques, de la situation de l'Europe après la deuxième guerre mondiale; on a dit que, comme pour Malraux, la réalité s'est mise à ressembler aux mythes de Kafka. Ainsi, *Le château* évoquerait les D. P., les personnes déplacées, qui n'ont pas « de papiers, » sont donc rejetées partout comme non « récupérables » en un pays qui ne peut pas « les absorber », car ses « besoins » sont comblés et « l'on n'a pas besoin d'arpenteur au château »; de plus, la vertu d'hospitalité étant inconnue dans le monde de Kafka, comme, beaucoup trop, dans l'Europe, personne ne se doute que l'hôte qui reçoit le « suppliant » s'enrichit dans la mesure

4. Les mythes du désespoir

Pris en eux-mêmes, les récits de Kafka sont de vrais mythes dont les significations multiples ne peuvent être épuisées, pas plus qu'on n'a pu le faire à propos d'une « histoire » comme celle d'*Orphée et Eurydice*. L'œuvre kafkaïenne *est* une sorte de monde clos : il ne peut donc exister une seule interprétation de celle-ci, tout comme il n'y a pas qu'une seule interprétation du monde lui-même (KP, p. 120, 182). Voilà pourquoi je me bornerai à trois exemples qui, au-delà de la signification humoristique déjà signalée et plus profondément que les implications historiques évidentes, dessinent le cercle vicieux dont jamais Kafka n'a pu sortir.

*   *
*

La solitude est « transcrite » dans les histoires de bêtes, dont la plus célèbre est *La métamorphose* (1912) :

> Un matin, au sortir d'un rêve agité, Grégoire Samsa s'éveilla
> transformé dans son lit en une véritable vermine. Il était couché
> sur le dos, un dos dur comme une cuirasse et, en levant un peu

où celui qu'il accueille est « inutile » et qu'on ne lui demande pas son nom, ses papiers. *Le procès*, qui débute par une arrestation sans motif explicite, évoquerait aussi les visites nocturnes de la Gestapo, les procès d'épuration et, finalement, l'exécution à laquelle le patient se livre avec une sorte d'hystérique volupté de l'aveu. *La colonie pénitentiaire* ferait songer elle aussi aux mêmes procès, plus spécialement aux « lavages de cerveaux » : la machine à exécuter les condamnés inscrit en effet la sentence sur la peau du condamné; celui-ci ne sait pas quel est son crime, mais durant les douze premières heures, — la machine ne perfore pas encore entièrement la peau, — il éprouve une volupté intense à sentir les piquants qui tatouent le mot qui exprime son crime sur sa peau nue; épousant ainsi son méfait, il s'identifie aussi avec le châtiment qui le suit, et il trouve joie dans cette identification, car on veille, — du moins selon la vieille tradition, explique le gardien au visiteur, — à donner du riz au condamné afin qu'il ne s'épuise pas trop vite et puisse suivre les phases de son châtiment avec une parfaite lucidité. — Je crois ces rapprochements très peu fondés dans l'œuvre elle-même, car ils supposent *l'innocence* des personnages kafkaïens, que l'on rapproche de celle des victimes des régimes totalitaires; or la culpabilité des personnages de Kafka est *prise tout à fait au sérieux* par leur créateur. Il faut ici, avec Marthe ROBERT (*Temps modernes*, 8, 1952, p. 654-655) remarquer les subtiles erreurs et omissions des lecteurs de Kafka : elles vont dans le sens de *l'oubli de la culpabilité des héros;* par exemple, on néglige de voir que K. a quitté femme et enfants, qu'on ne demande *pas* d'arpenteur au château et que K. *le sait bien*, qu'il ne fait *pas de véritables efforts pour joindre le château*, mais se perd dans des histoires de femmes; de même pour Joseph K., on oublie qu'il s'agit de Kafka lui-même qui, au moment où « il commence son roman », est fiancé et procède à l'arrestation de ce qui en lui s'oppose au mariage et qu'il considère comme la vie juste ».

la tête, il s'aperçut qu'il avait un ventre brun en forme de voûte divisé par des nervures arquées. La couverture, à peine retenue par le sommet de cet édifice, était près de tomber complètement et les pattes de Grégoire, pitoyablement minces pour son gros corps, papillotaient devant ses yeux (M, p. 7).

Kafka retrouve le style mythologique de la « métamorphose », mais avec une logique dans la folie qui recrée le genre. Il est impossible d'oublier ces images : la découverte de la métamorphose par le directeur de Grégoire, l'horreur éprouvée par les parents, les soins que la sœur du malheureux continue durant un certain temps, puis la solitude progressive de la bête : elle se cache sous le canapé quand on lui apporte sa nourriture, elle se promène sur les murs presque entièrement dénudés, elle se nourrit de déchets d'aliments à moitié pourris. Le père a repris du travail, la mère n'a pas la force de regarder « son fils », jusqu'au jour où le père irrité lance une pomme à moitié pourrie qui se fiche dans les reins de la pauvre vermine; elle va se traîner jusqu'à la fin avec cette écharde dans sa carapace blessée.

Un soir, dans la pièce de famille, on fait de la musique; la sœur joue du violon; des messieurs, locataires, sont venus écouter. C'est une vraie fête de famille, tiède, harmonieuse, musicale. La porte est restée entrouverte; Grégoire se sent attiré :

> Attiré par la musique, Grégoire, — audace, — s'était avancé légèrement et il avait déjà toute la tête dans la salle... La sœur jouait... si bien. Grégoire avança encore un peu et approcha la tête le plus possible du sol pour essayer de rencontrer ce regard. N'était-il donc qu'une bête? Cette musique l'émouvait tant. Il avait l'impression qu'une voie s'ouvrait à lui vers la nourriture inconnue qu'il désirait si ardemment (M, p. 87, 89).

Grégoire voudrait que sa sœur vienne vivre avec lui, librement; il pourrait alors lui parler, lui dire combien il l'admirait, qu'il voulait l'envoyer au conservatoire, et, elle, alors, émue, éclaterait en larmes et il pourrait l'embrasser.

Naturellement, Grégoire est aperçu par les auditeurs; la musique cesse soudain. La sœur dit alors « qu'il faut nous débarrasser de ça » (M, p. 94). La nuit même, tout seul, Grégoire meurt :

> Il découvrit bientôt qu'il ne pouvait plus faire un mouvement. Cela ne l'étonna pas; il aurait été plutôt surpris d'avoir pu jusqu'alors se remuer sur des pattes aussi grêles. D'ailleurs il éprouvait une sensation de bien-être relatif. Il sentait bien quelques douleurs dans son corps, mais il lui sembla qu'elles devenaient de plus en plus faibles et finiraient par disparaître

> complètement. Il ne souffrait déjà presque plus de la pomme
> pourrie incrustée dans son dos ni de l'inflammation des parties
> environnantes qui étaient toutes couvertes d'une poussière fine.
> Il resongea à sa famille avec une tendresse émue. Qu'il dût partir,
> il le savait, et son opinion sur ce point était encore plus arrêtée,
> s'il est possible, que celle même de sa sœur. Il resta dans cet
> état de méditation paisible et vide jusqu'au moment où l'horloge
> de la tour sonna trois heures du matin. Il vit encore devant la
> fenêtre le paysage qui commençait à s'éclaircir. Puis sa tête
> s'affaissa malgré lui et son dernier souffle sortit faiblement de
> ses narines (M, p. 99).

La tendresse cachée pour sa famille, l'espèce d'humilité navrante qui
marque cette mort, la volonté humble de s'effacer progressivement et
discrètement du tableau de la vie imprègnent l'agonie « d'une bête ».

Lorsque la femme d'ouvrage découvre le cadavre complètement
desséché de Grégoire, elle prend sur elle de « le » balayer, de « le » faire
disparaître avec les déchets de la poubelle. Alors les parents et la sœur
connaissent à leur tour une sorte de métamorphose : ils reprennent
goût à la vie, car la dernière page du récit se termine par cette description
de la jeune vie innocente et naïve qui peut enfin se gonfler et s'épanouir,
lorsque « la vermine » a disparu :

> En regardant parler leur fille qui s'animait de plus en plus,
> M. et Mme Samsa remarquèrent presque en même temps que Grete,
> malgré les crèmes de beauté qui lui avaient fait les joues pâles,
> s'était considérablement épanouie dans les derniers mois; c'était
> maintenant une belle jeune fille aux formes pleines. Leur
> expansion se calma un peu, ils échangèrent presque inconsciem-
> ment des regards qui se comprirent, ils songèrent tous deux
> qu'il allait être temps de lui trouver un brave mari. Et il leur
> sembla voir dans le geste de leur fille une confirmation de leurs
> nouveaux rêves, un encouragement à leurs bonnes intentions,
> quand au terminus du voyage, la petite se leva la première pour
> étirer son jeune corps (M, p. 107-108).

Ce jeune corps qui s'étire et prend conscience de sa beauté gonflée
de vie contraste de manière insoutenable avec la vermine que la femme
de charge vient de jeter à la poubelle.

Les images de *Huis-Clos* et des *Mouches* paraissent cérébrales à
côté de ce mythe exprimant l'isolement de Kafka incapable de joindre
la société et de se faire reconnaître par elle. Mais, au-delà de l'écrivain
praguois, c'est l'isolement des Juifs de l'Europe centrale qui se dessine :
combien de fois, après un bon *pogrom*, les « autres » n'ont-ils pas dit,
comme le père de Grégoire : « Dieu en soit loué » et n'ont-ils pas commencé

à faire de nouveaux projets? Combien de jeunes corps ne se sont-ils pas soudain épanouis? Enfin, et peut-être surtout, c'est le drame de la solitude, celle des fous par exemple, qui est ici exprimé : ces êtres que l'on cache « à la famille et aux amis », mais qui rôdent autour de la maison, et qui parfois, à la faveur d'une minute d'inattention, se glissent dans le *living room* familial, attiré qu'ils sont par la musique. Et ceux qui ne sont pas fous, mais que l'on n'aime pas, qui ne sont vraiment accueillis nulle part, à qui l'on jette la nourriture comme on jette un os à un chien, à qui on accorde distraitement, durant un instant, son attention, mais qui n'existent pas vraiment pour nous, ceux-là aussi sont traités par nous comme des vermines. On peut continuer sans fin ce genre de commentaire et de rapprochement. Les mythes de Kafka permettent cette multitude d'interprétations simultanées, précisément parce qu'ils sont des symboles prolongés en narration, des symboles actifs, dynamiques et non des allégories où chaque détail devrait correspondre à un élément du réel[49].

* * *

Le mythe du *Château*[50] rend sensible le drame de l'homme en quête d'un enracinement nouveau, dans des villages où personne ne l'attend, où il est «de trop» pour l'éternité. Tout cela s'incarne dans la présence silencieuse de la neige, l'espace feutré, sale, livide, qui enveloppe tout, le château qui domine de loin le village mais que personne ne veut ni ne peut jamais atteindre, car les chemins qui y mènent sont brouillés et il est impossible d'entrer en contact avec les employés qui doivent donner le sauf-conduit. A la fin du chapitre vingt (édition allemande, inédit en français) K., après avoir parcouru une série de cercles qui l'ont tous ramené au même point, rencontre Gerstäcker, celui qu'il avait vu à la fin du chapitre I : celui-ci lui offre de devenir palefrenier. K. a donc échoué, mais il va recommencer ses efforts; seulement, il est encore descendu d'un degré dans la société. Le final ressemble à celui de l'*Amérique :* du château arrive une décision disant que K. n'a pas réellement droit de cité au village, mais qu'on l'autorise malgré tout

---

49. Je crois que le lien des mythes kafkaïens avec le style du *mashal* ou parabole sémitique est probable; néanmoins, comme le contenu de l'œuvre est l'impuissance et la culpabilité, j'ai choisi le mot « mythe » qui exprime mieux la marche sur place; on pourrait dire que la pensée artistique de Kafka est « en mouvement » vers un avenir (comme dans le messianisme profane judaïque) mais qu'elle est arrêtée par le *jugement* du père.

50. Cfr Marcel Lobet, *La science du bien et du mal*, Bruxelles, 1954, p. 52-57 qui a deux excellents chapitres sur « Le château féerique » et « Le castel noir »; on y situera aisément le mythe kafkaïen. Cfr aussi *supra*, p. 273, n. 48.

à y vivre et à y travailler par égard pour certaines circonstances *accessoires;* seulement, K. est coupable aussi, car il n'est *pas prêt,* ce qu'indiquait déjà le « sommeil » qui s'abattait sur lui dans les circonstances les plus graves de sa recherche; cette fois, il s'endort du sommeil dont on ne se réveille plus, celui de la mort (C, p. 249, S, p. 481-482) : le salut vient trop tard, car l'homme, de son côté, s'est découragé d'attendre et d'espérer.

* * *

Un troisième exemple, celui du *Terrier,* résume l'inextricable situation de Kafka, *aussi bien dans sa vie que dans son art.*

Une bête s'est creusé un terrier où les corridors sont tellement enchevêtrés que la fuite par une issue secrète est toujours possible; du reste, un carrefour commande les principales avenues. La bête a travaillé « de toute sa vie » pour achever sa demeure : de son museau ensanglanté elle a « cimenté » les murs, de sorte qu'ils ne peuvent être minés par les autres vermines minuscules et lamentables. La voici donc à l'abri, loin des vivants, dans une solitude ténébreuse : il n'y a plus de joie pour elle, sans doute, mais il n'y a plus de risques non plus; il n'y a plus de clarté, mais il n'y a plus de danger de se blesser les yeux; il n'y a presque plus de « vie » dans le terrier, mais toute douleur est exclue en même temps. Quelle merveille que cette mort vivante, que cette vie morte, au cœur de ce terrier!

Quelle ironie! car il y a... l'entrée du terrier, indispensable pour l'aérer, cette entrée si bien dissimulée entre des mottes de terre, sous des herbes et des ronces, qu'aucune bête des bois ne peut seulement deviner qu'il y a là l'issue d'un ténébreux refuge pour une pauvre bête traquée. Oui, elle est bien dissimulée... Mais il est prudent d'y aller voir, de temps en temps : la bête sort alors du terrier, elle va se blottir à l'air libre, à bonne distance, et, tapie sous les feuilles, elle observe les autres bêtes qui passent, et qui ne voient rien, qui ne savent pas...

Mais le temps passe : pendant que l'on observe de l'extérieur, que se passe-t-il à l'intérieur? Une bête n'a-t-elle pas réussi à fouir des galeries qui violeraient le silence du terrier? Il faut rentrer dans les couloirs souterrains, refaire et réparer les petits dégâts inévitables, consolider le carrefour central. Quel apaisement! tout est de nouveau en ordre, et la bête se blottit dans ses corridors. Mais, à la longue, l'inquiétude reparaît, sur l'entrée du terrier : il faut sortir encore, guetter, dehors, dedans, dehors, dedans, d'autant plus que, peu à peu, un bruit monte, résonne dans le silence étouffé des corridors ténébreux; il se confond d'abord avec le rongement familier de la

petite vermine qui ne fait que peu de dégâts, repérables, mais bientôt
le bruit devient plus fort, il se situe ici, là, plus loin, en arrière, *partout* :
et le récit « inachevé », et inachevable, nous laisse sur la vision effrayante
d'une présence hostile, formidable, anonyme, qui envahit de partout à
la fois l'ultime demeure où la bête avait voulu vivre sans vivre et se
cacher aux yeux de tous[51].

*   *
*

L'échec des tentatives littéraires est donc aussi total que celui de
l'amour : Kafka a inventé une mythologie du désespoir et de l'absurde.
Il est impossible de vivre, il est impossible de ne pas vivre; nous sommes
innocents et cependant nous sommes coupables; nous devons nous
justifier et cependant nous ne le pouvons; nous devons nous fixer sur
un sol, une patrie, trouver une loi, et cependant nous n'y arriverons
jamais. Nous sommes des arpenteurs que personne n'a embauchés,
qui quittent femme et enfants et pays, comme Abraham, vers un pays
neuf, un château merveilleux, *mais personne ne nous attend*, car nous
sommes aussi des *fraudeurs* et, avant de dire un mot, nous sommes
condamnés, éjectés, chassés, comme Karl Rossmann :

> Sur la canne de Balzac est gravé : « Je brise tous les obstacles. »
> Sur la mienne : « Tous les obstacles me brisent. » Ce qu'il y a de
> commun c'est le (mot) « Tout » (HL, p. 281).

Cela, c'est l'énoncé abstrait du drame; en voici une image concrète,
un mythe en miniature, mais qui réunit tous les thèmes, celui du
malheur, celui de la culpabilité et celui des impasses qui barrent la
marche vers la vie :

> Deux enfants, seuls dans l'appartement, montèrent dans une
> grande malle, le couvercle retomba, ils ne purent pas l'ouvrir
> et moururent étouffés (J, p. 526, *6 décembre 1921*).

---

51. L'imagination de Kafka est à la fois glaciale et proliférante, ainsi que
quelques exemples en feront foi : épée enfoncée dans le corps, entre la peau et la
colonne vertébrale, sans qu'une goutte de sang sorte, prison-sarcophage dressée
verticalement dans l'espace, dans laquelle le condamné est assis, nu, les jambes
ballantes sur l'abîme (HL, p. 345-346), combat féroce que le héros prend sur lui
et qui attire sur lui l'attention générale (HL, p. 338-339, JI, p. 219-220), jeune fille
qu'il aimait, mais qui est soudain séparée de lui par des lances qui se retournent
contre lui, pendant qu'un autre l'embrasse (HL, p. 252-253, JI, p. 226-227): on
n'en finirait pas d'énumérer. Mais ces images s'oublient difficilement, par exemple
celle du champion de jeûne qui périt, totalement oublié des foules, et qui peut-être
est un imposteur... L'œuvre est ainsi toujours balancée entre l'*angoisse* de la souffrance et de l'exil et la *culpabilité* radicale de l'homme par sa complicité avec les
forces qui le détruisent.

CHAPITRE IV

L'absence de loi

I. Un fantôme de religion

Dès son enfance, Kafka fut dépouillé du « passé » de sa race; si le judaïsme avait été vivant dans sa famille, il eût pu être un milieu où le père et le fils se fussent retrouvés et même réunis, mais tel qu'on le lui a transmis, il ne pouvait qu'aggraver la situation. Petit garçon, Kafka se reprochera de ne pas aller assez souvent à la synagogue; croyant ainsi faire tort à son père, il augmentera son sentiment de culpabilité; mais, plus tard, il se libérera de ce fantôme de religion :

> Plus tard, adolescent, je ne comprenais pas que toi, avec le fantôme de judaïsme dont tu disposais, tu pusses me reprocher de ne pas faire d'efforts (j'aurais dû en faire, ne serait-ce que par pitié, disais-tu) pour développer quelque chose de tout aussi fantomatique. Car pour ce que je pouvais en voir, c'était vraiment une bagatelle, une plaisanterie, pas même une plaisanterie. Tu allais au temple environ quatre fois par an, tu y étais, à tout le moins, plus proche des indifférents que des convaincus, tu t'acquittais patiemment de la prière comme on accomplit une formalité et tu m'as bien souvent rempli de stupéfaction en me montrant dans ton livre le passage qu'on était en train de lire; pour le reste, une fois que j'étais à l'intérieur, — c'était là le principal, — je pouvais me fourrer où bon me semblait. Je passais donc à bâiller et à rêvasser ces heures interminables (je ne me suis autant ennuyé, je crois, que plus tard, pendant les leçons de danse) et j'essayais de tirer le plus de plaisir possible des quelques petites diversions qui s'offraient, comme l'ouverture de l'arche d'alliance, laquelle me rappelait toujours ces baraques de tir, à la foire, où l'on voyait également une boîte s'ouvrir quand on faisait mouche, sauf que c'était toujours quelque chose d'amusant qui sortait, alors qu'ici, ce n'étaient jamais que les mêmes vieilles poupées sans tête. Du reste j'y ai bien souvent aussi connu la peur, ...parce que tu avais dit un jour que je

pourrais être appelé à la (lecture de la) Thora... Mais à part
cela rien ne venait troubler sérieusement mon ennui, si ce n'est
le Bar-Miyzvah *(cérémonie d'initiation religieuse réservée aux
garçons ayant treize ans et un jour)* qui, ne demandant qu'un
ridicule effort de mémoire, n'aboutissait qu'à un ridicule succès
d'examen... S'il en allait ainsi au temple, c'était, si possible,
encore plus lamentable à la maison; on se bornait à fêter la
première soirée du Seder *(La Pâque juive)* qui, il est vrai, sous
l'influence des enfants grandissants,... dégénéra de plus en plus
en une véritable comédie accompagnée de fous rires. Tel était
le matériel constituant la foi qui m'a été transmise, — matériel
à quoi s'ajoutait tout au plus ta main tendue désignant les
« fils du millionnaire Fuchs », qui accompagnaient leur père à la
synagogue. Je ne voyais pas ce qu'on pouvait faire de mieux
avec un pareil matériel que de s'en libérer au plus vite; cette
libération, justement, me semblait le plus pieux des actes
(BV, p. 197-199, LP, p. 801-803).

On ne peut rien ajouter à ces lignes d'une écrasante précision; elles
valent aussi pour les christianismes « folkloriques » que des pères
sceptiques essayent de transmettre à des fils qui se dérobent : l'enfant
s'ennuie à la synagogue, parce qu'il ne comprend rien de ce qui s'y
passe, parce qu'il est laissé à lui-même; l'« examen » de « confirmation »
(il s'agit de la confirmation juive) est ridicule : tel est le fantôme de
judaïsme que le fils devrait recueillir avec « délice et amour ». Gabriel
Marcel a beau souligner la crise de la « notion d'héritage spirituel »,
dans *Le déclin de la sagesse,* encore faut-il que les parents aient un
legs *vivant* à faire à leurs enfants, sinon ceux-ci ne verront rien de
mieux à faire « que de s'en libérer au plus vite ». Or la suite du texte
montre la raison majeure de l'échec dans le transfert de l'héritage
du père de Kafka :

Tu avais effectivement rapporté un peu de judaïsme de cette
sorte de ghetto rural dont tu étais issu; c'était bien peu et ce
peu a encore diminué sous l'influence de la ville et de l'armée,
mais, quoi qu'il en soit, tes impressions et tes souvenirs de jeunesse
étaient tout juste suffisants pour te permettre une espèce de vie
juive, — et ceci d'autant plus que, descendant d'une race vigou-
reuse et ne risquant guère pour ta part d'être ébranlé par les
scrupules religieux quand ils ne se mêlaient pas trop à des considérations sociales, tu n'avais pas grand besoin d'un appui de
ce genre. Au fond la loi qui gouvernait ta vie consistait à croire
en la vérité absolue des opinions d'une certaine classe juive,
ce qui revient à dire, puisque ces opinions faisaient partie de ta
personne, à croire en toi-même. Même cela comportait encore
une bonne part de judaïsme, mais *vis-à-vis de l'enfant, c'était*

> *trop peu pour être transmis*, ton judaïsme s'épuisait complètement
> tandis que tu le remettais entre mes mains. Il y avait là en partie
> des impressions de jeunesse impossibles à transmettre, en partie
> ta manière d'être que je redoutais. Il était impossible de faire
> comprendre à un enfant observant tout avec l'excès d'acuité né
> de la peur que les quelques balivernes que tu accomplissais au
> nom du judaïsme, avec une indifférence proportionnée à leur
> futilité, *pouvaient avoir un sens plus élevé.* Pour toi, elles avaient
> la valeur de petits souvenirs d'une époque révolue et c'est pour
> cela que tu voulais me les proposer, mais comme tu ne croyais
> pas toi-même à leur valeur propre, tu ne pouvais le faire que
> par la persuasion ou la menace... (BV, p. 199-200, LP, p. 803-804).

Si la religion juive ne s'est pas transmise, c'est *parce que le père n'y
croyait plus*, c'est parce que, chez lui, elle était une survivance sentimentale, un comportement sociologique qu'il acceptait à condition
que cela ne gêne pas la vraie racine de sa force, la confiance en une
certaine classe juive et l'estime de lui-même. Seule la foi vivante se
transmet; elle est une lumière qui s'allume à une autre lumière; dès
qu'elle se dégrade en folklore sentimental ou sociologique, elle se perd
en la multitude, elle se volatilise en passant d'une génération à une
autre.

* * *

La génération de Kafka a perdu toute tradition religieuse :

> Aujourd'hui, en entendant le compagnon du Moule dire la
> prière qui termine le repas, tandis que les assistants, à l'exception
> des deux grands-pères, passaient le temps à rêver et à s'ennuyer
> dans l'absolue incompréhension de la prière qu'on leur récitait,
> j'ai vu devant moi le judaïsme d'Europe occidentale à une période
> de transition manifeste dont la fin est imprévisible, ce dont ne
> s'inquiètent nullement les premiers intéressés, lesquels, en vrais
> hommes de transition, subissent ce qui leur est infligé. Ces formes
> religieuses parvenues à leur fin ultime avaient déjà de façon
> si incontestable un caractère purement historique dans leur
> pratique actuelle, qu'un peu de temps écoulé dans le courant de
> cette matinée paraissait suffire pour qu'on pût intéresser histo-
> riquement les assistants, en leur faisant connaître la vieille
> coutume surannée de la circoncision et des prières à demi chantées
> (*24 décembre 1911*, J, p. 179).

La *Lettre au père* dit la même chose :

> Tout ceci n'est pas un phénomène isolé, la situation était
> à peu près la même pour une grande partie de cette génération

juive qui se trouvait à un stade de transition du fait qu'elle avait quitté la campagne, où l'on était encore relativement pieux, pour aller s'établir dans les villes (BV, p. 200, LP, p. 804).

Cette génération de transition date de la fin du xIXe siècle : dans le monde juif, les migrations de l'Est, relativement pieux encore, vers l'Ouest, déjà rationaliste, sceptique, se situent au même tournant chronologique que Péguy datait des années 1880-1884, lorsque naissait, selon lui, le monde moderne « qui n'a plus d'âme »[1]. La déchristianisation et la perte du sens religieux font alors en Europe occidentale des progrès effrayants. La fissure de la chrétienté, les lézardes de l'édifice religieux sont encore difficiles à déceler, mais, derrière une façade écaillée, l'intérieur est pourri. Certes, en France, une élite fera un retour aux valeurs spirituelles, en réaction contre le naturalisme et le positivisme, mais la masse est de plus en plus gagnée par l'athéisme; en Europe centrale, il n'y a aucun écrivain chrétien ou religieux à opposer aux Thomas Mann, Heinrich Mann, Rainer Maria Rilke[2]. Les noms qui dominent sont ceux de Nietzsche, Schopenhauer, Hegel, bientôt Heidegger; le seul « chrétien » sera Kierkegaard, mais Kafka dira lui-même de ce philosophe anti-hégélien, « qu'il fut mis au monde par la main défaillante du christianisme » (HL, p. 120, JI, p. 221), et il critiquera fortement la problématique kierkegaardienne[3].

Kafka est un homme du xxe siècle : il est nerveux et ironique, comme Butler; il se « révolte » contre son père, très négativement, en se réfugiant dans une coquille de peine et de culpabilité; mais, surtout, l'auteur du *Procès* est hésitant entre la tradition hellénistique et la tradition hébraïque. La tradition hellénistique est sensualiste et individualiste, tandis que la tradition hébraïque met l'accent sur la responsabilité morale et politique. S'il est vrai que le xIXe siècle fut

---

1. Le prix Goncourt 1955, R. IKOR, *Les fils d'Avrom*, Paris, 1955, permet une comparaison : le roman nous raconte l'émigration d'une famille de juifs russes, allant de l'Est vers l'Ouest; une branche s'installera aux U.S.A., une autre en France. Dans le roman, l'Est représente les *pogroms*, les traditions raciales *et religieuses*, vénérables certes mais dépassées. Les « eaux » se « mêlent » vraiment, car l'épopée de la famille Mychanowitzki s'achève lorsque les enfants et petits enfants sont entièrement assimilés aux Français et que plus rien ne les en distingue; avec le vieux père, mort en Palestine, est morte la tradition religieuse juive; Yankel y est resté fidèle seulement par souci d'avoir la paix avec sa femme, assez naïve et arriérée : l'abandon des traditions religieuses juives est présenté comme un progrès, une condition même de la « greffe du printemps » tandis que, pour Kafka, l'abandon de ces traditions est *le problème majeur de notre époque*.
2. DLZJ, p. 1 9-20, 324-325, 419.
3. On a voulu rapprocher Kafka de la « théologie de la crise » ainsi qu'une étude dans KP veut le prouver, mais J. Wahl a raison de rejeter ce rapprochement (*supra*, p. 203, n· 27).

plutôt dominé par la tradition hellénistique, tandis que le xxe l'est par la tradition hébraïque[4], Kafka serait une « transition » entre les deux, à moins qu'il ait été un éternel hésitant. Comme beaucoup d'hommes modernes, hautement *civilisés* et profondément *infantiles*, Kafka serait au croisement de deux générations. Quoi qu'il en soit, on voit chez lui le sens de la culpabilité et de l'ambivalence de toute vérité ou de toute réalité; l'ironie, l'irrationnel, la dissonance, ces notes du tempérament moderne se retrouvent dans celui de Kafka[5].

II. Nécessité d'une loi

Le sionisme reflète l'ambiguïté de la « génération de transition », du moins selon l'optique de Malraux, qui nous intéresse particulièrement dans cet essai[6]. La génération sioniste a fait la nouvelle Palestine à partir des années 1923, tout à la fin de la vie de Kafka; son messianisme s'incarne en ces jeunes gens et jeunes filles en shorts, bottés de caoutchouc, outils à la main, quand ils n'ont pas en même temps le fusil en bandoulière, qui partent sur des camions vers le travail qui fera « refleurir le désert ». De tous les coins de l'Europe, ils viennent se rejoindre et partent vers les *kibboutzim;* le sabbat, le mariage et la viande *kasher* sont les seuls cadres religieux encore supportés, assez mal du reste, par une jeunesse animée du seul espoir terrestre de faire revivre la « terre promise ». Le seul peuple d'Orient « qui prit Dieu tout à fait au sérieux » (I, p. 9) passe par une mue radicale que Malraux décrit en ces termes :

> On l'attribue à une modernisation; l'Israélien en short serait à son grand-père en caftan ce que les rues de Tel-Aviv sont aux ruelles des ghettos de Pologne. C'est oublier que *le petit fils se bat, alors que le grand-père se laissait assassiner,* que l'invention du courage au sens où l'entend l'Occident est plus significative que la copie de petits gratte-ciel; et que les Israéliens ne doivent pas leur courage aux rues de Tel-Aviv, mais les rues de Tel-Aviv à leur courage (I, p. 9).

---

4. Je rappelle le rôle que joue la politique dans tous les problèmes, ainsi que celui de la « dimension historique » dans la pensée moderne : tout cela est en consonance avec la mentalité hébraïque; cfr André NEHER, *Essai sur l'essence du prophétisme,* Paris, 1955.

5. KP, p. 417-418, 435, 439, 443.

6. Les textes cités viennent du livre *Israël,* Guilde du livre, Lausanne, 1955, *Images* d'ISIS, *Texte liminaire* d'André MALRAUX (je cite I).

Malraux découvre dans l'épopée israélienne la même mue que celle qui dressa le peuple espagnol contre la servitude; nous retrouvons ici l'opposition malruxienne entre une situation religieuse où l'on se laisse soumettre, insérer dans un ordre plus vaste, et un ordre que l'on *crée* soi-même, par son courage : « L'état sioniste est né du courage; *sans lui*, même l'argent venu des États-Unis eût été vain; sans lui jamais le sionisme n'eût été arraché à l'utopie » (I, p. 9). Certes, Israël fut longtemps une nation de martyrs, mais une métamorphose s'est produite peu à peu : lorsque les Juifs se mêlèrent de la révolution russe, sans doute, « devant Dieu, le combat révolutionnaire n'était pas moins vain que les autres; mais il y avait dans la révolution un accent assez religieux pour couvrir parfois celui des traditions » (I, p. 10). Autrement dit, Israël savait mieux que personne qu'aucune victoire militaire n'était sérieuse, que « le courage militaire était absurde parce que la dernière victoire ne dépendait que de Dieu » (I, p. 9); aussi bien, au cours des siècles, Israël s'est retranché derrière le petit mur de la *Halachach*, sachant que Dieu seul est son vengeur : voilà pourquoi tant de *pogroms* furent passivement subis. Mais, peu à peu, en se mêlant à la première révolution russe, les intellectuels juifs ont découvert une forme de messianisme terrestre qui garde encore un accent religieux, mais qui réussit à faire taire certaines traditions ancestrales. Le sionisme en est sorti, en partie du moins; selon Malraux, il prend place dans le mouvement de recul du sacré qui force l'homme à prendre conscience de lui-même dans un univers où il est seul :

> Et sans doute le sacré s'affaiblissait-il dans les grandes communautés juives comme dans toute l'Europe; *il fallut un premier retrait de Dieu pour que le héros s'opposât enfin au sacré*, pour que prît fin l'indomptable soumission d'Israël (I, p. 10)[7].

Opposées à cette indomptable soumission, voici deux images du nouvel Israël :

> D'en face paraîtront
> une jeune fille et un garçon
> et à pas lents marcheront à la rencontre d'Israël

---

7. C'est la même dialectique qui, selon Malraux, conduit les sculpteurs romans à s'opposer à Byzance, à dresser leurs statues comme une proclamation de la croisade pour délivrer le Christ de son royaume d'ombres. Des images du livre qu'il introduit, Malraux dit qu'elles « saisissent l'instant où se reflètent les siècles; l'instant qui métamorphose le réel en le prolongeant dans l'interrogation d'un poème » (I, p. 7). Le thème de l'art-interrogation se conjoint à celui de la métamorphose : « Les pionniers d'Occident obéissaient à l'un des plus violents instincts de leur race; l'Amérique continue l'Europe. Les Israéliens ne continuent pas les Israélites, il les métamorphosent » (I, p. 9).

Avec leurs habits de semaine et leur ceinturon
avec leurs lourdes chaussures
ils monteront par le sentier
silencieux.

...Les deux s'affronteront en silence
et s'arrêteront, au garde-à-vous
et nul signe ne dira s'ils sont vivants ou fusillés...

(I, p. 8 et 106).

Ce poème d'Altermann, Malraux le prolonge en l'image que voici :

Le soleil tombe sur le sable qui recouvrira l'État juif comme il recouvrira les autres... Et dans l'ombre de Schéol qui s'approfondit tandis que montent les étoiles du déluge, les Juges d'Israël regardent *le petit veilleur condamné contre lequel ne prévaudra point la menace divine*, parce que le mystère de la plus humble grandeur n'est pas moins profond que celui de la mort (I, p. 11)[8].

Pour Malraux, le recul du Dieu inexorable fut la condition de la première apparition du courage et de la force qui métamorphosa Israël en État israélien. De l'aventure israélienne, ce n'est pas l'enracinement nouveau qui compte pour Malraux, mais le courage qu'il a fallu pour s'opposer au sacré.

8. Sans doute, pas plus que les autres témoins, Malraux ne peut rester insensible à l'aspect religieux qui subsiste dans l'aventure sioniste : « Pourtant Dieu est toujours là, et la Bible, la littérature nationale de l'état israélien » (I, p. 10); quelque chose distingue cet état des vieilles nations d'Europe et des nations d'Amérique créées par des énergies déracinées : « Elle unit aux appels millénaires un rationalisme acharné, mêle la création de sa république sous la protection de Lord Balfour au retour à la Terre Promise sous la conduite du Messie. Son peuple de citadins ne veut pas oublier la métaphysique en découvrant la charrue, son peuple ravagé de Dieu l'est à peine moins de la justice, et ne veut pas l'oublier lorsqu'il découvre la raison d'état. Ici, malgré tant d'épaves, malgré la nécessité de vivre en tant que nation, rien n'est continuité; mais tout est lié à l'invincible passé dont on n'a pas chassé l'éternel » (I, p. 10). Malgré tout, ce qui compte, c'est le courage qui a dressé contre le sacré les pionniers du sionisme; le passé religieux biblique a joué ici le même rôle que celui de l'Évangile pour la « chrétienté romane » : « Bien plus que les problèmes des pionniers... l'état d'Israël rencontre dans le monde moderne ceux que connut, au XIe siècle, la naissance de l'Occident. La chrétienté romane eût-elle été vaincue, elle n'eût pas moins fait surgir le monde qu'elle construisait, de l'autre monde dont elle était hantée. Il va de soi qu'elle n'incarne pas l'Évangile, ni l'Union soviétique le marxisme, ni la France de l'an II la république, ni l'état d'Israël la Bible. Mais il n'y a pas de chrétienté romane sans l'Évangile, sans ce qu'y devient l'Évangile; il n'y a pas d'état d'Israël sans Bible, sans ce que devient la Bible dans une métamorphose qui engage jusqu'au divin » (I, p. 10-11). Il va de soi que je cite ici l'opinion de Malraux à titre d'exemple d'un jugement inverse de celui que portera Kafka sur le recul du sacré; je m'en voudrais de juger de la signification, religieuse ou non, du sionisme.

* * *

L'attitude de Kafka est exactement l'inverse de celle que décrit Malraux : il rejeta lui aussi le fantôme de religion que son père voulait lui transmettre, mais ce ne fut pas, pour lui, la première étape d'une libération, mais *la mise en évidence d'une question désormais insoluble :* comment compenser le déracinement provoqué par le recul des traditions religieuses juives? La communauté juive séculairement isolée[9], battue[10], se déracine par surcroît elle-même en perdant ses traditions sacrées[11] :

> Si on m'avait laissé libre, si j'avais pu être celui que je voulais, alors j'aurais voulu être un jeune petit juif oriental, dans un coin de la salle, dénué de tout souci : le père discute au milieu de la chambre, avec les hommes, la mère, habillée très lourdement, circule parmi les colis de voyage, la sœur bavarde avec la petite fille et chatouille ses beaux cheveux, — et dans deux semaines nous serons en Amérique (BM, p. 220).

Plus loin il explique la situation du Juif *occidental :*

9. Cfr *supra*, p. 199, le texte de Marthe Robert tiré de J, p. xii-xvii. Kafka a dit lui-même qu'il se considérait comme « l'invité de la langue allemande » et que « le tchèque lui tenait beaucoup plus à cœur » (BM, p. 22).

10. Il est bon de préciser la position de Kafka envers les Juifs. Sans doute, il écrira en janvier 1914 : « Qu'ai-je de commun avec les Juifs? A peine si j'ai quelque chose de commun avec moi-même! » (J, p. 321), mais ce n'est là qu'une boutade. Il s'est toujours intéressé aux Juifs (par exemple à propos de l'acteur Löwy (BV, p. 200-202); en 1930, il raconte à Janouch l'histoire de son ami Oscar Baum, qui fut pris dans une bagarre entre enfants tchèques et allemands et y perdit la vue : « Le Juif Oscar Baum perdit la vue en tant qu'Allemand, c'est-à-dire en tant qu'homme pourvu d'une qualité qu'il ne posséda jamais et qu'on ne lui reconnut jamais. Peut-être Oscar n'est-il que le triste symbole des Juifs allemands de Prague » (KMD, p. 101). Kafka a très bien décelé aussi l'anxiété qui imprègne profondément certains Juifs et, parmi eux, lui-même; ils ne croient être sûrs de posséder quelque chose que lorsqu'ils le tiennent entre leurs dents; seule la possession manuelle leur semble authentique, et ce qu'ils ont une fois perdu, ils ont le sentiment que, plus jamais, ils ne le retrouveront (BM, p. 46-47). Kafka connaît aussi l'anti-sémitisme, car il raconte comment, durant toute une après-midi, il a été dans les rues et a « baigné dans la haine des Juifs »; il n'est donc pas difficile de comprendre, dit-il, que l'on désire quitter ces lieux où l'on est tellement détesté, sans qu'on doive pour cela s'inféoder au sionisme ou au sentiment de la race (BM, p. 240). Dans la même ligne, il dira encore à Janouch : « Nous autres Juifs, nous naissons déjà vieux » (KMD, p. 28) et, à propos de Ludwig Hardt : « Il est typiquement Juif et cependant, nulle part il n'est étranger » (KMD, p. 83).

11. Vers les années 1921-1922, Kafka put voir, à Prague, dans la grande salle de l'hôtel de ville, plus de cent Juifs-Russes attendant le *visa* leur permettant d'aller en Amérique; c'est avec le souvenir de cette image qu'il écrit à Milena les lignes citées dans le texte.

Nous connaissons tous deux, par cœur, des exemplaires caractéristiques des juifs occidentaux; je suis, pour autant que je le sache, le plus juif occidental de tous, cela signifie, en exagérant un peu, qu'aucune seconde calme ne m'est accordée, rien ne m'est accordé, tout doit être conquis *(erworben)*, pas seulement le présent et le futur, mais également le passé, quelque chose que cependant chaque homme a apporté avec lui, cela aussi doit être acquis; c'est là peut-être le travail le plus lourd; si la terre tourne vers la droite, — je ne sais si elle le fait, — moi, je dois me tourner vers la gauche, afin de revenir en arrière, chercher le passé (BM, p. 247)[12].

Or, le drame des ceux qui ont perdu tout « passé », est qu'ils doivent le reconstruire eux-mêmes :

Maintenant, pour toutes ces obligations, je n'ai pas l'ombre de force, je ne puis pas porter le monde sur mes épaules, j'y supporte à peine mon manteau d'hiver. Ce manque de force n'est du reste pas inconditionnellement à regretter; quelles forces pourraient suffire à pareille tâche? Chaque tentative de réussir ici avec ses forces personnelles est folie et sera payée avec folie. Voilà pourquoi il est impossible d'en sortir avec cela, comme tu l'écris. Je ne puis, de moi-même, aller sur le chemin que je veux parcourir, oui, je ne puis même pas vouloir aller sur ce chemin, je puis seulement être silencieux, je ne puis rien vouloir d'autre, je ne veux également rien d'autre (BM, p. 247-248).

---

12. En présence de pareils textes, il est bon de relire la phrase de J.-P. Sartre : « L'inquiétude du Juif n'est pas métaphysique, elle est sociale » (*Réflexions sur la question juive*, Paris, 1946, p. 174) pour mesurer à quel point l'esprit « cartésien », pour ne pas dire « voltairien », peut faire prendre l'essentiel pour l'accessoire! Le social chez le Juif *est* « métaphysique » pour la bonne raison que la réalité du « peuple juif » est essentiellement métaphysique, religieuse si on le préfère. Deux textes de Kafka le disent de manière évidente : « L'antisémitisme croît en même temps que le sionisme. La prise de conscience de soi des Juifs est ressenti comme une négation du monde qui les entoure. De là naissent des sentiments d'infériorité par des explosions de haine. Bien entendu, rien à la longue n'est gagné ainsi. Mais la racine de toutes les culpabilités des hommes se trouve dans le fait qu'au lieu de choisir les valeurs morales qui semblent difficiles à atteindre, ils choisissent le mal séduisant et proche » (KMD, p. 96). Un second texte est plus clair encore : « Le peuple juif est éparpillé comme l'est une semence. De même que le grain de blé attire à soi la substance de son entourage, les accumule en soi et accomplit sa propre croissance, de même la mission du judaïsme est-elle d'accueillir les forces de l'humanité, de les purifier et de les amener plus haut. Moïse est toujours actuel. De même qu'Abiran et Dathan s'opposèrent à Moïse par ces mots : *Lo naale, Nous ne montons pas*, de même, le monde s'oppose au judaïsme par les cris de l'antisémitisme. Pour ne pas accéder à l'humain, on se précipite dans les ténèbres de l'enseignement zoologique de la race. On bat le Juif et on détruit l'homme. La raison de cette haine est religieuse » (KMD, p. 98-99).

La solitude de Kafka vient donc *aussi* de sa vision d'une tâche que personne ne peut accomplir seul, celle de *recréer une tradition*. Il le dit au jeune poète juif, G. Janouch :

> Je pense que vous êtes parti sur de fausses prémisses. Anonyme égale dépourvu de nom. Mais le peuple juif n'a jamais été dépourvu de nom. Au contraire, il est le peuple élu d'un Dieu personnel qui jamais, s'il se tient à l'accomplissement de la loi, ne peut tomber jusqu'au palier inférieur où se trouve la masse anonyme, donc dépourvue d'âme. L'humanité ne devient masse grise, informe et, de ce fait, sans nom, que si elle se détache de la loi qui donne les formes. Mais alors il n'existe plus de haut ni de bas. La vie s'abaisse à n'être plus que simple existence; il n'y a plus alors ni drame ni lutte, mais simplement usure de la matière, déchéance. Mais ce n'est pas là l'univers de la Bible ni du judaïsme (KMD, p. 161-162)[13].

La mission de l'écrivain « est de mener ce qui est isolé et mortel jusqu'à la vie infinie, de transformer ce qui est hasard en ce qui est conforme à la loi; sa mission est prophétique » (KMD, p. 162). Dans ce contexte, Kafka oppose « peuple de la Bible » et « masses d'aujourd'hui » :

> Le vrai mot conduit; le faux mot induit en erreur. Ce n'est point par hasard si la Bible est qualifiée d'Écriture. Elle est la voix du peuple juif, qui n'est pas quelque chose d'historique, appartenant au passé, mais bien quelque chose qui appartient totalement au présent. Or, dans votre drame, vous usez de la Bible comme si elle était un fait historique et momifié, et, cela, c'est faux. Si je comprends bien, vous voulez porter sur la scène les masses d'aujourd'hui. Ces masses n'ont rien en commun avec la Bible. C'est là le noyau même de votre drame. Le peuple de la Bible est un rassemblement d'individus à travers une loi. Mais les masses d'aujourd'hui s'opposent à tout rassemblement, elles tendent vers la séparation parce qu'elles n'ont pas de communauté intérieure. De là provient la force qui actionne leur

---

13. « La vie s'abaisse à n'être plus que simple existence » : un autre passage dit la même chose de la guerre, qui est donc une des formes les plus graves de la décadence humaine : « On n'a jamais vraiment dépeint la guerre. D'habitude on n'en montre que des aspects fragmentaires ou des conséquences, — comme par exemple la pyramide de crânes. Mais ce que la guerre a d'effroyable, c'est la dissolution de toutes les garanties et conventions existantes. Le physique, l'animal, foisonnent alors et étouffent tout ce qui est spirituel. Comme s'il s'agissait d'un cancer. L'homme alors ne connaît plus les années, les mois, les jours, mais seulement les instants. Et ceux-là même, il ne les vit plus. Il se contente d'en avoir conscience. *Il ne fait plus qu'exister* » (KMD, p. 113).

infatigable agitation. Les masses se hâtent, courent, traversent
au galop l'époque. Vers quoi vont-elles? D'où viennent-elles?
Personne ne le sait; elles usent leurs forces sans la moindre utilité.
Elles croient qu'elles marchent et cependant elles se précipitent
tout en marchant sur place vers le but. C'est tout, l'homme a
perdu sa patrie (KMD, p. 163-164).

III. L'Europe sans loi

Vers les années 1920, Kafka contemplait avec angoisse l'Europe née
de la guerre; les conversations qu'il eut à cette époque avec Gustave
Janouch nous valent quelques-uns de ses plus beaux textes, car l'absence
de loi y est élargie aux dimensions de l'Occident[14]. L'homme devient
une chose, un objet, cette « bobine qui roule et saute sur les marches »
et que Kafka appelait du nom mystérieux de *Odradeck*[15].

---

14. « Il n'y a pas la moindre trace en moi d'une condamnation générale de ma
génération » (J, p. 534) écrit Kafka, le 20 janvier 1922 : c'est précisément pour cela
que je tiens à citer les témoignages qui vont suivre; bien qu'ayant « puissamment
assumé la négativité de son temps » (HL, p. 121), Kafka ne l'a pas condamné.

15. Donnons ici quelques échantillons de la pensée de Kafka sur la guerre, la
SDN, le racisme et le capitalisme. Sans doute, l'attitude de Kafka en face de la
conflagration mondiale fut-elle d'abord assez décevante : le 31 juillet 1914, il se dit
« peu touché par toute cette misère de la guerre » (J, p. 383); le 6 août, il écrit
qu'il veut presque du mal aux combattants (J, p. 385), et le 13 septembre, il affirme
que les défaites autrichiennes ne l'empêchent pas d'écrire, — ce qui l'en empêcherait
bien plutôt c'est son insensibilité (J, p. 400). Mais, le 23 avril 1915, le ton change
quelque peu lorsqu'il évoque comment « même ce misérable bonheur qu'est l'union
de deux vieillards est détruit par la guerre » (J, p. 435); il change surtout le 11 mai
1916 lorsqu'il écrit « qu'il veut être soldat, satisfaire ce désir réprimé depuis deux
ans » (J, p. 465). Voici ce qu'il dit de la *Société des Nations* : « Est-ce vraiment une
Société des Nations? Je crois que le terme « Société des Nations » n'est que le masque
d'un nouveau terrain de combat... La Société des Nations est une organisation,
celle de la localisation du combat. La guerre continue, mais on fait à présent usage
d'autres moyens de combat. On a remplacé par les banques des commerçants les
divisions de combat. A la place du potentiel de guerre de l'industrie est venue
s'installer la capacité combattive des finances. La Société des Nations n'est pas
une société des peuples mais seulement un lieu d'intrigues ou de transformation
des différentes communautés d'intérêt » (KMD, p. 117). Il pressentait le *nazisme*
dès 1920 : « Les Juifs et les Allemands ont de nombreux points communs. Ils sont
travailleurs appliqués, efficaces et solidement haïs des autres. Juifs et Allemands
sont des exclus... Ce n'est pas à cause de leurs qualités qu'on les hait... La raison
de cette haine est bien plus profonde. En dernier ressort, elle est religieuse. Cela se
discerne clairement pour les Juifs. Moins clairement pour les Allemands parce
que leur temple n'a pas encore été détruit... Les Allemands ont le Dieu qui « fit
croître le fer ». Leur temple est l'état-major prussien » (KMD, p. 99-100). L'image
du *capitalisme*, — « un gros homme à chapeau haut-de-forme assis sur la nuque

On sait que, en 1920, la *révolution russe* était « cette grande lueur
à l'Est » dont a parlé Jules Romains; le jeune Janouch ne pouvait pas
ne pas regarder avec crainte et espoir vers cet immense pays où la
révolution venait de vaincre les armées « blanches ». Kafka voit plus
loin :

> Les hommes tentent en Russie d'édifier un monde totalement
> juste. C'est là une affaire religieuse. Le bolchevisme se dresse
> contre la religion parce qu'il est lui-même une religion. Toutes
> ces interventions, insurrections, blocus, que sont-ils d'autres
> que les prémices d'une effroyable guerre de religion qui va se
> déchaîner sur le monde? (KMD, p. 107).

Ce que Kafka devine, derrière les « drapeaux et bannières déployés »
à la tête d'un cortège d'ouvriers se rendant à un meeting marxiste, c'est
l'ironie d'un « espoir » qui deviendra bureaucratie :

> Ces gens sont si conscients d'eux-mêmes, si sûrs d'eux-mêmes
> et de si bonne humeur! Ils sont maîtres de la rue et se croient
> maîtres du monde. Et cependant, ils se trompent. Derrière eux
> s'avancent déjà les secrétaires, les bureaucrates, les politiciens
> professionnels, tous ces sultans modernes dont ils préparent
> l'accès au pouvoir... Je la vois, cette puissance des masses,
> informe, en apparence indomptable et qui aspire à être domptée
> et formée. A la fin de toute évolution révolutionnaire apparaît
> un Napoléon Bonaparte (KMD, p. 108).

---

du pauvre », — est « vraie et fausse », parce que le « gros homme » se croit libre,
mais il ne l'est pas : « Le gros homme domine le pauvre homme dans le cadre d'un
certain système, mais il n'est pas ce système même. Il n'en est pas le maître. Au
contraire, le gros homme, lui aussi, porte des chaînes, qui ne sont pas figurées sur
cette image. Le capitalisme est un système de rapports de dépendances qui vont
de l'intérieur à l'extérieur, de l'extérieur à l'intérieur, du haut vers le bas, du bas
vers le haut. Tout est hiérarchisé, tout est dans les fers. Le capitalisme est un état
du monde et un état de l'âme » (KMD, p. 140-141). Enfin, sur le *taylorisme* et la
division du travail dans l'industrie : « Horrible chose!... Un crime aussi effroyable
ne peut, en fin de compte, aboutir qu'à l'asservissement au mal. Cela va de soi.
La partie la plus noble et la moins palpable de toute création, le temps, est intro-
duite de force dans le filet de malpropres intérêts d'affaires. Et, de ce fait, on souille
et diminue non seulement la création mais, avant tout, l'homme qui en est une des
parties constituantes. Une vie ainsi transformée est une effroyable malédiction
d'où ne peuvent naître que faim et misère au lieu de la fortune et du gain souhaité...
On ne peut rien dire. Il faut se contenter de crier, de bégayer, de haleter. Le tapis
roulant de la vie vous amène n'importe où... On ne sait où. On est davantage une
chose, un objet, — qu'un être de vie » (KMD, p. 103-104). Je cite ces textes simplement à titre d'exemple; il est clair que le « machinisme » est en train de libérer
l'homme progressivement, et que le mouvement de déshumanisation peut être
inversé depuis les progrès de l'automation. Cfr J. Fourastié, *Le grand espoir
du XXᵉ siècle*, Paris, 1952, p. 225 sv., et *infra*, p. 469-472.

Le « Napoléon » de la révolution marxiste fut, à n'en pas douter, Staline, un nouveau Boris Godounov qui réalisa un accroissement fantastique de la puissance russe et un asservissement total des esprits; prédire cela, en 1920-21, tient d'une prophétique perspicacité.

Élargissant encore, Kafka voit, au-delà de la Russie, *la bureaucratie* qui envahit le monde entier, ce mal dont *La vingt-cinquième heure* dira qu'il est à la fois inévitable et déshumanisant :

> Plus une inondation se répand, plus superficielle et plus trouble en devient son eau. La révolution s'évapore, seule reste alors la vase d'une nouvelle bureaucratie. Les chaînes de l'humanité torturée sont en papier de ministère (KMD, p. 108).

L'œuvre littéraire de Kafka permet de mesurer ce que représentent les « papiers de ministère » et la « vase d'une bureaucratie ».

Ce qui manque au monde, c'est un espoir spirituel, une loi, ce que Kafka appelle le « pain de l'esprit », celui d'une vraie communion entre les hommes :

> Votre rapport ne devrait pas s'intituler « Dada » mais bien « Dudu » (*du* = toi, en allemand), me dit Kafka après avoir lu mon article. Vos phrases sont pleines de la plus intense aspiration pour les êtres humains. Donc, au fond, pleines de la plus intense aspiration vers l'accroissement, l'élargissement de notre petit moi, d'aspiration à la communauté. Ce faisant, vous vous enfuyez de la solitude, de ce triste petit moi pour vous précipiter dans le tohu-bohu de la folie enfantine. Il s'agit là d'une folie volontaire, donc joyeuse. Mais néanmoins d'une folie. *Car comment peut-on sauver l'autre si on se perd soi-même?* L'autre, c'est-à-dire ce monde, dans toute sa merveilleuse profondeur, ne s'ouvre que dans le silence (KMD, p. 150).

Comment ne pas citer ici le mot évangélique : « Que sert-il à l'homme de gagner l'univers, s'il vient à perdre son âme? »; et cet autre : « Pour toi, quand tu veux prier, entre dans ta pièce la plus retirée, ferme la porte et prie ton Père qui est présent dans le secret; et ton Père qui voit dans le secret te le revaudra ». L'homme de ce siècle, assoiffé de « communauté », « de solidarité », doit d'abord « ne pas se perdre lui-même », être capable « d'entendre » le langage intérieur; le silence « du monde », d'une merveilleuse profondeur, ne s'ouvre qu'à la visitation attentive de celui qui se sent à la fois plus grand que le monde et plus humble que lui.

Ces lignes sont écrites par quelqu'un qui n'a jamais su entrer dans le monde des autres, mais qui, loin de le maudire, dépasse en quelque manière sa propre tragédie et affirme la beauté de l'univers, la possibilité de rejoindre les hommes si l'on ne s'est pas perdu soi-même. Les héros de Malraux n'ont jamais eu la patience d'écouter, ils se sont jetés, en une sorte de fuite en avant, vers le monde des hommes : ils n'ont finalement rencontré qu'eux-mêmes.

*   *   *

Plus Kafka réfléchit sur son temps, plus les valeurs de *vérité* lui paraissent menacées, avec celles de l'amour et de la communion, car la vérité est la base de tout. Voilà pourquoi il s'inquiète de la prolifération de la presse quotidienne :

> La vérité fait partie des quelques rares vraiment grandes choses de cette vie que l'on ne peut acheter. On en fait cadeau à l'homme, ainsi que de l'amour ou de la beauté. Mais un journal est une denrée dont on fait commerce (KMD, p. 115).

Kafka est ici frère de Péguy qui rêvait d'un journal « vrai, qui dirait ennuyeusement la vérité ennuyeuse, bêtement la vérité bête ». Mais la presse qu'il voyait autour de lui, — qu'aurait-il dit s'il avait vu les millions d'exemplaires de la « presse du cœur? — le laissait sceptique :

> L'expression « être enterré dans un journal » correspond à la réalité. Le journal communique les événements du monde entier, — une pierre auprès de sa voisine, un tas de sable auprès de l'autre. Où se trouve le sens? Voir l'histoire comme une accumulation d'événements est dépourvu de toute signification. Ce qui importe, c'est le sens d'un fait; ce sens nous ne le trouvons pas dans les journaux, mais dans la foi, dans l'objectivation de ce qui en apparence est hasard (KMD, p. 116).

Le cinéma, alors en ses débuts, — *Intolérance* de Griffith, le premier film qui soit de l'art, est de 1916, — inspire à Kafka ces mots profonds, qui ne sont ni une condamnation ni une apothéose :

> Beaucoup d'hommes ne récupèrent qu'à présent leur jeunesse. Ce n'est que maintenant qu'ils s'adonnent au jeu de voleurs et d'Indiens. Bien entendu ils ne le font pas en courant sur les sentiers des jardins publics avec des flèches et des arcs. Non! Ils sont assis dans un cinéma et regardent défiler l'aventure. C'est tout. La salle obscure du cinéma est la lanterne magique de leur jeunesse manquée (KMD, p. 148-149).

Les hommes de 1920, qui n'avaient pas eu le temps d'avoir une jeunesse, la « récupéraient » à quarante ans; ils jouaient enfin « gendarmes et voleurs », en regardant ces films « cow-boys » dansants et clignotants, mais qui, par le monde, faisaient rêver les miséreux; si le cinéma se charge de nos questions métaphysiques, pour des milliards d'hommes il n'est que la suite d'images grisâtres où des hommes jouent à « voleurs et Indiens ».

Ce jeu devient dangereux quand « la colonne vertébrale spirituelle est rompue », le dadaïsme en est un indice. La « *foi* est rompue ». On ne peut la définir sans doute, mais elle s'appuie sur une attente portant plus loin que l'immédiat, vers un monde caché au-delà de l'évidence quotidienne (KMD, p. 154). Hélas, selon Kafka, la vraie jeunesse, celle qui croit, est absente, car, à la question lancée par une revue de Prague : « Existe-t-il un art jeune? », il répond :

> L'accent de la question n'est pas sur le mot « art » mais sur la qualification « *jeune* ». D'où il résulte qu'en vérité on doute fortement de l'existence d'une jeunesse adonnée à l'art. Il est d'ailleurs difficile d'imaginer vraiment, aujourd'hui, une jeunesse libre et légère. L'effroyable marée de ces dernières années submerge tout. Même les enfants. Certes l'impureté et la jeunesse s'excluent mutuellement. Mais où se trouve donc la jeunesse des hommes d'aujourd'hui? Elle vit en toute familiarité, en toute confiance avec l'impureté. Les hommes connaissent la puissance de l'impureté, mais ils ont oublié la puissance de la jeunesse. C'est pourquoi ils doutent de la jeunesse elle-même. Et qu'est-ce que l'art sans l'ivresse de la sécurité propre à la jeunesse?... La jeunesse est faible. La pression extérieure est terriblement forte, se défendre et s'abandonner tout à la fois... Il en naît une crispation qui déforme le visage. Le langage des jeunes artistes cache plus de choses qu'il n'en exprime (KMD, p. 147-148).

Malraux, vers 1927, avait, lui aussi, souligné que l'art se joue maintenant sur « les possibles », bien plus qu'il ne prétend exprimer le « réel »; le langage de Kafka, dans son œuvre d'art, cache lui aussi plus de choses qu'il n'en exprime : le parallélisme de Malraux et de Kafka est frappant sur ce point. Mais il s'arrête là, car l'auteur du *Procès*, dépassant le problème de l'art, rejoint une question plus essentielle en disant que l'impureté et la jeunesse s'excluent mutuellement. Claudel écrivait à Jacques Rivière, en 1906 :

> Ne croyez pas ceux qui vous diront que la jeunesse est faite pour s'amuser : la jeunesse n'est point faite pour le plaisir, elle est faite pour l'héroïsme. C'est vrai, il faut de l'héroïsme à un jeune homme pour résister aux tentations qui l'entourent, pour croire tout seul à une doctrine méprisée... pour être seul contre

tous, pour être fidèle contre tous. Mais « prenez courage, j'ai vaincu le monde... » C'est par la *vertu* que l'on est un homme. La chasteté vous rendra vigoureux, prompt, alerte, pénétrant, clair comme un coup de trompette et tout splendide comme le soleil du matin. La vie vous paraîtra pleine de saveur et de sérieux, le monde de sens et de beauté » (*Corr. Claudel-Rivière*, p. 23-24).

Il n'y a naturellement rien de commun entre le lyrisme cosmique, « léonin » disait Du Bos, de Claudel, et l'humilité du langage kafkaïen ; mais, ceci dit, on ne peut qu'être frappé du parallélisme des deux textes : les hommes sont hantés par la puissance de l'impureté, — et, en effet, apparemment, elle remplit le monde, l'éclabousse, et ceux qui veulent ne pas jouer le jeu passent pour des benêts, des « enfants » non encore sevrés ; c'est le « mariage » de la jeunesse et de l'impureté qui est cependant le « divorce » le plus réel, car jeunesse et pureté vont de pair, mais les hommes l'ont tellement oublié, ils ont tellement perdu de vue la force immense qui se prépare dans la pureté du cœur et du corps, qu'ils en ont oublié « la puissance de la jeunesse ». On croirait entendre aussi Bernanos, en écho, nous montrant dans la luxure la plaie invisible par laquelle s'écoule le sang de l'humanité, nous dévoilant dans l'esprit des *Béatitudes* la force la plus jeune, la plus renouvelante qui soit. Il n'y a plus aujourd'hui de jeunesse libre et légère, pense Kafka : comment ne pas songer à ces héros de Malraux, crispés, tendus, désespérés de réussir jamais le voyage « intérieur », y ayant renoncé, mais restés sur un qui-vive dont l'intensité même finit par détruire celui qu'elle dresse dans le défi.

On est bouleversé d'admiration en lisant ces assertions de Kafka : lui qui a connu la « jeunesse » que l'on sait, celle du ver de terre à demi écrasé, a refusé de généraliser son expérience ; il a opéré le « passage à l'objectif » dont Du Bos a si bien parlé à propos de Goethe ; il a su « envier la jeunesse » (KMD, p. 149), il l'a admirée aussi, il l'a voulue pure, légère. Lui-même, qui se dit « aussi vieux que le judaïsme, que le Juif errant », sait que « l'horizon d'un homme s'élargit au fur et à mesure qu'il vieillit, si ses possibilités de vie diminuent de plus en plus ; à la fin, ne demeurent plus qu'un seul regard, qu'une seule respiration ; à cet instant, l'homme envisage sans doute d'un seul coup d'œil l'ensemble de sa vie, pour la première et dernière fois » (KMD, p. 149). Parvenu aux dernières années de son existence, Kafka est devenu ce « regard » devant des possibilités de vie diminuées, presque réduites à rien ; son « coup d'œil sur l'ensemble de sa vie » est allé dans le sens d'une objectivité, d'un respect, d'un oubli de soi de plus en plus profond. Voilà pourquoi le même homme qui se voyait mourir, savait aussi pressentir la vérité que les autres pourraient vivre; il sut décrire avec une tendresse humble cette jeunesse pure, légère et décrispée, que lui-même ne connut jamais.

* * *

Ces réflexions culminent dans un texte majeur dont la profondeur égale la simplicité :

> La guerre, la révolution russe et la misère du monde entier m'apparaissent comme une sorte de déluge du Mal. C'est une inondation. La guerre a ouvert les écluses du Mal. Les étais qui soutenaient l'existence humaine s'effondrent. Le devenir historique n'est plus porté par l'individu mais seulement par les masses. On nous bouscule, on nous presse, on nous balaie. Nous subissons l'histoire... Le mouvement nous ôte la possibilité de voir. Notre conscience se rétrécit. Sans même que nous nous en apercevions. Nous perdons connaissance sans perdre vie (KMD, p. 110-111).

Valéry, à peu près à la même époque, on l'a vu, parlait de « la tempête qui a secoué si fort le navire que les lampes les mieux accrochées se sont renversées »; Kafka, plus religieux, use de l'image *biblique* du « déluge du mal » et pour lui « le Hamlet occidental » ne fait « plus qu'exister » (KMD, p. 113); il y ajoute une note, absente chez Valéry, celle des pauvres, qui, comme toujours, font les frais de l'histoire :

> Le marquis de Sade est le vrai patron de notre époque, car il ne peut atteindre la joie de vivre qu'à travers les souffrances des autres, de la même façon que le luxe des riches doit être payé par la misère des pauvres (KMD, p. 120)[16].

---

16. Aussi bien, une lettre à Milena, datant à peu près de la même époque (entre 1920 et 1922), évoque l'Europe, dans vingt ans, avec une sorte d'humour assez froid, comme « étant peut-être retournée à la sauvagerie et les animaux à fourrure courant par conséquent les rues » (BM, p. 196, LM, p. 201). Un autre passage des cahiers *in octavo* (HL, p. 404-405) semble du reste évoquer, avant la lettre, les arrestations nocturnes que la Gestapo devait rendre tristement célèbres. — M. SUSMAN, *Franz Kafka*, dans *Gestalten und Kreise*, Zurich, 1954, repris dans *The Jewish Frontier*, juin 1956, p. 37-48, souligne le rôle de la loi et du jugement dans l'œuvre; malheureusement BM et BV ne sont pas utilisés par l'A.

CHAPITRE V

Kafka est un commencement

Le texte qui inspire le titre de ce dernier chapitre donne la clef de toute l'œuvre de Kafka, du moins si je ne me trompe pas; il a du reste déjà été cité partiellement au cours des chapitres précédents. Il est temps de le situer dans la biographie de Kafka, de le commenter brièvement et d'en détailler la signification.

I. Dans un village enneigé, en février 1918

Le passage qui va nous occuper est tiré du quatrième cahier *in-octavo*, et porte la date du 25 février 1918. La tuberculose de Kafka a été constatée dès septembre 1917 et l'écrivain vient de rompre ses fiançailles pour la deuxième fois; il se repose et se soigne chez sa sœur Ottla, dans le petit village de Zürau. D'octobre 1917 à février 1918, Kafka étudie Kierkegaard et réunit une série d'*Aphorismes* destinés, semble-t-il, à la publication; Oskar Baum, un vieil ami, eut, au début de 1918, de nombreuses conversations nocturnes avec le poète : celui-ci était, à l'époque, amer et indifférent devant la vie (KP, p. 31). Cependant, il venait de trouver dans la maladie, cette fois déclarée, la « preuve » que son « incapacité de vivre » était due à sa santé et donc était innocente; il l'explique dans une lettre de 1920, à Milena, à propos de ces mois passés à Zürau, dans la paix d'un village « fortement enneigé » cet hiver-là :

> Songe également à ceci que, peut-être la période la meilleure de ta vie, de laquelle, à proprement parler tu n'as encore rien communiqué de précis à personne, ce sont, il y a environ deux ans, ces huit mois dans un village, où tu croyais en avoir terminé avec tout, où tu te limitais à ce qui était indubitable en toi; tu étais libre, sans lettres, sans la liaison postale de cinq années

avec Berlin[1], sous la protection de ta maladie *(im Schutz deiner Krankheit)* et par là certes il n'y avait pas grand-chose à changer en toi mais seulement à tracer de manière plus ferme les limites anciennes, étroites, de ton être (pour ton visage, en dehors des cheveux gris, tu as à peine changé depuis tes seize ans) (BM, p. 68, cfr aussi, p. 12).

Si Kafka paraît sombre à Oskar Baum, intérieurement il se sent libéré, absous en quelque manière, soulagé, car on l'a officiellement reconnu inapte à la vie : fiançailles rompues, plus de liaisons postales exténuantes avec la fiancée fantôme de Berlin, plus de problèmes de carrière, plus rien que la liberté. Aussi bien, dès cette époque, il connaît le sommeil ; au contraire, dès que les obligations de la vie sont retombées sur lui avec l'amélioration de sa santé, les insomnies vont reparaître : la liaison avec Milena en est une preuve paradoxale.

Les *Journaux*[2] d'octobre 1917 à février 1918 nous renseignent sur l'intense activité de pensée de Kafka à cette époque (HL, p. 63-130); c'est dans ce cadre que se situe le très important texte du 23 février 1918 :

> Ce ne sont pas la paresse, la mauvaise volonté, la maladresse, — encore qu'il y ait bien une certaine part de tout ceci, parce que « la vermine est née du néant », — qui me font échouer ou ne me font pas même échouer en toutes choses : vie de famille, amitié, mariage, profession, littérature, mais c'est l'absence du sol, de l'air, de la loi *(der Mangel des Bodens, der Luft, des Gebotes).*

La première partie du texte fait le point sur le passé de Kafka : la paresse, la mauvaise volonté, la maladresse ont joué un rôle dans l'échec de sa vie : la vermine est née du néant, dit-il; cette « vermine », c'est un peu lui-même en sa fuite permanente devant la vie; cependant, la cause principale ce n'est pas à lui-même qu'il faut l'imputer, mais au fait qu'il s'est trouvé, dès la naissance, « déraciné », privé de sol, d'air, de loi. Qu'il ait éprouvé très tôt la présence d'espaces glacés au sein de la vie familiale, nous l'avons dit; que la « loi » incarnée par son père ait été fascinante et arbitraire et qu'il l'ait imposée à son seul enfant, alors que les autres hommes en avaient été exempts, un texte de la *Lettre au père* l'affirme : né avec un immense besoin de sol, d'air et de loi, Kafka n'a eu de tout cela que la caricature paralysante de la

---

1. Il s'agit des fiançailles de Kafka avec la jeune berlinoise.
2. Les cahiers *in octavo* complètent la lacune des années 1917-1918 dans les *Tagebücher*; cfr *supra*, p. 195, n. 3.

maison paternelle. Alors que, par définition, ces réalités ne se fabriquent pas, mais sont reçues, transmises, accueillies de la main des ancêtres, Kafka a dû les créer lui-même :

> Me créer ceux-ci, voilà ma tâche, non pas pour rattraper ce que j'ai manqué, mais afin de pouvoir me dire que je n'ai rien manqué, car cette tâche en vaut une autre. C'est là même la tâche la plus originelle *(ursprünglichste)* ou tout au moins son reflet, son éclat : ainsi quand on gravit les hauteurs où l'air est raréfié, pénètre-t-on soudain dans le rayonnement du soleil lointain[3]. Ce n'est pas là non plus une tâche exceptionnelle, sans doute a-t-elle été souvent posée. Fut-elle alors de cette envergure, je l'ignore.

Kafka n'a recherché que l'ombre lointaine de la loi; sa quête a été humble et modeste, sans rien d'exceptionnel, car il ne se croyait pas digne de grand-chose.

Un détail cependant demeure en suspens, la question de savoir si un autre être a assumé une tâche d'une telle envergure; Kafka en effet est entré dans la vie dépouillé de tout ce qui pouvait lui tenir lieu, dès le début, de loi, de sol et d'ancêtres; ici apparaît le texte-clef, que tout homme de ce XXe siècle devrait méditer :

> Des exigences *(Erfordernisse)* de la vie je n'ai rien apporté, que je sache, hormis la commune faiblesse humaine. Avec cette dernière, — et sous cet angle c'est une force gigantesque, — j'ai puissamment assumé la négativité de mon temps qui m'est d'ailleurs très proche, que je n'ai pas le droit de combattre mais que dans une certaine mesure j'ai le droit de représenter. Pas plus à la maigre positivité, qu'à l'extrême négativité qui se retourne en positivité, je n'avais de part héréditaire. Pas plus que je n'ai été introduit dans la vie par la main déjà débile du christianisme, tel Kierkegaard, je ne me suis accroché, tels les sionistes, au bout du *taleth* d'Israël qu'emporte le vent. Je suis un terme ou un commencement (HL, p. 120-121, JI, p. 221-222).

Kafka n'a pas apporté avec lui de grandes exigences, les appétits carnassiers lui sont restés étrangers; il demeura toujours un enfant

---

3. Cfr BV, p. 210 et l'apologue de la bête des bois dans BM; dans un autre passage de BV, Kafka explique que le désir d'un petit coin d'où voir le soleil de loin est lié au désir de se marier : « Et, en définitive, il ne s'agit pas de ce degré extrême, il ne s'agit que de quelque approximation lointaine, mais honnête; il n'est vraiment pas nécessaire de prendre son vol pour arriver au beau milieu du soleil, mais il importe de ramper sur terre jusqu'à ce qu'on y trouve une petite place propre où le soleil luit parfois, et où il est possible de se réchauffer un peu » (BV, p. 200, LP, p. 1035).

timide, car il n'est pas de la race des fauves, il n'a rien du surhomme nietzschéen; il n'a apporté avec lui que la commune faiblesse humaine, mais c'est elle qui lui a permis d'assumer la négativité de son temps[4]. Pour l'auteur du *Procès*, le cœur de son époque est donc le tragique et l'angoisse; son œuvre permet de faire le bilan du « degré zéro » de l'humanisme et de la religion en Europe centrale, au début du siècle : la « main du christianisme » paraît débile; quant à Israël, il sera bientôt emporté par le vent tourbillonnant du plus effroyable pogrom de l'histoire, — six millions de Juifs tués ou envoyés au four. Kafka est entré dans le monde au moment où l'ombre d'une ombre, le fameux parfum du vase vide (et brisé), ne suffisait plus à nourrir une foi, une loi chez un enfant. Kierkegaard croyait avoir encore reçu quelque chose du christianisme, avoir été introduit par lui dans la vie, Kafka ne le peut plus; son père pensait avoir apporté assez de judaïsme pour le transmettre de l'Europe orientale à l'Europe occidentale, mais, dans le transfert, l'héritage s'est volatilisé[5]. *C'est en cela que Kafka est un terme*, selon les mots mystérieux qui terminent le passage que je commente : « *Je suis un terme ou un commencement, Ich bin Ende oder Anfang* » : tout ce qui a été expliqué à propos des « tentatives de salut » et de « l'absence de loi » montre à suffisance que personne, jusqu'à présent, n'a dépassé l'auteur du *Château* dans la prospection de l'abîme dont parlait Heidegger dans le texte cité au début de cette étude : « *Im Weltalter der Weltnacht muss der Abgrund der Welt erfahren und ausgestanden werden. Dazu aber ist es nötig dass solchen sind, die in den Abgrund reichen*; en ce siècle de nuit cosmique, il faut que l'abîme du monde soit exploré et affronté; pour cela *il est nécessaire qu'il y en ait qui atteignent le fond de l'abîme* ». Kafka est une fin, car il a achevé « le voyage au bout de la nuit »[6].

II. Kafka est un commencement

Mais il est aussi un commencement, car, à la différence de la génération née de Nietzsche, il ignore la révolte. La génération nietzschéenne n'a pas hésité à pratiquer le « meurtre du père » et à vivre comme si elle

---

4. Cfr p. 290, n. 14.

5. Je ne vois plus très bien comment, après ce témoignage, on peut encore faire de Kafka un sioniste; certes, sa sympathie pour ce mouvement était certaine, mais, pour lui-même, il s'estimait forclos de ce bonheur-là.

6. Pour W. Emrich, dans DLZJ, p. 230 ss., Kafka est la fin des « mythes consolants »; la remarque faite *supra* p. 197, n. 9, p. 247, n. 10, montre les lacunes de cette interprétation.

n'avait ni père ni mère; ainsi, la révolution a tué Dieu, puis le père, selon les mots de Camus dans *L'homme révolté*. Les hommes sont alors affrontés à un univers sans lois, sans « poteaux indicateurs » jalonnant la route : ce serait une victoire de la lucidité existentielle sur la mauvaise foi de ceux qui veulent se faire douillettement digérer par un univers plein de vérités métaphysiques et de tiédeurs maternelles; l'homme est une passion inutile, affirme Sartre, et, de cette inutilité même, il faudrait dégager sa grandeur[7].

1. La conversion au monde

Nous voici à la croisée des chemins : ou bien on voit en Kafka un monstre de faiblesse morbide, le témoin d'une époque révolue, durant laquelle les préceptes et la puissance du père avaient force de loi; sa tragédie est alors celle d'un homme qui n'a pas eu le courage d'affronter le « meurtre du père »; ou bien, au-delà du climat

---

7. H.-J. Schoeps a montré l'absence de la révolte : « Par contraste avec les disciples de Nietzsche, Martin Heidegger et Ernst Jünger, Kafka ne peut tirer leurs conclusions du caractère désespéré de la distance à parcourir, à savoir de se fonder uniquement sur lui-même et de surmonter son sentiment persistant d'anxiété et de faute en établissant, sur sa propre autorité, une destinée nouvelle et un nouveau salut pour l'homme » (KP, p. 296). Certes, selon René Timmermans, dans DWB, Kafka ne pouvait *refuser* la révolte parce qu'il ne *pouvait* pas se révolter sans détruire cela même qu'il voulait atteindre par elle, le monde du père; ensuite, le sentiment de culpabilité est morbide chez l'auteur du *Procès*. Je crois que ces faits n'en soulignent que mieux la raison qui va faire de Kafka un « commencement »: l'impossibilité de la révolte implique par elle-même le respect du « monde du père » et une valorisation privilégiée de celui-ci; le sentiment de culpabilité, même morbide, suppose aussi l'humilité et l'effacement devant la terre promise. Autrement dit, plus on soulignera, comme je l'ai fait avec R. Timmermans, l'impossibilité que signifie l'œuvre kafkaïenne, plus aussi on mettra en lumière la réalité objective de ce qui est « interdit » : mon titre, *La terre promise, sans espoir*, s'explique ainsi. J'ajouterai qu'une évolution paraît certaine dans l'œuvre et la vie, surtout depuis les années 1922, dans le sens d'une liberté d'option augmentée, et, peut-être, rendue à l'écrivain. De plus, si, dans la vie, Kafka est peut-être resté un « paralytique psychique » jusqu'à la fin (ce que je ne crois pas), dans *son œuvre d'artiste*, à laquelle il avait sacrifié tout le reste, y compris les projets de mariage, il avait trouvé « *l'indépendance* », même réduite, qu'il recherchait; dans ce domaine, il était libre. Or, au lieu de chercher à trouver dans l'art une « terre promise » artificielle, au lieu d'y tenter *une critique de réduction du monde qui lui était interdit*, il fit tout le contraire, ainsi que le chapitre III l'a montré; l'œuvre *refuse tout mensonge*, même artistique. Autrement dit, tandis que, parti d'un même point, le monde éprouvé comme menace, Malraux opte finalement pour la négation du monde, l'espoir sans terre promise et l'indépendance toute négative de l'artiste, Kafka opte de plus en plus pour le monde et s'accuse lui-même : toute l'œuvre le crie.

morbide de la vie et de l'œuvre, on reconnaît dans l'auteur du *Procès* le témoin d'une vérité majeure, à savoir que le lien avec le père est primordial, parce qu'il implique la reconnaissance humble d'une réalité qui nous dépasse, mais qu'il faut rejoindre, pour vivre. Autrement dit, selon les uns, l'homme naît à partir de la « mort du père », dans la solitude d'un défi recherché pour lui-même; selon les autres, il refuse la « mort du père » et préfère s'accuser lui-même plutôt que d'accuser le monde. En d'autres termes encore, il y a une pensée moderne qui dit essentiellement *non* au monde, à la société, aux lois, aux religions, à toute relation objective; l'univers apparaît alors bien plus comme un prétexte à faire scintiller ce « non », un instant et avec d'autant plus d'éclat qu'il est absurde : cette attitude, qui est celle de Malraux, aboutit à supprimer le « non-moi », à pousser l'espoir au paroxysme de sa tension, mais en le coupant de toute terre promise. Ce monde « prétexte » à des attitudes et à de grands flamboiements me semble romantique, hugolesque et inutilement fatigant; le temps n'est plus à ces démonstrations spectaculaires, car il faut revenir à la maison, disais-je à propos de Malraux. Si cette maison ne peut être le palace confortable, nanti d'une terrasse ensoleillée du haut de laquelle « contempler les catastrophes » et les commenter, entre gens « riches », si elle ne peut pas être un antre rustique et douillet abritant « l'égoïsme à deux », en revanche elle *doit exister* car *il faut une demeure ouverte, claire et simple, pour les enfants des hommes.*

Je sais ce dont Malraux se défie quand on lui parle de vérités objectives, de demeures préparées, de terre où s'enraciner : il craint la retombée de l'espoir au niveau d'un instinct du bonheur platement hédoniste; il a peur de l'idéal à fleur de peau qui représente la « vérité » de la vie pour des milliers de gens; Sartre ajouterait que vouloir ce bonheur d'une maison où l'on puisse vivre et se sentir accueilli, c'est céder à l'esprit de sérieux.

Aussi bien, si Kafka avait « opté pour la maison » dans le confort d'une vie comblée, dans l'épanouissement d'une maturité parvenue progressivement à son zénith, on devrait se défier de son choix. Goethe, lui aussi, avait opté pour le réel objectif, mais, précisément, sa grandeur fut de maintenir cette attitude dans les épreuves de sa vie, par exemple lors de la rupture de son dernier amour, chanté dans l'*Élégie de Marienbad*, lorsqu'il affirme que, malgré tout, il faut se tourner, non vers le passé, mais vers l'avenir. Kafka a opté pour la maison, je le répète, mais celle-ci fut tout ce que l'on voudra pour lui, sauf le coussin confortable où mener de charmants ébats « ne tirant pas à conséquence ». Il a opté pour la maison, alors qu'il en fut toujours exclu, pour le père, alors qu'il crut n'être jamais accueilli de lui, pour les enfants et pour la femme, alors que ces êtres doux et *vivants* jamais il ne put les serrer dans ses bras. Ce n'est donc pas du tout par « esprit de sérieux », au sens sartrien, ni par relâchement de sa fierté d'homme, que Kafka a choisi la terre promise, puisque, cette terre, il ne l'entrevit que pour s'en avoir exclu, il ne la montra du doigt *que pour les autres,* tel un Moïse laïc, sachant que lui-même mourrait sur la montagne, en vue des sources, mais qu'il n'y boirait pas.

C'est la perspective entière de sa vie qui se renverse ainsi. Le respect de son père avait beau être morbide chez Kafka : il n'en a pas déduit qu'il pouvait « tuer son père » ; les lois que son père lui imposait, son père ne les pratiquait pas : le fils n'en a pas inféré qu'il n'y avait pas de loi ; le monde inaccessible où son père légiférait était fait d'arbitraire et de puissance déchaînée : Kafka n'en a pas conclu que, ce monde inaccessible, il ne fallait pas le vénérer, ni qu'il n'existe pas et que la grandeur de l'homme serait de créer seul son destin, dans une « transvaluation de toutes les valeurs », à la manière de Nietzsche. Le romancier allemand qui eut le plus profondément le sens du tragique existentiel est aussi celui qui nous apporte l'antidote le plus efficace à la solitude nietzschéenne. Kafka a réalisé ce miracle, dans son œuvre et sa vie, de ne jamais nier la réalité de ce monde paternel dont il se savait exclu, qui le niait, le torturait, le tuait ; sous les affres de la « question », dans les tourments de cette « inquisition de famille » que fut sa vision du père et de la vie, il a choisi d'affirmer les droits du juge, la primauté de la vérité objective.

Kafka a *cru à l'amour,* malgré ses douleurs, il y a cru *pour les autres,* alors que lui-même en était forclos. Il est ainsi le premier balbutiement d'une redécouverte de la terre promise, de l'univers, avec une architecture visible, reflet d'une invisible, avec ses lois, ses châteaux où l'on est heureux et malheureux ; il nous faut reconnaître ces enfants, que l'on conçoit et que l'on engendre, que l'on berce et que l'on embrasse, qui vous font rire et qui vous font pleurer, mais qui *sont,* ces femmes qui sont vos fiancées et vos épouses, qui vous aiment et que l'on aime, pour lesquelles on souffre et que l'on fait souffrir, mais qui *sont* et qui ressuscitent notre espoir, qui, sinon, se consumerait à sa propre flamme. Nous pouvons croire au témoignage de Kafka sur ces vérités vivantes, *parce qu'il est de la race des témoins qui se sont fait égorger pour elles.*

Il est si facile de dire non, si difficile de dire *oui,* surtout au sortir des catacombes de l'angoisse et du désespoir, au creux de ces colonies pénitentiaires que Kafka a imaginées, *et qui existent,* elles aussi ; sous le pressoir des machines à emboutir les « condamnés », il faut que nous affirmions de la *vérité* du monde et de la paternité, qu'elle *est*, même si elle nous tue.

Bien au-delà d'une « conversion » à une religion positive, à une pensée philosophique ou à un système politique, Kafka témoigne d'une option plus fondamentale *qui commande toutes les « conversions » métaphysiques et religieuses :* le choix d'un espoir *redevenu humble* qui, au cœur de la plus terrible captivité de Babylone que Juif d'Europe centrale ait jamais endurée, *préfère s'accuser lui-même plutôt que de mettre en question le monde et de maudire l'univers,* et choisit « d'être », devant les hommes et leur terre fraternelle, ce « *oui* » que le Christ fut devant son *Père*.

2. Un artiste qui s'accuse lui-même

Prononcer ce « oui », c'était s'accuser soi-même. Kafka avait « choisi » la solitude, afin de protéger sa singularité d'artiste[8]. Mais, au lieu que le *Journal* soit une « confession sans pénitence », une justification camouflée de « son » univers particulier, il est de plus en plus clairement, au fur et à mesure que l'on approche des années 1922, une accusation de l'artiste par lui-même. Comme le dit très bien Marthe Robert, « le *Journal* est une réfutation, bien plus, une condamnation de cette manière de voir; il n'est pas là pour justifier la singularité, mais pour la démasquer, car si Kafka voit en elle son unique possibilité de vivre et de créer, elle lui paraît contenir aussi quelque chose de suspect, une part de sa personne dont il se méfie... Pourtant, s'il ne parvient pas à se marier ou à renoncer au mariage, à vivre uniquement pour écrire ou à accepter sa profession, ce n'est pas seulement parce que sa singularité porte en elle l'indécision et le déchirement, c'est parce qu'elle se heurte à une certitude qui la dépasse et lui retire toute possibilité de se justifier. Certitude décisive, car *si ce n'est pas dans l'individu mais dans le chœur que réside la vérité, le monde, quel qu'il soit, est dans le vrai, la singularité a tort...* Kafka voit le monde au détour d'une rue, incompréhensible et porteur d'une vérité qui le rend inattaquable » (J, p. VIII-X).

J'ai parlé déjà de ce « passage à l'objectif » qui, sans étonner chez un admirateur de Goethe, n'en est pas moins admirable : Kafka a réussi à écrire un *Journal* qui ne soit pas une justification de ses singularités personnelles, mais qui fasse sans cesse le point, mesure l'écart qui sépare l'individu isolé du monde des hommes, et qui conclue en faveur du

---

8.　J, p. 199-202, 255, 289, 519, 522, 538, etc...

monde, en condamnant la singularité individuelle : « Le seul ennemi que Kafka serre de près dans le *Journal*, c'est lui-même » (J, p. xi) écrit encore Marthe Robert. Si l'on réfléchit que la « singularité indivi-duelle » qu'il confronte ainsi au monde des hommes est la souffrance de « celui qui devrait, *chaque* fois qu'il veut sortir, non seulement se laver, s'habiller, mais aussi *fabriquer* le vêtement, le chapeau, etc. et qui constaterait ensuite que, une fois en rue, tout s'effondre et qu'il est nu parmi les vivants » (BM, p. 248), on mesurera ce que cette tragédie impliquait comme tentation de révolte; on admirera d'autant plus le courage qu'il lui fallut d'opter pour *sa culpabilité à lui* plutôt que pour celle de ceux qui le tuaient.

Il ne faut pas chercher ailleurs la raison des échecs qui frappent *tous* les héros kafkaïens : Joseph K. est exécuté, K. échoue dans sa quête, George Bendeman se jette à l'eau, Karl est mis de côté, parce que, en eux, Kafka se condamne lui-même; il a mesuré de plus en plus l'écart « qui le plaçait en dehors de l'humanité normale; il a voulu mesurer cet écart, reconnaître sa position, juger ses chances de la rendre plus juste » (J, p. x); la conclusion est toujours la même : il a tort, c'est lui le coupable; le monde *quel qu'il soit*, même s'il l'ignore ou le tue, est dans le vrai. Il ne faut pas comprendre autrement non plus la décision de détruire son œuvre littéraire en son entièreté : celle-ci reflétait en effet l'injustifiable choix de la singularité et de la solitude en face de la vie « en chœur ». On a souligné cent fois la complaisance mise par Kafka dans le supplice qu'il s'infligeait lui-même, et, sans doute, la psychanalyse a ici son mot à dire; mais le caractère morbide de tout cela ne doit pas faire oublier le courage moral qu'il fallait pour écrire les nombreux cahiers du *Journal* et pour *s'y condamner soi-même*. Il suffit de songer au *Journal* de Gide, qui, d'un bout à l'autre, est une tentative de justification de sa « singularité », pour mesurer l'écart entre les deux témoignages.

« *Dans le combat entre toi et le monde, seconde le monde* » : ces mots du *Journal* de Kafka, cités et excellemment commentés par Marthe Robert (J, p. vii), disent l'essentiel de cette destinée d'un artiste qui s'accusa lui-même. Par le fait même, malgré des débuts « expressionnistes » très alambiqués, l'auteur de *La méta-morphose* rejoint le grand classicisme; ce dernier conclut toujours en faveur de la vérité objective, pour l'insertion simple et efficiente de l'individu dans le monde des hommes. Le geste de Faust acceptant, au terme de sa quête orgueilleuse, de travailler modestement dans la société, est exemplaire. Nous avons besoin d'un classicisme élargi sans doute, mais humble et profond, car « la terre nous attend » qui doit être cultivée par les hommes et *pour eux*.

3. La terre promise nous attend

On commence à saisir, je suppose, pourquoi, au-delà des murailles impénétrables et opaques, la réponse d'un monde réel se profile de plus en plus nettement : « Chose frappante, si Kafka est le peintre le plus sombre qui soit de notre étouffement dans l'ici-bas, on peut dire qu'il n'en peint si bien l'horreur que parce qu'il est passionnément épris des merveilles que ces murailles lépreuses nous dérobent, et c'est pour cela même qu'il ressent si douloureusement les limites hideuses et la monotonie morne de l'existence terre à terre »[9]. Autrement dit, une certaine « expérience » de ce qu'est la terre promise explique seule la formidable pesée qui incline tous les personnages kafkaïens vers elle. De cette « prélibation » mystérieuse, je donnerai deux exemples.

La musique paraît bien être, non seulement un symbole, mais un avant-goût de Chanaan : Gregor Samsa l'entend, et, silencieusement, il se glisse dans la pièce de famille où sa sœur joue du violon, car là, il le sent, est la vie pour lui, malheureuse vermine; de même, à la fin des *Investigations d'un chien*, les cors de chasse paraissent introduire dans un autre monde, plus vrai que celui de la recherche solitaire de la bête.

L'entrevue entre Bürger et K., dans *Le château*, rend sensible, jusqu'à la frôler dans la ténèbre silencieuse, la présence d'un monde *qui nous attend*, et que nous pouvons sans cesse joindre, sans cesse aussi manquer, tant nous vivons comme des somnambules, aux bords de la chute dans le néant.

K., perdu dans les couloirs de *l'Hôtel des Messieurs*, a passé une partie de la nuit à parler avec Frieda (qui vient du reste de l'abandonner); il a manqué le rendez-vous que lui avait fixé Erlanger, un des employés; il est trop tard; il entre au hasard dans une chambre et se trouve en face d'un inconnu, couché; celui-ci lui explique la différence qui existe entre les entrevues de jour et les « entrevues de nuit » provoquées parfois par les quémandeurs : il n'y a aucune raison que l'on réussisse à obtenir plus aisément de nuit que de jour ce que l'on demande, car l'organisation est sans fissure et la possibilité du contraire est vraiment plus que problématique, elle est même pratiquement impossible.

K., qui tombe de sommeil, est alors promené dans un labyrinthe d'audiences, de contre-audiences qui empêchent toute entrée dans le

---

9. M. Carrouges, *La mystique du surhomme*, coll. *Bibliothèque des Idées*, Paris 1948, p. 84.

Château, qui l'empêchent à jamais, parce que, vraiment, tout est prévu, de toute éternité dirait-on, pour empêcher les quémandeurs de toucher jamais le cœur de ceux qu'ils supplient. Mais... malgré tout, on ne peut le prévoir, cette circonstance parfaitement invraisemblable, pratiquement exclue, — comme est exclu le facteur variant dans le calcul infinitésimal, — peut un jour se produire. Sans doute, Bürger n'est peut-être pas un véritable employé du « château », car dans l'hilarante distribution des dossiers, lancés chaque matin dans les chambres, ou posés en piles devant les portes encore closes, les commis négligent sa chambre. Cependant, parce qu'il est hors cadre, cet employé connaît peut-être des secrets, des chemins dérobés vers le pays bienheureux, car, de manière allusive, ambiguë, dans son discours affleure une réalité silencieusement proche, un « au-delà » de tous les efforts de K. Le « château », le « monde », enfin accessibles, se profilent comme une banquise dans la brume :

> Beaucoup de choses ici paraissent être organisées de sorte qu'elles produisent la terreur, et quand on revient ici une nouvelle fois, les obstacles semblent à chacun absolument infranchissables. Je ne veux pas chercher à savoir s'il en est à proprement parler bien ainsi, peut-être l'apparence répond-elle à la réalité; dans ma situation le recul me manque pour l'établir, mais, cependant, remarquez-le, des circonstances peuvent malgré tout se produire à nouveau qui ne concordent pas avec l'ensemble de la situation, des circonstances par lesquelles, par un mot, par un regard, par un signe de confiance, plus peut être atteint que par des efforts qui épuiseraient une vie entière (S, p. 343, *cfr aussi p. 349, et le grand développement de ce thème p. 353-357, le tout encore inédit en français*).

La vie de Kafka fut « *ein lebenslängliches Ankommen* », affirmait G. Anders, sa vie fut une approche de la vie qui dura toute sa vie : K. représente symboliquement cette « approche qui dure toute la vie », car les obstacles semblent vraiment tout à fait infranchissables *(völlig undurchdringlich)*; mais, « de l'autre côté », il y a quelque chose et non point le néant; et ce « quelque chose », qui n'est jamais nommé, décrit, dans les mythes kafkaïens, — mais il l'est dans les écrits autobiographiques, — voilà que, parfois, de manière inattendue, il s'approche, il semble bouger, on pourrait l'atteindre par un geste minuscule, un regard, *un acte de confiance*, et gagner ainsi en un seul coup plus que par l'épuisant effort d'une vie entière.

Aucun passage ne donne aussi bien que celui-ci le sentiment presque physique de la présence d'un « monde » caché derrière un réseau d'interdictions, mais qui se profile en silence. Dans cette chambre muette autour du lit sur lequel K. est assis, en face de ce mystérieux et peut-être imposteur Bürger, l'affrontement se dessine de l'homme solitaire, forclos, atrocement déraciné et de la terre promise inaccessible. Tout l'épisode laisse entrevoir la faille imperceptible, le « peut-être » absolument improbable mais pas totalement à exclure, qui s'ouvre sur une réponse à la solitude de l'homme. K. dans son entretien avec Bürger est sur le point d'entendre l'appel; même s'il ne l'entend pas, même si sa surdité spirituelle et son aveuglement sont coupables, cette réponse n'en existe pas moins. Malgré tout, l'organisation n'est pas totalement fermée à tout accès en son intime, car *les secrétaires peuvent parfois aussi se laisser émouvoir* et, eux aussi, *ils attendent.*

* * *

Cette nouvelle dimension de l'épisode achève d'en dessiner la signification : ce n'est pas seulement l'homme isolé, le quémandeur, qui cherche, car le peuple des employés, apparemment inaccessible à tout sentiment, se révèle vulnérable, lui aussi. Tout se passe comme si, de manière cachée, K. et le château étaient *complémentaires*, comme si, quelque part, dans la nuit, *quelqu'un attendait* la venue de celui qui cherche à entrer dans le pays de la vie :

> Celui qu'on n'a jamais vu, mais qui est toujours attendu, attendu avec une soif véritable mais qui toujours très raisonnablement a été considéré comme inaccessible, il est assis, là (S, p. 353).

Le secrétaire est alors désespéré, parce qu'il craint de devoir accorder la demande, ce qui déchirerait *(zerreissen)* le réseau serré de l'organisation officielle; mais il est heureux aussi, « parce que peut-être, cette fois, par fatigue, le quémandeur est entré dans une *autre* chambre, précisément celle où peut-être on va pouvoir satisfaire sa demande »; aussi bien Bürger ajoute :

> On doit, sans pouvoir le moins du monde s'épargner soi-même, montrer en détail au quémandeur ce qui est arrivé, et les raisons pour lesquelles cela est arrivé, combien l'occasion est extraordinairement rare et combien elle est grande; on doit lui montrer combien la partie, en totale impuissance *(Hilflosigkeit)*, est entrée comme en tâtonnant *(hineingetappt)* dans cette occasion, comme aucun autre être au monde ne peut le faire, sinon précisément la partie; mais il faut lui montrer aussi que, si elle le veut, Monsieur l'Arpenteur, elle peut dominer entièrement la situation et pour cela elle n'a rien d'autre à faire que, précisément, présenter sa

demande *pour laquelle l'accomplissement est déjà préparé (für welche die Erfüllung schon bereitet ist)* (S, p. 355).

Les hasards de la vie, ceux de la fatigue, peuvent amener l'homme qui cherche dans un endroit qu'il n'a pas prévu, où il entre par accident : ce peut être précisément l'occasion unique entre des millions, celle qui ne se représentera plus; il y est entré comme en tâtonnant, en totale impuissance, en radical désespoir, et cependant, *il suffirait de le vouloir,* il faudrait seulement que l'arpenteur le veuille; le seul geste exigé serait de *présenter sa demande,* car la réponse est déjà prête.

Malheureusement K. n'a pas vraiment « voulu » dominer la situation : Bürger avait sans doute brusquement prononcé son nom : *Herr Landvermesser* éclate comme un coup de clairon, comme un appel solennel au milieu du ronron nocturne des discussions juridiques et il suffit de songer à l'importance du *nom* dans Kafka, pour deviner la signification de l'épisode que je viens de résumer[10]. L'appel existe, venu de la terre promise, mais K. ne l'entend pas : « Il dormait, fermé contre tout ce qui arrivait, *K. schlief, abgeschlossen gegen alles, was geschah* » (S, p. 355). « On ne sait pourquoi, avait déjà dit Bürger, de ces occasions, personne ne profite jamais » (S, p. 343). Le sommeil est un alibi qui montre que les héros kafkaïens sont complices, qu'ils sont coupables, car ils préfèrent la bauge sordide de leur existence solitaire.

Et cependant, la terre promise, toujours, nous attend, ainsi que le dit un admirable texte du *Journal,* le 18 octobre 1921 :

> Il est parfaitement concevable que la splendeur de la vie se tienne prête à côté de chaque être et toujours dans sa plénitude, mais qu'elle soit voilée, enfouie dans les profondeurs, invisible, lointaine. Elle est pourtant là, ni hostile, ni malveillante, ni sourde; qu'on l'*invoque* par le mot juste, par son *nom* juste et elle vient. C'est là l'essence de la magie, qui ne crée pas mais invoque (J, p. 519).

Il suffit « de l'invoquer », car la « terre de Chanaan » est *amour,* qui nous appelle et qui répond quand on l'appelle. On pourrait difficilement trouver un texte qui, plus exactement que celui-là, commente l'épisode de Bürger, en donne le sens profond et introduise à la profondeur ultime de ce que Kafka recherche.

---

10. A. Nemeth, *Kafka et le mystère juif,* p. 91.

4. La terre promise est amour

Sisyphe, le damné des enfers antiques, était condamné à porter un bloc de rocher au sommet d'une colline; chaque fois qu'il rejoignait la cime, le bloc lui échappait et roulait en bas de la pente et il fallait recommencer. Pour Camus, le non-sens de cette tâche symbolise l'absurdité de l'univers; la seule attitude de l'homme est d'essayer d'être *heureux* dans cet univers (Malraux dirait que la seule attitude est de *défier* cet univers); voilà pourquoi il termine son essai sur l'absurde en disant : « *Il faut imaginer Sisyphe heureux* ».

Pour Kafka, les termes sont exactement inversés : Sisyphe ne *peut* pas être heureux, ni essayer de l'être, parce que c'est lui-même *qui est responsable en voulant affronter le monde dans la solitude.* Autrement dit, la tâche insane et terrible du damné antique n'est pas imposée par un univers absurde dont elle serait le symbole, elle est le choix même de Sisyphe quand il veut s'isoler. S'il est vrai qu'un des visages essentiels de la terre promise est amour, et que l'amour s'incarne dans la famille et la famille dans la mère, l'enfant, l'époux, celui qui choisit de rester célibataire, pour sauvegarder sa singularité d'artiste, a opté du même coup pour une situation où sans cesse tout dépendra de lui, où il devra se crisper de manière continue, et ne pourra jamais s'abandonner à la confiance. C'est cela, le supplice de Sisyphe, cette garde permanente, cette solitude tendue, que Camus et Malraux approuveraient, mais que Kafka, artiste lui-même, et c'est là sa grandeur, juge et condamne absolument. Un texte du *Journal*, du 19 janvier 1922, le dit :

> Le bonheur infini, profond, chaud, libérateur d'être assis à côté du berceau de son enfant, en face de la mère. Il s'y mêle aussi quelque chose de ce sentiment : cela ne dépend plus de toi à moins que tu ne le veuilles. A l'opposé, sentiment de l'homme sans enfant; cela dépend continuellement de toi, que tu le veuilles ou non, à chaque instant jusqu'à la fin, à chaque instant qui te tord les nerfs, cela dépend de toi continuellement et sans résultat. *Sisyphe était célibataire* (J, p. 532).

Ce texte met en vive lumière le contraste entre le repos, l'abandon, la souplesse, de l'homme qui est près de son enfant et de son épouse, et la crispation perpétuelle, la torture de celui qui n'a pas d'enfant, parce que *tout dépend sans cesse de lui,* et sans résultat[11]. Du même coup toutes les « compensations » artificielles sont rejetées :

> Sans ancêtres, sans mariage, sans descendants, avec un violent désir d'ancêtres, de mariage, de descendants. Tous, ancêtres, mariage et descendants me tendent la main, mais trop loin pour moi. Il existe pour toutes choses, pour les ancêtres, le mariage, les descendants, une compensation artificielle et pitoyable. On crée cette compensation dans les spasmes de la douleur, et, à supposer qu'on ne soit pas détruit par la seule violence des spasmes, on l'est par la pauvreté désolante de la compensation (J, p. 535).

Pour un Malraux, il n'y a pas de mains qui se tendent; si elles le faisaient, il faudrait les couper; comme dans la scène narrée par Gide dans *Les Faux-Monnayeurs,* il faudrait sectionner ces poignets qui s'agrippent aux bords de la barque. Kafka n'a pas su saisir les mains tendues, mais il a refusé les « compensations » factices; il n'aurait jamais voulu de ce monde « créé à l'image de l'artiste » que l'on nous présente comme « espoir » et qui n'est jamais la naissance de quelque chose, mais illusion lyrique et romantisme frénétique. Malraux n'a, somme toute, jamais aimé la terre, celle-là qui est humble et magnifique; lui aussi avait éprouvé le monde comme une menace, mais il réagit par le refus et le défi tandis que Kafka préféra une vérité plus humble; pour Malraux, le monde des statues gothiques est plus vrai que l'autre et les prisonniers de Chartres lui révèlent l'homme dans la mesure où le profil statuaire se superpose à leurs traits vivants; Kafka au contraire, veut que l'œuvre d'art s'efface devant la vie, devant la femme, l'enfant. Flaubert, lui aussi, avait sacrifié toute sa vie à son œuvre d'art; mais, un jour, il rendit visite à une voisine entourée de ses bambins et il s'en revint en disant : « Ils sont dans le vrai »; lorsque Kafka entendit cette anecdote, il s'en allait aussi, répétant : « *Ils sont dans le vrai* » (MBFK, *éd. allemande,* 3e éd., p. 121-122).

---

11. Simone de Beauvoir affirmerait que la grandeur de l'homme est que « tout dépende sans cesse de lui », qu'il ne puisse se reposer sur des valeurs objectives. Sartre dirait qu'il faut *dépasser,* — nous aura-t-on cassé les oreilles avec ce « dépassement » qui est caricature de la vraie ferveur! — l'optique kafkaïenne sur ce point : ce que l'auteur du *Procès* dit du mariage il le jugera aussi banal que la peinture du pays de cocagne par celui qui n'y est jamais entré. Mais les quelques lignes du *Journal* valent leur pesant d'or si elles redonnent l'espoir à un seul mendiant sur la route.

5. Le messianisme humble

Une nouvelle dimension est atteinte avec l'humilité sacrée qui explique en profondeur la « conversion au monde » opérée par Kafka; son messianisme (et donc aussi son art) en sont renouvelés. Kafka était humble devant le réel, un aveu à Janouch le laisse entrevoir :

> Nous vivons comme si nous étions seuls maîtres. C'est ce qui fait de nous des mendiants (KMD, p. 111).

Plus simplement, nous sommes réduits à cette condition de mendiant que l'apologue raconté au début de cette étude a décrite en termes déchirants, parce que nous « avons perdu le sens de la vie », et cette perte est une chute, peut-être le péché originel même. Kafka commente ce texte en ajoutant :

> Qu'est-ce que le péché?... Nous connaissons le mot et le comportement mais nous avons perdu le sens de la chose et la faculté de la reconnaître. Peut-être la malédiction, l'abandon par Dieu, *l'absurde* consistent-ils en cette perte (KMD, p. 111-112).

Il est fort délicat sans doute de commenter avec trop de précision un texte aussi mystérieux, mais ce passage n'est pas isolé, car de nombreux aphorismes parlent du péché, et, au surplus, l'univers même de Kafka implique que les mots « bien et mal », loi et désobéissance *ont un sens*. Si je souligne ce texte, c'est qu'il est un nouvel exemple du renversement de perspectives réalisé par l'auteur du *Procès* dans le débat sur l'espoir.

Malraux avait débuté par l'affrontement de l'absurde; il était presque nécessaire que l'absurde existe; sinon *il aurait fallu l'inventer* afin que l'homme puisse défier l'univers inhumain : il suffit de se souvenir de Garine, de Perken, de Tchen, pour saisir le climat spirituel où nous sommes. L'absurde est, pour la génération de Malraux, le non-sens à l'état pur, une sorte de monolithe rocheux « ici-bas chu d'un désastre obscur », mais qui ne se rattache à aucun continent perdu. Pour Kafka, l'absurde « *consiste peut-être en la perte du sens du péché* » : ces mots nous font passer sur un autre versant de la métaphysique; sans qu'il faille voir ici une allusion à une théodicée positive, ni même à aucune doctrine sur Dieu, l'absurde se profile comme un fragment *détaché* de la banquise-mère; les contours déchiquetés de cette « île flottante » indiquent par leur dessin même qu'ils sont arrachés de « ces ineffables bords », perdus mais qu'il faut retrouver.

Tous les thèmes esquissés, celui de la conversion au monde, celui de l'artiste qui s'accuse lui-même et s'efface devant la terre promise qui l'attend et qui est vivante, trouvent ici leur sens le plus décisif : l'absurde c'est sans doute la perte du sens du péché.

Reconnaître cette source de l'absurde, c'est entrer dans la terre promise de l'humilité :

> Ce n'est pas parce que sa vie était trop brève que Moïse n'est pas entré en Chanaan, c'est parce que c'était une vie humaine (J, p. 520).

Kafka se voyait lui-même errant « depuis quarante ans au sortir de Chanaan; sa pérégrination se fit à rebours, se rapprochant continuellement du désert », car ses espoirs ne sont que « les chimères du désespoir »; malgré tout, parce qu'il est humble, qu'il refuse de mentir de quelque manière que ce soit, fût-ce en valorisant facticement l'œuvre d'art, il affirme que « Chanaan est pour lui l'unique terre d'espoir, *car il n'y a pas de troisième terre pour les hommes* » (J, p. 541, 28 janvier 1922).

L'humilité explique également comment, au terme du périple littéraire et humain de Kafka, son messianisme rayonne d'une douce lumière. Une petite phrase qui a passé inaperçue jusqu'à présent éclaire la « terre de Chanaan » d'une clarté merveilleuse :

> J'ai toujours éprouvé un amour non terrestre pour les choses terrestres (J, p. 127)[12].

Si Kafka a valorisé le mariage, la femme, l'enfant, le sol, la loi, c'est parce que, au-delà de la dialectique acérée qui incarne le nomadisme de sa pensée discursive, il y avait en lui l'essentiel du climat de la pensée hébraïque, ainsi que je l'ai dit et redit[13]. L'attitude foncière

---

12. Le contexte parle des acteurs juifs dont Kafka s'occupa longtemps; à propos d'un jeune homme et de son amour pour une femme, le texte poursuit : « Dois-je remercier ou dois-je maudire le fait qu'en dépit de tout mon malheur, je puis encore éprouver de l'amour, un amour non terrestre pour des objets terrestres, toutefois? »

13. Outre les études de C. Tresmontant déjà citées maintes fois dans cet ouvrage, j'attire l'attention sur M.-D. Chenu, *Conscience de l'histoire et théologie au XIIe siècle*, dans *Archives d'histoire doctrinale et littéraire du moyen âge*, Année 1954, Paris, 1955, p. 107-133, qui montre comment au xiie siècle (dont, décidément, toutes les études récentes dévoilent la prodigieuse richesse) une série de théologiens occidentaux avaient le sens aigu de la dimension historique proprement chrétienne dans laquelle s'inscrit le dessein de salut divin; sans doute, la dimension « biblique » fut-elle bloquée, chez Othon de Freysing par exemple, dans la vision du « Saint-Empire » (mutation dont Byzance fit les frais, cfr *op. cit.*, p. 123), mais ce n'est là que concrétisation *passagère* d'un thème essentiel que la « dialectique » risquait de faire

est ici l'*espoir* devant une création qui est *renouvellement* et *l'humilité* devant les *grandeurs* de l'univers. Cette humilité que C. E. Magny a si bien décelée en Kafka, une ébauche non reprise dans *Le château* la laisse entrevoir :

> Veux-tu être introduit dans une famille étrangère, cherche-toi une connaissance commune, et prie la de te présenter. Si tu n'en trouves aucune, patiente et attends une occasion favorable. Dans le petit pays où nous habitons, cela ne peut pas manquer. Si l'occasion ne se présente pas aujourd'hui, elle se présentera demain, certainement. Et si elle ne se trouve pas, *tu ne dois pas pour ce motif ébranler les colonnes du monde.* Si la famille supporte de devoir se priver de toi, ne le supporte du moins pas plus mal qu'elle.
>
> Tout cela se comprend de soi-même, seulement, K. ne le comprend pas (HL, p. 298).

Ce fragment qui semble dire que K. ne comprend pas la patience et l'humilité frappe par sa douceur tranquille, sa sérénité; il tranche sur d'autres passages de Kafka. La phrase sur les colonnes du monde, qu'il ne faut pas ébranler, si l'occasion ne se présente pas aujourd'hui d'entrer dans la famille, exprime cette même humilité que Proust a dépeinte de manière inoubliable, dans la dernière visite de Swann à la Duchesse de Guermantes : le Juif raffiné et poli, est, ce soir, marqué par la mort, et le sait; il se présente devant la Duchesse comme un humble serviteur; celle-ci, pressée par une sortie mondaine, le salue d'un air poli et distrait; il n'insiste pas, il la laisse s'en aller à ce bal, tandis que lui-même reste debout, un pied sur une des marches, en son élan soudain arrêté, silencieux et effacé, comme un enfant dont on a refusé le cadeau. Swann refuse de secouer les colonnes du monde, où il n'a pu entrer ce soir-là, car il est humble :

> L'humilité met un chacun et aussi celui qui, isolé, se désespère, dans la relation la plus forte avec le semblable et cela immédiatement, à condition, il est vrai, que l'humilité soit entière et durable. Elle le peut parce qu'elle est le vrai langage de la prière en même temps qu'adoration et lien indissoluble. La relation avec le semblable est la relation de la prière, la relation avec soi-même,

---

passer au second plan (cfr Abélard prétendant que les justes de l'*Ancien Testament* devaient avoir une connaissance *explicite* de l'incarnation de Jésus, *op. cit.*, p. 113). Si l'on veut bien se rappeler comment par exemple Kafka parle à Janouch *(supra,* p. 290, n. 15) « du temps » comme de la « partie la plus noble... de la création ». on saisira immédiatement la parenté entre les deux types de pensée : jamais Malraux n'accorde au temps cette valorisation majeure, pas plus que les pensées religieuses de type cyclique ou acosmique ne le font.

la relation de l'effort : c'est dans la prière que se puise la puissance de l'effort (HL, p. 119, 24 février 1918, repris dans *Aphorismes*, HL, p. 53, JI, p. 280).

Cet aphorisme, composé la veille du jour où Kafka écrivit le texte où il se dit « fin ou commencement », met en lumière l'humilité qui donne à son style des résonances métaphysiques absentes de l'œuvre de Malraux ; car il a parlé lui aussi des frères humains, mais jamais en termes d'humilité et de prière. La relation de l'homme seul à lui-même est celle du « *Streben* », de l'effort, qui, pour le célibataire par exemple, est une « torture des nerfs », tandis que la prière détend l'être, dans l'attente patiente et fidèle :

> Le Christ est un abîme rempli de lumière, devant lequel on doit fermer les yeux pour ne pas s'y précipiter... Je m'efforce d'être véritablement celui qui attend la grâce. J'attends et je regarde. Peut-être viendra-t-elle, peut-être ne viendra-t-elle pas. Peut-être cette attente tranquille et parfois inquiète est-elle déjà l'annonciatrice de la grâce ou la grâce elle-même. Je ne le sais. Mais cela ne me tourmente pas. J'ai entre-temps lié amitié avec mon ignorance (KMD, p. 154).

Il y a ici une vertu rare, celle de *l'agnosticisme humble*. Je crois que si Du Bos avait connu l'œuvre de Kafka, il l'eût aimée, parce qu'elle réintroduit en littérature la *dimension de la grâce* dont l'humble attente n'est pas passivité indigne, mais quête attentive de cette vérité de la terre messianique, qui est « rocher sur lequel s'appuyer », sol sur lequel construire et promesse fidèle à qui sait « espérer avec patience ».

6. « L'espoir que le Maître passe, par hasard... »

Cette attente d'une « grâce », deux textes mystérieux montrent qu'elle est parfois exaucée, tout comme Bürger l'avait dit à K., dans *l'Hôtel des Messieurs*.

Le premier texte est écrit entre le 25 octobre et le 3 novembre 1917 (HL, p. 40 et 81, JI, p. 250) :

> Le premier signe d'une connaissance naissante est le désir de mourir[14]. Cette vie semble insupportable, une autre inaccessible.

---

14. Ce thème est essentiel dans les *Journaux* et les conversations avec Janouch ; en voici des exemples : « Celui qui conçoit bien la vie, n'a pas peur de la mort. La peur de la mort n'est que la conséquence d'une vie inaccomplie. C'est une manifestation de l'infidélité » (KMD, p. 114). Connaître la mort, la regarder en

On n'a plus honte de vouloir mourir; on demande à être transféré, de la cellule que l'on déteste, dans une nouvelle cellule que l'on apprendra à détester.

Il n'est question que de changer la manière de vivre concrète, par exemple de quitter la bureaucratie pour une autre carrière; mais, en même temps, un autre sens se dessine, le passage de *cette* vie à la mort : des deux côtés, même certitude de détester, finalement, les deux « cellules » de prisonnier. Mais voici qu'un espoir se glisse :

> Un reste de croyance agit cependant, la croyance que durant le transfert le Maître *(der Herr)* par hasard passera par le couloir, regardera le prisonnier et dira : « Celui-là, vous ne devez pas l'enfermer à nouveau. Il vient à moi » *(er kommt zu mir)*.

Le regard du « maître » n'est plus celui qui paralyse, comme le faisait « ce monde plein d'espions aux écoutes » (BM, p. 255, LM, p. 256) que Kafka « voyait » autour de lui, au Gymnase, à l'Université, au bureau, à la maison, *partout*, il est de miséricorde. Au moment où Joseph K. est exécuté, il voit au-dessus de lui les glaives qui se dressent et il sent, jusqu'à l'os, que la « honte va survivre même à cette mort de chien » *(wie ein Hund)* qu'il a méritée; mais il voit *aussi* une silhouette lointaine se pencher aux bords d'une fenêtre :

> Qui était-ce? Un ami? Une bonne âme? Quelqu'un qui prenait part à son malheur? Quelqu'un qui voulait l'aider? Était-ce un seul? Étaient-ce tous? Y avait-il encore un recours? Existait-il des objections qu'on n'avait pas encore soulevées? Certainement il y en avait. La logique a beau être inébranlable, elle ne résiste pas à un homme qui veut vivre. Où était le juge qu'il n'avait

---

face, est un thème majeur; Kafka distingue lui-même « la vraie immortalité » de cette vitalité des gens « qui n'en finissent pas de vivre…, leur vie du moment » (BM, p. 233, LM, p. 236). Il est difficile de savoir ce que signifie l'expression « deuxième vie » qui paraît parfois dans le *Journal*, mais je doute qu'elle implique une foi en la survie. Il y eut toujours chez Kafka un désir de mourir : « N'avoir jamais que le désir de mourir, et s'accrocher encore, cela seul est l'amour », écrit-il déjà le 22 octobre 1913 (J, p. 294); il y eut aussi en lui une capacité de mourir content (J, p. 410) qui lui fait écrire à Milena qu'il n'est pas juste de se moquer de ce héros de théâtre qui « gît en scène, blessé à mort, et qui chante un air, car nous passons des années à chanter en gisant » *(Wir liegen und singen jahrelang)* (BM, p. 239, LM, p. 241). Enfin, il dit à Janouch : « tout est bien; il a déjà consenti à tout. La souffrance ainsi se transforme en enchantement, et la mort, — la mort n'est plus que partie intégrante de la douce vie » (KMP, p. 171). La nostalgie de la mort s'explique par la même incapacité de vivre, mais celle-ci, au lieu de lui inspirer une malédiction de la vie (il parle de la « douce vie » dans le texte que l'on vient de lire) l'invite à s'effacer lui-même, doucement, modestement, sans cri, avec cette humilité profonde qui, je le crois de plus en plus, est le secret de Kafka.

jamais vu? Où était la haute cour à laquelle il n'était jamais parvenu? (P, p. 273).

La logique a beau être inexorable, elle ne résiste pas à un homme qui veut vivre; Bürger avait déjà laissé entendre à K. qu'il y a des « occasions » à saisir : Kafka, obsédé par la logique de son drame, espérait quand même. Certes, dans *Le procès*, immédiatement après cet ultime regard d'espoir, les « deux messieurs » plongent leurs couteaux dans le cœur de Joseph K. Mais Kafka a continué à espérer que quelqu'un, un jour, le voyant transféré d'une cellule dans une autre, de la vie à la mort, arrête les sbires et dise : « Celui-là, vous ne devez pas l'enfermer à nouveau »; il faut le libérer, non point pour une liberté absurde et impersonnelle, mais *pour une rencontre : « Il vient à moi »*.

*   *   *

Cet espoir d'un « Avent » secret mais vivant, ne peut se comprendre que dans une âme juive, même quand celle-ci a perdu, explicitement, toute foi religieuse. Aussi bien, un second texte, malheureusement non daté, semble décrire l'approche d'une mystérieuse réalité de salut :

> Si tu ne cesses de courir, clapotant dans l'air tiède de tes mains telles des nageoires, regardant furtivement tout ce devant quoi tu passes dans le demi-sommeil de la hâte, il t'arrivera aussi un jour de laisser passer devant toi le char. Si tu demeures ferme au contraire, de la puissance de ton regard faisant croître les racines en profondeur et en largeur, — rien alors ne pourra t'évincer, — en vertu non pas des racines mais de la puissance de ton regard qui scrute, — c'est alors que tu verras le lointain immuablement obscur d'où rien ne peut surgir si ce n'est précisément une fois ce char qui roule vers toi, qui se rapproche, de plus en plus grand, qui à l'instant où il entre chez toi, remplit le monde tandis que tu t'enfonces en lui tel un enfant dans le siège rembourré d'une diligence qui file à travers la tempête et la nuit (HL, p. 352, JI, p. 318-319).

Je ne puis lire ce passage sans songer à l'enfance peureuse de Kafka, à la vanité de tous ses efforts, de toutes ses courses et contre-courses, à l'espoir présent malgré tout dans son regard fixe, adolescent, un peu hagard, fasciné par l'eau noire d'une pensée figée pour jamais dans l'impossible; mais j'évoque surtout, à propos de ce char qui remplit le monde et emporte l'enfant dans la nuit, les légendes germaniques du roi des Aulnes, sans doute, mais aussi le char de feu du Seigneur de Gloire qui vient emporter son fils blotti et enfin détendu sur les coussins de la voiture, le char de feu, la *Merkabah* de la tradition mystique juive.

TROISIÈME PARTIE

Approches de la terre promise

Il n'est pour nous qu'un univers,
ce sont les hommes. VERCORS.

Cet hymne majestueux d'avenir,
à quoi peut-on croire si l'on ne croit
pas à cela? CHOLOKHOV.

Vous voulez que tout homme ait
sa juste part de la richesse et de
l'espoir du monde. C'est une grande
entreprise. Mais quand vous en
serez venu à bout, vos citoyens
heureux et libres sur une terre
heureuse et libre seront encore seuls.
Ils auront encore froid.
MAULNIER.

Je n'avais rien à sacrifier, aucun
espoir... Françoise SAGAN.

Lorsque je mis le pied sur la plage
de la Barbade, c'était une terre très
instable que j'abordais, car le sable
de la plage était mouvant et
glissant. J'avais néanmoins l'impression que c'était une terre promise.
BOMBARD.

Dieu le Père, assis sur son trône
de gerbes... REYMONT.

CHAPITRE I

Vercors et « la qualité d'homme »

« Il n'est pour nous qu'un univers, ce sont les hommes » (YL, p. 245);
« le monde, au long des siècles, se modifie à l'image des plus faibles,
contre toute vraisemblance, non à celle des plus forts » (PJ, p. 318). Ces
textes font entrevoir les grandeurs et les limites de l'humanisme de
Vercors; ils indiquent aussi que, pour l'auteur du *Silence de la mer*,
l'homme est une chose sacrée, car il y a en lui une « qualité d'homme »
qu'il faut sauver de la dégradation qu'elle vient de subir au cours de la
dernière guerre[1].

I. Le désespoir initial

Né en 1902, Vercors, pseudonyme de Jean Bruller, est marqué
par le sens du tragique qui caractérise l'humanisme depuis 1929, année
de la crise économique dont devait sortir la seconde conflagration;
il n'est pas écrivain de profession, mais dessinateur, comme en
témoigne son art de « visualiser » en des images dessinées d'un trait
précis et sobre (PDS, p. 62). Jusqu'en 1940, les dessins de Vercors sont
marqués par le désespoir devant l'absurdité de la vie :

> Comme à tout jeune esprit lucide, c'est l'absurdité du monde
> qui m'est apparue tout d'abord. Pour qui connaît les dessins

---

1. Je cite : *Le silence de la mer* (1942, réédité avec d'autres nouvelles, Paris,
1951) = SM; *Le songe* (dans SM) est cité S; *Les armes de la nuit* (Paris, 1946) = AN;
La puissance du jour (Paris, 1951) = PJ (ces deux récits sont réédités en
un seul volume, Paris, 1951); *Les yeux et la lumière* (Paris, 1948) = YL; *Les
animaux dénaturés* (Paris, 1952) = AD; *Plus ou moins homme* (Paris, 1949) = PMH;
Les pas dans le sable (Paris, 1954) = PDS; *Colères* (Paris, 1956) = C. On trouvera
dans PDS des détails sur la vie de Vercors : il est né le 26 février 1902; ses parents,
enthousiastes des fêtes du centenaire de Victor Hugo, voulurent l'appeler Victor-
Hugo (p. 184-185); il puisa, dès l'âge de 12 ans, le sens de la lutte de l'homme
« pour la justice », dans *Quatre-Vingt-Treize* (p. 188); il y aime surtout « le drame
de conscience » et la rébellion (p. 186, 192); il a actuellement deux enfants (p. 169)

que, sous mon nom de naissance. je publiais avant la guerre, il est patent que mes efforts se résumaient à peindre sous toutes ses formes, cette vaste absurdité, cette agitation sans espoir. *Comme mouches en bouteilles*, s'intitulait le premier chapitre de cette *Danse des vivants*. En frontispice figurait une gravure qui représentait un radeau sur l'océan démonté, et les survivants qui s'agrippent, qui s'ingénient à survivre dans le froid et la souffrance quelques minutes encore. Toute cette période de mon activité spirituelle et artistique, dominée par le désespoir, fut consacrée à ce thème et à ses variations, qu'Albert Camus a su depuis merveilleusement ramasser dans une formule définitive : « Les hommes meurent et ils ne sont pas heureux » (YL, p. 16-17). L'homme qui aujourd'hui écrit ces lignes autrefois n'écrivait pas, il dessinait. Et ce qu'il dessinait, c'était presque toujours la même chose : son désespoir. Sous un aspect rieur, ses dessins étaient ceux d'un homme peu disposé à trouver dans la race humaine de quoi se réjouir, sinon de quoi rire. D'un rire amer, que provoquent la bêtise, la vanité, l'égoïsme, l'hypocrisie, l'inconscience, quand ce ne sont pas le cynisme et la cruauté (PMH, p. 350-351).

L'état d'âme de Vercors à cette époque transparaît dans le personnage d'Arnaud, dans *Les yeux et la lumière*. Resté seul sur un plateau où il guette la venue de soldats ennemis, Arnaud se demande comment, alors qu'il est désespéré et ne croit à rien, il a accepté de s'engager dans cette « résistance » où il sait qu'il trouvera une mort dont il ne voit pas la signification. Il évoque alors son passé « d'homme douloureux que le néant de la vie terrestre désespère » :

Il était de ces hommes-là. Il n'en tirait pas vanité. S'il en eût tiré vanité, il serait aussitôt retombé dans la catégorie des cons. Il avait de longtemps aussi dépassé le stade où il tirait de ce désespoir une souffrance romantique. C'était depuis des années un désespoir nu et glacé. Avec même un revers qui n'était pas sans agrément : une certaine douceur de vivre. Certes, cela lui gâchait presque tous les moments de son existence, mais, d'autre part, c'est un grand repos que de savoir (que de savoir profondément) que rien n'a de sens. Que rien ne vaut qu'on le prenne à cœur. « Sans espoir de rien, voguer sur la vie », il se répétait ce vers charmant quand certains jours le dégoût le prenait comme autrefois (comme au temps de son amère découverte), le dégoût de cette vie parmi les hommes, de cette vie pleine de règles, de codes, de décrets, de prescriptions, d'obligations, de principes que la mort et que l'immensité vertigineuse de l'univers rendaient si terriblement ridicules et insensés. « Voguer la vie », après tout, cela valait tout de même la peine. Les fleurs, les arbres, les femmes, la musique, la mer, cela valait tout de même la peine, à condition que l'on ne prît rien au sérieux. Et pour finir, l'existence, en somme, en était rendue plus facile. Savoir que tout se vaut, que la réussite ou l'échec, le bien et le mal, l'admiration, cela ne veut plus rien dire passé la tête de ces fourmis rampantes que sont les hommes sur la minuscule planète qu'ils habitent (pour s'y agiter l'espace d'une seconde et mourir), qu'au fond tout cela est égal, tout à fait indifférent, oui, voilà qui rendait l'existence, en somme, tellement plus facile (YL, p. 132-133).

Le thème pascalien du « silence éternel des espaces infinis » se retrouve dans la vision de la condition d'homme, conçue comme un « exil »; l'originalité de la pensée de Vercors sera d'accentuer de plus en plus vigoureusement cet « exil » des humains dans un univers qui les ignore, qui les rejette impitoyablement hors de son sein, mais aussi de *dépasser* le désespoir dans le sens de la qualité d'homme qu'il importe de sauver dans le monde présent. Vercors rejoint ici le climat de pensée de Camus, de Malraux et de Sartre.

C'est encore à l'aide d'une image pascalienne que Vercors décrit l'exil de la condition humaine. « Toute conscience de soi est constitutivement « exilée » du Cosmos (somatique aussi bien micro- que macro-physique), plongée dans l'ignorance et dans la solitude et condamnée à y mourir (YL, p. 13) ». Cette affirmation, assez abstraite, est illustrée par l'image suivante :

Imaginons quelques milliers d'êtres divers, qui vivent séparés d'un continent immense sur une toute petite île. Ils ne savent rien de ce continent, sinon qu'ils en ont été exilés à leur naissance, qu'ils lui doivent pourtant toute nourriture, et aussi qu'il en surgit régulièrement une flottille aérienne qui les écrase sous les bombes. Ces phénomènes durent depuis si longtemps que le début en est perdu dans la mémoire des siècles. De sorte que chacun de ces êtres les trouve naturels, comme de devoir un jour, plus ou moins tôt, en être victime (YL, p. 13).

Un autre texte du recueil *Plus ou moins homme* exprime en termes plus violents cette expérience de l'exil humain :

Cette conscience de soi, loin d'être admise et mêlée à la vie commune, elle sera exclue de la communauté. *Exilée*, et non seulement de cette communauté particulière, mais de toute la nature. Ce qu'elle est, cette nature, sa signification, sa justification, ses desseins et ses fins, on en tiendra soigneusement cette conscience à l'écart. On veut un esclave ponctuel, on ne veut pas d'un raisonneur. On veut son obéissance, on le dispense de ses réflexions. On veut qu'il exécute, non qu'il comprenne ; encore moins qu'il balance, juge, confronte, tergiverse, refuse, exige, voire ordonne. On craint même tellement son intrusion dans les affaires de la République, qu'on préfère lui en cacher les crises internes, les dérèglements mortels comme le cancer, et lui refuser les moyens d'intervenir comme l'autorité pour y remettre l'ordre. Pour plus de sécurité encore, on ne lui en exhibera que le strict nécessaire : jamais les choses mêmes, les choses en soi, pas même leur ombre, mais l'ombre de leur ombre. Un monde de sensations, fantomatique et trompeur, un vaste ragoût de phénomènes, non de noumènes. Ainsi, à jamais exclu de toute vérité, à jamais enfoui dans un inextricable brouillamini de faux-semblants, à jamais écarté de la Chose Publique, à jamais maintenu dans l'isolement et dans l'ignorance, mais houspillé, rossé, piqué, brûlé, gelé, affamé, effrayé, l'on n'aura guère à craindre qu'il fasse un jour mauvais usage des facultés dont on l'a doué ni des maigres pouvoirs dont il a fallu l'investir (PMH, p. 28-29).

L'intuition majeure est celle d'une discontinuité radicale, d'un abîme béant entre l'homme et la nature. Il s'agit ici d'une intuition plus que d'un raisonnement, puisque, ailleurs, Vercors écrit : « que l'humaine conscience, notre univers, soit *sans connexité* avec celui des mondes astronomiques ou atomiques, que notre esprit et le cosmos soient discontinus, notre raison orgueilleuse refuse de le concevoir, et la trompeuse imagination vient à notre secours. Notre raison, non pas notre intuition... pour qui il n'est qu'un monde que l'homme ait avec soi en commune mesure, et c'est l'humanité. Il n'est pour nous qu'un univers, ce sont les hommes. Tout autre est illusoire, projection décharnée de notre orgueil » (YL, p. 244-245)[2].

2. Ce premier tour d'horizon nous a donc ramenés à la première des phrases citées en épigraphe : « Il n'est pour nous qu'un univers, ce sont les hommes », mais nous en saisissons mieux la signification. On aura noté en effet la saveur « kantienne » de la description de l'exil humain : « l'homme est invité à un vaste ragoût de phénomènes, non de noumènes » ; de Kant, Vercors a repris deux choses, l'agnosticisme total devant les « noumènes », les « choses en soi », et un élément essentiel de la « qualité d'homme », le refus de traiter l'homme comme un moyen, alors qu'il est une fin. Ces deux éléments kantiens de la pensée de Vercors sont coupés de tous les prolongements idéalistes et éthiques qu'ils ont chez Kant. Les textes cités expriment bien plus une prise de conscience « existentielle », la réaction d'une sensibilité à vif devant le réel, qu'un raisonnement suivi : le « on » dont parle Vercors, cette puissance anonyme qui refuse à l'homme l'accès à la connaissance, c'est la « nature » ou, si l'on veut, ce « continent inconnu » dont les naufragés de l'île vivent, mais dont ils ne savent rien et qui les détruit. Or, jamais l'auteur ne se demande pourquoi ce « on » exile l'homme ; il personnifie la nature, ce qui lui inspire un morceau de bravoure sur le malheur humain, mais il désespère d'en trouver la cause métaphysique ou religieuse. Vercors refuse les lumières de

II. « Voguer la vie »... ou combattre?

Une fois éteintes les lumières qui pourraient nous venir de la raison ou de la foi, une fois tranchés les liens entre l'île et le « mystérieux continent », autour de quelle notion centrer la « qualité d'homme » qui hante Vercors? De ce « désespoir » qui fut le sien jusqu'aux environs de 1940, quelle attitude pratique, quelle éthique dégager?

Avant le drame de la guerre, qui sera le tournant essentiel de sa pensée, l'auteur du *Silence de la mer* optait sans doute pour la sentence : « voguer la vie », qu'il met dans la bouche d'Arnaud, le personnage déjà nommé de *Les yeux et la lumière*. Voguer la vie, comme le Camus de *Noces*, qui tentait d'épuiser la richesse de l'instant, d'épouser la terre et le soleil, dans un « romantisme du bonheur méditerranéen ». Un texte qui prolonge l'exposé du désespoir d'Arnaud, affirme en effet :

> A partir de là, toute règle de vie se résumait à ceci : éviter de souffrir. Dans le sens le plus prosaïque du terme. Arnaud se

---

la raison : celle-ci, orgueilleuse, essaye bien de nous faire croire qu'il y a une continuité entre le cosmos et la conscience, mais c'est une illusion qui n'est pas plus valable que les désirs de cette « imagination » qu'il condamne aussi. Nous sommes à l'antipode de la mystique rationaliste de la science; comme le dit un commentateur de Vercors, au mythe de la « bonne nature », à laquelle il faut revenir pour retrouver la vérité de la vie, succède le mythe de la marâtre nature, ennemie, inconnue, aveugle; les clartés que la raison scientifique croyait projeter sur cet abîme ténébreux sont rejetées, comme aussi les vérités religieuses, celles-ci ne donnant qu'un « alibi » (PJ, p. 355). A la place de la raison et de la religion, Vercors canonise « l'intuition », cette faculté *obscure* par définition qui, cependant, serait la seule à nous mettre en face de la *vérité*, à savoir qu'il n'y a pas de commune mesure entre le monde et l'homme. On comprend que Vercors fasse le procès d'une science rationaliste qui prétendait, au xixe siècle, éclairer progressivement les derniers replis des « mystères » de la nature matérielle; le progrès des sciences les a rendues plus modestes, les a ramenées à l'intérieur de leurs frontières propres; la critique des sciences est une des disciplines premières de ce siècle. Mais passer de cette « critique » à un agnosticisme absolu, refuser du même élan les explications religieuses du mystère de l'exil humain, — celui-ci étant la suite d'un péché qui a rendu la nature partiellement ennemie de l'homme, sans détrôner cependant le « roi de la création », — c'est céder à cette mystique « irrationnelle » qui, il faut le dire et le redire, est une des plaies de ce temps. Vercors affirme en effet que la religion tire sa force du « besoin de *comprendre* » qui pousserait l'homme à « opter » pour un Dieu qui serait supposé prendre parti pour la révolte humaine (PMH, p. 45) : alors que les rationalistes du xixe siècle voyaient dans la foi religieuse une adhésion *aveugle* et sentimentale se refusant à la « vérité qui est peut-être triste », Vercors range la religion, *avec la raison*, dans l'illusoire soif de mettre de la clarté là où il n'y en a pas. L'auteur du *Silence de la mer* désespère de la *vérité;* il pense en termes de *valeur;* et ces valeurs il les cherche dans une intuition foncière, celle de la discontinuité entre l'homme et la nature; cfr cependant, *infra*, p. 343 sv.

rappelait ces mots d'un carnet sincère : « Mon Dieu, épargnez-moi les souffrances physiques. Les autres, je m'en charge. » Il s'était donc chargé de prendre les accommodements nécessaires avec les souffrances morales. Et il avait, dans l'ensemble, réussi. Du moins, pas trop mal... (YL, p. 133).

Une des formes de cette « morale » du bonheur, c'est l'art : Luc, un autre personnage de Vercors, cherche à sauvegarder sa « pureté intérieure » (YL, p. 151) en composant des poèmes, en unissant « les mots » harmonieusement. Sans doute, l'art est une des manifestations de la fierté de l'homme qui se rebelle contre le cosmos, ainsi que Vercors le dira dans *Plus ou moins homme* (p. 269-292), suivant ainsi une des intuitions majeures de Malraux; mais une certaine forme d'art, par exemple certaine poésie « pure » dont Luc dans la nouvelle *Les mots*, et Saturnin dans *La puissance du jour*, sont des témoins, est une manière d'échapper au désespoir de l'exil humain, dans une « pureté intérieure » dont on dénoncera bientôt le mensonge.

* * *

« Éviter de souffrir », « voguer la vie », cette morale semble couler de source à partir du désespoir : logiquement, l'auteur des dessins cruels publiés sous le titre *Danse des vivants* aurait dû refuser de prendre part à la guerre de 1940. Sartre écrirait plus tard (en 1943), à partir de sa philosophie de la « liberté pour rien », qu'il n'y a aucune différence entre celui « qui conduit les peuples et celui qui choisit de s'enivrer solitairement ». De même, à propos d'un de ses dessins représentant une scène de *Mutinerie à bord*, l'auteur du *Silence de la mer* écrit :

> On me reprochait parfois à cette époque de lancer un message stérile. Je m'étonnais alors d'un tel reproche... Un dessin répondait, me semblait-il, à cette accusation. Il représentait, lui aussi, l'implacable et vaste océan où flotte un minuscule navire en perdition. *Mutinerie à bord* disait la légende, et l'absurdité de nos disputes, de nos haines et de nos guerres s'y trouvait, croyais-je, dénoncée. Je ne sais plus qui me fit remarquer, puisque de toutes manières le navire allait s'engloutir, qu'il n'eût pas été moins absurde que les gens à son bord s'entendent et s'embrassent et que peut-être même en se battant ils avaient moins le temps de penser à leur triste sort (YL, p. 17).

Le rapprochement avec la pensée de Sartre est évident : puisque le navire va être englouti par les flots, il importe peu que les naufragés se battent ou s'embrassent. Cette remarque, écrit l'auteur, « fut déterminante : elle était *rationnellement* juste » (YL, p. 17), car le désespoir ne peut fonder une morale; a *fortiori* ne peut-il fonder une éthique du sacrifice et du don de soi. Vercors sentit que quelque chose en lui s'opposait à cette « logique » rationnelle. Alors que des Montherlant, des Giono, qui prêchaient le héros martial ou l'adoration et le retour à la nature, choisirent, durant l'occupation, de ne pas « résister », « c'est nous, contre toute logique, qui ne pûmes nous résoudre à l'abandon ni même à l'indifférence » (YL, p. 18). C'est alors que, en 1941, aux éditions de Minuit, dans la clandestinité, Vercors publia ce *Silence de la mer* qui devait montrer le visage de la France refusant la dégradation dont la menaçait l'occupant; Jean Bruller prit le pseudonyme de Vercors, en s'inspirant du massif du Dauphiné qui devait être un des premiers maquis de France.

Ce changement de nom, ce choix de la résistance, ne s'inspira donc pas d'une logique rationnelle mais à nouveau d'une *intuition*, d'un « mouvement du cœur » (YL, p. 135), le même qui poussa Arnaud le désespéré à risquer sa vie dans la bataille. En ce tournant décisif de sa vie, Vercors dépassera son désespoir et s'engagera dans la lutte, par les actes et par la plume : il comprit que, au-delà des dangers militaires et politiques, nous menaçait la dégradation de la qualité d'homme :

> En 1941, j'ai pris pour la première fois la plume et écrit *le Silence de la mer* parce que personne ne le faisait et qu'il fallait bien que quelqu'un se décidât. J'ai écrit cette histoire parce qu'il fallait que subsistât, pour l'avenir, le témoignage qu'une conscience française pouvait en pleine guerre décider sans haine de lutter jusqu'à la mort... On n'a pas toujours compris que ce roman de la dignité humaine était celui aussi de cette atroce révélation (celle du silence des Allemands devant la diabolique entreprise de dégradation humaine sciemment voulue par Hitler), de cette atroce désillusion. On n'a pas toujours su reconnaître qu'il se termine sur la mise au tombeau d'un ultime espoir, d'un espoir désespéré qui vient d'être assassiné de la main même du meilleur des Allemands possibles, puisque ce meilleur des Allemands possibles, loin de céder à la révolte, trouve le chemin de son devoir dans la soumission à ses maîtres, dans la mort pour ses maîtres, dont il a pourtant mesuré la forfaiture (PMH, p. 301 et 241; cfr aussi PDS, p. 128-133).

Werner von Ebrenac a cru, en effet, qu'une compréhension pouvait s'établir entre l'Allemagne des humanistes et des musiciens et la France, patrie de la liberté et de la clarté; mais, lors d'un séjour à Paris, il a découvert la volonté de dégrader l'homme qui anime les chefs suprêmes de la conquête nazie; il obtient alors d'être envoyé dans « l'enfer » du front russe, espérant y trouver la mort de son corps, la mort aussi de ses espoirs cruellement désabusés.

Il n'est pas nécessaire de dire à nouveau la sobriété, la force contenue et l'émotion qui marquent cette courte nouvelle qu'on serait impardonnable d'ignorer; il est plus important de signaler qu'elle est écrite sans haine : « La vue du pire criminel jamais ne fait naître en moi la haine : elle me désespère. Elle me désespère dans l'amour que j'ai pour les hommes » (PMH, p. 230).

* * *

L'ampleur de ce crime contre les hommes, Vercors devait la mesurer mieux encore lorsque commencèrent à filtrer les premiers renseignements clandestins sur les camps de concentrations d'Allemagne; en un douloureux contraste avec la « bonne nouvelle » de l'Évangile, il voulut alors « corner aux oreilles du monde » la « mauvaise nouvelle » de cet « enfer humain » :

> Quand, au cours de l'été 1943, un rescapé du camp d'Orianenbourg, dont nous savons aujourd'hui que ce fut un camp modèle, humain et doux, me rencontra en secret; quand je le vis, et quand il m'eut raconté ce qu'il avait vu, pendant les trois mois que dura son internement; quand me fut révélé ce que mon imagination jamais n'aurait su ni osé concevoir, ce que la plus vive détestation des bourreaux nazis ne m'eût jamais permis de craindre ou de croire; quand je fus ainsi soudainement confronté à une vérité si horrible et si monstrueuse qu'elle mettait en question la signification même de l'homme et de son destin; quand je compris que je n'avais plus qu'un devoir, et un seul, toutes affaires cessantes : faire connaître au monde... l'existence de ces réalités intolérables, — car il était intolérable à un esprit sensible que certains hommes fussent plongés dans cet enfer et que les autres pussent d'un cœur tranquille continuer de vaquer à leurs affaires, de manger et de dormir; quand donc je pris la plume, dans ce mouvement d'horreur sacrée, pour annoncer aux hommes de bonne volonté cette « Mauvaise Nouvelle... » j'écrivis ce récit qui s'appelle *Le songe* (PMH, p. 345-346).

Le songe fut écrit en 1943. Le même thème devait apparaître en clair dans le très beau récit *Les armes de la nuit*, publié en 1946. La confession de Pierre Cange, un rescapé de Hochswörth, permet de suivre les étapes de cette dégradation.

III. La qualité d'homme

1. Jusqu'au fond de l'abjection

Dans *Le Silence de la mer*, Walter von Ebrenac avait crié son angoisse devant la volonté de mépris qui marquait les chefs allemands de Paris. Ceux-ci lui auraient dit :

> La politique n'est pas un rêve de poète. Pourquoi supposez-vous que nous avons fait la guerre? Pour leur vieux Maréchal?... Nous ne sommes pas des fous ni des niais : nous avons l'occasion de détruire la France, elle le sera. Pas seulement sa puissance, *son âme aussi*. Son âme surtout. Son âme est le plus grand danger. C'est notre travail en ce moment... Nous la pourrirons par nos sourires et nos ménagements. Nous en ferons une chienne rampante (SM, p. 70).

Ces paroles semblent exagérées à des lecteurs de 1956, mais l'édition intégrale de *Mein Kampf*, qu'il était aisé de se procurer à cette époque, affirmait la nécessité de détruire la France; il fallait *qu'elle ne soit plus;* les mots de Walter von Ebrenac : « Il n'y a pas d'espoir » (SM, p. 71) expriment exactement le niveau de désespérance auquel étaient arrivé Vercors et tant d'autres en ces années d'occupation.

Pierre Cange, revenu des camps de concentration, apparaît, dans *Les armes de la nuit,* comme une sorte d'Orphée qui ne serait pas revenu des enfers. Son Eurydice, la jeune Nicole qui l'aime et qu'il aime, ne parvient pas à le ramener de ce « séjour des morts ». La lettre de Pierre à sa fiancée évoque la pièce de Marcel, *L'émissaire*, qui narre également le drame d'un retour des camps; voici cette lettre :

> Nicole, une ombre est revenue parmi les hommes, une ombre qui n'a plus même la force de puiser aux sources pures du souvenir. Ah! laissez-lui le temps, jusque-là n'écrivez pas, ne venez pas. Et pardonnez à votre Pierre (AN, p. 32).

Un secret plane sur ce séjour à Hochswörth; la première partie de la nouvelle en laisse filtrer quelques bribes : les policiers allemands ne voulaient pas seulement faire parler leurs victimes; ils en voulaient aussi à leur âme, en une entreprise que Pierre appelle diabolique : « ce qu'ils voulaient, c'était faire de nous des loques : une loque n'est plus *rien* » (AN, p. 23-24).

Plus tard, au cours d'une nuit d'orage, dans une petite maison des

îles bretonnes, Pierre livrera au narrateur le secret de son drame :
d'une voix « qui semblait venir par-delà même du désespoir », il crie
« qu'il y a perdu sa qualité d'homme » (AN, p. 69). Suit alors un récit
qui évoque la descente aux enfers de milliers d'êtres parqués dans les
camps de la mort lente. D'abord, Pierre avait cru à un combat loyal :

> « Je me demande si je n'ai pas été aussi stupidement joué,
> aussi sottement, aussi aveuglément mené, leurré, dupé que le
> taureau dans l'arène... Un chiffon rouge, des banderilles, cela
> suffit... la même chose cent fois, dix mille fois, cela suffit... La
> bête s'élance, charge, tient tête, résiste, se révolte, se dépense,
> s'épuise... et soudain se retrouve vidée, rompue, pesante masse
> torpide sans volonté, sans ressort... elle est la chose, le jouet du
> torero... » (AN, p. 72).

Pierre croyait son âme « dure, inviolable », il espérait pouvoir
échapper à la dégradation « en fuyant vers l'intérieur », par exemple en
se récitant mentalement « la litanie des hommes qu'il admirait » (AN,
p. 71). Mais il ne se rendait pas compte que peu à peu il se vidait de sa
puissance spirituelle, comme le taureau qui perd son sang et sa force
et se transforme en bête d'abattoir :

> « Chaque épreuve, j'avais cru en sortir vainqueur. Les
> coups, les appels sans fin dans la neige et le vent glacé, la
> fatigue atroce des travaux ineptes transportés en vain, — je
> vous l'ai dit : je me récitais mes litanies, je n'ai jamais fléchi.
> Les feuillées où l'on travaille jusqu'au ventre, qu'il faut nettoyer
> les mains nues, après s'y être par ordre accroupis en pelotons
> obscènes et grotesques devant les femmes, de l'autre côté des
> barbelés ; ces travaux dégradants, ces marques imposées de
> déchéance, tout cela restait extérieur et ne m'atteignait pas.
> La faim, l'atrophie progressive, l'épuisement, on souhaite en
> mourir, c'est tout. La mort... nous vivons avec elle. Que peut
> vous faire la mort plus tôt ou plus tard, quand elle est la compagne
> de chaque jour ? Je suis allé cinq fois à la chambre à gaz. Cinq
> fois », répéta-t-il lentement pour me faire bien comprendre ce
> que cela voulait dire. « On nous faisait lever, à minuit. On nous
> donnait un savon et une serviette, selon le rite, et c'était devenu
> si peu une tromperie qu'à la fin nous en riions... Oui, nous en
> plaisantions ; passé certaine frontière il devient étrangement
> simple de badiner, de rire de sa propre fin. On dénudait nos
> pauvres corps, et nous allions faire la queue. La queue, oui,
> pour pénétrer dans la mortelle boutique où l'on nous dispenserait
> enfin la paix et le sommeil... Une fournée pénétrait. Puis une
> autre. On attendait son tour de mourir. Et puis on nous fermait
> la porte au nez. Il fallait se rhabiller en tâtonnant et retourner

dans nos baraques. On se réveillait de son agonie. Jusqu'à la
prochaine fois ». Il répéta avec un étrange naturel : « Ils m'ont
assassiné cinq fois en huit mois. » (AN, p. 75-76).

Tel est l'enfer qui menace l'Europe si elle cède à cette « science
abominable qui a le mépris pour fin et l'homme pour moyen »
(AN, p. 74).

Dénué de toute religion, de toute certitude métaphysique, Pierre
ne pouvait se défendre de la dégradation que par la dureté de diamant
sauvegardée en se récitant la litanie des hommes qu'il admirait. Il
se croyait invulnérable; il pensait que la déchéance morale qui avait
atteint certains autres prisonniers, ne l'atteindrait pas; son « orgueil
le soutenait, mais son orgueil était aveugle », comme il le dira lui-même
(AN, p. 78, 74); il s'imaginait que l'esprit « qui s'affine dans la douleur
et devient la seule chose qui compte, la seule digne de respect et
d'amour », pouvait être sauvegardé par cette tactique de l'orgueilleuse
résistance. Le corps, hélas, le pauvre corps, le misérable « sac dans
lequel chaque conscience est enfermée », ce « wagon plombé dont il est
impossible de sortir » (S, p. 98), devait, à la longue, le trahir et le laisser
sans armes devant l'horreur qui se préparait :

> « C'était la dernière queue, la liquidation définitive, cela me
> semblait... me semblait si évident... Elle était plus longue que
> jamais et on l'avait commencée de bonne heure. Cette fois enfin
> je n'étais pas loin de la porte. Depuis neuf jours nous n'avions rien
> rien mangé. Rien du tout. Et bu seulement ce que nous avions
> pu dans des mares immondes. Nous étions là, nus et grelottants,
> souillés, hideux à voir, tenant sur nos guibolles délabrées sans
> savoir comment. Il y avait de tout, cette fois, parmi nous, pas
> seulement ceux qui, comme moi... C'était une grande fournée,
> il y avait beaucoup de gémissements et de pleurs. Spectacle
> vraiment assez... assez... ignoble. J'étais comme dans un rêve,
> arrivé à ce point... ce point de dissolution mentale... que je ne
> pouvais pas même parvenir à ressentir un sentiment de... regret...
> ou de soulagement. Rien. Pas même d'impatience ou de crainte.
> Rien, *le vide*. Un bœuf, aux portes de l'abattoir. M'en rendais-je
> compte? Je ne sais plus. Peut-être restait-il... oui, comme une
> ombre, un fantôme de... satisfaction, de fierté... enfin de conten-
> tement d'avoir atteint le bout sans déchoir. Jamais en treize
> mois, jamais malgré la schlague et les menaces de mort je ne
> m'étais soumis, je n'avais accepté de... toucher un seul cheveu
> d'un camarade. Dix fois j'avais été laissé sur le carreau, après...
> après de tels refus. J'allais mourir, c'était bien. « Mort, où est
> ta victoire? » Je n'étais pas vaincu » (AN, p. 77-78).

Cette science du mépris pratiquée avec une diabolique précision avait réussi à vider entièrement Pierre de toute résistance spirituelle, *sans qu'il s'en doute;* au seuil de l'acte qu'il va commettre, il se croit encore invaincu :

« Alors... J'ai vu le grand SS, tout contre moi. Il disait : « Vous, là. » Je n'ai pas saisi tout de suite, pas compris. On m'a poussé, les copains. Lui m'a pris par l'épaule, m'a envoyé d'un bon coup à dix pas vers les fours. Il est venu sans se presser. Il m'a montré le tas des morts, le pauvre tas de charogne humaine. « Tu les mettras au four » (AN, p. 78-79).

Pierre se dit d'abord : « Bon. Ça ou autre chose »; il se sentait comme un mort soulevant un autre mort »; il commença la funèbre besogne :

« Je le soulevais avec peine, soufflant et ahanant, tant le moindre effort m'épuisait. Je le jetai comme je pus sur l'espèce de chariot qui d'un seul mouvement peut basculer et jeter sa charge dans la gueule ouverte du four... Et c'est alors... c'est quand il fut là, sur le dos... que j'ai vu... »
« Son visage, je le connaissais : comment l'eussé-je oublié? Pendant plus d'un mois nous avions été enchaînés à la même géhenne... Pauvre vieux, ainsi il était mort avant moi. Je regardais son misérable visage auprès duquel le mien vous semblerait gras. Et alors... »
Il broncha comme un cheval devant l'obstacle. L'effort qu'il fit était si sensible qu'il me sembla recevoir moi-même le coup d'éperon. Il reprit, d'une voix sans timbre, tremblante et sourde :
« Alors, il a ouvert les yeux. Les paupières lentement se sont soulevées sur ses yeux troubles, des yeux pâles, sans couleur. Oui, Il m'a regardé. Il m'a vu. Il a un peu bougé une main et même... ah! il a essayé, il est parvenu... il a écarté les lèvres dans un fantôme de sourire. C'était horrible et prodigieux, horrible et bouleversant, mais pour moi, c'était seulement horrible, horrible, très horrible. J'ai fait un pas en arrière, je me suis retourné. Le grand SS était là, les mains dans les poches, la trique sous le bras. Il souriait. Il a dit : « Eh bien? » (AN, p. 79-80).

Nous avons tous lu dans la presse, aux alentours de la libération, la description de ces tas de cadavres abandonnés dans les camps, avec ce détail qui glace d'effroi : « certains de ces corps *bougeaient* » encore, enchevêtrés aux charognes dont les tortionnaires voulaient tirer de la graisse, du savon, des abat-jour; cet ami de Pierre qui vit encore et qui sourit à son copain, au seuil de la mort, pousse au paroxysme l'horreur des sacrilèges qui furent commis durant des années et des années, par milliers de milliers. Si Vercors en écrivant *Les armes de la nuit* ne savait pas encore positivement en quoi consistait la qualité sacrée de l'homme, du moins il la voyait *en creux*, devant la gueule de ce four crématoire dont les fumées auront souillé pour longtemps le ciel du xxᵉ siècle.

Pierre va essayer de se dérober, de fuir. Mais de l'épaule on le rejettera brutalement contre la paroi brûlante; on le battra; ses pauvres guibolles lâcheront; il tombera; il sera maintenu contre le chariot, menacé d'être lui-même lancé dans le four. Alors, dans une déroute soudaine de tout son être, vidé ignoblement par les craintes qui le minaient sournoisement, tenacement, depuis des jours et des jours, incapable de vouloir ou de ne pas vouloir, mais voulant, agissant quand même, il fera le geste qui, pour la vie, le marquera, comme il a marqué des milliers d'autres êtres, ceux qui ne sont pas revenus de là-bas, et ceux qui en sont revenus :

> « Voilà », dit-il d'une voix si basse (un souffle) et si étrangement calme qu'elle me donna la chair de poule. « Je me suis retrouvé avec le chariot vide dans les mains... Le grand cri, l'horrible cri s'est tu, dans le feu le corps rissolait, bouillait, crépitait, et j'ai commencé de sentir l'odeur... Le SS a dit : « Bien ça... au suivant. » Et j'ai mis le suivant. Il était mort, je crois, tout à fait mort. Mais c'est par hasard. Les autres aussi étaient morts, — mais qu'est-ce que ça change?... » s'écria-t-il dans une sorte de glapissement où sa voix se brisa, — et il continua de crier sur un timbre cassé, enroué, fiévreux : « Quand pour y échapper soi-même on a jeté dans un brasier un homme, un homme vivant, un ami, un camarade, avec des yeux qui vous regardaient et un sourire... et un sourire... un... »
>
> Dieu m'épargne de jamais réentendre l'espèce d'étrange gargouillement qui étouffa la fin de ces mots. Mélange intolérable de sanglots, de paroles sans suite, de mots inarticulés. J'entendais : « Oh... oh... oh... » et dans une lueur... je vis qu'il s'était jeté sur son lit, à plat ventre; il avait enfoui son visage dans l'oreiller et le balançait de côté et d'autre, comme fait un enfant désespéré (AN, p. 82).

Lorsque, plus tard, Vercors protestera, dans *Esprit*, contre le procès Raijk, il posera la même question que celle des *Armes de la nuit :* que ce soit par le mensonge organisé ou par la torture physique, dans les deux cas, le but poursuivi est le même : faire de l'homme un moyen, l'amener à se mépriser lui-même pour en faire « une chienne rampante ». Le cas de Pierre n'est qu'un paroxysme de cet enfer qui menace notre monde comme un cancer qui dévore les organes et imite monstrueusement le visage humain qu'il vide de sa substance sacrée. Les termes de Hamlet, que Vercors applique au crime perpétré par les tortionnaires nazis, sont justes, car il y a ici « le crime le plus noir qui se puisse concevoir : l'assassinat d'une âme ». Il n'a pas détaillé ces horreurs pour exciter la haine contre « les autres », mais seulement pour clamer son désespoir devant les ignominies auxquelles les hommes se sont abandonnés. L'histoire, que René Parrot évoquait il n'y a guère dans une conférence sur *L'homme devant les civilisations millénaires*, témoigne surabondamment que n'importe quel homme, à quelque civilisation qu'il appartienne, a commis des crimes semblables : les prisonniers empalés, les tas de têtes de vaincus que les rois d'Assyrie inscrivaient dans leur comptabilité minutieuse à l'actif de leur gloire, montrent que l'ennemi qui dégrade l'homme, qui souille sa face sacrée, est *en chacun de nous*.

Lorsque, en 1946, Vercors mettait le point final aux *Armes de la nuit*, il ne connaissait encore aucune réponse au problème posé par Pierre Cange, ce témoin exemplaire de ceux « qui avaient perdu leur qualité d'homme » :

> Depuis, je m'interroge. En vain, on s'en doute. Que peut-on faire contre l'implacable sentiment que Pierre exprimait par ces mots : « J'ai perdu ma qualité d'homme? » Qui la lui ferait retrouver, — sinon lui-même? Il ne servirait de rien de lui dire : « C'est nous qui implorons votre pardon. » Certes, je ne l'abandonnerai pas. Mais comment le convaincre? Que peut-on espérer?
> Je ne sais pas.
> Je ne sais pas. Je ne sais pas (AN, p. 87).

L'homme est exilé de l'univers qui l'ignore; le voici maintenant menacé dans cette qualité mystérieuse que Vercors essayait de sauver en prenant la plume dans la clandestinité; certains êtres sont marqués de dégradation, Orphées qui ne sont pas revenus des enfers que les humains ont créés sur la terre.

Quelle est donc cette qualité d'homme qu'il faut sauver? Comment la sauver? Comment, en d'autres mots, réintégrer Pierre Cange dans la communauté des humains? Comment sauver le monde de la menace qui pèse sur lui, actuellement encore? Qui faut-il, que faut-il sauver de l'homme? En 1946, Vercors répondait : « Je ne sais pas. Je ne sais pas ».

2. La remontée vers la lumière

Durant cinq années Vercors rechercha le chemin qui devait rendre à Pierre Cange sa qualité d'homme. *La puissance du jour,* paru en 1951, apporta sa réponse[3].

Pierre essayera d'abord de vivre « comme les bêtes », en menant l'existence du pêcheur de poisson qui se contente de travailler pour entretenir sa vie (PJ, p. 146, 149, 155); il s'enfoncera dans un sombre désespoir solitaire (PJ, p. 170) dont Vercors souligne ailleurs le caractère orgueilleux et vain (YL, p. 240); il refusera farouchement l'oubli (PJ, p. 144). Bien qu'il sache que son salut est en lui-même et en lui seul (PJ, p. 97-98, 189, 211), il ne fera rien pour essayer de « remettre en marche en lui ce mystérieux mécanisme paralysé mais indestructible » (PJ, p. 188); s'il a perdu sa qualité d'homme, il a gardé sa condition d'homme; il ne peut s'en évader (PJ, p. 156). Il sait qu'il n'est ni ange ni bête (PMH, p. 37-38) et qu'il lui est donc impossible de se sauver dans l'abrutissement d'une vie animale, dans l'évasion des plaisirs, dans l'attendrissement de l'amour ou dans les paradis artificiels de l'œuvre d'art[4].

Pierre regarde son destin en face. Démuni de toute croyance religieuse, de toute certitude métaphysique, refusant toute solution facile, il ne connait plus la route du salut. Lui-même doit faire le premier pas, mais les circonstances d'abord, les efforts de ses amis ensuite, vont remettre en marche le mécanisme paralysé. Les circonstances : une nuit de tempête où l'on est venu le réveiller pour lui demander son aide dans le sauvetage d'une barque en perdition, Pierre se dévoue pour les autres; sans qu'il s'en soit douté, l'élan qui nous fait courir au secours de nos frères, s'est réveillé. Lorsqu'il constate que « malgré lui, il a agi en homme » (PJ, p. 147, 156), il est heureux et épouvanté, enragé même à la vue de l'impossibilité de s'exiler de la fraternité avec les autres hommes et de vivre comme les bêtes.

---

3. Cette réponse, pour noble qu'elle soit, puisqu'elle affirme l'urgence de l'union de tous les hommes dans la lutte contre « le grand tigre », nous laisse sur notre faim. Non seulement parce que les romans et récits publiés depuis 1946 n'échappent pas à la lourdeur des « romans à thèse », mais aussi par suite de leur pauvreté métaphysique. Le témoignage de Vercors vaut par l'intensité humaine de sa sincérité plus que par la profondeur; s'il n'est pas faux, — car les vertus qu'il prône, le christianisme les met également au cœur de son message, — il est en porte-à-faux et lacunaire. Une esquisse de la guérison de Pierre, telle qu'elle est narrée dans *La puissance du jour,* le montrera.

4. Sur ce dernier « alibi » un récit du recueil *Silence de la mer* (p. 130-131) apporte un témoignage bouleversant.

Une faille est ainsi ouverte dans son désespoir. Bientôt les membres du maquis dont Pierre faisait partie avant son arrestation vont essayer de le ramener dans la communauté en lui lançant comme appât « une vie d'homme » : Nicole, la fiancée de Pierre, a compris que le seul moyen de le ramener des enfers est de le charger d'une *responsabilité* (PJ, p. 125, 164). Le groupe a incarcéré Broussard, un collaborateur qui a sur la conscience quelques milliers de morts français; Pierre, qui fut le chef du groupe, devra présider les débats que les maquisards vont instituer sur le sort à réserver au traître.

Quoiqu'il en soit du caractère radicalement illégal de cette « justice », le mécanisme ainsi monté doit amener Pierre à dépasser sa détresse personnelle et à redevenir un homme en assumant ses actes; il assistera bon gré mal gré aux discussions : les uns veulent l'exécution immédiate de Broussard, les autres s'y opposent. Pierre prendra conscience de l'ambiguïté de l'activité des résistants : ayant voulu combattre les horreurs, mais n'en ayant pas eu la force (PJ, p. 244-245), les résistants ont peut-être fait plus de mal que de bien; en stricte raison, il se demande si la résistance a réalisé quelque chose de pratiquement important pour la victoire; son intuition lui dit cependant qu'il a eu raison de s'engager dans le maquis. Seulement, en constatant combien d'idéaux ont été brisés, combien de destinées individuelles, au sein du groupe dont il fait partie lui-même, ont été faussées, Pierre se pose la question « des fins et des moyens en politique » : ce résistant de son groupe qui fit dérailler un train de munitions a contribué à la victoire alliée; mais il fut aussi la cause de la mort de 50 cheminots, fusillés comme otages; n'a-t-il pas ainsi fait le jeu des tigres? N'a-t-il pas été un tigre lui-même, en étant cause de la mort de cinquante hommes?[5].

Mais l'essentiel n'est pas, pour Pierre, dans l'ambiguïté des activités du maquis mais bien dans la découverte que d'autres maquisards ont été amenés à faire des actes analogues au sien : lorsque Potrel, emmené avec une cargaison de prisonniers dans un wagon à bestiaux, lui avoue qu'il précipita par la portière le plus faible de leur groupe, [parce que les Allemands demandaient un otage par wagon et qu'il valait mieux choisir le plus malade, il comprend que d'autres que lui, et tous, en certaines minutes de leur vie, quelle que soit la pureté de la cause qu'ils défendent, sont amenés à être des tigres malgré eux (PJ, p. 221 et

---

5. On retrouve ici le problème posé par Sartre dans *Les mains sales*, par Anouilh, dans *Antigone* : impossible de « garder les mains nettes si on les met dans la pâte »; mais impossible aussi de faire quoi que ce soit pour sauver l'homme, si on refuse de les salir. Gabriel Marcel, de son côté, dans *L'émissaire*, avait montré comment la résistance avait empoisonné pour longtemps les relations entre les hommes.

218-220). Il voit alors que son drame personnel se perd *dans un drame collectif*, européen, et qu'il n'est qu'*un* exemple d'une situation humaine dans laquelle chaque être est amené, malgré lui, à passer du côté des tortionnaires (PJ, p. 245-247).

Cette découverte situe le problème à son plan authentique : ce qu'il s'agit de découvrir c'est une notion d'homme autour de laquelle centrer *une éthique* permettant de distinguer les actes qui dégradent la « qualité d'homme » et ceux qui la promeuvent.

Puisque certains êtres, y compris ceux qui se sont élevés contre le nazisme, ont été, eux aussi, des tigres, Pierre entrevoit une première évidence : la qualité d'homme n'est pas une donnée de fait, un capital versé au départ, mais *une citadelle à conquérir*, à défendre sans cesse, car l'ennemi n'est pas seulement « hors de nous », chez les Allemands ou les Russes, mais peut-être surtout « en nous » : quelque chose en lui, qu'il ignorait, l'a trahi au dernier moment, puisque, après des mois de victoire sur la dégradation, il a, pour sauver sa vie, jeté dans le four crématoire son ami vivant et souriant; il a fait cela, mais tout homme pourrait le faire, l'a fait, qu'il soit Anglais, Français, Allemand, Russe; en d'autres termes, il découvre qu'un *être humain n'est pas forcément un homme* (PJ, p. 151, 340).

La question n'en est que plus précise, de savoir quel est le critère universel de ce sacré dans l'homme, qu'il faut sans cesse sauvegarder. Une nouvelle péripétie va mettre Pierre sur la voie de la découverte de l'essence qui distingue l'homme de la bête : il assiste un jour à une opération du cerveau, pratiquée sur un grand médecin, par un docteur de ses amis. Lorsqu'il *voit* de ses yeux, mis à nu, le cerveau d'un des plus grands savants de France, loin d'éprouver de l'admiration ou de la tendresse pour cette chair humaine pantelante, accrochée à cette âme qu'il admire, il ressent de l'horreur; l'intérieur de la boîte cranienne lui apparaît comme « une méduse inhumaine » (PJ, p. 335); il comprend « que ça ne nous connaît pas » (PJ, p. 273); il entrevoit la « colonie de cellules » qui continue son grouillement de vie impersonnelle, à l'insu de la personne consciente, car le médecin opéré, après l'opération, ne se doute de rien. Pierre, épouvanté, comprend que la personne humaine est portée par un corps qui reste impénétrable à la pensée; on aime une femme, pense-t-il, pour la beauté de ses yeux, de son visage, de son corps; mais si cette femme vous donnait à embrasser l'intérieur de son corps, le muscle de son cœur, ses entrailles, c'est un sentiment d'horreur que nous éprouverions (PJ, p. 274, 277); il ressent alors un mouvement de révolte (PJ, p. 279) à la vue de cette chair secrète qui nous ignore, à la vue de ce « grand tigre » qu'est la nature, qui poursuit aveuglément sa route, sans se soucier des pensées et des désirs des hommes (PJ,

p. 356). Il se représente la personne humaine comme un capitaine sur un bateau, mais qui ignorerait tout de ce qui se passe dans les soutes et les cales, qui s'imaginerait le savoir et commander, mais qui ne se rendrait pas compte que l'équipage des cales s'entre-tue, que le bateau commence à faire eau et que, à la fin, « tout le monde, les mutins, l'équipage et le commandant, se retrouvera par cent mètres de fond » (PJ, p. 257-259).

On retrouve ici l'idée déjà exprimée dans *Les yeux et la lumière* sur *l'essence de l'homme* qui est exil, discontinuité entre l'esprit et le monde tant micro- que macro-physique ; la nature est donc une ennemie, car elle poursuit son œuvre dans les ténèbres, se servant de la conscience et de l'instinct, chez les animaux, pour accomplir son travail ; elle est un « grand tout », inconscient, inconnaissable, dont la paix[6] est faite du jeu impénétrable des « métamorphoses » des êtres les uns dans les autres (PMH, p. 37, 72, 75). Cette « nature naturante » poursuit ses fins par le moyen de « l'interdévoration universelle des animaux les uns par les autres », par le jeu mécanique des « animaux-robots »[7]. L'homme est un « animal dé-naturé », parce que lui seul s'est dissocié de ce mécanisme de l'instinct ; il a fait sécession, schisme, le jour où il a refusé, s'est exilé lui-même de la paix du grand tout et a commencé à lancer vers le ciel une interrogation : les « gris-gris » que tous les hommes, même les plus primitifs, portent, sont un symbole de cette interrogation métaphysique qui fait l'essentiel de la condition humaine (AD, p. 214). Ce ne sont donc ni l'intelligence[8] ni le langage articulé[9] qui distinguent l'homme du monde animal (AD, p. 225 ; PMH, p. 19), mais sa rébellion contre cette nature qui l'ignore et qu'il ignore (AD, p. 289) ; l'essence de l'homme est *la rébellion;* l'homme est un « bestiaire » qui lutte contre le « grand tigre » qu'est la nature, tant l'astronomique et l'atomique que celle qui agit dans le corps de chaque être humain.

*   *   *

Ces passages extraits d'autres œuvres, disent en clair ce qui n'apparaît qu'assez confusément dans *La puissance du jour*, livre auquel il faut revenir maintenant. Si l'essence de l'homme est sa rébellion contre les forces cruelles et anonymes de la nature dans

6. Vercors identifie cette « paix » avec celle du paradis biblique.
7. Vercors identifie cette « nature naturante » avec un des aspects du Dieu de la Bible.
8. Vercors ne donne jamais de précisions sur la différence entre intelligence humaine et « intelligence » animale.
9. Vercors en affirme l'existence chez les singes et les perroquets.

laquelle il est inséré, il en découle, pour Pierre, « qu'il est encore un homme », car l'homme *se fait* à chaque minute, dans une lutte constante contre ces forces de l'instinct qui, en lui comme dans le monde animal, lui suggèrent la démission, l'abandon aux instincts de lutte (PJ, p. 318-319). Autrement dit, chaque fois que les hommes s'entre-déchirent, se tyrannisent, ils redeviennent des bêtes, des tigres, des animaux de proie; chaque homme, à son heure, peut céder à ces instincts, chacun peut être un tigre. Pierre l'a été, un instant, lorsqu'il a jeté au four son ami encore vivant; mais ce ne fut qu'une faiblesse momentanée, puisque la qualité d'homme n'est pas une donnée toute faite, mais une cime à conquérir sans cesse, dans une surveillance de soi sans défaut; puisque, être homme, c'est être sur la brèche, afin de terrasser en soi les forces de l'instinct qui poussent à faire des autres hommes des « moyens », une défaillance d'un moment ne fait pas perdre *définitivement* la qualité d'homme; celle-ci peut et doit se reconquérir[10].

On entrevoit la signification de cette découverte de Pierre Cange : les puissants de ce monde, ceux qui mènent le jeu des politiques totalitaires, sont des tigres; mais, malgré les apparences qui font souvent triompher les puissants, « le monde se transforme peu à peu à l'image des faibles » (PJ, p. 318). Écrasés par les « robots humains », ceux-ci n'en reprennent pas moins la lutte, gardent leur espérance en un meilleur avenir, témoignent en faveur de la compréhension, de la solidarité et de l'entraide mutuelles. A la place d'une jungle, celle des politiques totalitaires et fascistes, celle des soi-disant politiques démocratiques, et, bientôt, celle des politiques marxistes, Vercors espère voir naître une société humaine où les « faibles » se rejoindront dans l'unité de la lutte contre la nature : sur le bateau qui sombre, il faut que les passagers au lieu de se déchirer, s'entraident et s'embrassent.

Pierre Cange comprend alors qu'il fallait descendre jusqu'au fond de l'abjection humaine, désespérer totalement, à travers l'acte abominable qu'il a commis, pour que, de cet abîme, comme le Christ, il

---

10. Sans doute, Pierre, et Vercors avec lui, ignore le « *pourquoi* » de cette situation de l'homme. Mais « l'honneur » d'être homme est justement de lutter partout et toujours contre les forces qui périodiquement jettent les humains dans la guerre et le mensonge : faire le mal pour obtenir un bien, par exemple en mentant aux siens, c'est faire des hommes « des moyens »; l'horreur du nazisme fut là; voilà pourquoi, la résistance, malgré ses erreurs et son ambiguïté, fut la rébellion de la personne, de l'honneur humain contre « le grand tigre » (PJ, 328, 333-334, 336). Le « silence » des deux français devant les paroles de Walter von Ebrenac, dans *Le Silence de la mer*, incarnait cette volonté d'affirmer qu'il n'y a pas de pacte possible avec les partisans du grand tigre qui affirmaient que les Juifs n'étaient pas des hommes comme les autres et pouvaient être tués et persécutés (PJ, p. 338). Toute idéologie, dès qu'elle prétend justifier le mensonge et la torture, au nom d'un « idéal absolu » à réaliser demain, fait redescendre l'homme au niveau de la bête.

ressuscite et remonte vers la qualité d'homme qu'il faut conquérir et reconquérir sans cesse (PJ, p. 340-341, 157). Les dernières images de *La puissance du jour* montrent Pierre prêt à subir une grave opération dans un sana des Pyrénées : il est comme « ressuscité »; son exaltation est celle de celui qui a reconquis sa qualité d'homme, mais qui sait aussi qu'il peut la reperdre, chaque fois qu'il se laissera aller à une vie purement instinctive, soit dans la jouissance animale, soit dans le mensonge et la trahison.

IV. L'espoir de la victoire

L'activité politique et humaniste de Vercors, — dont on a une série de témoignages dans le volume *Plus ou moins homme*, — se place sous le signe de cette notion à la fois cartésienne (PJ, p. 353) et empirique de l'homme : elle n'est en effet ni zoologique (le roman *Les animaux dénaturés* est une satire puissante des contradictions des savants au sujet de ce qui distingue l'homme des singes supérieurs), ni métaphysique, car celle-ci, selon lui, est une sécrétion de l'entendement, mais *éthique;* elle se fonde sur la découverte d'un « résidu expérimental » qui ne se trouve que dans l'homme, à savoir la mise en question, la protestation contre la nature, la rébellion (YL, p. 8). L'homme n'est *ni un ange*, en ce sens qu'il doit renoncer à entrer en communion avec le « continent inconnu », avec la nature mystérieuse dont il s'est banni lui-même, *ni une bête*, en ce sens qu'il doit lutter sans cesse contre le mécanisme aveugle qui domine le monde animal (PMH, p. 37-38).

Dans cette lutte contre la nature, l'amour et la haine se conjoignent : l'amour[11], parce que, sans la nature, l'homme ne pourrait vivre et c'est d'elle qu'il tire les armes qui lui permettent de la vaincre; la haine, parce que, se laisser prendre à la « beauté » de la nature, croire qu'elle nous est « consubstantielle », c'est devenir sa complice et jouer le jeu des bêtes qui se déchirent, ou bien c'est se laisser passivement « aliéner » par elle (PMH, p. 32)[12].

---

11. Dans l'amour, il y a sans doute la volonté de « communier délicieusement » avec les forces vives de la nature et la volonté mauvaise de dominer et de s'emparer d'un autre être, dans la lutte, mais il y a aussi la tentative d'arracher le secret de la nature et de créer entre les hommes une fraternité et une unité qui les soudent dans un commun combat contre les forces inhumaines (PMH, p. 42-43).

12. Dans le Dieu de l'Alliance, Vercors découvre un second visage de Dieu, opposé à celui que voit Adam quand il entend l'interdiction de manger du fruit de l'arbre de la connaissance : le Dieu de l'Alliance prend le parti des hommes; il a comme besoin de ceux-ci pour « être ». Vercors traduit le : « Soyez saints *parce*

* * *

A l'inverse de l'auteur des *Voix du silence*, Vercors s'oriente de plus en plus vers « l'espoir » politique et social; *Les pas dans le sable* contient un reportage sur la Chine de Mao Tse-tung, où l'on souligne le formidable bouleversement réalisé en quelques années dans ce pays quatre fois millénaire (PDS, p. 68 sv.), par exemple dans la législation sur la femme, enfin délivrée des « bandelettes » (physiques et morales) qui l'entravaient (PDS, p. 98 sv.)[13]. *Colères* veut décrire le mouvement

que je suis saint » de l'*Exode* par: « Soyez saints *pour* que je sois saint » (PMH, p. 71). Il voit dans le judaïsme, par opposition à l'hellénisme, la première manifestation de l'unité de tous les hommes dans la lutte contre les forces inhumaines (PMH, p. 78-79; cfr *supra*, n. 5 et 7). Sans nous arrêter ici au contresens qui se réfuterait aisément, il importe de souligner cette vision « rationaliste » du Dieu de l'Ancienne Loi : s'il est vrai que le message d'Israël est, en dernière analyse, celui de la fraternité des hommes en un « Peuple » qui couvre la face de la terre, il est faux de lier cette fraternité à un athéisme qui ne fut jamais le fait de ce peuple. L'agnosticisme religieux de Vercors ressemble à celui du dernier Gide disant que Dieu est une création de l'homme, qu'il progresse, devient « plus dieu », c'est-à-dire **plus** « homme », avec les progrès de la fraternité humaine. Cette espèce de marcionisme « cartésien » est un des aspects les plus curieux de la pensée de Vercors.

13. Parlant en septembre 1953, en Chine, à Péking, Vercors explique qu'il se sent soulevé par l'espoir d'un monde futur à l'image de celle que le peuple chinois est en train de se donner, et de nous donner, de lui-même (PDS, p. 66). Il décrit la jeunesse de la Chine : après « trente siècles de misère et de servage » on donne aux « vieux » la possession de leurs champs : c'est une conte de fées; le fils adulte « voit exaucer tout à coup cinq mille ans de vaines prières à des dieux obstinément sourds...; les changements dont il est le témoin sont l'ouvrage non des dieux mais d'hommes de chair et d'os, d'hommes à la patience de chaîne, au courage d'acier » (PDS, p. 69-70; il est inutile de rappeler que, de fait, ces changements, le dieu des chrétiens lui aussi, lui surtout, en a remis la responsabilité entre les mains des hommes). « Marcher dans les rues chinoises, c'est traverser des foules d'enfants rieurs; toute la Chine vit par leur bouche » (PDS, p. 71); Vercors ajoute que « ce visage rayonnant de la jeunesse chinoise... si merveilleusement, si incroyablement dénué de tout ce qui depuis la guerre ternit le visage de la jeunesse occidentale, — l'inquiétude, le souci de l'avenir, cette rancœur sourde, cette sorte de défiance hargneuse envers le monde, — il raccommoderait, ce visage, l'homme le plus sceptique avec la vie, le plus misanthrope avec l'humanité » (PDS, p. 72-73); (Vercors met ici le doigt sur une plaie essentielle de l'Europe, en face de l'espoir de l'Asie). Enfin, p. 98 sv, Vercors souligne la nouvelle loi protégeant la femme, mais il est un peu naïf quand il retranscrit sans sourciller que « la loi, aux jeunes conjoints, fait un devoir d'être heureux » (p. 101). Il a certes raison d'attirer l'attention sur certaines étroitesses de revues bien pensantes (qui essayent de nier le progrès matériel de la Chine depuis Mao, p. 92), mais il me laisse rêveur en écrivant que « une surprise... c'est d'arriver dans un pays dont le gouvernement est communiste mais dont le régime ne l'est pas » (p. 80). Cfr à ce sujet le reportage de R. GUILLAIN cité dans la *Conclusion* de ce livre. Ces remarques ne doivent pas faire oublier que, de son aveu explicite, Vercors n'est ni socialiste ni communiste (PDS, p. 252); si

incoercible de la rébellion qui « fait » l'homme (C, p. 121, 166, 272, 289, 325), mais aussi les « *sources de la joie* », ainsi que le dit le « prière d'insérer », rédigé sans doute par l'auteur lui-même.

L'espoir y est d'abord une colère qui ne désarme pas[14], surtout lorsque celle-ci vient se joindre, dans le cas d'Egmont[15], à la « force de buffle de ces millions d'espérances humaines bafouées, insensibles à l'humiliation de ce silence noir » (C, p. 22). Il faut combattre la misère avant tout, parce qu'elle est « l'absence d'espoir » (C, p. 189); il ne faut pas s'effrayer de la croissance de la population dans le monde, il ne faut pas recourir à un « rêve de malthusianisme » mais bien plutôt travailler « à la disparition de la misère, en général, et du travail abrutissant, avec une politique de la culture des masses qui reste encore à créer » (C, p. 329)[16]. Il faut « chercher dans la colère » (C, p. 121), « mettre en

---

« on prive la lutte pour la libération de l'homme » du drame de conscience, elle « se ravale à une lutte de puissance »; or lutter pour l'avènement de la Justice c'est lutter pour l'avènement de l'homme, en faveur de « la justice *pour* l'homme *contre* la condition humaine » (PDS, p. 188). Vercors ne voit pas que la « justice » de Mao est *aussi contre* l'homme.

14. Par exemple, dans la mort atroce de ce professeur d'Université qui refuse de s'aliter; il dit non à la mort, sans compromission : on le trouvera recroquevillé dans un sang nauséabond, jailli de son gosier, devant le tableau noir, les doigts rivés sur une craie, affirmant jusqu'au bout que la mort est un « assassinat » (C, p. 25).

15. Egmont est un très curieux personnage : il veut connaître la puissance du psychique sur le physique; il réussira à associer à cette recherche une jeune femme qu'il a aimée naguère. Dans cette tentative se mêlent du yogisme, du bouddhisme tantrique mal compris, une curiosité scientifique passionnée, et une expérience de la « puissance magique » de l'esprit sur l'inconscient : Egmont pénètre au niveau de la vie végétative de son propre corps, acquiert une puissance « psychique » sur sa physiologie, — il guérit une gangrène, rajeunit, — mais cesse bientôt d'être un homme, car, outre la « magia sexualis » liée à son expérience, il fuit le combat avec les hommes pour essayer de s'en tirer tout seul et il aborde à la folie définitive (C, P. 244, 250, 305, 347). Le « monde intérieur » qu'il explore ainsi n'a rien de commun, faut-il le rappeler, avec celui de la religion authentique pas plus que l'espèce de « yogisme » décrit dans le roman n'a de liens avec la mystique véritable : la volonté de connaître, le désir de puissance qui animent Egmont, même s'ils paraissent « scientifiques », se transforment en la plus abjecte soumission, l'engluement dans un « paradis » viscéral où le sentiment de souffrir se perd, peut-être, mais aussi la conscience. La vraie mystique est à base d'humilité. Egmont sera guéri par Burgeaud; il comprendra que la « puissance » qu'il avait acquise est « vaine », car « elle tourne en rond, impuissante sur elle-même » (C, p. 348). Il est récupéré pour les hommes, comme Pierre Cange; il va se joindre au défi permanent contre la marâtre nature.

16. On ne peut qu'approuver ce point de vue, qui est celui de l'excellent n° 23 de *Informations catholiques internationales* (1er mai 1956) sur « Le contrôle des naissances ». Même si l'optimisme de Vercors devant la Chine de Mao semble léger, il demeure que sa pensée est de plus en plus liée au réel social et humain : à ce titre, il vise une réalité objective correspondant à l'espoir-rébellion, tandis que Malraux, de plus en plus, rejoint « l'homme à l'image de l'artiste ».

accusation l'ordre de l'univers » (C, p. 208), dans « l'insoumission » (C, p. 295), car c'est elle qui fait un homme (C, p. 297), et lancer « contre le ciel muet le cri de sa révolte » (C, p. 307).

* * *

Un thème nouveau apparaît cependant dans *Colères*, avec le père de la jeune Pascale; même si l'on voit mal comment il se concilie avec l'agnosticisme des premiers écrits, il ouvre une perspective d'espoir. « L'honneur d'être homme, c'est ce courage sans récompense, c'est de vivre sans connaître *encore* sa raison de vivre » (C, p. 323) : cet aveu ne ressemble que matériellement à la phrase de Camus sur l'absurde qui donne à la vie sa valeur, car le mot « encore » implique que, un jour, l'humanité pourra découvrir ce sens de la vie. A la question de sa fille : « Mais, s'il n'y en avait pas, au bout du compte, de raison? », il répond : « Il y a *notre* raison, qui raisonne justement pour la découvrir » (C, p. 323); il dessine alors le progrès de la raison dans l'humanité *rassemblée*, faisant front contre la nature, au lieu de se déchirer elle-même : le nombre de cervelles actives n'est encore qu'infime; mais cela change, *c'est même le changement majeur du siècle :*

> Voilà, depuis cent cinquante ans, que le nombre des cervelles actives, que celui des échanges se mettent à croître en progression géométrique, et avec eux, la connaissance. Qu'elle se met, la connaissance, à grimper presque à la verticale. A tendre vers l'infini... Dix feuilles de cahier, et c'est la préhistoire. Un petit cahier d'écolier, l'homme de Neanderthal. Un gros cahier, les singes. Mais pour voir naître la terre, il faudrait trois cent mille cahiers, cent cinquante millions de feuilles!... Cinquante feuilles pour passer de Lascaux à Giotto, c'est une demi-minute, mais un quart de feuille pour passer de la marmite de Papin à la fission de l'Uranium, c'est un quart de seconde... Tu imagines où l'homme pourra en être, dans une feuille ou deux?... Déjà les cerveaux les plus frustes prennent à leur tour de la hauteur. Ce n'est encore qu'un mouvement très lent, presque imperceptible, un mouvement à son début. Mais qui va s'accélérer comme la chute des corps, — *une chute renversée, vers le ciel* (C, p. 327-328).

Cette vision de l'accélération quantitative de la science va de pair chez le père de Pascale avec celle de l'accélération *qualitative*, car, à la phrase de sa fille : « C'est ça le malheur, la science va tellement plus vite que le progrès moral », il répond :

> Oui, c'était vrai naguère. Ce l'est encore, hélas. Seulement, ce le sera de moins en moins. Quand toute la science était, quand

elle cesse à peine d'être un produit isolé, celui de quelques cerveaux dispersés, quand tous les autres cerveaux ou à peu près étaient au niveau de la brute, à peine dégrossis par de vagues évocations mystiques, que pouvait-on attendre qu'ils fissent de ces découvertes... A mesure que l'humanité croît en nombre elle va *croître en connaissance et en sagesse*, à un rythme qui deviendra vite vertigineux (C, p. 328-329)[17].

Nous sommes encore loin d'être adultes (C, p. 208), mais notre époque « devrait devenir bientôt une des plus exaltantes depuis que le monde existe » (C, p. 328); la nature, « les fauves » dangereux qui hantent les héros de Vercors, « c'est la cohésion des chasseurs qui les tient en respect, c'est parce que l'humanité avance derrière une ligne blindée sur laquelle ils se brisent les griffes : la raison humaine »; au lieu de chercher le salut individuel, il faut construire ensemble la « tour de Babel », les seules hauteurs qui menacent le ciel (C, p. 306) :

> Il ne faut pas se mettre à écouter tous ces casseurs d'assiettes, qui se gargarisent à répéter que la raison a fait faillite, — sous prétexte que sur une terre vieille de cent milliards d'années, la pensée qui n'en a pas vingt mille et la raison moderne qui n'en a pas trois cents ne sont pas encore parvenues à percer le mystère du monde (C, p. 324).

La terre n'est pas trop petite :

> Bientôt, dans cent ou deux cents ans, labourer la terre, même avec des tracteurs, paraîtra aussi primitif que de chasser le phoque avec des harpons en os de rennes, parce qu'il y aura beau temps qu'on saura comment les végétaux transforment l'énergie solaire et qu'on pourra se passer d'eux. Et il y a des gens pour s'effrayer encore de l'avènement des peuples...! (C, p. 329).

Ausi bien, le dernier mot du récit est celui de « victoire » (C, p. 351). L'espoir de cette victoire peut soutenir et orienter l'homme tant qu'il

---

17. Je me demande si quelque chose des idées du P. Teilhard de Chardin n'a pas touché Vercors dans ces textes qui rendent un son neuf dans l'œuvre (il faut du reste attendre les écrits suivants pour porter un jugement sur leur importance réelle); on trouve en effet ici l'idée d'un espoir positif de rejoindre une vérité, mais cet espoir est lié au progrès de la raison dans la masse des hommes, dans l'assemblée qu'ils formeront de plus en plus. En toute hypothèse, mis de côté le nœud spirituel essentiel qui relie tout cela dans la pensée du célèbre jésuite, il reste un espoir nouveau chez Vercors dans la « spiritualisation » de l'humanité.

y a moyen de faire quelque chose : quand il n'y a « *aucun* recours contre l'injustice », il y a « désespoir sans fond »; il faut donc la « mince lueur de l'espoir dans le long tunnel de l'injustice » :

> Les hommes peuvent tout supporter... à condition qu'ils puissent espérer changer quelque chose à ce qu'ils supportent. Il n'est que de voir une mère au chevet de son enfant mourant : tant qu'elle peut agir, le soigner, tant qu'elle peut espérer, par son activité, changer quelque chose ne fût-ce qu'à la marche (pas même à l'issue) de la maladie, vous la voyez qui tient le coup héroïquement. Mais quand tout geste, quand tout effort est devenu vain, alors elle s'effondre, elle ne peut plus le supporter (PDS, p. 134-135; cfr aussi p. 66, 143, 157, 186, 239, 245).

Le climat de l'espoir est donc devenu beaucoup plus positif chez Vercors et l'on ne s'étonne plus qu'il écrive :

> L'Art lui-même m'ennuie à la mesure de son grand A : s'il n'est pas une recherche passionnée de la justice, cette recherche dramatique qu'est celle d'un Van Gogh, l'Art me paraît aussi fade, aussi mou que ces pipes de massepain que l'on m'offrait dans mon enfance (PDS, p. 188).

Nous voici à l'antipode de Malraux, réellement aux approches d'une terre promise, celle de la justice, dans laquelle les hommes espèrent entrer.

V. Espoir, désespoir et espérance

Vercors est une sorte de Malraux cartésien, car il transcrit la « révolte métaphysique permanente » en termes de raison claire; mais l'itinéraire est inversé : au lieu de préférer le monde de l'art, Vercors s'unit de plus en plus à l'espoir de notre siècle; il y a une présence de la terre promise dans la dernière œuvre de l'auteur du *Silence de la mer*, qui prétend aussi dominer le désespoir « stérile et orgueilleux » de Sartre (YL, p. 242, PMH, p. 5-54). Vercors a donc dépassé l'agnosticisme un peu court de ses premiers écrits; si la raison individuelle est impuissante à pénétrer les mystères de la vie corporelle, les hommes, tous ensemble, pourront un jour percer le mystère de l'existence et l'accélération géométrique du mouvement devrait en quelque manière produire automatiquement une croissance morale de l'humanité.

L'optimisme remplace ici l'espoir; or, il faut maintenir, *présente au cœur de l'espoir humain, la dimension du désespoir*, et sur ce point

Malraux reste le témoin majeur, car l'espoir n'est pas la certitude d'un processus *automatique* d'amélioration; on se demande du reste ce que devient le « progrès technique » en face de la solitude et de la mort.

Mais il faut aussi que l'*espoir demeure présent au creux du désespoir :* il ne le peut que si, en dernière analyse, il se dépasse lui-même dans une espérance transcendante. L'unification de la planète, la continuité de l'histoire humaine dont la génération présente prend conscience, la responsabilité solidaire de chacun et de tous, ces trois aspects de l'humanisme actuel, unité, continuité, responsabilité, n'ont de sens que si le monde va vers la communion des êtres, dans la justice et l'amour; or cette montée, vécue par chaque conscience, doit être aimantée par un point focal, divin, personnel, qui nous sauve avec le monde qui dépend de nous[18].

J'avoue ne pas comprendre pourquoi Vercors refuse la perspective chrétienne : la rébellion qu'il prêche, nous l'acceptons aussi, non certes contre une nature dont l'homme serait exilé, mais contre *le péché.* Dire que l'homme commence où cesse la lutte animale pour la survivance du plus apte, c'est dire la même chose que les chrétiens lorsqu'ils affirment, avec Jésus, que la première vertu est de *s'aimer les uns les autres.* Ce qui fait qu'un homme est vraiment homme, ce ne sont pas les succès temporels, les réussites de l'intelligence, ou de l'art, mais la solidarité, l'amour. Comment Vercors ne voit-il pas que c'est précisément cela, qui est l'essentiel de sa notion d'homme, qui est aussi l'essentiel de la condition concrète du chrétien? Quand il affirme que le moine qui vit dans sa cellule « ne pense pas et se laisse être un morceau de nature » (YL, p. 146), ou que, du moins, il opte pour une « rébellion purement passive » (PMH, p. 52), il montre qu'il n'a jamais entrevu le sens authentique de la vie d'une sainte Thérèse de Lisieux qui se sanctifia durant des années pour sauver les frères humains[19].

---

18. Je m'inspire ici des idées de Blondel, qui me semble un des philosophes dont l'influence ne fera que croître surtout par cette perspective d'un espoir humain animé secrètement par une dimension théologale.

19. Vercors tend à voir dans la religion une complicité avec la nature (AN, p. 16; PJ, p. 146, 155, 232, 234-235, 283, 355; YL, p. 241). Donnons-en un exemple emprunté à son dernier roman. Au moment où les policiers viennent d'arrêter le militant Pélion, l'auteur évoque les fidèles entrant dans la cathédrale, « les messieurs en noir et leurs dames, pleins de gravité et de bonne conscience, en route pour confesser le Royaume de Dieu et sa justice » (C, p. 224). Cet effet un peu facile, à la fin de la deuxième partie du roman, se justifie, dans l'idée de Vercors, parce que toutes les religions « *consolent* de mourir »; à la base de toutes il y a « la mort... et la paresse; toutes prêchent la *résignation.* Il est tellement plus facile de se résigner que de lutter, surtout sans espoir » (C, p. 235); Burgeaud, le médecin qui soigne Egmont, affirme avoir toujours eu horreur des « yogis, des

Vercors, comme Malraux et Camus, est trompé par le comportement de certains « chrétiens » qui font trop de bruit; plus probablement encore, se laisse-t-il aveugler par certains régimes politiques. Les luttes entre idéologies politiques, en France, sont si profondes, les oppositions entre « droite » et « gauche », depuis l'affaire Dreyfus, si impitoyables, qu'elles envahissent tout; même les valeurs de la religion chrétienne sont vues à travers les idéologies politiques, au point que, télescopées les unes dans les autres, Vercors ne parvient plus à distinguer dans le christianisme ce qui est part d'adaptation indispensable aux régimes divers de la politique et ce qui est révélation essentielle, éternelle, universelle. Avant de condamner, le chrétien essayera de comprendre, il fera son examen de conscience : dans quelle mesure le témoignage qu'il donne n'est-il pas si mêlé à ses options politiques ou humaines, légitimes d'ailleurs, qu'il devient impossible à ceux du dehors, d'entrevoir, au-delà d'elles, le vrai visage chrétien?[20].

---

ermites, des anachorètes, de toutes les formes de *salut individuel.* Quand la tribu est affamée, dit-il, je n'aime pas ceux qui chassent pour leur propre compte » (C, p. 305). Tant que les cerveaux des multitudes ne se seront pas éveillés, mais resteront « à peine dégrossis par de vagues évocations mystiques » (C, p. 328), l'humanité se soumettra à sa condition; elle cherchera dans la religion ce que Pascale, la petite fille de dix-huit ans, écœurée par la mort universelle, y cherche : « la vie est impossible, *pourquoi faudrait-il la vivre?* » (C, p. 319); aussi bien, veut-elle se faire carmélite, elle qui n'a pas de religion! Consolation, paresse, résignation, refus de vivre la vie, souci de « salut » individuel : nous retrouvons la critique habituelle de l'esprit moderne contre une religion devenue trop souvent une pure caricature, une assurance égoïste de *sa* propre vie sur « la » vie éternelle; au contraire, la rébellion serait la seule attitude digne de l'homme.

20. Voici quelques indices de cette incompréhension du vrai visage de l'Église et de la chrétienté (qui, faut-il le rappeler, ne sont pas choses identiques). Lorsque Vercors écrit que tout le monde « jusques au Pape » proteste contre une injustice (PDS, p. 49-50, 202), il montre qu'il n'a jamais pris connaissance des paroles et des actes de la papauté pendant la guerre 1939-1945 (en faveur des opprimés de Grèce par exemple, ou en faveur des Juifs), ni de messages comme celui de Noël 1955. L'Église est pour lui « routine et superstition » (PDS, p. 87, 107), tyrannie (p. 64, 114, 226, 133), et abêtissement (car elle pousse, comme toutes les religions du reste, à prier des dieux sourds, cfr p. 69, 70, 91, 143). Certes, certaines attitudes de l'Église en matière temporelle sont sujettes à discussion (les récentes polémiques sur le Père Lebbe sont là pour en donner la preuve), mais ces questions sont complexes et il faudrait se documenter un peu plus exactement; ainsi, à propos de la situation des missionnaires catholiques en Chine (PDS, p. 64), Vercors devrait savoir que les points de vues de certains missionnaires ne sont pas le « conformisme » qu'il imagine; cfr A. Sohier, *L'Église de Chine sous le régime communiste*, dans *La vie intellectuelle*, juillet 1956, p. 13-29; du même, *Notes sur la Chine communiste*, dans *La revue nouvelle*, XII (1956), juillet-août 1956, p. 94-99; s'il y a des revues comme *La pensée catholique*, très à droite (et c'est le droit de chacun), il y en a aussi d'autres, aussi catholiques, qui essayent d'aller aussi loin que faire se peut au-devant de « l'espoir » purement humain de régimes profanes. Une fois de plus on

* * *

Le drame de Pierre Cange est inoubliable, même si trop de gens l'ont déjà oublié. Vercors refuse de relier le sacré du visage humain au Dieu qui en est la source et il retire à la nature toute signification sacrale; mais la noblesse fraternelle qu'il lit sur le front des hommes de bonne volonté est une valeur essentielle qu'il faut sauver, sous peine de tomber dans une vie qui ne vaille plus la peine d'être vécue. « N'être qu'un homme devant toi, ô nature », disait le Faust de Goethe : sans doute, il est difficile d'être un homme sans l'aide de Dieu, mais être un homme, c'est déjà beaucoup, car sur un « zéro » on ne peut rien fonder.

La cité de l'avenir que Vercors décrit dans un de ses articles (PMH, p. 85 ss.) n'a pas de dimensions religieuses; aucun dieu ne l'habite, que l'homme, en sa solitude affrontée à la cruauté et au mensonge. Il demeure qu'en écrivant que « le monde se transformera peu à peu à l'image des faibles », et que les « puissants seront mis en échec »[21], Vercors a entrevu la valeur centrale qui fait de l'homme, surtout pauvre et faible, une chose sacrée : le Christ souffrant en est le modèle.

---

doit constater la profondeur avec laquelle subsiste en France le préjugé rationaliste en face de la religion chrétienne: il y a ici un retard de cinquante ans sur ce qui se pense et s'écrit dans les milieux proprement scientifiques et philosophiques; il suffirait cependant de lire la série des volumes de la Collection *Recherches et débats*, pour saisir quelque chose de ce mouvement.

21. Je crois utile d'attirer l'attention sur ce thème des « faibles » chez Vercors : il l'oppose aux « tigres », qui sont complices de ce qu'il appelle la « nature naturante » (ce que le thomisme appellerait la « nature brute » laissée à elle-même, sans l'homme pour la conduire, la dominer, la faire aboutir à son terme, « *assimilari Deo* »); mais on doit l'opposer aussi à la crispation un peu aristocratique, un peu hautaine, des personnages de Malraux, à tension frénétique des artistes tels qu'il les voit. Il y a dans le texte de Vercors par lequel je termine ce chapitre une dimension de la modestie, de l'humilité qui me semble remarquable; malheureusement elle n'apparaît que sporadiquement dans les écrits. Je souhaite à Vercors de revenir, à côté du genre de romans-apologues où il est excellent, mais un peu pesant parfois, au style de récits comme *Le silence de la mer*. J'aimerais qu'il nous décrive un personnage simple, humble, modeste, par exemple ce garçon de quinze ans qui fut frappé au visage par un Allemand, et qui s'est humilié devant lui mais qui, peut-être, progressivement, comprendrait le sens d'une vraie rébellion contre l'injustice... (PDS, p. 136). *P.P.C. ou le Concours de Blois*, Paris, 1957, explique les raisons de la démission du CNE ; Vercors refuse d'être une des « potiches d'honneur » de la vie politique. *Sur ce rivage, Récit* (I), Paris, 1958, évoque le périple d'un de ces hommes qui « ne savent pas encore ce que c'est que l'humain » et qui cèdent à la violence et à l'injustice ; seule « la « connaissance » fera un jour, de tous les hommes, des humains ».

CHAPITRE II

Cholokhov et l'espoir de la Russie marxiste

Fils du « Don paisible », Michel Cholokhov est un des meilleurs
écrivains russes contemporains, un des plus en vue aussi, car au xxᵉ
congrès du parti en 1956, il a fustigé le conformisme béat de ses confrères
en littérature[1]. Son meilleur roman, *Sur le Don paisible*, évoque, dans
les steppes cosaques, la préhistoire de la guerre de 14-18, la première

---

1. « Mikhaïl Cholokhov est né en 1893 dans une famille de Cosaques du Don ;
il participa à la guerre mondiale et civile et fut un militant du parti communiste.
Il débuta dans les lettres en 1925 et devint rapidement célèbre en U.R.S.S. grâce
à son épopée de la vie des Cosaques, *Sur le Don paisible* (1929-1935), écrit dans la
manière réaliste de Tolstoï ; non moins grand fut le succès de son second roman,
Les défricheurs, consacré aux changements survenus dans un village Kolkhoze
(1932-1934) » (M. Slonim et G. Reavey, *Anthologie de la littérature soviétique*,
1918-1934, Paris, 1935, p. 210 (cfr aussi p. 26). En 1935, Cholokhov reçut le prix
Staline pour le tome IV du *Don paisible* (Gleb Struve, *Histoire de la littérature
soviétique*, Paris, 1946, trad. B. Metzel, p. 289) ; depuis, il n'a donné que de courts
récits, dont le meilleur est *La haine*, qui esquisse un aspect de la seconde guerre
mondiale en Russie, sous forme de conversation avec un officier de l'armée rouge
(*ibid.*, p. 314). Cholokhov est considéré actuellement comme un des représentants
les plus typiques du « réalisme socialiste » ; il est officiellement reconnu comme tel
(*ibid.*, p. 261) ; il l'est tellement que l'on peut se demander si, dans *Les
défricheurs*, la ligne qui sépare l'art de la vie n'est pas oblitérée (*ibid.*, p. 262).
Dans la querelle littéraire de 1932, entre les partisans du « nationalisme »
littéraire et ceux de « l'occidentalisme », Cholokhov opta pour les réalistes conservateurs (contre Youri Olecha qui rêvait d'imiter Proust, Joyce et surtout Dos
Passos) (*ibid.*, p. 264) ; cette discussion fait songer à l'ancienne opposition entre
« slavophiles » et « occidentalisants », à l'époque de Khomiakhov. Au dernier congrès
du parti, en 1956, Cholokhov « joua les enfants terribles et mit les pieds dans le
plat », en critiquant de manière sarcastique les littérateurs qui prétendent décrire
avec « réalisme » la vie socialiste russe mais ne quittent pas leur villa ou leur bureau
de Moscou. L'intérêt des œuvres de Cholokhov, surtout du *Don paisible*, est que
la peinture est faite par un écrivain qui a « consciemment pris parti pour la révolution, mais dont les sympathies subconscientes semblent aller vers les Cosaques
et leur mode de vie traditionnel » (*ibid.*, p. 174-175) : sa peinture n'est donc pas
marquée par l'optimisme officiel qui dépare tant d'œuvres de la période
1929-1932 et qui les rend inutilisables au point de vue artistique et idéologique.

conflagration mondiale, la révolution de février 1917, la tentative avortée de Kornilov contre le gouvernement de Kerenski, le triomphe des bolchevicks en octobre 1917, la révolte des cosaques du Don qui veulent l'indépendance mais « sans les Soviets », la guerre civile où les armées cosaques furent tantôt alliées à l'armée blanche tantôt séparées, mais toujours jalouses de leur indépendance, et, pour finir, la décomposition de l'armée du Don et le ralliement du héros principal, Grigori Melekhov, aux Rouges victorieux[2].

Les personnages, nombreux mais bien campés, sont liés les uns aux autres et enracinés dans le coin de sol dont ils font partie. Tous, dans le roman, peuvent redire ces mots de Pierre Melekhov : « Chacun vit de son espoir » (DP, I, p. 426).

I. Les travaux et les jours

La dimension épique, fréquente dans les romans russes, est présente en ces passages où, au-delà des individualités humaines, se dessinent l'immense steppe, le fleuve paisible ou furieux, les saisons, les ciels torrides ou grouillants d'étoiles :

> Steppe, ma mère. Un vent amer soulève les crinières des juments et des étalons. Les naseaux secs des bêtes ont un goût de sel et le cheval respirant l'odeur salée remue ses lèvres soyeuses et hennit, sentant la saveur du vent et du soleil. Steppe, ma mère, sous le ciel bas du Don!... Je te salue profondément et je baise avec un respect filial ton sol, steppe du Don, steppe cosaque trempée du sang qui ne se rouille point (DP, III, p. 8).

---

2. Je cite, pour les trois premiers volumes, la traduction de V. Soukhomline et S. Campaux, Paris, Payot, t. I, 1930, t. II, 1931, t. III, 1936; pour le tome IV, je cite la traduction de L. Borie, Paris, Éditeurs français réunis, 1949 (= DP, I, II, III, IV). Gleb Struve, *op. cit.*, p. 117-118, fait remarquer que le livre est calqué sur *Guerre et paix* de Tolstoï, mais que son envergure est plus limitée parce que son auteur se révèle incapable de décrire avec vigueur les milieux et personnages qui ne sont pas Cosaques; par ailleurs, Cholokhov n'a pas les préjugés anti-historiques de Tolstoï; il est capable aussi de montrer que « tous les Rouges ne sont pas des héros », « ni tous les Blancs des lâches » : ainsi, Bountchouk est décrit dans ses beaux et moins beaux côtés, tandis qu'il « y a de la grandeur dans Kalmykov qui périt de la main de Bountchouk »; de même, le suicide de Kalédine, « l'ataman Cosaque qui lutte aux côtés des chefs de l'Armée Blanche, est une des pages les plus émouvantes du roman »; enfin, il est intéressant de savoir que Gorki a officiellement patronné la tendance vers le « réalisme socialiste » (*op. cit.*, p. 30).

Voici les étoiles :

> Les orgueilleuses routes stellaires que jamais ne touchèrent le pied de l'homme et le sabot du cheval vacillaient au ciel; les graines des étoiles périssaient sur le ciel noir et sec, sans germer jamais, sans se réjouir l'œil de l'apparition des jeunes pousses; la lune ressemblait à une saline desséchée, l'herbe se fanait dans la steppe qui retentissait du cri argentin des cailles et du grincement métallique des sauterelles (DP, III, p. 80).

Voici le Don :

> De rares étoiles miroitaient dans le ciel pâle couleur de cendre. La brise matinale soufflait, charriant les nuages. Le brouillard se levait sur le Don et rampait le long de la côte crayeuse, descendant ensuite dans les ravins, pareil à un serpent gris. Sur la basse rive gauche, les bancs de sable, les touffes de roseaux et les bois humides de rosée s'éclairaient d'une lumière rouge et froide. Le soleil languissait derrière l'horizon (DP, I, p. 14).

Ce fleuve, que nous suivrons au long d'un immense récit, charrie les joies et les larmes des hommes :

> Ce ne sont pas les charrues
> Qui ont labouré notre terre glorieuse,
> Elle est labourée par les sabots des chevaux,
> Notre terre glorieuse est ensemencée de têtes cosaques.
> Il est paré de jeunes veuves, notre Don paisible,
> Il est fleuri d'orphelins, notre petit père, le Don paisible,
> Les ondes du Don paisible sont gonflées des larmes
> Des pères et des mères.
>
> Oh notre petit père, Don paisible!
> Oh, pourquoi tes flots sont-ils si troubles?
> Ah! comment ne serais-je pas trouble, moi, Don paisible,
> Des sources froides jaillissent au fond du Don paisible,
> Des poissons agitent l'eau au milieu du Don paisible (DP, I, p. 4).

*   *
*

Le *khoutor* Tatarskoïe[3] est le centre de gravitation des personnages, aussi loin qu'ils aillent. Les travaux et les jours se succèdent en ce

---

3. Le *khoutor* est un village cosaque; un ensemble de *khoutors* forme une *stanitza;* l'assemblée des *stanitzas* est présidée par un *ataman* élu; depuis des siècles, tout en étant soumis au tsar (qui choisissait souvent dans les cosaques les meilleurs cavaliers de sa garde personnelle), les cosaques ont eu une sorte de régime d'autonomie au sein de la Russie autocratique.

village paysan et militaire, identique à lui-même depuis des siècles et semblable à des centaines d'autres, sur le Don. La vie est dure, ardente, emplie de joies et de terreurs. Le vieux Panteleï Melekhov a gardé de son origine mi-russe mi-turque une sorte de sombre fierté qu'il a transmise à son fils Grigori. Sa femme Ilinitchna décrit ainsi sa propre vie, la comparant à celle de sa bru, Nathalia :

> Vous autres, les jeunes, vous avez un caractère trop inquiet, juste Dieu! A la moindre chose vous êtes comme enragés. Si tu avais vécu comme moi dans ta jeunesse, qu'est-ce que tu ferais? Toi, pendant toute ta vie, Grichka ne t'a pas donné une chiquenaude, et tout de même tu n'es pas contente... Et tu ne sais plus où donner de la tête! Tu te prépares à le quitter... jusqu'à Dieu que tu as fourré dans vos vilaines affaires... Moi, mon sacré boiteux, il m'assommait de coups comme ça, sans raison; il n'y avait pas ça de ma faute. C'était lui qui faisait les saletés et puis après sa colère retombait sur moi... Quelquefois je restais tout un mois bleue comme une plaque de tôle, et malgré tout je ne suis pas morte, j'ai élevé mes enfants et je n'ai jamais pensé m'en aller de la maison (DP, IV, p. 185).

Cette femme, à la sagesse millénaire, dit à son fils Grigori, partant pour le front de la guerre civile :

> N'oublie pas Dieu, mon petit, ne l'oublie pas. Le bruit nous est venu à l'oreille que tu sabrais les matelots. Mon Dieu, Grichenka! n'oublie pas que tu as des enfants qui poussent. Ces matelots en avaient peut-être aussi. Comment est-ce possible? Quand tu étais petit, tu étais toujours caressant et bon, et maintenant tes sourcils sont toujours froncés. Ton cœur est devenu pareil à celui d'un loup. Écoute ta mère, Grichenka... (DP, III, p. 408).

Ces accents, si rares dans la littérature occidentale, font penser au *Bella matribus detestata*, aux guerres détestées des épouses, des mères, d'Horace.

Dans les steppes cosaques, même en temps de paix, l'existence est violente, car les âmes sont frustes; ainsi, des rivalités séculaires entre cosaques et Ukrainiens, — les *khokhols* comme on les appelle par dérision, — provoquent périodiquement des bagarres sanglantes :

> Un jeune colon, la tête fracassée, était étendu près de la porte du moulin; le sang noir coagulé lui couvrait la tête et tombait en lourdes gouttes sur son visage; ses jambes se contractaient, agitées de convulsions. Ses yeux ne s'ouvraient plus sur la terre verte et le ciel bleu... (DP, I, p. 194-195).

Homère avait dit d'un guerrier tué : « La guerre est finie pour lui »; ce jeune garçon brisé, en son sang noir, est victime de la violence des hommes. Les fils des Cosaques du Don sont fiers : infatigables dans les chevauchées équestres, habiles à la pêche, durs au travail des semailles et des moissons, ils sont à la fois paysans et cavaliers; propriétaires de leurs terres, ils aiment avec une violence qui fait peur. Les rivalités classiques entre familles se compliquent souvent de passions amoureuses, par exemple celle de Grigori pour Axinia, la femme de son voisin Astakov. Cette paysannerie est semblable à celle de tous les temps et de tous les pays, à celle que décrivent aussi Sigrid Undset et Ladislas Reymont[4] : la violence fruste, la ténacité, mais aussi l'espoir invincible, y transparaissent en filigrane.

*   *
*

Les femmes occupent dans l'univers de Cholokhov, comme aussi dans la vie, une place bien plus considérable que dans l'œuvre de Malraux (dont l'univers est très « masculin » au point d'en être parfois légèrement comique). De la jeune fille acide, franche et malgré tout un peu farouche, aux *jalmerkis*, ces femmes de Cosaques qui festoient et s'en donnent durant l'absence de leur homme, la gamme entière se déploie. On vient d'entendre la voix de la vieille Ilinitchna, la femme de Pantéléï Prokhofievitch Melekhov; sa plus petite enfant grandira sous nos yeux et deviendra une fille rieuse, spontanée, restée miraculeusement intacte dans ce village où l'on ne mâche pas ses mots et où les secrets les plus sordides sont sus par tout le monde : Douniachka, inspirée à Cholokhov par la Natalia de Tolstoï dans *Guerre et paix*, réussira à faire battre le cœur de Michka Kochevoï, le jeune militant fanatique, bourré de ressentiment : cet être dur malgré son visage rose, ses cheveux blonds, ses taches de son sur la joue, rêve devant cette fille robuste qui a l'art de mettre sa fraîche beauté en valeur, car les « femmes cosaques savent s'habiller », mais dont la pudeur se cache dans de grands éclats de rire.

La vieille *baba*, d'un côté, la jeune fille fraîche, de l'autre, c'est déjà tout un monde; mais il y a aussi dans le roman, la rivalité de deux femmes, autour de Grigori, Axinia, la désirée, et Nathalia, l'épouse.

---

4. Je songe à *Christine Lavransdatter* et à *Olav Audunssoen*, dont il sera parlé dans le volume de cette série consacré à *La Grâce;* quant à Ladislas Reymont, cfr *infra*, chapitre V. J'ajoute que ces deux romanciers témoignent d'une ampleur infiniment plus vaste dans leur vision du monde : ils y intègrent les dimensions spirituelles intérieures, sans rien diminuer du réalisme paysan.

Axinia a été violée, toute jeune fille encore, par son père, un soir d'automne, dans la steppe indifférente; le vieux a été si sévèrement châtié par les siens, qu'il en est resté sur le carreau. Mais Stepan ne pardonnera jamais à sa femme l'outrage qu'elle lui a fait; il la bat, ne lui montre que rarement sa tendresse (DP, I, p. 52-54); elle reste seule, étouffée par sa sombre opulence de femme en son automne; très proche de la terre, elle se sent revivre auprès de Grigori et une passion sauvage, — il faut bien employer ces mots, — va enchaîner ces deux êtres tout au long du roman, jusque dans les heures les plus terribles de la guerre civile. Parce qu'il s'agit d'un « amour » et non d'une simple liaison charnelle, le village, qui fermait les yeux sur la vie de tant de *jalmerkis*, « décida » que cette liaison était « immorale » (DP, I, p. 77).

Axinia finira par détruire le ménage de Grigori et par désespérer Nathalia, la fiancée que le père est allé un jour demander aux parents, à grand renfort de petits verres de vodka, avec ses deux *svats* ou garçons d'honneur. Nathalia représente la femme cosaque, saine et forte, nouée de tout son être à la terre, aux enfants, à l'époux. La voici, en une image réaliste et forte, mais si vraie :

> Sous son écharpe de dentelle noire on voyait briller ses yeux gris et francs; elle retenait un sourire et une petite fossette tremblait sur sa joue ferme. Grigori regarda ses mains, grandes et déformées par le travail, l'examina tout entière, des pieds à la tête, comme un maquignon qui achète une jument et pensa : « Elle est bien. » Ses yeux rencontrèrent le regard loyal de la jeune fille qui le fixait avec candeur, ayant l'air de dire : « Me voici, juge-moi comme bon te semble. » — « Gentille », répondit le regard de Grigori... Avant de fermer la porte, Natalia regarda encore une fois Grigori avec curiosité et sans plus retenir son sourire (DP, I, p. 98-99).

Comment ne pas aimer ce mélange de fraîcheur un peu animale et de loyauté chez cette fille de la terre dont les grandes mains sont déjà déformées par le travail.

Hélas, Nathalia est maladroite en son amour et Grigori est desséché par sa passion orgueilleuse pour Axinia : la jeune épouse reste froide auprès de son seigneur et maître, malgré le silencieux amour qu'elle lui voue (DP, I, p. 180); elle vivra d'abord la solitude de celle qui est moins aimée qu'elle n'aime elle-même :

> « Tu me sembles tellement étrangère », disait Grigori avec angoisse à sa femme... « Je ne t'aime pas, Natacha, ne te fâche pas si je te le dis. Je n'ai pas voulu en parler avant, mais je vois qu'on ne pourra pas vivre comme cela... Je te plains... Nous

sommes liés tout de même pendant tout ce temps mais je n'ai rien dans le cœur... C'est vide... comme la steppe maintenant... » Nathalia couchée sur le dos regardait en silence le champ inaccessible des étoiles et le voile transparent d'un nuage qui passait au-dessus d'elle. Quelque part très loin, dans le vide noir et bleu, on entendait, semblables à des clochettes d'argent, les cris des grues retardataires...

Grigori se réveilla avant le jour. Son zipoune était couvert de deux doigts de neige. La steppe languissait sous le tapis bleuâtre et virginal miroitant dans l'obscurité; les traces nettes d'un lièvre se détachaient près du campement (DP, I, p. 198-199).

Grigori deviendra plus tendre lorsque l'expérience de la guerre ainsi que l'« infidélité » d'Axinia lui auront fait découvrir, par la souffrance, ce qu'est la tendresse d'une épouse et l'amour des enfants. Nathalia a tenté de se donner la mort; véritablement « ressuscitée » par l'amour de Grigori, elle lui donne bientôt deux enfants, que la fin du livre nous montre semblables à de « petits éperviers » ne songeant qu'à prendre leur vol. Mais « la vie et l'amour » de cette femme ne sont pas encore arrivés au fond de la souffrance, car lorsque Nathalia comprend que, de nouveau, Grigori lui est infidèle, elle veut se débarrasser de l'enfant qu'elle attend : une dernière image du roman, douloureuse antithèse de la première apparition de la jeune fille à la poitrine dure, au regard loyal, qui avait souri en regardant « son futur homme », nous montre l'épouse outragée revenant de chez la mère Kapilonovna; sa jupe et son linge sont raides du sang qui s'écoule de son ventre blessé :

Pâle comme la mort, s'accrochant à la rampe, Nathalia montait lourdement sur le perron. La pleine lune éclairait vivement son visage amaigri, ses yeux enfoncés, ses sourcils douloureusement arqués. Elle marchait en se balançant comme une bête grièvement blessée et une tache de sang noire demeurait à la place où elle posait le pied (DP, IV, p. 189).

Image banale, dira-t-on, et romance connue! Certes, banale comme la vie de milliers d'êtres, blessés, hagards, qui se jettent dans la vengeance comme dans une oasis qui doit apaiser leur besoin d'ombre et se détruisent eux-mêmes par désespoir.

« Banale » aussi, l'histoire de l'épouse mûrie par une vie de tendresse où le cœur et les sens ont eu part égale, mais que la guerre interminable va conduire à la tristesse, puis au découragement, enfin à l'infidélité et au désespoir. Daria Melekhovna, la femme de Pierre Melekhov (le frère de Grigori) est vive, rieuse, hardie; très charnelle dans son amour mais attachée à son mari avec une sorte de sauvage juvénilité, elle ne peut s'accommoder de la solitude des sens. L'histoire finira mal, car elle contracte, aux hasards de la guerre civile, « une vilaine maladie » dont elle ne guérira pas; elle va se donner la mort :

> Je n'ai plus besoin de Dieu, moi, il m'a gêné toute ma vie... Défense par-ci, défense par-là, toujours des histoires de péché et de jugement dernier... Plus terrible que le jugement que je me fais à moi-même, on ne peut pas en inventer. J'ai marre de tout, Natachka ...Je n'ai personne ni par-devant, ni par-derrière, et personne à détacher de mon cœur... (DP, IV, p. 153).

Elle est seule; alors seulement elle découvre le Don, au seuil de la mort :

> Tant que quelque chose ne vous a pas piqué au cœur, on va, on vient, sans rien voir autour... J'ai passé toute la vie en restant quasiment aveugle, mais maintenant, en rentrant dans la stanitza, le long du Don, quand j'ai songé que bientôt j'aurais à quitter tout cela, mes yeux se sont ouverts! Je regarde le Don, et je vois les rides de l'eau, et je vois qu'il est tout argenté sous le soleil, tout chatoyant, que ça fait mal aux yeux de le regarder. Je regarde autour, bon Dieu, que c'est beau! Et je ne voyais rien de ça... (DP, IV, p. 154).

Elle n'a plus besoin de Dieu, mais elle espère encore retrouver son époux, au-delà de la mort :

> La seule joie que j'ai, c'est de penser a la mort; tout de même, je reverrai Piotr là-bas... «Eh bien! mon petit Piotr Pantelevitch», lui dirai-je, « reçois ta folle de femme! » (DP, IV, p. 154).

Elle était fière de son époux, qui avait reçu tant de décorations, et elle l'aimait, car une finesse douce affleurait chez cet homme; c'est à lui que Daria demande de « recevoir sa folle de femme ». Le repentir est caché sous un humour presque juvénile, un refus de s'accepter soi-même, l'espoir, malgré tout, que *quelqu'un* la reçoive et qu'elle puisse devenir meilleure :

> Moi, je n'ai pas pu en aimer un seul bien fort... Je les aimais comme font les chiens, n'importe comment, comme ça se trouvait... Si je pouvais recommencer ma vie, peut-être bien que je deviendrais autre? (DP, IV, p. 159).

* * *

En face de ces paysans-cavaliers et de ces femmes liées à la terre du *khoutor* Tatarskoïé, il y a le monde des marchands : Serguëi Platanovitch Mokhov est, dans la région, celui qui vend et échange des denrées, des idées aussi. Avec lui nous entrons dans le monde des « états d'âme » : Lisa, sa fille, s'est laissé prendre par Mitka Korchounov, le frère de Natalia; bientôt elle s'en va « à la ville » où elle sera la maîtresse insatiable d'un jeune officier dont on lira le « journal » (on a trouvé « le carnet de maroquin gris sur son cadavre étendu sur le champ de bataille », DP, I, p. 429-440); elle fréquentera les milieux les plus avertis, sera en coquetterie avec les intellectuels marxistes, à Saint-Pétersbourg, mais comme une fille pervertie, vicieuse, trop intellectuelle, c'est-à-dire sans profondeur :

> « Une fille futile et sotte aussi, je crois », pensa Mokhov, son père, pour la première fois de sa vie, et il examina avec une grimace l'enveloppe épaisse et parfumée. Il parcourut distraitement la lettre, s'arrêta à une expression « état d'âme », et réfléchit longtemps, s'efforçant de pénétrer son sens obscur... Serguei Platanovitch lut les dernières lignes avec le même sentiment de vide dans la tête et eut envie de pleurer. Au moment où tout allait s'écrouler autour de lui, il aperçut subitement, comme dans un éclair, le néant de son existence (DP, II, p. 102-103).

Après les marchands et leurs filles trop averties, voici les nobles, anciens officiers des Tsars qui, en récompense de leurs services, ont reçu quelques milliers de *dessiatines* de terres et de bois. Non loin de Tatarskoïe il y a le domaine croulant de Yagodnoïe : sis dans un vallon sans eau, comme une excroissance, il abrite le vieux comte et son jeune fils, le sotnik Evguenii Listnitski. Ce personnage, digne des romans russes du XIXe siècle, semble quelque peu calqué sur le Nicolas Rostov de Tosltoï, car il en a l'ardeur naïve dans le dévouement à son pays et à son « petit père le Tsar », le courage et le mépris du danger; mais il en est aussi fort différent, — et peut-être un peu taillé sur mesure pour des fins que l'on devine, — car il est ridiculement inconscient dans sa bonne volonté, bourré d'idées irréelles, impulsif et très porté sur les femmes des autres, — il s'emparera d'Axinia, venue comme servante au domaine. Evguenii veut par exemple se rapprocher des cosaques, lorsque ceux-ci forment les premiers soviets, mais, devant les arguments auxquels il ne sait répondre, il recourt à la violence; il fera consciencieusement son rapport au colonel à propos du suspect Bountchouk qui colporte des articles « d'un certain Lénine » dans les tranchées, mais le « suspect » s'éclipse précisément à ce moment; enfin, il rêve beaucoup, car lui aussi a des « états d'âme » :

> Cette impossibilité de pénétrer dans l'âme d'autrui troublait toujours Listnitski. Il se mit à fumer, le regard fixé dans l'obscurité grise et se rappela soudain Axinia et le dernier séjour à Yagodnoïe

tout rempli d'elle. Il s'endormit enfin, apaisé par ces pensées et par le souvenir des femmes dont le chemin s'était croisé avec le sien (DP, II, p. 148-149).

* * *

Le Don, le ciel, les saisons, les amours et les haines; les femmes, celles qui en aiment un seul, très fort, celles qui les aiment tous, très mal, celles qui s'attachent comme le lierre, celles qui ont vécu sans plaisir avec leur mari, — « c'est un méchant lot pour une femme », — et qui dévoilent en une heure d'aube « une âme naïve et enfantine, s'ouvrant comme une fleur qui s'épanouit sous la rosée » (DP, III, p. 36); les hommes, ceux qui ont le visage sombre et fermé, ceux qui ont la joue fraîche, la lèvre entrouverte et le ressentiment au cœur, ceux qui sont secs, francs, taiseux, violents et frustes, ceux qui racontent des histoires obscènes et ceux qui n'en racontent pas, ceux qui boivent trop et ceux qui ne boivent pas, les vieillards qui s'en racontent d'héroïques, du temps passé, mais qui s'endorment à force de boire à la noce de Grigori : voilà les travaux et les jours. La violence est identique chez Malraux et chez Cholokhov; la nature est indifférente, elle aussi, elle poursuit sa tenace volonté de vivre. Seulement, chez le romancier russe, les personnages, détachés, tirés de la glaise, sont constamment mêlés à elle, comme les corps et les visages sculptés par Rodin; les vivants sont souvent séparés par la violence de la haine, mais le lien nuptial qui les relie à l'univers des hommes et des choses est plus fort que toutes leurs révoltes; partout, il y a l'espoir des hommes, des femmes, des enfants, celui que vivent les bêtes qui se reproduisent, la végétation qui renaît, les glaces du Don qui se forment, puis craquent au printemps et annoncent le retour de la vie; l'espoir est perpétuellement renaissant du désespoir; il épouse un monde où tout est *vivant*, jusqu'au fleuve, jusqu'aux arbres, jusqu'aux astres.

* * *

C'est sur ce « petit monde » que s'abattra la guerre de 1914, puis la révolution.

II. La guerre et la paix

La guerre commence, hésite, pourrit dans les marais d'Europe centrale; bientôt elle se mue en coup d'état, mais elle flambe à nouveau dans une première insurrection cosaque; écrasée, elle s'apaise mais renaît de ses cendres dans la grande « séparation » des provinces du Haut-Don; elle finit au capharnaüm de Novorosiisk, dans les « pots de vin » de ceux qui veulent s'embarquer pour l'Europe, l'ivrognerie des rescapés de l'armée du Don, le hurlement des sirènes de bateaux et le galop de la cavalerie rouge retentissant dans les rues de la dernière ville russe où l'Occident démocratique fait ses bagages.

Elle avait commencé comme toutes les guerres anciennes, car le Seigneur fut invoqué :

> Les Cosaques emportèrent, cachées sous leurs chemises, les copies des prières. Ils les attachèrent aux croix, aux médailles données par leurs mères, aux petits sachets contenant de la terre natale; mais la mort ne les épargna pas plus que les autres. Leurs cadavres pourrirent sur les champs de la Galicie et de la Prusse orientale, dans les Carpathes, en Roumanie, partout où flambait l'incendie de la guerre et où les chevaux des Cosaques laissèrent les traces de leurs sabots (DP, I, p. 386).

Et sur ces traces, le cortège des horreurs. La première vision de « l'ennemi » ce sera d'abord l'Allemand, puis... le Russe, dans la guerre civile :

> « Ils sont nombreux, ma foi », dit Prokhor avec étonnement. Les autres Cosaques se taisaient, tous étreints par le même sentiment. Grigori écoutait les battements précipités de son cœur, — c'était comme si un être petit mais lourd s'exerçait dans la partie gauche de sa poitrine à courir sur place, — et il se rendit compte que le sentiment qu'il ressentait en voyant ces étrangers était bien différent de celui qu'il éprouvait aux manœuvres devant « l'adversaire » (DP, I, p. 375).

Ce sont ensuite les premiers tués par Grigori :

> Un grand Autrichien aux sourcils blonds se mit sur un genou et tira presque à bout portant sur Grigori. La balle passa, lui brûlant la joue. Grigori tira la bride en arrière de toutes ses forces et dirigea sa lance contre l'Autrichien. Le coup fut tellement brusque que l'arme perça l'Autrichien et lui pénétra dans le corps jusqu'au milieu de la hampe. Grigori n'eut pas le temps

de l'arracher et la laissa tomber sous le poids du corps qui
s'affaissait. Il sentit à travers le bois les convulsions du mourant
et vit l'Autrichien, renversé en arrière, griffer de ses doigts tordus
la hampe de la lance (DP, I, p. 378).

Actuellement, grâce au progrès, on tue à distance, et l'on « oublie
que l'on tire sur des hommes »; en 1914, on *voit* encore l'adversaire;
« mais il insiste, alors on le tue », disait Giraudoux :

> Un Autrichien sans armes, serrant son képi dans sa main,
> courait éperdument devant la grille d'un jardin; Grigori vit sa
> large nuque et son col trempé de sueur. Il le rejoignit. Enivré
> par la démence de tout ce qui se passait autour de lui, il leva son
> sabre. L'Autrichien courait le long de la grille, à gauche de
> Grigori. Il était malaisé de le frapper mais, se penchant sur sa
> selle, tenant son sabre obliquement, Grigori l'abaissa sur la
> tempe de l'Autrichien. Celui-ci sans pousser un cri, porta les
> mains sur sa blessure et se retournant brusquement s'adossa
> à la grille. Grigori ne put pas retenir son cheval et passa au galop,
> mais il revint au trot une seconde après. Le visage carré, allongé
> par la peur, de l'Autrichien, devint noir comme de la fonte. Il
> tenait le bras le long de la couture de son pantalon et remuait
> ses lèvres grises. Le sabre lui avait arraché la peau de la tempe;
> elle pendait sur sa joue comme un lambeau rouge. Le sang
> ruisselait (DP, I, p. 379).

L'ordonnance de celui qui, dans *Les frères Karamazov*, allait devenir le
Staretz Zosime, restait debout lui aussi, la main à la couture du pantalon,
au moment où son maître le frappait; le futur Staretz comprit alors
que frapper un homme au visage est l'attentat le plus sacrilège, car
c'est la main portée à la face de Dieu, à son image reflétée ici-bas : de
même, celui dont nous ne saurons jamais le nom par lequel Dieu
l'appelle depuis son baptême, celui dont l'histoire sait seulement qu'il
est « un Autrichien », — le même et cependant un autre que celui qui,
à l'instant, s'est convulsé autour du bois de la lance, — est debout,
les mains à la couture du pantalon, attendant la mort en remuant les
lèvres. Mais la démence qui emporte Grigori n'est pas la sienne
seulement mais celle des hommes qui poussèrent à la curée
de l'Europe « chrétienne » pendant que l'Asie regardait; cette
démence dispersée en mille visages est ici concentrée sur celui
du Cosaque :

> Grigori rencontra le regard de l'homme. Deux yeux vitreux,
> inondés d'une terreur mortelle, le fixaient. L'Autrichien pliait
> lentement les genoux; un râle gargouillait et bourdonnait dans

sa gorge. Fermant les yeux, Grigori le frappa de son sabre,
lui fendit le crâne en deux. L'homme tomba, écartant les bras,
comme s'il avait glissé et sa tête vint heurter lourdement le
pavé. Le cheval bondit en s'ébrouant et emporta Grigori au milieu
de la rue (DP, I, 379).

La folie sanguinaire emporte tout; les hommes tombent, les
blessés crient, les prisonniers défilent, un cosaque mort est traîné par
son cheval lancé au galop; Grigori, « sans savoir pourquoi », s'approche
du cadavre du soldat autrichien qu'il avait tué :

> Le cadavre gisait près de la grille, la paume brune et crasseuse
> de la main était tendue comme pour demander une aumône.
> Grigori regarda le visage : il lui sembla petit, presque enfantin,
> malgré la moustache tombante et la bouche tordue et sévère
> qui exprimait la souffrance (DP, I, p. 380).

Saint Jean a parlé de la femme qui pleure et souffre, parce que son
heure est venue, mais qui se réjouit quand l'enfant est né, « parce
qu'*un homme est apparu en ce monde* » : cet homme, c'est n'importe
quel enfant nouveau-né, c'est aussi « l'homme par excellence », le
Christ, à l'image de qui chacun a été créé. Et de cet « homme », la guerre
a fait cette poupée cassée, figée dans ce geste de la main comme si
elle demandait l'aumône; ce visage presque enfantin fait songer au
mot de Jésus : « si vous ne redevenez comme un enfant, vous n'entrerez
point dans le Royaume ».

On parle de « courage » dans les communiqués, mais il s'agit
seulement de « deux peurs qui se heurtent par hasard », se mêlent
confusément, finissent par se chasser l'une l'autre (DP, I, p. 418) et
laissent sur le terrain des cadavres, des souvenirs « de vies brèves,
quelques traces d'inconnus et de leurs passions terrestres » (DP, I,
p. 451). Tout cela va nourrir le désespoir en l'âme de ces Cosaques et
les ouvrir à l'espoir de la Révolution (DP, II, p. 27), tout cela, multiplié
par le chiffre des « offensives », donnera ces amas de charognes que le
jeune Evguenii, que Michka Kochevoï, que Grigori vont devoir
contempler :

> Dans une petite clairière, les Cosaques virent une longue
> rangée de cadavres. Ils étaient couchés, épaules contre épaule,
> dans des poses diverses, parfois terribles et indécentes... Les
> cosaques passaient à quelques pas des cadavres qui répandaient
> déjà une odeur douceâtre et fade. Le commandant de la *sotnia*
> arrêta ses hommes... les Cosaques rompirent les rangs, s'appro-
> chèrent des cadavres et se découvrirent devant eux, les examinant
> avec ce sentiment de terreur cachée et de curiosité animale

qu'éprouvent tous les vivants devant les mystères de la mort. C'était tous des cadavres d'officiers... Les Cosaques restèrent longtemps, le regard fixé sur le beau visage d'un jeune lieutenant que la mort n'avait pas défiguré. Il était sur le dos, le bras gauche serré contre la poitrine, la main droite crispée sur la poignée de son revolver; sa tête blonde et bouclée penchée de côté touchait presque la terre de la joue, comme dans un geste de caresse, ses lèvres orangées, aux taches bleuâtres, étaient tordues dans une expression d'étonnement amer. Son voisin de droite était couché...; il avait perdu sa casquette et même le haut de son crâne, emportés par un éclat d'obus. La boîte crânienne, encadrée de cheveux, était pleine d'une eau rose (DP, II, p. 42-43).

Ces morts n'ont pas eu le temps de « prendre la pose » pour les films d'actualités :

Plus loin encore, un tout jeune homme, presque adolescent, au visage tendrement ovale, aux lèvres bouffies; sa poitrine avait été traversée par les projectiles de la mitrailleuse... — « Celui-ci... qui a-t-il appelé à son heure suprême », demanda Ivan Alexeïevitch... « sa maman probablement?... »
C'est alors seulement qu'Afonka, le grêlé, saisit la main d'Ivan Alexeïevitch et chuchota :
— « Ce jeune gars... le dernier... il n'a probablement pas embrassé une seule femme de toute sa vie. Tu as vu comme on l'a égorgé? » (DP, II, p. 43-44).

* * *

Mais la vie, indifférente, continue sur la steppe :

Au mois de mai, deux canepetières s'abattirent sur la tombe, foulant l'herbe verte et la jeune absinthe bleue. Ils se battaient pour une femelle, pour le droit à la vie, à l'amour, à la reproduction.
Et, quelques temps après, près de la tombe, dans un petit creux de terre, sous une vieille touffe d'absinthe, la femelle pondit neuf œufs bleus tachetés et commença à les couver, les réchauffant de son corps et les protégeant de ses ailes luisantes (DP, II, p. 500).

III. L'espoir de la révolution

1. Les militants

Lénine a dit que la guerre est la situation révolutionnaire idéale; *Sur le Don paisible* en est une illustration[5].

Il y avait, dès avant la guerre, au *khoutor* Tatarskoïe, des « intellectuels » qui se réunissaient chez Boïarichkine (DP, I, p. 159-160); ils estimaient la vie cosaque paisible mais inerte; aussi, venus de milieux divers, les uns animés de ressentiments, les autres seulement

---

5. Les cosaques, indépendants, propriétaires de leur sol depuis des siècles, n'ont pas grand-chose à gagner de la révolution marxiste; celle-ci leur apparaîtra surtout prolétarienne, favorisant les « moujiks » détestés; l'observatoire choisi par l'auteur situe donc les grandes fièvres des hommes en face de l'éternelle vie de la nature, dans le cadre des « travaux et des jours »; mais, par ailleurs, le particularisme cosaque empêche parfois de prendre conscience de l'ampleur du mouvement déclenché par Lénine. Il est utile de rappeler le plan général des quatre volumes : le *premier tome* nous dépeint les derniers mois de la paix, avant août 1914 : l'amour sauvage entre Axinia et Grigori est raconté ainsi que les épousailles avec Nathalia (p. 1-139); la seconde partie du tome I nous introduit dans les « catacombes » de la révolution, avec Stockmann, et décrit les prodromes de la guerre; elle se termine par la fugue de Grigori avec Axinia à Yagodnoïe (jusqu'à la p. 324); enfin, la troisième partie du tome I dépeint les premiers combats de la guerre, présente les silhouettes furtives de Bountchouk et de Garanja et se termine par les « retrouvailles » de Grigori et de Nathalia. Le *tome II* débute en octobre 1916, avant la révolution de Kerensky et se termine en octobre 1917, par le triomphe des Bolcheviks : la première partie narre le « pourrissement » de la guerre, l'échec de la tentative de Kornilov de reprendre le pouvoir des mains de Kerensky (p. 1-248); la seconde partie narre les débuts de la guerre civile, jusqu'à une première victoire des blancs. Cholokhov souligne que les Cosaques restèrent toujours séparés de l'armée blanche et n'ont contracté avec elles que des alliances provisoires. Le *tome III* commence en avril 1918 par la grande scission entre les provinces du Haut-Don de celles du Bas-Don (où se trouvaient les régions industrielles dont se servait l'armée blanche); l'insurrection cosaque contre les Rouges prend le caractère d'une levée de boucliers en faveur « d'un régime nouveau, mais *sans les soviets* », tandis que l'armée blanche vise le retour pur et simple au tsarisme; à la fin du volume, la jonction est faite entre les armées du Haut-Don et celles des « Cadets ». Le *tome IV* (publié en 1935 seulement, à l'époque des prix Staline) montre la décomposition progressive de l'armée blanche, son envahissement par des éléments occidentaux anti-russes, le succès du plan stratégique de Staline, le recul de l'armée Cosaque jusque Novorosiisk, et le ralliement final de Grigori à la cause des Rouges. On trouvera dans M. BAUMONT, *La faillite de la paix*, coll. *Peuples et civilisations*, t. XX, 1, Paris, 1945, p. 15-29, 194-212, le détail des événements historiques ici racontés. On trouvera aussi dans A. KRASNOV, *De l'aigle impérial au drapeau rouge*, Paris, Payot, 1929, une version « blanche » mais terriblement échevelée, des événements racontés dans DP.

agités, ils promettaient « qu'ils auraient une autre année 1905 » (DP, I, p. 183).

Stockman, le militant doctrinaire, serrurier de son état, membre du parti social démocrate et ayant déjà fait de la prison en 1907 (DP, I, 186, 197, 339, 200), s'est fixé dans le *khoutor*. Quelques amis, le soir, se réunissent chez lui; on lit le poète Nekrassov (DP, I, p. 218), on explique patiemment une « Histoire des Cosaques » d'auteur inconnu, on feuillette un petit livre à couverture de cuir, qui porte le nom de Plekhanov (DP, I, p. 341), on raconte des « histoires », par exemple celle d'un garde du Tsar ayant reçu en souvenir, croyait-il, le portrait du père d'un étudiant... mais c'était « leur Ataman, Karla... J'ai oublié son autre nom »; « Karl Marx », lui souffle Stockman en souriant; « c'est ça, lui-même, Karla Mars! » reprend le Cosaque (DP, I, p. 222-223).

C'est dans ce climat « d'église des catacombes », propageant la « bonne nouvelle » ou « la bonne parole » (DP, II, p. 32), annonçant une « vie nouvelle », que, dès 1914, Stockmann « fit naître dans les cœurs une petite larve de mécontentement. Qui aurait pu dire à ce moment-là qu'un embryon fort et vivant en sortirait, quatre ans plus tard? » (DP, I, p. 223). Qui aurait pu penser aussi que, 36 ans plus tard, en 1949, cet « embryon » dominerait huit cent millions d'hommes!

Le doctrinaire Stockmann, apôtre du messianisme laïque, avait démonté pièce à pièce le capitalisme, devant les yeux de ses premiers disciples (DP, I, p. 267); plus tard, sur les champs de bataille, certains de ceux-ci diront : « Te rappelles-tu, Stockmann, c'était un homme, il aurait tout *déchiffré* » (DP, II, p. 38). Une des grandeurs de l'espoir marxiste est de vouloir déchiffrer l'évolution de l'histoire et d'expliquer sa signification; Stockmann, comme des centaines d'autres de par l'immense Russie en ces années 1914-1918, voulait enseigner le « nouveau catéchisme », celui qui s'appellera le « Diamat ».

La froideur marque Stockmann, mais aussi le courage : « Il ne suffit pas de penser, il faut *agir* », dira-t-il à Michka Kochevoï (DP, III, p. 243); « pas de sensiblerie, pas de pitié, pas de larmes... : « On ne fait pas la révolution avec des gants blancs », disait Lénine » (DP, III, p. 226-227). L'effrayante « efficacité » et le « réalisme » révolutionnaires s'expriment ici, glacés et inexorables. Aussi bien, Stockmann, toujours prêt à *donner sa vie*, meurt, abattu par les Cosaques révoltés, en criant : « Le communisme vivra » (DP, III, p. 400).

* * *

La « bonne parole » va s'infiltrer partout : à l'hôpital de Moscou, Garanja explique aux malades le « gouvernement ouvrier » (DP, I, p. 541-544); un soldat allemand s'imaginera que le Russe qui l'a épargné est un « *Sozialdemokrat* » (DP, II, p. 50); il ne suffit pas seulement de « donner sa chemise », il faut opérer des réformes de structures, par exemple la redistribution de la terre (DP, II, p. 153), ainsi que le dit Lagoutine à Listnitski :

> Et tu penses que je souffre seulement pour moi-même? Nous étions en Pologne. As-tu vu comme les gens y vivent? Et chez nous comment vivent les moujiks? Je l'ai vu, moi! Ça vous tourne les sangs. Tu penses peut-être que je ne les plains pas? Et moi peut-être je suis tout malade à cause de ce polonais, parce que je m'intéresse à sa vie amère (DP, II, p. 154).

Les gardes rouges veulent qu'on puisse dire d'eux : « On a vu un homme en moi » (DP, III, p. 109); ainsi, le soldat soviétique qui fouille la maison des Melekhov a « un air jeune, juvénilement sévère, ses lèvres ombrées de duvet étaient fermées dans une expression de fermeté forcée » (DP, III, p. 175); les communistes « se sont ordonné de ne pas avoir peur de la mort »; l'un d'eux, voisin de Stockmann, ajoute : « Et ne viens pas fouiller dans mon âme avec tes pattes sales.... Je sais pourquoi nous nous battons... Et nous aurons la victoire » (DP, III, p. 342).

* * *

Bountchouk et Anna remplissent de leur présence le tome II du *Don paisible;* leur image un peu idéalisée, est de celles qui inspirent les révolutions. Si nous ne pouvons leur opposer que le désespoir européen, la lucidité artiste sur les menaces qui pèsent sur l'homme, nous sommes perdus; nous devons y répondre par l'espoir *chrétien,* par l'aventure du baptême, la force de Dieu lancée dans l'œuvre de justice et de communion entre les hommes.

« Octobre 1916. Nuit. Pluie et vent. Tranchées le long d'un marécage où poussent des touffes d'aulnes » (DP, II, p. 7) : tel est le cadre où apparaît le militant Bountchouk. Il a 28 ans en 1916 et il est du parti depuis 1913; son visage un peu épais, aux veines saillantes, est fermé, semble-t-il, à tout sentiment humain. La « haine coulait en lui comme une lave », *car il se souvient :* les attaques de 1916 et les poses horribles des cadavres russes et allemands; des bouts de conversation; « le joli dessin à peine fané d'une bouche de femme qu'il avait autrefois aimée »;

de nouveau des scènes de guerre; enfin, la petite Loucha, âgée de douze ans, fille d'un ouvrier métallurgiste tué à la guerre, faisant la putain sur le boulevard à Pétrograd, et lui disant : « vous ne me reconnaissez pas », d'une voix enrouée et avec un sourire professionnel :

> Je traînerai ces souvenirs jusqu'à la mort et je ne serai pas le seul. Tous ceux qui resteront en vie les traîneront eux aussi. On nous a estropiés, on nous a bafoués! Soyez maudits! Votre mort même ne pourra pas expier votre crime (DP, II, p. 212-214).

Comme Tchen, comme Kyo, de *La condition humaine*, comme Lydia de *La maison de la nuit*, Bountchouk a des « souvenirs », pas ceux qu'une adroite recherche du temps perdu peut ressusciter, mais ceux qui lancinent et rendent fou. Voilà pourquoi il n'hésitera pas à tuer d'une balle dans la bouche Kalmoukhov qui prétend faire continuer son bataillon sur Pétrograd pour soutenir le coup d'état de Kornilov et empêcher ainsi la révolution de se faire : ce geste horrible d'un être qui devient méchant (DP, II, p. 223-224) se justifie à ses yeux parce « qu'il faut servir la révolution » (DP, II, p. 398)[6].

Bountchouk la sert, dans les tranchées : il y répand des articles de Lénine (DP, II, p. 15) où l'on explique que les prolétaires n'ont pas de patrie (DP, II, p. 14) et sont frères dans le travail (DP, II, p. 23); les rapports officiels parlent de « ce certain Lénine, mais qui est Russe et émeut ainsi ses compatriotes » (DP, II, p. 210). Bountchouk va fuir le monde d'officiers « soudards et imbéciles » dans lequel il voit le jeune Evguenii (DP, II, p. 12-13), pour organiser des compagnies de gardes rouges qui materont la contre-révolution.

C'est à Rostov sur le Don qu'il rencontre la militante Anna Pogoudko, âgée de 19 ans, juive d'origine :

> Elle était moins grande que lui, un peu forte, et avait la chair ferme comme toutes les jeunes filles saines travaillant physiquement. Elle ne se tenait pas très droite et n'aurait pas été jolie sans ses grands yeux noirs qui l'embellissaient (DP, II, p. 273).

L'auteur veut opposer l'absence de « beauté » d'Anna, à la beauté sophistiquée de Lisa par exemple; Anna est mieux que

---

6. La génération 1924-1928 avait décrit l'espoir marxiste en termes vraiment humains et en en soulignant le tragique (J. LIEDMEIER, *Vormen van Hoop en Wanhoop in de Sovjetletterkunde*, dans *Kultuurleven*, février 1956, p. 147-149, décrit bien la littérature de la « vieille garde »); Cholokhov a échappé au conformisme de la génération « réaliste » de 1928 à 1932; il reste fidèle et l'esprit de la génération précédente, surtout dans les trois premiers volumes de DP.

jolie, elle est à ce niveau où l'être humain se revêt de grandeur parce qu'il se voue à une réalité qui le dépasse. Bountchouk va bientôt éprouver devant elle la même intense émotion, le même « frisson intérieur » qu'il ressentait avant une attaque ou en écoutant « la voix grasseyante de Lénine » :

> Il éprouvait le même sentiment maintenant en regardant les joues roses et hâlées de la jeune fille et la profondeur insondable de son regard... *Simple comme une légende, la jeune fille se tenait devant lui* et il lui semblait que d'un moment à l'autre elle allait se fondre dans l'air comme un son dans une forêt de sapin à l'aube (DP, II, p. 274).

Bountchouk croit qu'il n'y a là que camaraderie, mais son cœur « est serré par une sensation douce et angoissante » (DP, II, p. 274), et il avoue qu'il s'est trop endurci ces dernières années (DP, II, p. 276).

Le lien qui va se nouer entre eux se forge dans le face à face de la mort, car la jeune fille fait le coup de feu aux côtés de Bountchouk, dans les rues de Rostov :

> Trois gardes rouges étaient déjà tombés. A côté d'Anna et de Bountchouk, une balle frappa un jeune garçon qui se tordit longtemps sur le sol avant de mourir. Bountchouk regarda Anna. Ses grands yeux noirs étaient dilatés de terreur. Elle fixait de ses prunelles immobiles les pieds de l'agonisant... (DP, II, p. 280).

Bountchouk lui dira « qu'il ne faut pas regarder les morts comme cela » mais « passer devant et c'est tout » (DP, II, p. 282), car il ne faut « pas de sentiment lorsqu'il s'agit de la révolution » (DP, II, p. 283); mais lui-même devra présider le tribunal révolutionnaire et il sera tellement écœuré des exécutions en série qu'il « faut » faire, qu'Anna, le jour où elle voudra se donner à lui, le trouvera « exténué, anéanti » (DP, II, p. 404-405).

Un cœur humain sensible vit donc dans la poitrine du militant. Malade de la typhoïde, il verra le visage d'Anna, au-dessus de lui. Leur amour ne sera point un « luxe » pour personnes oisives, mais la camaraderie de l'espoir. La jeune Juive est saisie par « une pitié et un amour qu'elle n'avait jamais encore éprouvé », car elle a soigné Bountchouk et a dû surmonter le léger dégoût qu'elle ressentait parfois pour ce grand corps malade; maintenant, elle a choisi cet « homme simple et sans beauté » et, à la fin, « tout en elle ne fut plus qu'une compassion à travers laquelle montait de la profondeur intime de son être la source vive de son amour » (DP, II, p. 373-374). Certes, il faut concentrer toutes ses forces, car « tout est en ébullition, là-bas » et

« l'amour », croit-elle, « affaiblit »; mais bientôt elle se reprend et affirme qu'« un sentiment personnel ne saurait étouffer en nous le désir de lutter »; « et de vaincre » ajoute aussitôt Bountchouk (DP, II, p. 375).

Leur amour est exempt d'abord de toute intimité physique, ce qui conférait à « leurs relations un caractère émouvant et jeune » :

> Comme c'est beau, dit Anna, que notre sentiment soit en dehors des cadres habituels de l'existence bourgeoise. Nous nous sommes aimés sur le champ de bataille et nous avons su préserver notre sentiment de tout ce qui est animal et terrestre (DP, II, p. 376)[7].

7. Une comparaison avec les amours du sympathique mais bien falot **Evguenii** va montrer que, dans l'amour d'Anna et de Bountchouk, il y a « bien plus que l'amour », car il est lié à un espoir ouvert sur *les* hommes. Ces « fiancés » idylliques (DP, II, p. 395) savent pourquoi ils s'aiment; ainsi quand, plus tard, la jeune femme attendra un enfant de Bountchouk, elle dira : « je serai mère, tout est simple » (DP, p. 450, 457). Evguenii, lui, ne sait où il en est de ses « amours » : « l'amour et un lourd désir charnel poussaient Listnitski vers Olga. Il commença à venir chez elle tous les jours. Son cœur, fatigué par la sombre réalité de la guerre, *aspirait à la poésie*. Quand il restait seul, il se raisonnait comme un héros de roman classique, s'efforçait patiemment à se découvrir des sentiments élevés qu'il n'avait jamais éprouvés pour personne, voulant peut-être voiler et orner de cette manière un simple désir sensuel... Tout mutilé et désorienté qu'il fût, il obéissait toujours au même instinct sauvage et déchaîné : « Tout m'est permis » (DP, III, p. 72). La caricature consiste à identifier la « poésie » avec l'évasion peureuse devant le réel, les « beaux sentiments » avec un masque qui cache les désirs sensuels les plus précis, et le souci de « philosopher » avec le nihilisme camouflé de « l'occidentalisant » qui se croit tout permis; opposer à ces traits le regard réaliste de Bountchouk qui contemple en face la guerre et la révolution, s'avoue à lui-même ses sombres côtés de haine et de ressentiment et, enfin, sait qu'il travaille pour l'avenir, est un peu simpliste. Je suppose que personne n'identifiera l'état d'âme d'Evguenii Listnitski avec la *véritable* tradition classique de l'Occident et de la Russie pré-révolutionnaire; la culture de l'Occident n'a rien à voir avec ce petit jeu de cache-cache : Racine, par exemple, est la lucidité même sur ces « premiers sentiments », sur ces « secrètes joies » qui s'élèvent dans le cœur avant que la conscience morale ait pu intervenir. Cependant, l'instinct sauvage de celui qui se dit que « tout lui est permis » existe de manière diffuse dans les forêts du désespoir européen. Trop de lucidité ne conduit-elle pas au « pur spectacle » de Valéry et au « spectateur pur » de Duhamel? Sartre a décrit de main de maître ce qu'il peut y avoir de mauvaise foi dans les déballages « d'âmes », propres à un certain type de « littérature-littérature » (cfr *Liberté et Vérité, Contribution de professeurs de l'Université catholique de Louvain à l'étude du thème proposé à l'occasion du bicentenaire de Columbia University*, Louvain, 1954, 137-167, où j'ai essayé de trouver une solution à l'antinomie entre « étalage d'âmes classiques » et « littérature de propagande édifiante »). La réponse à ce problème d'une culture à la fois réaliste et artistique se trouve dans un approfondissement de la notion d'âme; j'ajoute, après Du Bos, qu'il n'y a pas « d'états d'âmes » dignes de ce nom; il y a seulement élan de *tout l'être* qui répond à l'appel de Dieu et des hommes, et s'engage, *en avant mais aussi en profondeur*, parce que son être est visité par la puissance de l'Esprit qui *intériorise et propulse* dans le sens de la charité.

Cet amour est animé par la mystique de l'espoir; l'aspiration à la pureté qui le marque d'abord évoque les mots de Saint-Exupéry : « s'aimer, ce n'est pas se regarder dans les yeux, mais regarder ensemble du même côté, car l'amour est un réseau de liens qui fait devenir » :

> Que tout souci de bonheur personnel et individuel semble maintenant mesquin et vil. Qu'est-ce en comparaison du bonheur que l'humanité, lasse de souffrir, s'efforce de conquérir par la révolution? N'est-ce pas? Il faut se fondre dans cet élan vers la libération... Il faut se dissoudre dans la collectivité et s'oublier comme individu... Tu sais, Ilia, la vie future me semble comme une musique lointaine et infiniment belle... Ce n'est pas une mélodie particulière, mais un hymne puissant et majestueux. Qui n'aime pas la beauté?... Et sous le régime socialiste, la vie ne sera-t-elle pas belle? Ni guerre, ni misère, ni oppression, ni discordes nationales, rien! Comme les hommes ont sali la terre. Que de mal ils ont fait!... Dis-moi, n'est-ce pas doux de mourir pour tout cela? Dis? *A quoi peut-on croire si l'on ne croit pas à cela?* Pourquoi vivre alors? Il me semble que si je meurs sur le champ de bataille... si la mort n'est pas instantanée, ma dernière sensation sera cet hymne majestueux d'avenir, d'une beauté émouvante (DP, II, p. 376-377)[8].

Autrement dit, la perspective biblique permet d'entrevoir une synthèse entre la recherche spirituelle et le don de soi; quelque chose de l'amour d'Anna et de Bountchouk s'inscrit dans ce double registre.

8. La « vie future » dont il est question ici est « en avant », non au-delà de cette vie, car il s'agit de l'avenir du monde. N'oublions pas cependant que la vision biblique (donc chrétienne) des choses nous oriente vers une « vie future » qui est en même temps une « vie à venir », en ce sens qu'elle valorise le temps de l'histoire, comme je l'ai dit déjà à propos de Kafka. Cet hymne d'espoir murmuré par Anna, toute oublieuse d'elle-même, ouverte à l'avenir, donnée aux hommes, on peut dire de lui ce que Carcopino disait de l'espoir « messianique » de la quatrième églogue de Virgile : l'auteur ne se trompait que de date et d'adresse. Anna se trompe d'*adresse* parce que, en fait, pour assurer la signification ultime de l'espoir social, il faut le joindre à une espérance théologale; elle se trompe aussi *de date*, parce que le vrai sens de l'espoir n'est apparu en ce monde qu'avec le Christ et son Église. Négliger le bonheur personnel pour se donner à la collectivité, les saints l'ont fait, *tous;* seulement, ils n'auraient pas parlé de « se dissoudre », de « se fondre » dans la collectivité, mais plutôt de « communier avec elle », de porter « à la place » des autres. Cette vie « future » dont parle Anna, est, pour un chrétien, sans doute, « le ciel », mais le « ciel » n'est pas « ailleurs », il est *commencé mystérieusement* en *ce* monde, par les arrhes de l'Esprit-Saint; si le Royaume de Dieu n'est pas « *de* » ce monde, il commence *en* ce monde, et ces commencements seront repris, purifiés, baptisés, transfigurés, dans le nouveau ciel et la nouvelle terre (cfr *infra*, p. 484 sv.). Les hommes « ont donc sali » la terre, mais ce n'est pas en la fuyant qu'ils la rendront plus propre; ce n'est pas en se séparant d'elle que les saints ont eu le rayonnement qui fut le leur.

Hélas, la vie n'est pas belle sous le régime socialiste, car la guerre et l'oppression continuent avec la misère et la discorde nationale; personne ne répond à Anna, sinon le silence de Bountchouk, sinon le vent, et une fine poussière de neige, sinon la vapeur et le mugissement puissant de la locomotive envahissant la plate-forme (DP, II, p. 387).

* * *

L'espoir des militants sera éprouvé par le réalisme de la révolution :

> « C'est une sale besogne que de détruire la fange humaine », déclare Bountchouk à Anna, en revenant un soir du tribunal révolutionnaire. « Fusiller les gens, vois-tu, c'est malsain pour l'âme et le corps... Il n'y a que les imbéciles, les sauvages ou les fanatiques qui acceptent ce sale travail. Tous voudraient se promener dans un jardin fleuri, mais, bon Dieu, avant de planter les arbres et les fleurs il faut nettoyer les immondices! Il faut mettre de l'engrais! *Se salir les mains!*... J'engraisse la terre pour qu'elle rapporte mieux. Peut-être un jour des gens heureux y habiteront. Mon fils, qui n'existe pas... La musique de l'avenir... Tu te rappelles, Anna? Combien en ai-je fusillé de cette vermine; de ces tiques... Ça n'existe pas les gens qui n'ont pas peur de la guerre ou qui participent aux exécutions sans en être meurtris... (DP, II, p. 400-401)[9].

---

9. Les massacres en série, les exécutions pour la bonne cause, n'ont jamais engendré que la haine et le ressentiment; ceux qui ont cru en l'Inquisition en savent quelque chose. Saint Dominique a plus fait pour la disparition de l'hérésie albigeoise par sa prédication et sa sainteté active que la « croisade » de Blaise de Montluc. La vraie question est de savoir où commence la « croisade » *inhumaine* et la limite des moyens de coercition nécessaires pour aider les humains à s'élever : la seule chose claire est que l'on ne peut jamais faire un mal pour obtenir un bien. Ce n'est pas le lieu ici de discuter de ces problèmes, mais seulement d'en redire les données. En ce qui concerne les « exécutions » en masse, faites par Bountchouk, la tragédie est d'autant plus atroce que, dans la vision marxiste, il n'y a que *cette* terre : de quel droit enlever à un homme *sa* vie, si c'est le seul bien qui lui reste? Le chrétien, au contraire, en même temps qu'il refuse toute « croisade violente », sait que, dans les cas, rares du reste, où l'Église abandonne un coupable au « bras séculier », le condamné à mort n'est pas lancé dans le pur néant, mais « livré à la miséricorde de Dieu », comme disent les vieux textes. Ce n'est certes pas *parce* qu'il est promis à la bonté de Dieu que l'on peut y aller « largement » en matière de justice, *au contraire;* seulement, s'il faut en venir là, il y a ce recours ultime. Le militant marxiste, au contraire, se heurte tôt ou tard à une limite d'inhumanité au-delà de laquelle commence l'immense steppe qui ne refleurit jamais, celle de l'indifférence polaire qui a caractérisé le régime policier de Staline par exemple; *l'espoir se renverse alors en désespoir,* chez le militant. C'est ce qu'expérimente Bountchouk.

Ces mots répondent, comme le ton mineur au ton majeur, au chant d'espoir d'Anna : la joie du militant est morte, mais la réponse c'est la vie qui la donne, et le combat. Pour exorciser Bountchouk, Anna va se donner à lui, et l'enfant qu'elle attendra bientôt sera leur espoir re-né ; la jeune fille de légende est devenue plus charnelle, plus précieuse et plus fragile, mais elle demeure fraîche et forte, car elle poursuit la lutte. La voici, prête au combat, image qui va remplir les magazines marxistes et faire rêver les cœurs :

> Elle sortit, après avoir changé de linge. Elle portait une blouse de soldat couleur kaki, serrée à la taille par une ceinture, ses seins bombaient légèrement le vêtement. Sa jupe noire, usée, raccommodée était d'une propreté méticuleuse. Elle enfila sa capote et demanda en bouclant son ceinturon, — son animation de tout à l'heure était tombée et sa voix était hésitante et suppliante : « Tu prendras part à l'assaut tantôt ? » (DP, II, p. 379).

Certes, il est d'autres « métiers » pour la femme, que de donner la mort, mais cette silhouette de la militante nous émeut, car on voit en filigrane la femme-compagne, alignée sur une même marque de départ, avec l'homme, face à la vie. Nous sommes loin de *Maison de poupée*.

* * *

L'amour et l'espoir des deux militants devra passer par *la mort*. Mourante, Anna pousse le cri éternel : « Je veux vivre! Ilia, mon chéri! »; seulement, reprenant ses forces, elle dit très distinctement :

> Pourquoi, donc Ilia? Tu vois maintenant que tout est simple... Tu es drôle... C'est terriblement simple (DP, II, p. 457).

Bountchouk ressentira la douleur d'abord comme un animal, car « trois gardes rouges le suivaient du regard, frappés par cette manifestation répugnante et nue de la douleur humaine » (DP, II, p. 458). Au moment où lui-même va être exécuté avec un « paquet » de Rouges faits prisonniers par les Cosaques, le 27 avril 1918, il songe :

> Il repassait sa vie dans sa mémoire; il se souvint de sa mère et, se sentant bouleversé, chassa cette image. Il pensa alors à Anna et à son bonheur récent, et cela lui apporta un grand soulagement. La mort ne l'effrayait pas... Il se préparait à la mort comme à un triste repos après un voyage pénible et amer, quand la fatigue est si grande et le corps si endolori que rien ne peut lui donner de joie... (DP, II, p. 485).

Bountchouk est un de ceux qui ont eu une vie si triste, si pauvre en joies humaines, que la mort est acceptée par eux avec calme, car elle est un repos.

Le militant a beau mourir serein, sa mort évoque une trame brutalement coupée :

> Bountchouk regardait le ciel couvert de nuages gris; ses yeux froids avaient une expression d'attente. De sa large main, il caressait sa poitrine velue. On eût dit qu'il attendait quelque chose d'impossible et de réconfortant... (DP, II, p. 489).

Ce quelque chose d'impossible et de réconfortant qu'attend Bountchouk, c'est l'ouverture de la conscience marxiste, par en haut, à la *pitié*, comme *La maison de la nuit* le montrera. L'espoir humain, cette fois, bute contre la mort, car la seule chose que Bountchouk voudra encore une fois revoir, avant le coup de feu, ce sera « le ciel gris et la terre triste sur laquelle il avait peiné vingt-neuf ans » (DP, II, p. 492)[10].

2. Un « converti » à l'espoir marxiste

Grigori Melekhov incarne pour l'auteur l'âme de la steppe du Don, et, à travers elle, celle de la Russie. Grigori n'est ni un intellectuel ni un militant; ses hésitations sont celles d'un « homme de bonne volonté » mis en présence du plus grand bouleversement de l'histoire moderne. Son évolution vers le marxisme est présentée dans un cadre qui transpose, inconsciemment sans doute, le style de la « conversion » religieuse.

Grigori est violent par foucades, sa passion pour Axania est brûlante comme un ciel d'été sur la steppe; mais il est aussi, dans la guerre, un cavalier intrépide, bientôt un officier célèbre pour son habileté manœuvrière et son franc-parler : ce n'est pas à lui qu'en imposent les « Napoléons de province » comme le général Krasnov (DP, III, p. 55).

Au début du récit, le jeune cosaque est dur et orgueilleux, sans doute, mais il respecte les traditions anciennes. La guerre, avec ses

---

10. Thérèse de Lisieux a dit qu'elle « voulait passer son ciel à faire du bien sur la terre »; la mort n'était donc pour elle que la chute des dernières entraves qui l'empêchaient d'aider les autres plus efficacement encore. De même, ainsi qu'on le dit *infra*, p. 489, la mort et la résurrection de Jésus sont la disparition des « humiliations » volontairement assumées par le Verbe Incarné; le Christ ressuscité peut être présent avec nous jusqu'à la fin des siècles, car son humanité, dans l'Esprit-Saint, est puissante, capable de se communiquer partout et toujours, chaque fois que l'Église, Épouse du Christ, l'appelle; elle vient alors pour donner la vie.

brutalités, le fera hésiter. Ainsi, il pleurera de colère et de dégoût devant le déchaînement de tout un bataillon violant Frania, une jeune polonaise innocemment provocante (DP, I, p. 354); de même, les premiers hommes qu'il a tués vont le hanter :

> « Moi, Pierre », dit-il à son frère, « j'ai la fatigue dans l'âme! Je suis maintenant comme à moitié mort... comme si j'avais été broyé par les meules du moulin » (DP, I, p. 424).

Les événements vont peu à peu insinuer dans cette cervelle inculte un doute vague sur « la légitimité de tout cela ». Grigori est semblable à des milliers de jeunes, affrontés à une vie dont la cruauté absurde fait vaciller les convictions; il suffit alors du choc « providentiel » de la « rencontre » du « messager », pour provoquer le déclic qui ouvre l'esprit à la « foi » nouvelle. Grigori, soigné pour une blessure à l'hôpital de Moscou, y rencontre le militant Garanja (DP, I, p. 539) qui va l'initier au « déchiffrement » marxiste des événements; le jeune Cosaque est séduit; il voudrait bien que le militant ait tort, mais il ne sait que répondre :

> Ce qui était le plus terrible, c'est qu'il sentait lui-même intérieurement que Garanja avait raison, et il était incapable de lui faire des objections. Grigori voyait avec effroi que le méchant et intelligent *khokhol* détruisait lentement et irrésistiblement toutes ses anciennes convictions relatives au tsar, à la patrie et aux devoirs du Cosaque. L'absurdité monstrueuse de la guerre avait déjà ébranlé et corrodé les fondements sur lesquels reposait la foi. Un choc extérieur suffisait à présent pour les réduire en poussière. Ce choc fut donné par Garanja; sous son influence, la pensée se réveilla chez Grigori; elle écrasait et épuisait son esprit simple et fruste; il s'agitait, cherchant une issue, une solution à ce problème qui dépassait son intelligence et la trouvait avec satisfaction dans les réponses de Garanja (DP, I, p. 542).

Grigori est si bien prisonnier de la dialectique impitoyable qu'il réveille Garanja, la nuit, pour lui demander des clartés nouvelles sur la guerre « qui profite aux capitalistes ». Sans doute, le bon sens de cet officier cosaque, la présence en lui d'une sagesse millénaire, lui fait dire que « la guerre existera toujours » :

> Comment feras-tu disparaître la guerre? puisqu'on s'est toujours battu depuis des siècles (DP, I, p. 543).

Malgré ces doutes, le « ver de la pensée » est dans le fruit, et la « vérité », la « grâce » reçue va progresser secrètement dans son cœur.

* * *

Comme dans toute conversion, les tentations vont retarder la progression. Cholokhov, beau joueur, n'hésitera pas à montrer le fort et le faible de « l'église » marxiste, car, dans le tohu-bohu d'idéologies, de trahisons, de vengeances personnelles, de répressions alternées et contradictoires qui va s'abattre sur la Russie, le chemin de la vérité est difficile à trouver.

La « grâce » reçue lors des conversations avec Garanja semble disparue dans le subconscient; de plus, les violences gratuites perpétrées par les Rouges dans le *khoutor*, semblent directement opposées à la valeur la plus profonde qui vit en Grigori, la liberté des cosaques; il ne supporte pas de voir les gardes rouges « faire irruption dans sa vie comme des ennemis, l'arracher à sa ferme, et il se met à les haïr » (DP, III, p. 113). Enfin, une tentation plus insidieuse, celle qui vient des « rusés » et des « méchants », le guette :

> Tout ce poison fin et compliqué de flatteries, de déférences et d'admiration détruisait peu à peu dans son âme les quelques grains de la nouvelle vérité jetés par Garanja (DP, II, p. 61).

Seulement, ce retour aux « contre-révolutionnaires », ne rend pas à Grigori la confiance spontanée de ses jeunes années : le choc de la guerre, les idées nouvelles agissant en secret en lui, l'amènent à douter des traditions, aussi bien des coutumes vétustes, qu'il faut dépasser, que des usages vraiment sacrés. Son grand-père Grichatka, qui ne fait plus que lire la Bible, lui inspire ces mots : « Quand ils sont jeunes, ils font des folies, boivent de la vodka, pèchent et, dans la vieillesse, ils s'adressent à Dieu »; pour lui, il est bien décidé, s'il vit vieux, « à ne pas lire ces histoires-là, la Bible ne l'intéresse pas » (DP, III, p. 378).

Bientôt il doute de tout et frôle le scepticisme total : il cherche une solution (DP, II, p. 313), mais il se demande qui a raison (DP, III, p. 303) et pense même qu'il n'y a pas de vérité unique (DP, III, p. 216, 258). Il est écœuré « du prix qu'il avait payé pour ses croix et ses grades » (DP, p. 66) et il sent « son cœur se fermer à la pitié » (DP, II, p. 65). Vraiment, il ne sait plus la route, la « voie », le *Tao*; son âme est « un puits noir et vide », il « a de la peine » et entrevoit que la vie « nous rend coupables » (DP, II, p. 336)[11]. Il connaît alors une sorte d'expérience du « désert » spirituel :

---

11. On voit que le thème mis à la mode par Sartre dans *Les mains sales*, est de tous les temps... Péguy avait déjà parlé du « kantisme qui a les mains pures... parce qu'il n'a pas de mains »

Il avait envie de se détourner de ce monde incompréhensible, plein d'animosité et bouillant de haine. Tout y était embrouillé et contradictoire. Il avait de la peine à découvrir le bon chemin (DP, II, p. 336).

Comme Horace, après la défaite de Philippes, lançait son cri : « *Arva, beata petamus et arva* », Grigori veut se retirer du jeu de ce monde.

* * *

On a le cœur serré d'angoisse devant cet être droit et simple, qui s'éveille confusément aux plus hauts problèmes de la vie spirituelle, et qui, pour toute réponse, ne trouvera que la dialectique marxiste et son *ersatz* de lumière et de grâce.

« La vague de fond » déferle, irrésistible, et force Grigori à agir sans cesse et toujours plus sauvagement. Apparemment, les massacres faits par les Rouges vont l'éloigner pour jamais de la « vérité marxiste » : Pierre, son frère, est égorgé par les gardes soviétiques et cette mort réveille des souvenirs d'enfance et de jeunesse chez cet homme qui n'avait jamais été très sensible cependant (DP, III, p. 228, 487, IV, p. 14, 74); comme Achille, après la mort de son ami Patrocle, la vengeance de Grigori dépassera toute limite, car il ne saura même plus qui il a sabré, il boira, voudra oublier avec des femmes, jusqu'au jour où il roulera à terre en une sorte de crise nerveuse qui marque le sommet de ce calvaire : il en sort vide et sombre (DP, III, p. 360, 380-381).

Tout espoir semble définitivement perdu de le « récupérer » jamais dans les rangs des militants marxistes. En réalité, toujours selon le schéma classique des « conversions », c'est au plus profond du désespoir que la « grâce » souterraine va lui inspirer une attitude qui doit, moralement, le purifier, le recueillir et le préparer à entrevoir de nouveau la vérité : *Grigori décide de ne plus aller au feu* (DP, IV, p. 121). Comme l'âme en quête de Dieu « renonce à tous les actes moralement douteux », afin d'être dans les dispositions spirituelles *optima* pour voir la lumière, il entre en une sorte de « retraite ». En même temps, la mort de son père, celle de Nathalia, dont il se sait responsable, l'amour nouveau et violent pour ses enfants (qui comme une flammèche s'était étendu à Nathalia, mais trop tard, DP, IV, p. 207), le préparent secrètement à voir à nouveau la « vérité » et à y conformer sa vie.

* * *

La *droiture* morale emportera la décision, car le nœud gordien se tranche un jour, en faveur de la « foi », par un acte de loyauté de l'esprit et du cœur. La corruption et les intrigues des états-majors des armées blanches[12] dégoûtent Grigori; leurs « explications » sont trop subtiles pour ce « cœur droit » :

> Vous sautez à gauche et à droite comme les lièvres dans la neige. Moi mon vieux, je *sens* bien que tu ne causes pas juste (DP, IV, p. 117).

Comment croire que ces « Anglais » soient dans le vrai, eux qui, engagés chez les « Blancs », « quittent le bateau quand il coule »; par contre, les Chinois engagés chez les Rouges sont de vrais « volontaires » parce qu'ils donnent leur vie et restent parmi les fils de la terre russe (DP, IV, p. 117)[13].

L'appel de la terre natale va s'approfondissant chez le Cosaque; plus les désastres de la guerre l'en éloignent, plus l'en séparent les décès dans sa famille, plus aussi l'amour du sol ancestral se purifie. Grigori a dû abandonner Axinia, malade, dans un village près de Vechenskaïa; au cours d'une interminable « exode » dans les steppes du Kouban, vers un pays inconnu, l'amour de *son* pays rappelle, comme en écho, la vérité que Garanja, naguère, avait semée en son cœur. Arrivé à Novorosiisk, le Cosaque se sent dépaysé dans cette ville maritime battue des vents :

> Un vent salé, épais et froid, soufflait de la mer. Il apportait à la côte l'odeur des terres inconnues, étrangères. Mais, pour les cosaques du Don, ce n'était pas le vent seulement; tout était peu familier, étranger dans cette ville maritime fastidieuse, balayée par des courants d'air (DP, IV, p. 346).

Ceux qui fuient, comment seraient-ils de vrais Russes? L'insurrection contre les Rouges amène les fils de la terre du Don à devoir émigrer dans des pays étrangers, elle ne peut donc être la vérité. Cette cavalcade des Rouges qui descend des hauteurs, vers la ville,

---

12. Cfr DP, III, p. 55, 56, 142, 328, IV, p. 34, 222.
13. Il est assez piquant de voir comment, dans le tome IV, qui reçut le prix Staline, l'auteur cite le « génial généralissime », alors que, dans le tome III, il ne le nomme pas, pas plus que Trotzski (cfr DP, III, p. 495, n. 1), qui est cependant l'auteur d'un plan stratégique essentiel et le véritable organisateur de l'armée rouge; cfr DP, IV, p. 236, 264, n. 1 : « A partir du moment où le camarade Staline arriva sur le front sud... la situation changea brusquement, etc. ». Cfr DP, IV, p. 32 (sur les seize cents communistes de la « compagnie internationale »).

n'incarne-t-elle pas la patrie qui vient rechercher son fils égaré momen-
tanément? Elle est prête à lui ouvrir les bras. C'est au cœur de ces
questions, dans cette solitude battue de vents inconnus, que Grigori,
s'isolant fièrement et douloureusement de certains de ses frères cosaques,
écoutant la voix de son cœur dépouillé, de sa douleur saignante, de ses
remords aussi, tranchera le nœud gordien. Celui auquel son frère Pierre
avait dit un jour, avec bonté et perspicacité : « tu es troublé; je crains
que tu ne passes aux Rouges, tu n'as pas encore trouvé ta voie,
Grichatka » (DP, III, p. 31), choisit cette fois le chemin de l'espoir
marxiste :

> Avec un sourire, il remit en marche son cheval et avança
> dans la rue. A sa rencontre, surgirent au coin de la rue, ventre
> à terre, galopant éperdument, six cavaliers sabres au clair.
> Sur la poitrine de celui qui venait en tête, s'ensanglantait comme
> une blessure un ruban cramoisi (DP, IV, p. 349).

Ces lignes terminent en apothéose le *Don paisible :* la seule manière
d'être fidèle à la voix de la terre maternelle est de se ranger aux côtés
de ceux qui la sauvent quand ses prétendus « sauveurs » l'ont abandonnée.
Tout comme Levinson, dans *La défaite*, de Fadéev[14], il a fallu la déréliction et le désespoir pour que Grigori retrouve une vérité aussi simple
et se convertisse définitivement à l'espoir marxiste.

IV. La « Sainte Russie »

Je ne crois pas faire injure à l'auteur du *Don paisible* en estimant
quelque peu *préfabriquée* la conversion de Grigori; le flou artistique qui
enveloppe la décision finale laisse percer un doute dans le cœur d'un
écrivain plus cosaque que marxiste. Il est bon cependant que les
Occidentaux, habitués à distinguer, surdistinguer et redistinguer, se
plongent dans ce monde élémentaire *mais puissant* que la mystique
marxiste représente pour des millions d'hommes.

Il faut le reconnaître, le roman est violent mais salubre, car les
scènes brutales qui le remplissent, s'expliquent : la guerre ne peut
être autre chose que la victoire de ce qui est « animal » en l'homme.
J'aime également le mouvement cyclique, grandiose et accablant,

---

14. Voir *Kultuurleven* 20 (1956) p. 149 et *Indications*, 8ᵉ série, (19, rue
du Marteau, Bruxelles), qui donnent une analyse du roman de Fadéev. On sait
que le romancier vient de se donner la mort.

qui enveloppe la vie des héros, car ce « retour » des saisons est une des formes de l'espoir humain qui renaît à chaque printemps, à chaque enfant nouveau-né, malgré la mort des saisons et la mort des enfants. Enfin, après l'univers trop intense de Malraux et les recherches étouffantes de Kafka, au sortir de ce long voyage dans un air raréfié où seuls les intellectuels « respirent » (du moins ils le disent), je crois salubre, en cette troisième partie, le contact avec la terre fruste, avec les vivants, leurs corps, leurs passions et leurs cris élémentaires. Comme Antée, nous devons toucher « terre » et, parmi les témoins de ce troisième panneau dans notre essai, Cholokhov nous la fait saisir à pleines mains.

Mais la « terre promise » n'est pas seulement « matérielle »; elle est aussi « intérieure »[15]. Or, on s'effraye du peu d'importance accordée au sentiment chrétien, si profond chez les Russes cependant. Certes un Pope affirme justement que « le peuple russe ne peut vivre sans la foi », et que ceux qui abandonnent « ne sont que des intellectuels » tandis que « le paysan est fidèle à Dieu » (DP, I, p. 471), mais Grigori, un paysan, perd la foi sans douleur et sans crise. Sans doute aussi la religion rythme les étapes de la vie : il y a le Carême d'automne, depuis la fête de la Croix (DP, I, p. 127), la confession pascale à laquelle Grichatka se prépare durant tout le Carême de printemps (DP, II, p. 85); il y a le pain bénit, chaque dimanche (DP, II, p. 354) et saint Nicolas (DP, I, p. 332) et le Christ (DP, I, p. 36) et les usages saints, comme se signer à l'orthodoxe, les trois doigts joints, de droite à gauche (DP, I, p. 26, 228, etc); enfin il y a, *last but not least*, le sens du péché, dont fait preuve le vieux Pantelei Melekhov, quand le rusé compère, qui en a quelques-unes sur les cornes cependant, n'hésite pas à dire à son garnement de fils « que ce serait un péché que d'aller avec Axinia, la femme d'un voisin » (DP, I, p. 19).

Mais, tout cela n'est que vernis superficiel et il suffit de lire la description de la nuit pascale, cependant le sommet de l'année profane et chrétienne chez les Russes, pour mesurer la « réduction » systématique que fait l'auteur à l'égard de toutes les vérités religieuses :

> Pendant la nuit de Pâques, le ciel se couvrit d'un nuage noir qui suintait la bruine... Le Don commença à charrier des blocs. Tandis que la cloche de l'église sonnait les « douze évangiles », d'énormes amas de glace se heurtaient dans le fleuve, ébranlant les rives... Les jeunes gens s'étaient attroupés dans la cour

---

15. Gleb STRUVE, *op. cit.*, p. 117-118, n. 1 souligne le rétrécissement des perspectives en face de la grandeur de Tolstoï; que dire alors d'une comparaison du même Cholokhov avec l'œuvre de Dostoïewski?

de l'église parsemée de petites mares gelées. La voix sonore des officiants lisant les Écritures arrivait jusqu'à la cour par la porte ouverte sur le parvis; une lumière joyeuse et consolante s'épandait par les fenêtres grillagées; dans la cour, les garçons pinçaient les filles qui poussaient de petits cris étouffés. On s'embrassait dans l'obscurité, on se racontait des histoires gaillardes (DP, I, p. 269).

Breughel connaît, lui aussi, des « kermesses » et des « ducasses » où l'on pince les filles et raconte des histoires gaillardes : les « douze évangiles » en moins, l'histoire est partout la même; mais cela n'empêche pas qu'il y ait *aussi*, dans le cœur de ces « fidèles », un sens religieux authentique; l'auteur, lui, voit dans la religion un culte rétrograde ne réunissant que des femmes qui sentent mauvais et sont superstitieuses[16] :

Mitka traversa de nouveau le rideau épais des diverses odeurs qui lui saisissaient les narines et lui retournaient le cœur : puanteur de la cire brûlante, dégagement fétides des corps de femmes en transpiration, relent de sépulcre de vêtements sortis des coffres à l'occasion de la fête, émanation du cuir trempé des chaussures, exhalations des estomacs vides des fidèles... (DP, I, p. 271).

* * *

Le drame de la Russie chrétienne est là; sa religion, très profonde en ses aspirations spirituelles, est restée en marge d'un dialogue avec l'intelligence scientifique qui prétend déchiffrer le sens de l'histoire. Le vieux Grichatka, presque centenaire, incarne la « sainte Russie », vénérable mais stagnante.

Durant sa jeunesse, il a fait les quatre cents coups : quand il revint du régiment, toutes les femmes du *khoutor* furent à lui, racontait-on (DP, III, p. 378). Maintenant, il est vieux, abandonné dans le village presque désert : il attend la mort comme une invitée (DP, I, p. 124); durant le carême, il jeûne et fait ses dévotions (DP, I, p. 260), lisant un « évangile » relié en cuir (DP, I, p. 286); des odeurs d'« encens, de moisissure et de crasse » l'entourent (DP, III, p. 373). Aussi bien, durant les « semaines d'années » de cette guerre et de cette révolution, le vieux lit exclusivement la Bible; il retrouve dans Ézéchiel, Daniel, l'annonce de la venue de l'Antéchrist :

---

16. Quelques erreurs parsèment les rares pages religieuses du roman; cfr DP, I, p. 290, et II, p. 85.

Que ce soit le gouvernement de l'Antéchrist, c'est tout de même Dieu qui nous l'a donné, dit-il... Celui qui lève l'épée périra par l'épée (DP, III, p. 375).

Le fatalisme, si fréquent dans l'attitude chrétienne de l'orthodoxie slave, inspire l'idée que tout gouvernement est plus ou moins diabolique, mais que malgré tout, il faut s'y soumettre[17], car *tout* recours à la résistance armée est proscrit. Passant en revue sa vie, le vieux ajoute :

Il me semble que, hier encore, j'étais jeune, bien portant, avec des boucles blondes... Et aujourd'hui, au réveil, la décrépitude... La vie a brillé un court instant, comme un éclair de chaleur en été, et elle n'est plus... Je suis devenu faible ....Dieu m'a sans doute oublié. Parfois je le prie ; « Tourne ton regard, Seigneur, sur ton esclave ». Grigori! Je suis de trop sur la terre et elle me fatigue aussi (DP, III, p. 374).

La tragédie est qu'un marxiste soit incapable de reconnaître ici, au-delà d'une lassitude assez peu chrétienne[18] devant cette terre, *un sentiment profondément vrai*, le désir d'aller au-devant de son Seigneur et Sauveur. Micha Kochevoï « croit faire hommage à Dieu » en massacrant le vieillard croyant[19], parce qu'il est incapable d'entendre

---

17. L'orthodoxie est partagée entre un double sentiment : celui du caractère quelque peu suspect de *tous* les pouvoirs terrestres, et celui de la nécessité de se soumettre à ces mêmes pouvoirs, de ne pas lever l'étendard de la révolte ; la théologie catholique connaît, au contraire, une doctrine de la « révolution juste » ; elle l'expose en général sous le titre « De modo agendi erga legem iniquam » ; si l'on admire en passant la prudence du petit mot « *erga* » (« en face », « envers » une loi inique, et non directement « contre » elle), on n'oubliera cependant pas que le terme « *agendi* » implique qu'une *action* positive puisse être tentée.

18. Il semble que l'on puisse distinguer une lassitude normale de l'homme qui a vieilli sur cette terre, et un fatalisme qui n'a que de lointaines attaches avec la foi chrétienne. Le premier sentiment, saint Ignace l'exprime en disant le mot célèbre : « *Quam sordet tellus cum coelum aspicio* », « *Que la terre me semble sordide lorsque je contemple le ciel* » ; le sentiment de la fragilité de tous les efforts terrestres *doit* envahir une âme chrétienne, parce que, en vérité, seule la puissance de l'Esprit est à même de sauver la « vie ». Le second sentiment, de fatalisme, se glisse souvent à la place de la vraie espérance en Dieu. Saint Martin de Tours témoignait assez bien d'un équilibre supérieur quand il disait au Seigneur qu'il ne refusait pas de vivre, « s'il était encore nécessaire à ses ouailles », mais qu'il était prêt aussi à mourir si Dieu le voulait. Le malheur est que le détachement véritable est confondu trop souvent avec la passivité et la résignation négative, alors qu'il est le fondement de la *disponibilité* maximale. Dans les paroles du vieux Grichatka, il y a quelque chose du fatalisme, mais aussi de l'espérance authentique.

19. Le personnage de Michka est un des plus complexes du roman : c'est un « cœur simple » (DP, III, p. 241), il aime profondément sa mère (III, p. 252), est tendrement amoureux de Dounia, la sœur de Grigori (DP, III, p. 509) ; mais il

cette voix qui parle d'une autre cité, radieuse et divine, qui descendra un jour ici-bas et vers laquelle Grichatka, centenaire, s'en va, avec la joie de celui qui aime :

> Comme ce n'est pas de mon propre mouvement... mais par la volonté de Dieu que je suis venu... Seigneur, reçois ton esclave... en paix (DP, III, p. 506).

* * *

Quelques semaines auparavant, le vieux s'était trouvé en présence de Grigori, sombre et écœuré de la vie; comme un prophète hanté, Grichatka avait alors récité au jeune Cosaque les mots du Livre :

> Mon peuple était un troupeau de brebis perdues; leurs bergers les égaraient et les laissaient errer par les montagnes. Elles allaient de colline en colline (DP, III, p. 376).

Grigori a beau « mal comprendre le vieux slavon »; il a beau se dire que tout cela est radotage de brigand converti sur le tard, ces textes disent la tragédie de la Russie entre 1914 et 1918 : somnolente dans la routine et le fatalisme, elle a été réveillée par des « pasteurs » qui lui ont présenté des vérités chrétiennes arrachées de leur sol maternel, désintégrées, délitées et éclatées comme des grenades. Le marxisme russe est un *espoir humain* né de nos négligences et trahisons de chrétiens, mais il est aussi *désespoir inhumain*, absence de pitié[20] et « troupeau de brebis livrées à de mauvais bergers ». Lorsque les accents du vieux Grichatka mourant n'éveilleront plus d'échos, la vie ne vaudra plus la peine d'être vécue.

---

est animé de ressentiment (III, p. 506), surtout depuis la mort de Stockmann (III, p. 490); aussi bien, devant Grichatka, le vieillard qui marmonne ses textes bibliques, la haine lui inspire des paroles atroces (DP, III, p. 503-504), mais il les prononce « en serrant ses lèvres pleines comme celles d'une jeune fille » (DP, III, p. 504). Malheureusement, le personnage est seulement esquissé, aucune tentative d'explication en profondeur n'est tentée. Cfr aussi les effroyables détails sur Mitka Korchounov, chargé du détachement punitif des armées *cosaques* insurgées (DP, IV, p. 124).

20. Le second grand roman de Cholokhov, *Terres défrichées* (traduit auss sous le titre *Les défricheurs*) est écrit en style plus simple, celui du réalisme socialiste, bien que Gleb STRUVE, *op. cit.*, se demande en quoi ce réalisme est encore « socialiste » (p. 261, où l'on trouvera en même temps une analyse de l'œuvre; cfr aussi p. 143-144). Une scène narre, par exemple, comment la sentence décidée par la « réunion des pauvres » du kolkhoze est appliquée à un Koulak : la brutalité de l'expulsion d'une famille entière, surprise au déjeuner, est intolérable et rappelle les pires excès de ce qu'on appelait le « capitalisme » (cfr un extrait dans M. SLONIM et G. REAVEY, *Anthologie*, p. 210-219; prendre la traduction D. ERGAZ, à la NRF).

CHAPITRE III

Thierry Maulnier et la terre promise de la pitié

Je ne sais si mes lecteurs connaissent l'œuvre de Thierry Maulnier. Du temps où j'enseignais en classe de seconde, son *Introduction à la poésie française* me servait souvent de fil conducteur. Pessimiste intelligent, Maulnier choisit les auteurs qui unissent une forme impeccable à un sens du mystère et de la nuit. La poésie doit être, selon lui, une sorte de « diamant noir » : des poètes comme Scève, Garnier, d'Aubigné, Jodelle, Mallarmé, Valéry ont donc ses préférences. On se souvient peut-être aussi de son très beau livre sur Racine : jamais un critique n'a aussi bien montré dans l'auteur de *Phèdre* les orages passionnels remplis d'une électricité soufrée, nous atteignant dans la versification la plus unie, apparemment. Enfin il a écrit les deux drames qui inspirent ce chapitre[1].

Thierry Maulnier, que les critiques pressés rangent dans la « droite », est un nietzschéen convaincu; son beau livre sur le solitaire de Sils Maria le montre, ainsi que certaines notations éparses dans l'introduction à *La maison de la nuit* : le dramaturge y parle « de l'angoisse de toute existence » et du « malheur d'être né »; le mal « est universel », « peut-être que toute vie est le lieu d'un conflit déchirant et insoluble; il se peut qu'il n'y ait pas de solution; c'est même le plus probable ». Rien ne peut délivrer de cette angoisse : « Il n'est pas prouvé ni probable que l'amour de l'homme et de la femme apporte une solution au problème de l'existence; bien sûr, cet amour est fuite et refuge, rêve et fable,

---

1. *Le profanateur*, Paris, 1952; *La maison de la nuit*, Paris, 1954. Comme le thème du *Profanateur* sera repris dans le tome suivant, à propos de Hochwälder, je me suis borné à une esquisse de la pièce et à une seule citation; par contre le drame de *La maison de la nuit* nous introduit dans la dimension de l'aventure *intérieure* et oblige à dépasser l'espoir marxiste, par en haut, et à poser ainsi le problème de l'espoir devant la conscience de l'Occident. Les chiffres entre parenthèses, dans le texte, ainsi que les passages cités en notes, quand ils sont sans autres indications, renvoient à l'édition Gallimard, soit aux répliques de la pièce, soit à l'introduction de Thierry Maulnier lui-même.

mystification de chacun par l'autre et de chacun par soi-même ». Les êtres sont abandonnés : certains n'ont jamais « obtenu de personne sur la terre cette approbation, cette confirmation de soi que les vivants angoissés par le vide demandent à la puissance, à la possession, à la gloire, à la tendresse ». Il n'est du reste « pas prouvé qu'il y ait un accord possible entre la pitié et la vie »[2].

I. Le dilemme de la pitié et la vie

Les drames écrits par Thierry Maulnier, *Le profanateur* (1952) et *La maison de la nuit* (1954), abordent deux aspects de l'angoisse de l'Europe : faut-il partir en « croisade » contre le mal? En face de l'espoir incarné par les « archanges du marxisme », quelle place reste-t-il encore à la pitié et à la tendresse? Les uns optent pour le « parti de Dieu » (qui implique souvent la bombe atomique comme moyen de croisade);

---

2. Le sentiment fondamental de la vie chez Maulnier s'apparente donc à celui de Malraux (l'auteur de *La maison de la nuit* a du reste adapté au théâtre *La condition humaine*); on retrouve même l'essentiel des idées malruxiennes sur l'art dans quelques pages de l'introduction : « Rien ne peut faire que le véritable domaine de l'art, de l'art dramatique comme des autres arts, ne soit cette permanence qui nous unit par-delà le temps et l'oubli, par-delà la chute des dieux et la dissolution des empires, aux témoignages qui nous ont été laissés depuis les dessins rupestres de la préhistoire d'un même mystère et d'un même sacré, d'un même espoir, d'un même tourment humains. A jamais quelque chose de l'homme échappe à l'instant qui le séduit ou l'écrase vers le ciel de sérénité peut-être sans espoir où tout cri se fait chant. L'art se fonde en nous sur ce qui résiste à l'histoire, et c'est pourquoi il est le seul langage de siècle à siècle, le seul langage de la permanence. Le plus modeste des artistes tente de briser non seulement sa solitude individuelle, mais de franchir vers l'avenir la borne de sa propre mort... Au regard de l'artiste... toute l'histoire est anecdote, devient anecdote. Toute histoire est emportée dans son mouvement vers l'inactuel. Mais la protestation ou la résignation humaine, l'adoration ou la révolte humaine, la cruauté humaine et l'amour humain, la possibilité ou l'impossibilité d'un accord de l'homme avec son semblable, d'un accord de l'homme avec l'atroce création sont la seule matière véritable de l'œuvre d'art, le fond stable où l'œuvre d'art s'ancre contre le temps » (p. 17, 18-19). Ce texte dessine quelques traits de l'univers spirituel de Maulnier, et permet de dégager la signification profonde de *La maison de la nuit*. Pour Maulnier, le mystère et le sacré, l'espoir et la douleur sont des visages variés d'un même déchirement entre l'homme et l'atroce création; il est difficile de ne pas songer ici au « monstre de force » dont parlait Nietzsche à propos de l'univers : le seul « salut » de l'homme, sa seule possibilité d'échapper au néant qui l'écrase, c'est sa « protestation », « son cri » « vers le ciel de sérénité peut-être sans espoir où tout cri se fait chant ». L'histoire n'a pas de signification; elle est anecdote; elle dévale vers le gouffre de l'inactuel : la seule « éternité » de l'homme, c'est celle de l'art, car, là seulement, il est possible de « s'ancrer contre le temps ».

les autres parient pour l'espoir marxiste. Quelle option doit l'emporter?
Prêcher une croisade anticommuniste ou opter pour la force impitoyable des bâtisseurs de la cité marxiste?

Maulnier rejette ces deux solutions[3]. Wilfrid de Montferrat, « le
Profanateur », refuse de s'engager dans la croisade que la ville de
Mantoue décrète contre Frédéric Barberousse. Wilfrid ne croit pas plus
à la cause de l'Empereur qu'à celle de l'Église : déçu, dégoûté du jeu
de la politique et de la religion, il se révolte contre l'autorité, contre
Dieu; il provoque la divinité, mais l'on sent dans sa révolte on ne sait
quelle espérance secrète que Dieu ne soit pas semblable à l'image qu'il
en voit sur le visage de ses « croisés » : « Vous êtes », leur dit-il, « de ces
gens ennuyeux qui viennent sommer de prendre parti ceux qui n'ont
pas le goût de prendre parti... Il arrive que dans un coin du monde,
l'existence des hommes se fasse à peu près supportable... Et voilà que
surgissent les porteurs de grandes pensées, les inventeurs de grands
événements, les héros, les apôtres, les faiseurs de devoirs, d'ennuis et
de cadavres. Alerte! Insurrection! Croisade! Liberté! Religion!
Repentez-vous! Vous viviez dans le péché. Prenez les armes : vous
viviez dans la honte. Fini de rire. Fini de caresser vos maîtresses dans
l'insouciance. Fini de chanter, si ce n'est en chœur. Fini de penser, de
jouir, de souffrir pour soi-même. Dilatez vos poitrines, relevez vos
mentons; une grande cause vous attend, une grande cause avec sa
grande gueule pour vous dévorer. Tout cela ne me plaît pas... Je n'ai
pas de goût pour les intérêts de votre Église, ni pour les décisions de
votre pape » (*Le profanateur*, p. 103-104)[4].

* * *

La maison de la nuit aborde l'autre panneau du drame européen,
celui du marxisme. Au moment où le rideau se lève, le spectateur

3. L'auteur n'a pas voulu dans *La maison de la nuit*, écrire une « pièce politique »,
non seulement parce qu'il espère avoir donné sa chance à chacun de ses personnages,
y compris celui qui incarne le communiste dans toute sa force, mais surtout parce
qu'il s'efforce d'atteindre, à travers un cas précis et terriblement actuel, « le ciel de
la sérénité »; en d'autres mots, Maulnier veut nous faire réfléchir devant une image
de la condition humaine de tous les temps. C'est le conflit, que l'auteur croit insoluble, entre la politique, la vie, d'une part, la pitié, la tendresse et l'amour, d'autre
part, qui est au cœur de cette pièce remarquable.

4. Personnellement, je trouve que *Le profanateur*, peut-être artistiquement
supérieur, est manqué au point de vue du jaillissement humain : en réalité, la
« croisade » n'est qu'un prétexte pour Wilfrid de Montferrat, car elle n'est là que
pour lui permettre d'affirmer son détachement total en face de *tout* engagement
quel qu'il soit, y compris celui de la « pitié » et de l'amour. Si j'ai esquissé la silhouette
de Wilfrid, c'est que quelques-uns de ses traits se retrouvent dans Hagen, ainsi
qu'on le verra plus loin.

découvre une chambre bizarrement meublée, plongée dans une demi-obscurité; une pendule marquera l'heure, inexorablement, durant le déroulement de l'action. Une comtesse romantique et désabusée joue aux échecs avec Adler, un personnage dont on ne saura l'identité que tout à la fin. Des cris retentissent, des coups de feu déchirent la nuit qui enveloppe la demeure où nous sommes introduits. Peu de temps après, la porte s'ouvre sur une série de personnages : ce sont des fugitifs qui, conduits par le « passeur », Klossowski, viennent d'échapper à l'enfer de la République de l'Est dont la frontière est voisine et qui s'apprêtent à rejoindre la frontière de l'Ouest, où « ceux qui ont choisi la liberté » trouveront asile. La bicoque du passeur est située dans l'espèce de *no man's land* qui s'étend entre les deux frontières. C'est vraiment la « maison de la nuit ».

Peu à peu les personnages révèlent leur identité. Il y a Werner, le ministre « libéral » de la république de l'Est : lassé par la comédie qu'on lui fait jouer, il fuit vers l'Ouest avec Catherine, sa secrétaire et sa maîtresse; il a froidement abandonné Lise, sa femme, une pécore qui incarne l'irrémédiable médiocrité humaine en même temps que l'abandon et la solitude d'un être perdu dans un monde inhumain. Avec une obstination de bête, Lise parviendra à passer la « ligne » et à rejoindre son mari dans la maison de la nuit. Deux autres personnages, Lazare Krauss « l'archange furieux de l'espoir marxiste », et Hagen, un communiste désabusé, sont « des moutons » qui, se faisant passer pour des fuyards en quête de la liberté « occidentale », doivent en réalité surveiller les faits et gestes de Werner. Enfin, Lydia, une petite fille de 16 ans, habite en permanence avec Klossowski : elle n'a connu de l'existence que les horreurs de la victoire russe; elle n'oubliera jamais les scènes de viol et de sang que, gamine de 10 ans, elle a contemplées; elle est là, comme cette pendule et ces meubles ramassés aux hasards de la débâcle et réunis dans la maison de la nuit.

Au moment où débute le drame, la frontière de l'Ouest est provi-soirement fermée : les fugitifs doivent donc s'arrêter dans cette maison qui est située « entre la nuit et le jour, entre le oui et le non, entre la mort et la vie ». Werner pourrait passer immédiatement, car les Occidentaux attendent son arrivée et feront exception pour lui. Il s'agit donc, pour Hagen et Krauss, de retarder le plus possible le passage du ministre libéral : pendant que Krauss ira chercher les ordres, en repassant la frontière, Hagen devra retenir sous n'importe quel prétexte cet otage important. Hagen ne trouve d'autre moyen de retarder la fuite de Werner que de lui jouer le jeu de la pitié. Sans doute le marxiste méprise-t-il ce « sentiment bourgeois »; il n'a que faire de ces hésitations qui retardent la victoire de la société sans classe; mais, puisque Werner est un libéral qui se prétend cultivé, il doit être possible de lui montrer la goujaterie qu'il commet en abondonnant Lise, sa femme. Hagen réussit, car Werner décide de la rejoindre et de « passer » avec elle.

Les ordres que Krauss rapporte sont abominables : il faut tuer tous ceux qui sont dans la « maison » de la nuit et camoufler ce massacre de sorte que les « diplomates occidentaux » croient que ce « paquet » de réfugiés a été pris dans le feu des mitrailleuses des douaniers de la frontière de l'Est. La petite Lydia aime déjà Krauss et celui-ci se sent attiré vers elle, mais elle doit périr, en même temps que la comtesse dérisoire, que Catherine l'ardente maîtresse de Werner, que Lise, l'accablante bavarde, que Klossowski et le mystérieux Adler : un cas, entre mille, des « œufs que l'on doit casser » pour faire l'omelette.

Le drame arrive à son sommet lorsque Lise se rend compte qu'elle est abandonnée *de tous*, car Werner s'est à nouveau détourné d'elle, (il vient de se suicider très romantiquement au cyanure, en même temps que sa secrétaire); Hagen supporte de moins en moins de voir la dialectique marxiste assassiner la pitié : quand elle prend le visage de Lydia, de Lise, elle devient une folie sanguinaire[5].

* * *

Le drame est *immédiat*, car la « politique » à qui il fait une si grande part peut nous atteindre aujourd'hui, demain et « la révolution viendra pour tout le monde »[6]; il n'est donc pas question de suivre cette pièce

---

5. Je cite un passage du résumé donné par Maulnier : « en jouant avec la pitié, Hagen a joué un jeu dangereux. Il la croyait morte en lui, tuée par la « doctrine » et ses activités de partisan; elle n'était qu'endormie. Il voit d'un œil nouveau ces gens, — il y a des femmes, Catherine, la comtesse, Lise, une jeune fille, Lydia, — qu'il va falloir tuer en même temps que Werner, pour que nul ne puisse témoigner que le ministre a voulu s'enfuir. Cela, il ne le peut plus ».

6. « La politique à qui elle fait une si grande part n'est pas retranchée de nous, soustraite à notre prise, pure matière théâtrale, pur objet de contemplation dans le musée intemporel de l'histoire des temps passés. C'est la politique d'aujourd'hui, c'est celle dont nos journaux sont pleins, c'est celle qui affronte dans nos rues la police et les émeutiers, c'est celle qui fera peut-être demain de vous, de moi, des meurtriers ou des victimes » (p. 14). Et, un peu avant, Maulnier écrit : « La révolution, elle, est peut-être pour demain. On l'a vue se déchaîner déjà à travers des nations qui ressemblaient à la nôtre. Elle n'est peut-être pas imminente. Mais elle pèse de toute sa poussée prometteuse ou menaçante, plus menaçante que prometteuse pour le citoyen solidement établi dans son confort matériel et dans ses idées reçues... sur notre existence de tous les jours. Si elle vient, elle ne viendra pas seulement pour quelques victimes choisies, mauvais garçons ou prostituées de l'autre côté de la barricade, ou pour ces quelques malchanceux que le hasard désigne au couteau d'un fanatique, aux balles d'une femme jalouse, à la colère d'un rival exaspéré. Elle viendra pour tout le monde » (p. 12-13).

comme on contemple sur scène la mort des héros; l'angoisse est alors plus forte que dans la vie réelle, et plus légère, parce que nous la vivons dans la fiction; nous savons bien que « la mort viendra pour tout le monde... mais elle est un inévitable dont nous avons pris l'habitude » (p. 13). Ici, nous sommes serrés à la gorge par une menace qui plane sur l'Europe entière, et sur le monde : « il faudrait faire quelque chose »[7].

En même temps, au-delà du drame « politique », il y a une tragédie qui est *de tous les temps*, le conflit entre la politique et la pitié, entre la tendresse, même si elle est mystification, et la vie : à la limite, — et le marxisme permet de concrétiser cette « limite », — la politique triomphante aura construit un univers « rationnel », mais atrocement inhumain; mais, à la limite aussi, — et la bêtise têtue de Lise incarne cette « limite », — la pitié victorieuse aura dévasté l'ordre social et politique, car la violence est inévitable dans les sociétés terrestres, ne fût-ce que sous forme de ce minimum de contrainte sans lequel aucune ne peut s'élever vers le bien commun.

Au plan humain, pour l'auteur, il n'y a pas de solution; les personnages sont *tous* également bien dessinés, tant le marxiste intégral, Krauss, que celui qui doute, Hagen; les personnages féminins sont peints avec la force que donne la tendresse vraie. La dialectique de la vie nous affronte à une antinomie dont nous avons vu déjà, à propos de Malraux, de Vercors et de Cholokhov, la tragique urgence, mais qui apparaît ici d'une manière plus stylisée et plus intérieure. Un « au-delà du marxisme »[8] se laisse pressentir, que tout le propos de ce chapitre est d'essayer de mettre en lumière, car il s'agit cette fois des « falaises de la terre promise », entrevues dans la brume sanglante qui enveloppe le crépuscule des idoles.

---

7. « Bien sûr, nous ne pouvons pas plus empêcher les mitrailleuses soviétiques d'ouvrir le feu sur les ouvriers de Berlin en grève que nous ne pouvons empêcher la Saint-Barthélemy. Mais l'impossibilité est d'un autre ordre, et nous le sentons. Chacun de nous est solidaire de toutes les victimes et de tous les coupables, chacun de nous est responsable de toute l'histoire humaine, mais cette menace et cette culpabilité, rien ne peut faire qu'elles ne soient plus évidentes, plus directement ressenties là où elles sont liées à la pensée : « Il faudrait faire quelque chose », là où elles concernent l'histoire de notre temps » (p. 10-11).
8. Cet « au-delà du marxisme » est conçu ici en un sens bien différent du thème qui avait fourni son titre, jadis, à Henry De Man.

II. L'espoir marxiste contre l'espoir des hommes

1. Un archange furieux de l'espoir marxiste

« A tout homme il faut sa part d'espoir » (p. 227), sous peine d'asphyxie morale. Le marxisme veut forger « un monde nouveau, dans la violence et l'espoir » (p. 160). Lazare Krauss représente dans la pièce une certaine forme de « l'espérance du monde » (p. 23). Il y a en lui la dureté de l'adolescence fanatique, nourrie de convictions abstraites (p. 35) et qui n'est pas encore sortie de l'âge impitoyable.

En face des rêveries pittoresques et voluptueuses de la Comtesse, de Franz et de Catherine, la dureté marxiste semble à Krauss une salubre lucidité, car elle vise une action constructrice. La règle est de n'avoir confiance en personne (p. 106); il n'est pas question de faire ce que nous aimons de faire, mais bien d'accomplir ce qu'il faut (p. 106) et la solution qu'impose le parti n'est pas la bonne, c'est « la seule » (p. 179). L'honneur révolutionnaire est de savoir renoncer aux « circonstances atténuantes » : la révolution est la seule guerre juste et la question n'est pas de se faire tuer, même par héroïsme, mais de tuer les autres (p. 137-138). Krauss ne veut pas qu'il y ait dans sa vie des circonstances exceptionnelles, comme ces hasards de la guerre qui permettent à la « sentimentalité bourgeoise » de prendre conscience d'elle-même et de s'exalter dans une « expérience de choix »; le militant marxiste affirme que même sa mort « sera un jour ordinaire » (p. 108).

Au mot de Hagen : « On ne délivre pas les hommes en un jour de toute la souffrance de l'histoire » (p. 163), Krauss fait écho en affirmant :

> Nous marchons dans le sang, Hagen, nous marcherons dans le sang pendant des années encore. Nous piétinons toute la douleur de l'histoire humaine. Nous devons tuer parce que nous devons vaincre. Les agents de l'ennemi, quand ils doivent s'assurer d'un silence, crois-tu qu'ils hésitent? (p. 182).

Krauss sait bien que cela est abominable (p. 182); il sait qu'il faut faire litière de la pitié :

> La pitié est un point faible, comme un autre. Si nos ennemis étaient vraiment sans pitié, il n'y aurait aucune chance pour nous de vaincre. Les civilisations qui pourrissent, pourrissent aussi par la pitié (p. 180).

Ce mot terrible exprime crûment le « réalisme » de la dialectique marxiste. Seulement, tandis que Werner sacrifie un être vivant à son

bonheur personnel, les marxistes sacrifient les vivants au bien de
l'humanité :

> Tout se paie? Pas de bonheur, pas de liberté sans victimes.
> Mais rendez-nous cette justice : nous autres, du Parti, le prix
> que nous faisons payer, ce n'est pas nous qui l'encaissons. Nous
> ne travaillons pas pour nous. Nous tuons, oui, mais nous tuons
> parce que nous avons un monde à faire vivre, parce que nous
> voulons donner un sens acceptable à l'histoire des hommes.
> Vous, c'est pour votre seul compte, à votre seul profit, et sans
> trop de scrupules, semble-t-il, que vous allez procéder, dans
> quelques minutes, à votre petit sacrifice humain. Au revoir,
> Monsieur le Ministre d'État et bon voyage! (p. 164).

Le marxisme est une « pseudo-mystique » où l'on trouve le don de
soi, le sacrifice des intérêts personnels, l'engagement responsable et
aussi la nécessité d'accepter la violence présente aussi bien dans la vie
individuelle que dans les sociétés démocratiques; puisque la violence
est inévitable, et donc la souffrance, le marxiste s'efforce de la lier à
un sens de l'histoire dont il a la certitude d'être le seul dépositaire[9].

Lorsqu'il se résout, parce que les ordres sont là, à sacrifier Lydia,
qu'il aime, Krauss éprouve le sentiment « d'une atroce abnégation,
qui est une des formes authentiques de la grandeur ». Il est déchiré,
et, dans ce déchirement même, il éprouve «une sorte de joie» : dans ce
qu'il souffre, il y a « une chance pour lui qu'il puisse payer de sa propre
souffrance celle qu'il va infliger…; c'est lui-même qu'il torture… Il
lui serait sans doute plus facile de donner son propre sang. Mais son
sang ne lui appartient pas. Ce qui lui appartient, c'est cet attachement
qui s'est noué entre lui et Lydia, c'est son horreur devant la mort de
Lydia. Il les donne. Il y a dans cette dévastation volontaire de soi-même

---

9. Le problème déjà posé par MERLEAU-PONTY, dans *Humanisme et terreur*,
est de ceux qui hantent la conscience moderne. Le christianisme affirme aussi qu'il
est inévitable que les hommes souffrent; il combat sans cesse la cause de cette
violence dans le monde, le péché; mais il sait bien que l'autorité, par exemple, est
nécessaire, et donc aussi une certaine contrainte : sans doute, selon ce que dit saint
Thomas, cette contrainte doit être réduite au minimum, l'idéal étant celui d'une
société où la loi est observée par conviction intérieure de chacun; mais un certain
minimum de coercition existera toujours. Le marxisme combat une certaine hypocrisie très « démocratique » selon laquelle il n'y aurait pas de contrainte et pas de
violence dans leurs sociétés. Le marxiste préfère une contrainte avouée, une violence
affirmée explicitement, mais reliée à un sens de l'histoire. C'est en cela qu'il est
une mystique, dévoyée sans doute, mais dont la puissance de pénétration s'est révélée
foudroyante. Il y a un « sacré » dans le marxisme, mais il fait penser à ces manifestations fanatiques et terrifiantes qui détruisent des milliers d'hommes. Impossible
de ne pas penser, devant ce fanatisme sacré, à ces mystiques millénaires de l'Asie,
dont Malraux a dit la menace.

offerte à un dieu exigeant une exaltation sauvagement heureuse ».
« C'est pour l'avenir que je sers que j'arrache de mes propres veines
chaque goutte du sang de Lydia. C'est pour lui que je meurs à la
jeunesse, à l'amour, à la pitié humaine. C'est pour lui que je meurs... »
(p. 36-38) pourrait-il dire ; et, dans le drame, il l'affirme :

> La victoire est à celui qui hésite le moins. La victoire est
> à celui qui tire le plus vite. C'est la règle du jeu et nous n'y
> pouvons rien. Nous n'avons pas choisi ce monde d'esclavage
> et d'imposture, ce monde de la préhistoire auquel nous essayons
> d'imposer la volonté de l'homme, la justice de l'homme. Il y a
> Lydia, et Lydia est une petite fille innocente, et Lydia m'aime.
> Qu'est-ce que cela peut changer? Si Lydia ne m'aimait pas,
> serait-elle moins innocente? Pourrais-je la tuer avec plus de
> sérénité? Il y a Lydia. Mais il y a des milliers d'autres Lydia
> qui sont mortes, parce qu'elles étaient contre nous, ou parce
> qu'elles étaient par malchance à l'endroit où l'on se battait,
> et que les bombes et les balles ne choisissent pas toujours, et
> nous les avons tuées parce qu'ils nous reste les trois quarts de
> la terre à délivrer de la servitude, parce que, sur les trois quarts
> de la terre des dizaines de millions de Lydia rentrent le soir de
> l'usine, épuisées, vers une soirée sans espoir, laissent mourir
> leurs enfants parce qu'on ne leur a jamais appris comment il
> faut soigner les enfants, se couchent tuées par la faim dans la
> boue jaune de l'Asie, ou s'offrent sur les boulevards d'Europe
> au plaisir et au mépris des maîtres qui ont fait d'elles ce qu'elles
> sont. Je suis le fils d'une prostituée de Stettin, Hagen (p. 182-183).

Le trait final révèle le ressentiment qui mure « l'archange de l'espoir
marxiste » dans l'impitoyable obéissance aux ordres du parti ; le fils
de la prostituée est hanté par ces milliers de femmes qui « s'offrent sur
les boulevards de l'Europe au plaisir et au mépris des maîtres qui
ont fait d'elles ce qu'elles sont ». Cette Europe matérialiste, qui a
oublié son christianisme, ou, ce qui est pire, qui fait semblant d'être
marquée par lui, mais vit en contradiction avec les principes élémentaires des *Béatitudes*, est une criminelle, aux yeux de cet adolescent
furieux que soulève l'espoir d'un monde meilleur.

2. Le calvaire de l'Europe

a. « Vous avez pris le parti de l'humanité contre les hommes... »

Werner, le politicien « libéral » de la République de l'Est, exprime en
une phrase l'atrocité du marxisme : « Vous avez fait du monde un
monde sans pardon » (p. 158) ; à Catherine, il avait déjà dit :

C'est à cela que j'ai voulu m'arracher, à ce monde où la
femme doit se méfier de son mari, le frère de son frère. A ce monde
où un fils écrit au tribunal où son père comparaît pour trahison :
« Je demande que mon père soit condamné à mort et je demande
qu'on lui lise ma lettre. » A ce monde où l'on doit acheter la vie,
— au prix du dégoût de soi-même. Mais le temps de la peur est
fini. Fini, le temps de la honte (p. 89).

Inutile de commenter ces lignes : la presse occidentale en donne
tous les matins des exemples; il vaut mieux citer d'autres mots de
Werner, plus décisifs encore :

Que vous importent mille, cent mille êtres humains? Les
camps de travail forcé pour les opposants, les traîtres et les tièdes,
les déportations qui ont frappé des provinces entières, vous ne
les désavouez pas? La terreur qui fait que chaque nuit, malgré
la menace des tours de guet, des projecteurs, des mitrailleuses
et des chiens dressés à la chasse à l'homme, tout le long de cette
frontière, des milliers d'hommes et de femmes jouent leur vie,
quitte ou double, pour s'évader de votre univers impitoyable
comme on s'évade d'un bagne, vous ne la désavouez pas? *Vous
avez pris le parti de l'humanité contre les hommes.* Vous avez
pris le parti de tuer, aussi nombreux qu'il le faudrait, tous ceux
qui seraient des adversaires ou seulement des obstacles (p. 160-161).

Lorsque Hagen lui répond que l'on « ne construit pas un monde
sans accepter que des ouvriers tombent des échafaudages », Werner
rétorque :

Je vous parle des bagnes et vous me répondez avec les barrages.
Mais vous ne pouvez pas me donner la preuve que pour construire
des barrages, les bagnes soient nécessaires. Les rois bâtisseurs
d'Assyrie scellaient leurs prisonniers vivants dans les remparts
de leurs forteresses. Vous aussi, à votre manière, vous murez
vos victimes dans le béton de vos digues, de vos usines, de vos
cités nouvelles. Je ne veux pas de vos digues, de vos usines,
de vos villes avec ces milliers d'yeux ouverts pour l'éternité
qui regardent les vivants à travers l'épaisseur des murs
(p. 163-164).

Werner s'en va, parce qu'il ne peut plus supporter cela :

J'ai cessé de croire à la possibilité d'une collaboration loyale
entre votre Parti et les partis libéraux. Je pars parce que j'en
ai assez de vous entendre répondre à ceux qui vous accusent
d'avoir étouffé les libertés et bâillonné l'opposition : « Calomnie,
le libéral Werner est toujours dans notre gouvernement. » Parce

que votre but est de sauver les hommes de l'humiliation et
parce que votre méthode est de les mépriser (p. 161-162).

L'Europe est, pour Werner, la terre promise de la liberté et du
bonheur :

> Toute une vie, Catherine. Imaginez-vous cela? Nous allons
> avoir l'Europe à nous. L'Allemagne, qui reverdit de toutes ses
> villes comme une forêt après l'incendie. Les palais de Paris
> sous le ciel le plus humain du monde. L'Angleterre dont les
> falaises surgissent de la brume comme l'or d'une couronne posée
> sur la mer. La pauvreté lumineuse de l'Italie, cette misère de
> soleil et de marbre, plus riche de chants et de joie que toute la
> richesse du monde. Vous ne connaissez pas l'Europe, Catherine?...
> Je vous conduit vers le dernier refuge au monde où le bonheur
> ait encore le goût de la liberté (p. 93).

b. « De la Baltique aux monts de Bohême... »

Avec Werner, c'est tout un peuple qui passe le « rideau de fer »,
c'est l'Occident qui cherche à se délivrer, car le premier personnage
de la pièce c'est l'Europe elle-même, déchirée par les barbelés électrifiés
du *no man's land;* elle s'incarne devant nos yeux dans la maison de
« passeur » située entre deux frontières, entre deux mondes :

> Vous êtes entre le oui et le non. Entre la nuit et le jour.
> Entre la mort et votre chère vie. Vous êtes dans le bassin de
> l'écluse. Sauvés si c'est cette porte qui s'ouvre. Perdus si c'est
> celle-là. Voyez, je l'ouvre. Rassurez-vous, je la referme. Là d'où
> vous venez, tout était trop simple. Là où vous allez, tout est
> très simple aussi. Sans poésie. Ma maison est poétique. Arrêtez-
> vous un instant pour goûter cette divine incertitude. Vous n'êtes
> nulle part (p. 80).

A la fin du drame, au seuil de la mort, la petite Lydia dira : « Pour
cette seule maison sur la terre, il n'y aura pas de matin » (p. 189). « Il
n'y aura pas de matin », ces termes, d'abord choisis par Maulnier comme
titre de son œuvre, évoquent la peur de celle « qui se faufile et se cache
comme une petite bête apeurée qui va mourir »; mais la petite bête
apeurée, c'est aussi l'Europe, et le monde. Devant le risque de guerre
atomique, devant le danger d'un univers « technocratisé », impitoyable,
le désespoir nous guette : nous avons tendance à dire « qu'il n'y aura
peut-être pas de matin » après cette nuit dans laquelle nous nous
trouvons. L'Europe est devenue « la maison de la nuit », où les « archanges
impitoyables » de l'espoir marxiste massacrent des innocents; elle est

écrasée par cette « nuit sans matin » dans laquelle les martyrs de la pitié se font tuer d'une balle dans la nuque ou dans un procès qui « tue » leur âme. Il faut relire la page où Maulnier évoque la frontière du « rideau de fer » que des centaines de gens traversent chaque nuit pour « choisir la liberté », car cette frontière passe aussi dans notre chair :

> Toutes les nuits, de la Baltique aux monts de Bohême, ils sont peut-être quinze cents à ramper sous les barbelés, à se faufiler vers nous à plat ventre, en essayant de se faire aussi silencieux que le glissement des nuages sur la lune. Un peu plus, les nuits sombres. Un peu moins, les nuits claires. Cela devient de plus en plus difficile. Mais ils sont toujours aussi nombreux (p. 73).

« Ils se faufilent à plat ventre, en essayant de se faire aussi silencieux que le glissement des nuages sur la lune » : cette image fait *voir* ces milliers d'êtres rampants dans une campagne obscure, « dans le silence complice de la lune qui se tait », « *tacitae sub amica silentia lunae* », selon les mots de Virgile, l'évocateur de la destruction de Troie, la ville qui s'écroule sans fin, dans les flammes, au fond de toutes les perspectives de la tragédie antique.

Cette humanité qui traverse les barbelés, ces émigrés lamentables, quelques traits les font voir :

> Des officiers de l'ancienne armée, qui vivaient dans les forêts depuis douze ans, et qui, un jour, ont eu un peu trop envie d'une chemise propre, d'un repas dans un restaurant bien éclairé, d'une salle de bain. Des nobles, des bourgeois. Des évadés des camps... Peu nombreux, les évadés des camps... Des ouvriers. Des paysans qu'on a chassés de leurs terres. Ceux qui en ont assez d'avoir faim. Ceux qui en ont assez d'avoir peur. Ceux qui passent avec toute leur famille. Des portées de cinq, de six. Ils en perdent en route, bien entendu. Ils ne retournent pas les chercher. L'autre jour, une femme est entrée ici. Elle serrait un foulard sur la bouche de l'enfant qu'elle tenait dans ses bras. De toutes ses forces. Pour l'empêcher de crier, vous comprenez. Quand nous avons désserré les doigts, l'enfant était mort, étouffé depuis longtemps. Pas de danger qu'il crie!... Une autre fois, une vieille paysanne, près du ruisseau. En fait, elle n'était plus vieille ni jeune. Elle était morte. Elle portait sur son cœur une machine à coudre. A quatre-vingts ans, ramper sur un quart de lieue, au milieu des patrouilles, des chiens, des fils de fer et des mitrailleuses, avec une machine à coudre! Avouez que c'est une bonne histoire (p. 73-75).

De la Baltique aux monts de Bohême, de la Chine au Thibet, de la Corée du Nord à la Corée du sud, du Viet-Nam du Nord à la zone sud,

des plaines glacées de l'Alaska, sur les glaces du détroit de Behring, à
la Suède du sud, partout, sous la lune, dans les ruisseaux froids, les
forêts impénétrables, les barbelés électrifiés, piqués de mitrailleuses, ba-
layés de projecteurs, c'est une «montée» dérisoire vers la «terre promise»,
vers l'Occident, celui des salles de bain, des hôtels, des régimes vermoulus,
des cinémas, des pin-up (car les pin-up sont interdites derrière les
rideaux de fer et de bambou); partout un « Israël » convulsé, happé par
un messianisme terrestre, en quête d'un peu de confort, d'un peu de
confiance, d'un peu de temps, ce petit délai que l'homme demande
« pour pouvoir tourner sa langue dans sa bouche et avaler sa salive,
avant de s'en aller pour jamais ».

Durant cette marche de fantôme vers la « terre où coule le lait et le
miel », des centaines de victimes, comme des rats empiégés, restent
prises dans les barbelés, clouées au sol par les mitrailleuses :

> Il faut bien que ces choses-là arrivent de temps en temps.
> Vu d'un certain côté, c'est même indispensable. Vous comprenez?
> Non. C'est pourtant simple. Les gardes-frontières de la Répu-
> blique de l'Est, ce sont des douaniers. Des douaniers pour la
> contrebande humaine, rien de plus. Il faut qu'ils livrent quelques
> malchanceux, chaque semaine, à la police d'état, pour montrer
> qu'ils font leur travail. S'ils ont pris quelqu'un cette nuit, dans
> notre coin, nous serons plus tranquilles la nuit prochaine (p. 73).

« Des douaniers pour la contrebande humaine » : ces mots évoquent les
camps nazis, que Vercors a décrit dans Les armes de la nuit. Nazisme,
marxisme, c'est « bonnet blanc » et « blanc bonnet ».

c. « Une Europe qui s'ennuie dans ses plaisirs... »

Cette Europe « libre », cette « terre promise » qui attire tant de
fourmis humaines, la voici décrite, en termes de pitié, par Hagen :

> La vieille comtesse saugrenue... Le jeune homme dont nous
> ne savons rien, sinon qu'il voulait partir, lui aussi, ce qui n'est
> pas un bon signe. Un étudiant sans doute, la tête pleine de livres.
> Il voulait devenir docteur en quelque chose, il pensait qu'il serait
> agréable de se mettre en ménage avec une petite servante de
> brasserie à Göttingen ou à Heidelberg. Il rêvait à un avenir,
> l'imbécile! Pas d'avenir. Notre ami le passeur. Il ne croyait pas
> à l'avenir, lui. Un désabusé. Un enfant perdu de cette Europe
> aux reins cassés qui s'ennuie dans ses plaisirs, et jouit de son
> ennui. Un homme pour lequel le monde nouveau n'a aucune
> place, rigoureusement aucune. Des hommes, des femmes, cela?
> Des hommes et des femmes jetés sans l'avoir voulu dans le féroce

univers, avec un peu de vérité dans beaucoup de fatigue, un peu de courage dans beaucoup de peur, un peu d'amour; avec un portrait d'enfant, une liasse de vieilles lettres, le manuscrit d'un mauvais poème? Qui tentaient de vivre? Qui croyaient avoir raison? Qui cherchaient à faire de leur mieux? Des déchets. Des rebuts de la forge du monde. Pourquoi auraient-ils une vie? Pourquoi auraient-ils même un nom? (p. 180-181).

Le tableau est dessiné par un pinceau marxiste, mais la pitié s'y exprime pour cette « Europe aux reins cassés » dont quelques exemplaires s'agitent dans la « maison de la nuit », pour quelques heures, avant la balle dans la nuque, qui les jettera sur la poussière, se convulsant un instant avant d'être immobiles pour toujours.

Une Europe qui s'ennuie dans ses plaisirs, et jouit de son ennui : comment ne pas songer à certaines pages des *Mandarins,* évoquant les coucheries des Nadine, des Anne, des Perron, parmi les discussions interminables sur le rôle des intellectuels « de gauche non marxiste »; comment ne pas évoquer surtout cette lassitude qui s'étale sur des pays de bien-être et de jouissance, comme la Suède? Comment ne pas penser à ces *music-halls* américains où des *girls* fatiguées se déshabillent progressivement sous l'œil faussement candide de spectateurs aux âmes de collégiens en rupture de ban? Comment ne pas penser à ces villes où le bruit assourdit le tympan, à ces demeures où la radio-distribution déverse, comme d'un robinet qu'on aurait oublié de fermer, le flot ininterrompu des musiques plates, sauvages et même, ô dérision, des musiques classiques. Les postes de radio s'éveillent le matin en même temps que la « civilisation » occidentale et nous entendons pêle-mêle des nouvelles politiques et des musiques de jazz (exécrables le plus souvent), des cours de gymnastique voisinant avec des recettes de cuisine, des chansons éructées ou susurrées; cette « Europe » de l'« insouciance accélérée », de l'ennui et d'un « certain sourire », on éprouve l'envie de lui redire le mot de Rimbaud aux bourgeois de Charleville : « Ma Patrie se lève... Je préfère qu'elle reste assise ».

Cependant, cette Europe, telle une grande dame vieillie, habillée de toilettes raffinées et démodées, est au fond de la banalité, mais elle est peut-être « irresponsable ». Elle trébuche comme une femme tirée de son salon vieillot, intime et si rassurant, mais mort, même quand il se nomme, comme dans la pièce de Graham Greene, *Living-Room,* la chambre où l'on vit. Cette Europe est peuplée « d'hommes et de femmes jetés sans l'avoir voulu dans ce féroce univers ».

Un peu de vérité dans beaucoup de fatigue : l'Européen est obsédé de doutes, de scepticismes; il ne sait plus bien s'il y a encore une vérité;

il chancelle, essayant de garder contre son cœur quelques bribes de
vérités : la liberté, le respect des morts, un peu de pitié, une ombre
d'hospitalité. On songe à la machine à coudre que transportait la
vieille fugitive : la machine à coudre existait toujours, mais la femme
était morte. Un peu de vérité, dans beaucoup de fatigue : la fatigue
d'un monde civilisé depuis trop longtemps, celle dont parlait Giraudoux,
en 1939, lorsqu'il disait que la France vivait sur un trop grand pied,
qu'elle ressemblait à ces nobles qui possèdent encore villa à la Côte
d'Azur, hôtel à Paris, château en province et appartement à Londres,
mais qui ne peuvent plus entretenir ces demeures qui restent vides,
qui n'en veulent plus, qui s'ennuient, sont fatigués, jusque dans leur
os, leur moelle, et laissent s'écailler les couleurs délicates d'un monde
que les hommes avaient su rendre si charmant pour les oisifs de cet
univers comblé.

Un peu de courage dans beaucoup de peur : qu'il y ait du courage en
Europe, la dernière guerre l'a prouvé; que, de ces cendres apparemment
froides, le feu du sacrifice puisse jaillir, la victoire de 1945 l'a montré :
alors les hommes, obligés de vivre pour les autres, forcés de se laisser
manier par les événements, étaient unis dans un même espoir. Mais ce
courage était miné par beaucoup de peur, ainsi que l'a dit le ministre
Spaak, à l'ONU : dans son discours sur le thème « nous avons peur »,
il n'exprimait pas seulement l'angoisse d'un petit pays, la Belgique,
mais celle du monde occidental tout entier; il s'élevait à la hauteur
de l'éloquence antique, celle de Démosthène par exemple, qui sait
dire avec une grandeur et une magnificence aisée les sentiments de
millions d'humains. Beaucoup de peur : non que l'Europe soit lâche,
mais elle est torturée de doutes, de repentirs, de remords; elle a mauvaise
conscience, elle ne sait pas très bien si la cause qu'elle défend est tout
à fait défendable. Elle a tant de sang sur les mains, tant de pauvres
auxquels elle n'a su donner ni une maison de la nuit, ni une demeure
du jour. Elle a peur, peur des autres, peur d'elle-même. Elle est près
de désespérer.

Un peu d'amour : l'Occident est encore la patrie où l'amour peut
trouver un asile complice, un coin de bois, une encoignure de porte où
les êtres peuvent oublier le drame de l'univers et puiser dans la tendresse
l'impression que l'éternité est présente dans un instant. Sans doute,
cet Occident est « aphrodisiaque », selon le mot de Bergson, tandis
que le monde marxiste offre une façade austère; l'enfant de nos rues
voit s'étaler sur les murs les criailleries barbouillées de couleurs fondantes
qui clament le droit à la vie sexuelle. Mais, à travers ces caricatures, il y
a, malgré tout, une indulgence amusée de vieille civilisation pour les
jeux de la tendresse et de l'affection, il y a un espoir de trêve dans la

lutte politique et sociale. Chaque fois qu'un homme et une femme essayeront de s'aimer, un instant de paix passera sur le monde : « Une minute de paix, c'est bon à prendre », disait Hector, dans *La guerre de Troie n'aura pas lieu;* et la petite Polyxène ajoutait : « On se sent bien mieux, n'est-ce pas, maman? ».

Sans doute, la « maman », c'est Hélène de Sparte « la femme mise en circulation par le destin pour déclencher la plus absurde des guerres du proche Orient ancien »; mais la minute de paix est bonne à prendre, malgré tout, voilà ce que l'Europe continue à dire à sa colossale voisine de l'Est.

3. L'innocence crucifiée et l'inespoir

La marche en avant de l'espoir marxiste implique la mort de millions d'êtres, mais aussi la balle dans la nuque douce d'une petite fille de seize ans qui n'a pas eu le temps d'espérer. Désespérer suppose qu'on a su espérer, mais certains sont si malheureux qu'ils n'en ont pas eu le temps : ils ne connaissent même pas le désespoir, mais l'absence d'espoir, ce que Gabriel Marcel nomme *l'inespoir.* Telle est Lydia, « déposée » dans la maison de la nuit par une colonne de fuyards dans la débâcle de 1945[10] :

> « La maison avait perdu ses habitants », explique Klossowski.
> « Moi, j'avais perdu ma maison. Nous étions faits pour nous entendre. J'ai ramassé la fille, — elle avait bien dix ans, — pour meubler la maison. Je l'ai ramassée sur le bord de la guerre, avec les bidons, le fauteuil et l'horloge. L'horloge, c'est ce qu'il y a de mieux. Je serais bien incapable de vous dire d'où elle vient » (p. 77).

La dernière phrase, qui peut s'appliquer aussi bien à l'horloge qu'à Lydia, exprime mieux que n'importe quelle tirade le déracinement de

---

10. Thierry Maulnier explique que les scènes où elle paraît sont les premières qu'il a imaginées : « Lydia n'est là que pour mourir. Lydia n'a pas d'autre rôle que de mourir et de s'étonner de sa mort, — juste un peu d'étonnement, — et de se révolter contre la mort, — juste un peu de révolte, — et de se demander pourquoi... Ce n'était pas pour donner aux spectateurs bourgeois de la pièce une image flatteuse et attendrissante de leur propre mort que j'avais besoin de Lydia, c'était parce que la guerre révolutionnaire, comme toute guerre, meurtrit et broie aussi l'innocence » (p. 34-35). On aura remarqué que les mots : « juste un peu », sont répétés deux fois; Lydia ne s'étonne, ne se révolte qu'un instant, car l'espoir humain n'a pas pu croître assez fort en elle pour pouvoir connaître l'écroulement du désespoir. Aussi bien, lorsque Lydia apprend qu'elle va mourir, aucun éclat ne se manifeste en elle; l'auteur a évité « la scène à faire » avec un très sûr instinct de la vérité de son personnage : « Il m'a paru, dit-il, que Lydia ne pouvait que fuir, de cette fuite des bêtes familières quand le maître qu'elles aiment les a frappées » (p. 39).

cet être perdu dans l'Europe comme un « matériel » humain jeté aux
quatre vents de l'Occident, déchet ridicule laissé au bord de la route
après le passage des hordes armées. Lorsque la Comtesse demande s'il
parle de l'horloge, le passeur répond :

> La fille, Lydia. Ce qu'elle avait pu voir avant d'échouer ici,
> je n'en sais rien : son village brûlé, la danse de nos bonshommes
> pris dans la nappe des lance-flammes, des jambes et des bras
> oubliés un peu partout, dans la campagne; une compagnie de
> combattants d'élite en train de s'amuser avec sa mère... Mais
> ce qu'elle a vu, elle ne cessera plus jamais de le voir. La virginité
> que les petites filles ont perdue à ce moment-là, dans nos pays,
> ce n'est pas une virginité ordinaire. De ce qui s'est passé, elle
> n'a jamais dit un mot. Elle ne dira jamais un mot (p. 78).

L'image évoquée fait penser à une eau forte de Goya. « La virginité
que les petites filles ont perdue en ce moment-là, n'est pas une
virginité ordinaire », c'est celle de l'âme qui a été anéantie d'un
coup. Le duvet des êtres jeunes, cette tendresse qui les émeut devant
l'espoir d'un monde neuf, la guerre l'a effacée d'un brutal coup de
chiffon; on songe à la rose du *Petit prince*, avec ses quatre épines
dérisoires pour la défendre contre le monde.
  Lydia a grandi dans l'absence d'espoir; elle était assurée qu'il n'y
avait pas d'avenir pour elle et elle a trouvé tout naturel de vivre dans
la maison du passeur, entre le oui et le non. Elle a « les yeux un peu
trop grands ouverts d'un petit chat malade » (p. 187); elle ressemble
à ces petites « bêtes farouches qui se glissent le long de l'ombre » (p. 192)
et elle vit dans une sorte de rêve éveillé. Prise dans ce drame atroce,
elle ne clame pas sa révolte ou son scepticisme; à mi-voix, en un
chuchotement de petite fille punie sans bien savoir pourquoi, mais
qui est trop humble pour se croire des droits, elle dit sa secrète angoisse :

> Dieu ne peut sans doute rien empêcher. Comme dans les
> rêves. Quelqu'un s'approche pour nous tuer, et nous ne pouvons
> pas fuir, ni nous défendre. Nous n'en avons pas l'idée. Nous
> sommes prisonniers du sommeil. Rien de tout cela ne peut exister,
> Comtesse. Rien de tout cela n'existe. *Le monde n'est que le rêve
> de Dieu endormi* (p. 189-190).

Ces lignes introduisent la scène shakespearienne qui nous montre
Lydia contemplant son visage embelli par la Comtesse, dans un petit
miroir de poche :

> Il ne faut pas mentir, Comtesse. Une petite fille laide, une
> petite fille qui n'avait rien à espérer. Une petite fille laide à qui

il ne serait jamais rien arrivé, et qui meurt d'une mort qui ne signifie rien, après une vie très courte qui ne signifiait rien. C'est cela que je suis, n'est-il pas vrai? Vous avez été belle, Comtesse. Des hommes vous ont aimée... Tous ces souvenirs vont être auprès de vous. Vous n'allez pas être seule. Moi, je n'ai pas de souvenirs. Rien n'est jamais arrivé pour moi... (p. 191).

Dans l'instant où elle va mourir, l'espoir se révèle à elle : Lydia veut le vivre, une minute seulement, car un être n'est pas totalement humain s'il n'a pas espéré, aimé, ne fût-ce qu'un instant; personne n'a le sentiment d'avoir vécu s'il n'a pas su arrêter, fût-ce une seconde, le regard d'un autre être[11]. Celui qui aimera Lydia et le lui dira, ce sera le policier Johann, un « numéro matricule » (p. 43), mais elle aura ainsi un souvenir à emporter avec elle, comme ce jouet dérisoire que l'enfant de *Jeux interdits* traînait dans l'exode de 1940.

4. Ceux qui sont abandonnés dès leur naissance

La trouvaille de la pièce est le personnage de Lise, la femme de Werner, Cette pauvrette un peu ahurie, qui se heurte comme un oiseau contre les vitres, exprime l'*abandon* ontologique quand elle crie à son mari : « Une femme a besoin d'exister pour quelqu'un, elle a besoin de cela plus que de tout, plus même que d'argent » (p. 116). A l'idée de voir le bonheur de Werner et de Catherine, Lise clame son horreur :

> Et je vivrai dans votre ombre? Et je supporterai tous les jours votre espoir, moi que personne n'aimera, votre impatience, moi qui n'aurai rien à attendre? (p. 120).

Dans ce cri, il y a « cette supplication infinie et misérable qui jette parfois sur l'homme une petite bête épouvantée » (p. 47). Lise demande « cette approbation, cette confirmation de soi que les vivants angoissés par le vide demandent à la gloire, à la puissance, à la possession, à la tendresse » (p. 47)[12]. Du désespoir de Lise, tout le monde se détourne,

---

11. « Elle est dans l'âge et dans les dispositions qu'il faut pour recevoir l'amour et elle le reçoit en effet comme une illumination totale, une soudaine découverte d'elle-même et de l'univers, comme une éclosion, comme la vie même; et voici que ce don absolu, qui enferme en lui tous les autres, à peine a-t-il été fait, est repris. Voici que Lydia est condamnée à mort à l'instant même où elle vient de découvrir qu'il était possible de vivre, qu'elle allait vivre » (p. 41).
12. Une femme « a besoin d'exister pour quelqu'un », avait-elle dit à Werner; celui-ci avait répondu, avec une froide lucidité : « Oui, je ne m'étais pas résigné

il n'intéresse personne (p. 53), sauf Adler, le mystérieux personnage qui traverse la pièce, car lui seul dira que le malheur de Lise vient de ce qu'elle n'est pas aimée (p. 141-142).

Son malheur est plus radical que celui de Lydia, car Lise est « d'une irrémédiable *médiocrité* » (p. 91); elle est d'une bonne volonté émouvante et bête (p. 116) et c'est « un courage de bête » qui l'a menée dans la maison du passeur (p. 113), celui que les êtres butés, qui n'ont jamais entrevu leur vérité intérieure, peuvent déployer à la poursuite de cette planche de salut qui doit les empêcher de couler à pic sans laisser une ride à la surface des eaux. Elle ressemble à ce taureau médiocre que décrit Hagen :

> Un pauvre imbécile de taureau... C'était pendant le deuxième été de la guerre d'Espagne, à Valence. Pour se distraire de la mort des hommes on avait la mort des taureaux. Ce jour-là le taureau de la troisième course n'était pas un taureau très brave. Il n'avait pas envie de se battre. Il avait envie de s'en aller. Il ne comprenait pas ce qu'il avait à faire sous ce soleil sans pitié, dans ce cercle fermé autour de lui comme un piège, dans cet anneau de cris inexorables. Il était affolé parce qu'on lui voulait du mal. Il tournait, son gros front poussait les planches, cherchait une planche qui fût plus pitoyable, qui fléchît. Je te l'ai dit, c'était un imbécile. Pas de remède, pas de refuge, pas de repos. Cela lui semblait absurde. Il avait fui devant les cavaliers et les piques. Il avait fui devant les aiguilles de feu des banderilles. Il avait fui devant le mal qui règne sur le monde. Il avait fui devant l'homme à l'épée et, devant ce ridicule adversaire, l'homme à l'épée était lui-même de plus en plus ridicule, ne sachant que faire de sa bravoure sans danger. Maintenant, il ne pouvait plus fuir, il était harassé, hébété, immobile; et il fallait bien en finir avec ce crétin qui ne jouait pas le jeu, qui ne voulait pas être un héros. Il fallait bien le tuer, au milieu des quolibets, des injures, comme on chasse un mauvais acteur. Alors l'homme, — il s'appelait Escudero, — vint tout près de cette tête qui tombait presque jusqu'à terre, de cette nuque offerte au couteau, de cette bête qui reprenait un peu de souffle, qui respirait cet instant de répit tombé sur elle comme une grâce. Sans aucune prudence, — il n'y avait pas besoin de prudence, — il fit passer l'épée dans son poing gauche et il se pencha pour flatter ce mufle

---

à être un de ces meubles vivants que vous vouliez rassembler autour de vous pour vous donner de l'importance. Vous vous êtes meublée ailleurs, voilà tout » (p. 116-117). Cette brutale allusion aux amants que Lise a pris pour « exister » aux yeux de quelques-uns montre la médiocrité de cet être, mais aussi son besoin pathétique d'un peu de chaleur humaine. Werner a été incapable d'aimer vraiment cette femme médiocre et insupportable.

inoffensif. Une petite caresse négligente, comme pour dire :
« Ce n'est rien qu'un veau. » Alors le taureau releva la tête,
lentement, elle était très lourde, cette tête, et il lécha cette main,
cette première main qui ne le torturait pas. Ce fut un hurlement
de joie tout autour de l'arène. On trépignait. On jetait en l'air
les chapeaux. La bonne farce! Jamais on n'avait rien vu d'aussi
drôle. C'est alors, dans l'éclat de ces milliers de rires, c'est alors
que l'épée frappa (p. 217-218).

Lise « témoigne de l'irrémédiable banalité de millions d'êtres
humains; si elle n'a existé pour personne, c'est qu'elle a été incapable
d'exister pour quelqu'un » (p. 49-50); son désespoir est ridicule et
insoutenable » affirme Hagen (p. 215). De plus, cette abandonnée n'est
pas responsable de son drame, comme elle le crie à Catherine :

> J'ai été méchante, j'ai été mesquine, j'ai été stupide. Est-ce
> tout à fait ma faute? Est-ce qu'on se choisit pour venir au monde?
> Est-ce qu'on est responsable de ce qu'on est? Est-ce que je ne
> préférerais pas être ce que vous êtes? Vous partez sur la mer avec
> lui, heureuse avec lui, en me laissant sur une épave qui s'enfonce,
> et vous m'entendez crier, crier! (p. 149-150).

De « cette petite vie en déroute, harcelée par un mal incompréhensible » (p. 218-219), la clef est *la peur*, depuis l'enfance[13] : la
médiocrité de Lise s'explique par cette angoisse permanente dont elle
n'est pas responsable. Hélas, la médiocrité n'intéresse personne, parce
qu'il n'y a en elle ni grandes infirmités, ni grands vices, ni passion
de haine ou d'amour, il n'y a que la grisaille morne d'une vie sans
histoire dans laquelle les appels s'étouffent et meurent sans écho[14].

---

13. « Lise Werner n'est qu'une victime harassée sous la rage d'un destin qui
double et triple ses coups sans permettre même un semblant de parade. Au moment
où Hagen venait de surgir auprès d'elle comme pour mettre fin, en ce qui la concernait, à l'indifférence du monde, au moment où quelqu'un, enfin, s'intéressait
à elle, lui donnait sa présence et sa chaleur contre le froid universel, au moment
de sa première chance, les policiers de l'Est ont surgi de la nuit et leur main s'est
abattue sur elle. Elle sait ce que cela signifie. Elle a toujours eu peur depuis l'enfance :
elle n'a jamais été que peur, et tout ce qu'il y a de pire en elle est peut-être venu
de cette peur. Voilà qu'elle n'est plus que cette peur dans les griffes de l'appareil
de terreur le plus insensible et le plus impitoyable » (p. 45-46).
14. « Les médiocres n'ont pas choisi la médiocrité. Ils ont été choisis par elle.
Le pire est qu'ils sentent parfois qu'il y a autre chose, comme un langage qu'ils ne
sauraient pas. Quelles étoiles, quels ancêtres, quel hasard des chromosomes, quelles
erreurs des parents, quels vices de l'état social ont fait de Lise une médiocre,
comme ils ont fait une autre laide, un autre fou? Comment pouvait-elle s'arracher
à la médiocrité? Il eût fallu au moins que, dans cet être médiocre, la volonté ne le
fût pas. Tout lui manque, jusqu'à l'infirmité évidente, par quoi elle eût pu émouvoir.
Lise était abandonnée dès la naissance, et ainsi elle n'est pas responsable de son
abandon » (p. 49-50).

En d'autres circonstances, Lise eût pu faire illusion, mais le drame dans lequel elle s'est jetée retourne comme un sac le fond de cette âme et en révèle le stupide néant. Vraiment, elle est semblable à ce taureau qui ne voulait pas se battre et léchait la main de celui qui allait le tuer.

* * *

Le sommet de *La maison de la nuit* est dans l'appel lancé par Lise quand elle a vu Catherine et Werner mourir devant elle sans lui accorder un regard et qu'elle va être emmenée vers une mort affreuse; cet être « qui n'a jamais eu de matin » pousse alors un cri que personne ne peut oublier :

> Ludwig (Hagen), vous avez fait cela? *(Silence)*. Vous m'avez menti? *(Silence)*. Il y avait donc quelque chose de pire? *(Silence)*. Hé bien! regardez-moi. Regardez l'idiote qui a cru que quelqu'un pouvait l'aimer. Riez. C'est si drôle. L'idiote qui vous a cru. *(Silence)*. *(Deux policiers la prennent par les bras)*. Non! Je ne veux pas qu'ils me tuent. Je ne veux pas qu'ils me mettent en prison toute seule. Je n'ai jamais existé pour personne. Je n'ai jamais existé pour personne (p. 208)[15].

Le fond de l'être est appel à une visitation de la tendresse, dans la tiédeur et la fécondité, celle des corps, sans doute, mais celle de l'âme aussi qui revit dans l'instant même qu'elle est épousée. Sans doute, dans ce cri de Lise, il y a l'appel égoïste d'une bête aux abois demandant une goulée d'air, une gorgée d'eau à la source de la vie; mais Lise n'a jamais su que, « pour exister aux yeux des autres », il faut d'abord s'oublier soi-même, les aimer le premier, car l'amour

---

15. « Voilà que cette femme sans courage, en qui la menace et l'approche de la mort avaient déchaîné une terreur presque insensée, découvre qu'il y a quelque chose de plus terrible que la mort : la certitude qu'elle a maintenant de mourir sans avoir jamais arraché à aucun être humain la reconnaissance de sa propre humanité, de n'avoir jamais obtenu de personne sur la terre cette approbation, cette confirmation de soi que les vivants angoissés par le vide demandant à la puissance, à la possession, à la gloire, à la tendresse. Elle va mourir dans la conscience de l'échec radical et irrémédiable, dans l'échec de la volonté la plus profonde de la vie qui est de s'affirmer comme vie, dans l'universelle indifférence : « Je n'ai jamais existé pour personne. » Le hurlement qu'elle pousse à l'instant où on l'arrache à Hagen, c'est le hurlement de la chair à l'agonie, le hurlement de la bête à l'agonie... c'est l'appel au secours le plus profond qu'un être humain puisse jeter vers un autre être humain, l'appel de l'angoisse fondamentale. Parce que, dans le cri de la moins intéressante des victimes d'un incident de frontière sans grande importance, la créature en proie au mal appelle à son aide la créature, parce que, *depuis le commencement du monde, il n'y a jamais eu de vivant à vivant d'autre cri que celui-là* » (p. 47-48).

appelle l'amour. Son égoïsme n'est pas coupable, car jamais les autres n'ont fait le premier pas et elle s'est heurtée partout à un mur de silence; les os qu'on lui lançait n'ont pu faire oublier à cette petite bête sa déréliction foncière. Le malheur des hommes vient de ce qu'ils ne sont pas aimés des autres, mais personne ne veut aimer le premier et la nuit s'étend sur le monde. Nous serions donc mal venus de reprocher à Lise de s'accrocher à la main qui la caresse : comment reprocher au taureau médiocre, affolé, ahuri, butant de droite et de gauche contre des parois opaques, au milieu des rires et des quolibets d'une foule confortablement assise dans sa position de « spectateur pur », comment pourrions-nous reprocher à cette bête, obstinément douce et bonne, de lécher la main qui l'a un instant caressée? L'amour de Dieu pour les vivants *doit* passer par le cœur des hommes. Si aucun humain ne manifestait jamais un amour désintéressé à l'égard des êtres abandonnés, sans doute un miracle de la grâce pourrait-il faire jaillir au plus épais des ténèbres de cette âme un rayon d'espérance; mais il manquerait quelque chose à l'ordre de Dieu, puisqu'il a voulu que les hommes témoignent dans leur vie que « la charité de Dieu a été communiquée à leur âme par la grâce du Saint-Esprit ».

Nous voici, au-delà de la problématique marxiste, devant le cri fondamental, le seul que les êtres poussent jamais sous le ciel vide. C'est dans le silence qui suit ce cri, que la tragédie écrite par Maulnier va nous révéler, en Hagen, l'épiphanie de la pitié.

III. L'épiphanie de la pitié

Au cœur de ce monde communiste qui est espoir pour les militants et désespoir pour leurs victimes (mais aussi pour les bourreaux, car Krauss, par exemple, a le cœur broyé devant l'innocence de Lydia), au creux de cette ombre gigantesque qui s'étend sur la planète, sourd quelque chose de plus profond, cette *pitié* qui est « une des plus poignantes énigmes de la vie » (p. 25), cette visiteuse terrible dont on ne sait si elle est conciliable avec la vie impitoyable des hommes et des bêtes (p. 55). Il y a ici un dépassement du communisme, non en vertu d'un *Deus ex machina*, mais à partir du communisme même, tel qu'il est vécu par un de ses militants. La pitié que Hagen va manifester en se faisant arrêter avec Lise ne ressortit pas à la vertu théologale de charité mais jaillit du plus profond d'un cœur barricadé par le marxisme. L'auteur est amené plus loin qu'il ne l'aurait voulu consciemment; le lecteur se sent arraché à cet univers implacable de bourreaux et de victimes : le geste de Hagen apparaît tout ensemble né des profondeurs d'une psychologie humaine et baigné d'une inexplicable clarté venue d'un autre monde.

* * *

Hagen joue d'abord le « grand jeu » de la pitié afin de retenir Werner jusqu'à l'arrivée des policiers de Zessler, mais il est lassé par l'implacable discipline marxiste[16]; plus simplement, il est un homme de quarante ans, qui a déjà fait le tour de beaucoup de choses :

> A vingt ans, on croit qu'on se définit par tout ce qu'on exige de l'existence. A quarante, on commence à se définir par tout ce à quoi l'on a renoncé. Peut-être est-ce une fatigue. Une fatigue au fond des os, au fond de l'esprit. Cette fatigue que l'on sent dès le réveil, car elle n'est pas la fatigue d'une journée, mais la fatigue de la vie. Cette question que l'on se pose : « Ma vie vaut-elle la peine que je la préfère aux autres, que je la sauve au prix des autres? » (p. 159).

A vingt ans on se définit par ce qu'on exige de l'existence : voilà pourquoi, lorsque la vie n'a pas répondu comme elle le voulait, elle est déclarée stupide, absurde, ombre de néant; à quarante ans, au contraire, on aime la vie dans la mesure même où l'on a commencé à lui sacrifier une série de valeurs individuelles.

L'attitude de Hagen n'est pas tout à fait celle-là. Ce qu'il éprouve, c'est une fatigue radicale devant les efforts de l'homme, leurs théories, leurs prétextes. Il se déprend de l'existence avec une sérénité amère, une sorte de provocation, de « coquetterie » qui fait songer à un *condottiere* voluptueux, lucide et ironique. On ne peut imaginer un être plus éloigné des dispositions chrétiennes fondamentales, et l'on songe plutôt à certains personnages de Montherlant. Mais, de ce désabusement, va jaillir la pitié, car Hagen se prend au piège où il a voulu prendre Werner (p. 30). Lorsqu'il lui parle de « l'enfant » que Lise a été, comme lui, Werner, il s'arrête brusquement (p. 157). Lorsque « bouge » en nous l'enfant que nous fûmes, mais qui est enseveli au fond de notre mer intérieure, un autre visage se pose sur nos traits; nous l'avons

---

16. « Il est un voluptueux désenchanté. Il a le goût de l'ironie. Il n'aime être dupe ni des mots, ni des autres, ni de lui-même. Il abaisse volontiers, par souci de ne point les parer d'une grandeur peut-être menteuse, les mobiles qui le font agir. Il aime défier le danger, le hasard, les puissances supérieures. Il pourrait bien y avoir un brin de cabotinage, une « coquetterie », dans son irrévérence à l'égard de l'église politique dont il a accepté les dogmes, dans cette nuance de provocation qu'il met dans tous ses gestes » (p. 20).

tous surpris, neuf, détendu, plein d'un espoir humble, posé sur les rides et les grimaces de la vie « éveillée », lorsque, sous nos yeux, un voyageur assis en face de nous, en chemin de fer, somnole. Duhamel a dit que l'on ne connaissait pas un être avant que sa tête n'ait reposé, au moins une seconde, sur notre épaule. Cette connaissance est plus vraie que celle des grimaces sociales. Hagen vient de *voir* Lise comme une petite fille médiocre, insupportable, irresponsable et abandonnée mais qui crie comme l'enfant qui se noie. Cette vision lui est insupportable :

> Il y a une autre voix que ce que nous appelons la voix de la raison... Une voix qui n'est pas notre voix, *qui est en nous la voix de l'autre, des autres.* Le salut d'un autre et notre salut, la victoire d'un autre *et peut-être notre défaite* (p. 165).

L'enfant qui se réveille en nous est un vivant ouvert aux autres vivants, car il est confiance et sympathie; une voix qui n'est pas notre voix, mais, en nous la voix de l'autre, des autres, nous met en présence du mystère le plus profond de l'être humain. Quittés les sables de l'abstraction, le regard est en face de la nudité pathétique d'un visage, d'un corps blessé; il est fasciné par l'appel inconscient qui émane des yeux, des gestes. Lorsque les yeux sont vides, les gestes égarés, lorsque c'est une Lise que Hagen a devant les yeux, et il y en a des milliers de par le monde, la voix des autres se fait entendre. Alors, on cherche le salut d'un autre et non son propre salut, la victoire d'un autre, et, peut-être, sa propre défaite.

*   *
*

Hagen a failli trahir le marxisme, mais les policiers sont arrivés à temps (p. 32). Lorsqu'il apprend que les ordres imposent de tuer tous les « passagers » de la maison de la nuit, un second coup plus violent est porté à sa carapace de dureté :

> Les chrétiens, eux aussi, disent que l'agonie d'un enfant apporte une contribution au salut de tous les hommes. Du moins ils ne disent pas que cela est logique. Vois-tu, si je suis entré au Parti, c'est parce que j'en avais assez de voir l'espèce humaine depuis le début de son histoire, aux prises avec son malheur comme un fou aux yeux bandés qu'on aurait armé d'une hache et qui frapperait autour de lui, à tour de bras... Voilà que nous sommes nous-mêmes ce fou dans la nuit, et que, sous la hache, il y a Lydia. A quoi sert notre Révolution, à quoi servons-nous si notre logique devient absurde, si elle n'est plus rien que ce visage sans yeux, une fois encore, le visage de l'aveugle, tâtonnante et furieuse fatalité? (p. 184).

Les thèses de Marx paraissent limpides dans l'abstrait, mais, réalisées dans la politique d'un parti, par exemple en Russie, elles se dégradent en une variante du panslavisme et l'obéissance « mystique » devient une abdication indigne de l'homme. C'est ce que Hagen laisse entendre :

> J'ai lu autrefois, — j'étais un enfant, — un roman où il était question de je ne sais quelle persécution de chrétiens dans une province romaine. Ce n'était pas un très bon roman, j'imagine, c'était un roman un peu théâtral. C'est peut-être pourquoi j'en ai conservé une image. Les soldats avaient cloué une petite esclave sur une croix où elle était en train de mourir, comme était mort son Christ, comme meurent les éperviers cloués à la porte des granges. D'autres chrétiens, peu à peu, s'étaient rassemblés autour de la croix et restaient là, immobiles. Peut-être aussi des curieux. Alors un homme, un géant, un Goliath chrétien, sortit du cercle. Il empoigna le poteau par la base, le déracina du sol et il se mit en marche, suivi par les autres. Il se mit en marche vers le palais du préfet, ou du proconsul, je ne sais plus. De sorte que, lorsque les soldats du préfet virent avancer vers eux cette foule aux mains nues, qui chantait des hymnes, et en avant de la foule, plus haut que la foule, dressée vers le ciel comme l'enseigne des légions, mais vivante et saignante, une enfant crucifiée, ils jetèrent leurs armes et s'enfuirent. J'ai peur comme eux, Krauss. Je crois que pour moi, maintenant, la petite esclave aura les yeux de Lydia. Voilà... Tu me répondras que mes souvenirs de collège n'ont que peu de chose à voir avec le respect dû à un secret d'état, et tu auras raison. Tuons Lydia. Tuons les autres. Il faut ce qu'il faut (p. 185-186).

S'il n'a pas encore trahi le Parti, sa résistance aux appels de la pitié se brise devant ces vivants que l'on va massacrer : « C'est à cause de Lydia, à travers Lydia que Hagen va découvrir que la mort de Lise est intolérable » (p. 39) écrit Maulnier.

Au moment où Lise, abandonnée de tous, découvre que Hagen lui a menti, et pousse ce cri émané des ultimes profondeurs : « je n'ai jamais existé pour personne », Hagen déclare : « c'est assez; arrêtez-moi. Je suis complice de cette femme. Je suis coupable de trahison envers la République populaire et de tentative de fuite à l'étranger. Arrêtez-moi » (p. 208). Lise alors se jette sur sa poitrine et dit : « Ludwig, je crois que s'ils nous tuent, je ne serai pas trop lâche » (p. 210). Elle est sauvée. Elle a existé pour quelqu'un, puisque quelqu'un donne sa vie pour elle :

> Un enfant se noie. On plonge, et pourtant la force du courant est mortelle, et on le sait. Quelque chose dans l'homme, de plus

fort que l'homme... On n'a pas pu faire autrement, voilà tout (p. 211).

Lise, grotesque en son désespoir, évoque « Bécassine » lancée dans le tourbillon soviétique. C'est celle-là que Hagen sauve :

> Ce désespoir insoutenable, — ridicule aussi. *Ridicule et insoutenable.* Cette femme délaissée et dédaignée qui avait cru pendant un moment qu'enfin quelqu'un dans le monde s'intéressait à elle, et qui apprenait en même temps qu'elle avait été jouée et qu'elle allait mourir. Qu'elle allait mourir dans l'indifférence infinie de l'Univers, seule, comme si elle était le seul être vivant au monde, après avoir vécu en vain (p. 215).

Cette femme était seule, mourant dans l'indifférence infinie de l'Univers et l'auteur écrit le mot avec majuscule, pour mieux souligner son aspect anonyme et inhumain; elle allait mourir comme s'il n'y avait jamais eu qu'un seul être du monde; elle allait mourir, après une vie vaine. C'est ce désespoir qui n'est pas intéressant, qui ne « rapporte rien », que Hagen veut enlever à Lise : il n'y a aucune beauté en elle, aucune « citadelle » à construire à travers le don de soi[17]; il n'y a rien que ce masque de douleur « qu'il ne peut plus supporter » (p. 217)[18].

---

17. Ces passages rappellent le chapitre de *Pilote de guerre* où Saint-Exupéry raconte comment, au cœur du tir de la DCA, promis à une mort presque certaine, il se découvrit prêt à « échanger » son corps, sa vie, pour les autres. L'échange introduit au monde de l'esprit, il est au service de la « citadelle » que l'on construit, de l'empire que l'on défend, de l'objet d'art que l'on façonne; il ne vise pas directement, comme tel, cette banalité irrémédiable de la condition humaine qui apparaît dans Lise. La pensée de Saint-Exupéry est aristocratique; elle s'organise autour de thèmes d'humanisme et de civilisation. La pitié de Hagen est à la fois plus profonde que « l'échange » Saint-Exupérien et plus terre à terre, plus équivoque, plus abjecte même, en un sens. Elle est un sentiment misérable et frileux, une sorte de convulsion de l'être devant un masque insoutenable à la vue. Thierry Maulnier explique longuement dans son introduction à quel point elle sort des tréfonds ambigus du tempérament de Hagen. Elle est toute suante, toute tremblante, émanée plutôt des chairs pantelantes de l'être corporel que des profondeurs de l'esprit.

18. Le désintéressement du don de Hagen apparaît encore mieux si l'on remarque la lâcheté qui caractérise Lise. Lorsque Krauss rétorque à Hagen que c'est la lâcheté de Lise qui l'a amené à la prendre en pitié, et non pas sa souffrance, il répond : « C'est bien possible. Ceux qui meurent courageusement rendent évidemment la tâche des bourreaux plus facile. C'est leur dernière politesse » (p. 216). Lise n'a même pas cette « dernière politesse » : elle n'est que peur abjecte, vanité jusque dans la mort, cri de bête qu'on égorge.

* * *

La pitié de Hagen est un sentiment composite, car il n'est pas un saint François (p. 19); il y a même quelque chose d'impur dans le réflexe qui le fait se jeter dans la mort pour sauver cette femme, car « Nietzsche a raison de discerner dans la pitié je ne sais quoi de peu recommandable, un relâchement de la plus haute et de la plus belle tension humaine, un glissement de déchéance vers les bas-fonds gluants et sanglants où rampe notre misère » (p. 48-49)[19]; elle ressemble comme une sœur au désir, à la panique et à la cruauté. Une des marques essentielles de l'homme moderne, desséché d'abstraction, est d'être sans défense devant certaines sensations immédiates : que ce soient celles qu'inspire le désir physique, la peur ou la pitié, dans les trois cas, il est un animal à sensations, comme l'a dit Denis Saurat[20]. Hagen est tourné vers l'immédiat; il n'a aucun sens métaphysique; il aurait pu, aussi bien, devant le cri animal de Lise, fuir, ou abattre la malheureuse.

Ce qui sauve le geste de pitié de Hagen, c'est qu'il s'accompagne d'un choix de la mort, — même s'il devait faire ce choix en partie par provocation, pour voir la tête que ferait Krauss (p. 23); elle n'est donc pas seulement la réaction passive d'une sensibilité qui ne peut plus supporter certains spectacles douloureux, elle entraîne le don de la vie :

> Un mensonge signé de ma mort, il faut bien qu'elle le croie. Tu n'as pas vu la transformation de son visage, lorsque j'ai parlé? Je crois qu'elle va mourir plus heureuse qu'elle n'a été

---

19. « La pitié de Hagen pour Lise est une pitié suspecte, disent des chretiens. Elle est étrangement mêlée de lassitude et de mépris. Nous ne voyons en elle aucune étincelle divine. Elle n'est pas descendue du Sermon sur la Montagne. Elle n'est pas l'Amour. Elle n'est pas la charité ». J'en tombe d'accord. La charité est une vertu, sinon au sens bourgeois du terme, du moins au sens théologal. La charité est pure et rayonnante. La charité est de cette part de l'homme que la chute originelle n'a pu réussir à séparer de Dieu, elle est cette présence réelle de Dieu dans l'homme qu'affirme le mystère eucharistique. Pour parler d'elle en termes plus profanes, elle est, diraient nos philosophes, de l'ordre de la transcendance, ou de l'ordre de la valeur. Peut-être, pour un chrétien, la pitié participe-t-elle de la charité, peut-être en est-elle l'image déformée et déchue, comme l'image d'un visage céleste dans une source troublée. Mais elle n'est pas la charité. Oui, la pitié de Hagen est impure. Elle ne tombe pas sur lui comme un coup de lance céleste, comme le rayon mystique qui pose un nimbe d'or sur le front des misérables de Rembrandt. Elle surgit des troubles profondeurs d'où sortent aussi, à leurs heures, le désir, la panique et la cruauté » (p. 24-25).

20. La pitié que représente Graham Greene dans ses œuvres est, elle aussi, terriblement mêlée de sensations immédiates, au point que l'aperception du monde spirituel lui devient difficile; cfr *Silence de Dieu*, III, ch. I.

dans toute sa vie, plus vivante qu'elle n'a été dans toute sa vie : et il me semble que je suis moi-même assez heureux (p. 216).

On accède ici, qu'on le veuille ou non, que l'auteur en soit conscient ou non, à un plan qui commence à dépasser celui de la simple compassion sensible.

IV. L'ombre du christianisme

« Lise était abandonnée dès la naissance, et ainsi elle n'est pas responsable de son abandon. C'est cette double vérité qui est au fondement de la pitié humaine, que personne n'est responsable de soi-même, et que chacun de nous est responsable des autres, parce que chacun a à se débattre avec son propre mal, et que chacun a le pouvoir mystérieux d'assumer le mal d'autrui. Le sacrifice n'a de sens, le sacrifice n'est possible que s'il va *du plus digne au moins digne*. C'est toujours le plus digne du sacrifice qui se sacrifie à l'autre et qui prouve qu'il est le plus digne en se sacrifiant » (p. 50-51). Lise est la moins digne, et c'est précisément cela qui la rend plus digne d'être aimée, car la signification dernière de la pitié est de s'attacher à l'être « le moins pitoyable et par conséquent le plus pitoyable ». Le geste de Hagen est au-delà de « la monnaie courante de la pitié »[21]. On est donc ici à l'antipode du marxisme, qui proscrit toute « sentimentalité bourgeoise », car Lise n'est pas récupérable et elle est le déchet d'un monde en voie de disparition. Mais le Christ est mort pour les abandonnés, il a donné sa vie alors que nous étions des « déchets », des endormis dans le péché, et les saints sont toujours allés vers ces parias que les civilisations anciennes et que le « nouvel espoir marxiste » méprisent comme du cheptel

---

21. « Si dans ce glissement même la pitié a le privilège de nous faire toucher, à travers la détresse d'un être vivant quelconque, offert par le hasard, l'*insuffisance* universelle où communient les créatures, le « malheur d'être né », l'angoisse radicale à toute existence, alors il convient que cette *commisération* prenne toute sa force là où elle est éveillée par le vivant le plus embourbé dans sa condition de vivant, le plus démuni, le plus dénué; là où l'énigmatique cruauté de l'univers a fait en sorte non seulement d'accabler un vivant, mais de le dépouiller de toute autre qualité que celle qui lui est donnée par la souffrance même. Il était nécessaire à mon dessein que Hagen s'ouvrît à la pitié dans sa signification dernière, qu'entre tous les condamnés de la maison Klossowski sa pitié allât chercher l'être le plus rebutant pour la pitié, le moins pitoyable et par conséquent le plus pitoyable : le plus indigne de la pitié, — de la monnaie courante de la pitié, — le plus abandonné » (p. 49).

humain. Le geste de Hagen, — le « plus digne » qui se sacrifie au « moins digne », — est donc un reflet du christianisme, ainsi que le dit Maulnier : « Comment Lise, fût-elle le dernier des humains, ne serait-elle pas jugée digne du sacrifice de Hagen, puisque le dernier des humains a été jugé digne du sacrifice d'un Dieu? » (p. 51). En disant qu'il l'aime, Hagen ne ment pas, parce que la pauvre femme ne pouvait comprendre l'amour que dans le sens très étroit qui est le seul qu'elle connaissait; aucun être n'entendrait du reste rien à la métaphysique quand il est affronté à une mort sans espoir et découvre qu'il n'a jamais été aimé. L'amour dont parle Hagen « c'est un autre amour, la profonde fraternité de la créature jetée contre la créature par les remous du mal universel. Un amour que Lise ne comprendrait pas. Qu'importe? « Aimer, c'est aussi être prêt à la mort », a dit Nietzsche. Être prêt à la mort c'est aussi aimer » (p. 52-53). A travers l'amour très terrestre que Lise entrevoit dans les paroles de Hagen, il y a le seul amour digne de ce nom : « Il n'y a pas de plus grand amour que de donner sa vie pour ceux qu'on aime »[22].

Né du tréfonds ambigu d'une sensibilité désabusée et voluptueuse, le geste se revêt ainsi d'une signification plus élevée : « Par-delà les frontières de la révélation et du dogme, Hagen agit à l'imitation du Dieu Sauveur venu sur terre pour partager la souffrance des hommes. Chacun de nous est rédempteur » (p. 53-54)[23]. Le théologien précisera

---

22. « Hagen est face à face avec Lise qui sait qu'elle a été jouée et qu'elle va mourir, il doit répondre à ce regard, à ce cri où il reconnaît la plus tragique attente humaine. Il faut qu'il réponde, qu'il réponde tout de suite. Il le faut. Il faut qu'il trouve les mots qui apporteront peut-être une sérénité dernière à ce visage de torturée, une douceur dernière à cette agonie sans espoir. Va-t-il choisir des mots qui ne seraient pas compris? Va-t-il avouer la pitié alors que la pitié serait une injure de plus. Va-t-il évoquer je ne sais quelle communion dans la misère du monde et faire de la philosophie? Lise n'entend rien à la métaphysique. Ce dont elle a soif comme d'une eau vive, ce sont des mots qu'elle puisse comprendre, des mots qui ne s'adressent qu'à elle, des mots qui la protègent un instant contre le néant qui va la dissoudre, des mots qui la fassent un instant exister, des mots d'amour » (p. 51-52).

23. « Hagen est devant Lise qui désespère, et il peut la délivrer du désespoir pour le temps qui lui reste à attendre la mort, et il est seul à pouvoir le faire. Seul, car le désespoir de Lise est un désespoir dont tout le monde se détourne et qui n'intéresse personne. Voilà le point capital. Lise va désespérer et mourir, selon la malédiction de Shakespeare, et Hagen peut empêcher cela. Hagen peut sauver Lise au sens chrétien du terme, je veux dire sauver son âme; et il serait bien étonné, lui qui n'est pas chrétien, qu'on lui parlât de sauver une âme, et pourtant c'est de cela qu'il s'agit. En lui donnant son amour, — le mensonge de son amour, si l'on veut, — Hagen ne peut pas ne pas sentir qu'il est investi, devant cet être livré au désespoir, d'un énigmatique pouvoir de rachat, du pouvoir de faire accéder cet être pour la première fois, du fond même de ce désespoir, à la qualité humaine : « Ludwig, je crois que s'ils nous tuent, je ne serai pas trop lâche. » Par-delà les

que la grâce du Christ agit mystérieusement dans les âmes; elle met en branle un mécanisme psychologique « *naturel* », elle se sert des données *humaines* qu'elle rencontre dans un être : chez Hagen, c'est ce mélange de lassitude, de coquetterie cynique, de scepticisme voluptueux. Il aura suffi qu'il entende cette voix ambiguë de la pitié, venue du fond des âges, mais aussi, comme son reflet, du plus profond de la vie du Dieu et Père des Hommes, car « Dieu a tant aimé les hommes qu'il a donné son Fils », pour que le communiste devienne « rédempteur ». Lorsque la grâce de Dieu trouve fermées les portes de l'intelligence, par une philosophie matérialiste comme le marxisme, lorsqu'elle se heurte au mur d'une volonté orgueilleuse, comme celle de tout militant communiste, *elle entre par ces fissures que nous ne songeons pas à colmater :* Hagen ne se serait jamais douté que le cynisme que Krauss lui reproche pourrait un jour le mener à ce geste de commisération; la grâce, et elle seule, car elle est irradiation de l'Esprit d'Amour, découvre en ce cynisme, en cette lassitude, en cette rêverie un peu coquette, le chemin secret de sa pénétration[24].

* * *

Hagen reste en désaccord avec lui-même : la pitié, l'amour l'ont envahi, mais il reste communiste de conviction; il acceptera de passer en jugement et de dire qu'il a trahi, mais les catégories de sa pensée sont incapables d'intégrer l'acte qu'il vient de poser.

Thierry Maulnier a voulu qu'un personnage incarne explicitement la vision chrétienne de la pitié. Dans le prolongement de Hagen, Adler « affirme positivement », comme un principe directeur de vie, comme une étoile fixe, la pitié et l'amour des hommes[25].

---

frontières de la révélation et du dogme, Hagen agit à l'imitation du Dieu sauveur venu sur terre pour partager la souffrance des hommes. Chacun de nous est rédempteur » (p. 53-54). Faut-il rappeler que sauver, au sens chrétien du terme, signifie « sauver une âme », mais aussi l'être *entier*, corps et âme, en la résurrection.

24. La tendance de Hagen à s'en aller dans les pays où la révolution n'est pas encore triomphante, plutôt que de rester dans la République de l'Est où, victorieuse, elle demande à ses militants de tuer les autres, était le lit creusé par avance dans lequel l'appel de la grâce pouvait se glisser, l'eau de la pitié, couler (p. 137). Sans doute, je dépasse ici la lettre de ce que Thierry Maulnier a écrit; mais le rôle du critique théologien est de dire clairement comment la pensée chrétienne intègre dans sa vision des choses les faits que le drame raconte. L'affirmation de l'auteur est du reste formelle : le don de Hagen est à l'image de celui du Dieu incarné. La « prière d'insérer » parle aussi de la « pitié qui frappe Hagen *comme une grâce* ».

25. « Adler fugitif a été repris. Il mourra avec les autres. Le rôle que doit jouer ce prêtre-militant, qui tentait lui aussi de franchir la frontière, mais de l'Ouest

Le caractère anonyme du personnage, qui ne passe dans les scènes antérieures que comme une silhouette, une « utilité », renforce d'autant l'effet de surprise du spectateur ou du lecteur quand il découvre, dans la dernière scène, qu'Adler est prêtre, et qu'il passe *non pas de l'Est vers l'Ouest, mais de l'Ouest vers l'Est*. Une série de paroles qu'il a dites auparavant s'éclairent d'une lumière neuve. Elles sont étrangement en consonance, que Thierry Maulnier en ait été conscient ou non, avec le thème de l'amour, seule richesse que les hommes espèrent et qu'il est de notre devoir de leur donner.

Adler admire Lise d'avoir réussi à rejoindre la maison de la nuit : « aucun de nous n'a osé faire ce qu'elle a fait » (p. 97). Il est le seul, en ce moment, à l'admirer. A la Comtesse il répond :

> La pitié est toujours déraisonnable. La pitié est sans limites. Sans limites, comme le mal. La pitié humilie toujours, Comtesse. La pitié blesse. La vraie pitié n'est pas celle qui donne, c'est celle qui partage, si la pitié ne veut pas ressembler au mépris, il faut qu'elle prenne un masque... Le masque de l'amour (p. 12).

Ces lignes décrivent par avance l'histoire de Hagen dont la pitié prendra le masque de l'amour, car Adler voit très bien que la pitié nue blesse; ce n'est pas pour se pencher sur la misère des populations de derrière le rideau de fer qu'il passe clandestinement la frontière, c'est pour réapprendre à ces populations à « avoir pitié », c'est-à-dire à aimer, à donner leur vie par amour (p. 225) :

> Le mariage ne veut rien dire s'il ne veut pas dire : « Je t'aimerai encore quand je ne t'aimerai plus » (p. 141).

Or, Lise n'a pas connu cet amour-là :

> Méchante. Méchante comme les enfants malheureux. Méchante comme les chiens qui mordent ceux qui les approchent parce qu'on les a trop souvent battus. Méchante parce qu'elle a peur.

---

vers l'Est, pour aller aider ceux de sa foi dans la lutte et la persécution, n'est pas d'apporter à l'action une fin « heureuse », mais de reprendre en quelque sorte à son compte cette pitié, à laquelle Hagen n'a pu consentir qu'au prix d'un insoluble désaccord avec lui-même, pour l'affirmer positivement, pour en faire une valeur, une étoile de la conduite humaine. Qu'on m'entende bien, Adler n'est pas plus que Hagen ou Krauss, mon porte-parole. Il parle en son nom, et non pour moi. Pour qu'il en fût autrement, il faudrait que j'eusse la foi. Je ne l'ai pas. Le fait est que le christianisme a indiqué une solution au conflit déchirant de l'exigence humaine et de l'ordre du monde. Il me semblait important que la parole lui fût donnée, au terme de l'action, dans un conflit dont la pitié était le centre... Il s'agit d'une touche finale, et non d'un épilogue moralisateur » (p. 55-56).

Méchante parce qu'elle n'a pas été assez aimée. Caïn a tué parce qu'il n'était pas assez aimé (p. 142).

Le prêtre exprime gravement ce que Hagen va vivre bientôt : la réponse chrétienne au désespoir, c'est *aimer les autres*.

* * *

Adler est cependant le dernier à nier notre devoir strict de découvrir le sens de l'histoire et de prendre en main la destinée de nos frères; il comprend le militant communiste qui lui dit : « Nous tuons parce que nous sommes sûrs d'avoir raison, tandis que le croyant ne peut faire rien de plus que de croire; nous avons découvert le sens que l'homme peut donner au monde, nous affirmons » (p. 161)[26]; il écoute calmement Krauss affirmant : « Nous voulons construire un monde où la pitié sera inutile », votre « sale pitié qui se gagne comme une maladie » (p. 220, 226); il « entend » vraiment l'âme de vérité qui se cache dans la terrible philippique de cet archange furieux de l'espoir marxiste :

Mais croyez-vous que nous allons vous laisser faire, imbéciles? Croyez-vous que les hommes de chez nous vont joindre de nouveau les mains, comme des esclaves, pour que vos maîtres y passent des chaînes? Vous venez leur parler de l'Enfer? *L'Enfer est derrière eux.* Vous venez leur dire que le malheur de leur condition est sans remèdes, et ils ont choisi de le vaincre. Vous venez leur dire qu'un Dieu est mort pour eux, et *ils ont décidé de ne laisser ce soin à personne.* Vous venez avec votre pitié, votre sale pitié qui se gagne comme une maladie. Ils n'ont plus besoin de pitié... Il y a encore assez de coins du monde où la peine des hommes est absurde et sans remèdes. Que venez-vous faire, là où elle a trouvé un sens... Écoute bien, curé. Ce masque de douleur que ta religion a posé sur la face humaine, sur la face de la confiance dans l'homme et de la joie d'être homme, nous l'avons assez vu, nous l'avons assez vu depuis deux mille ans, et il faut maintenant qu'il tombe, et nous l'arracherons, entends-tu, et nous avons déjà commencé de l'arracher (p. 226-227).

---

26. Hagen se trompe lorsqu'il identifie la croyance à une « probabilité », un risque plus ou moins problématique, alors qu'elle est une certitude, surnaturelle sans doute en sa racine, mais réelle, ainsi que je l'ai rappelé dans *La foi en Jésus-Christ.* Il demeure cependant que le marxisme, à la différence de l'existentialisme athée, est fondé sur une série d'affirmations, de certitudes nécessitantes. Le drame du marxisme est là, de nourrir dans l'esprit de ses fidèles une certitude fanatique crispée, gonflée d'*abstractions* impitoyables, au nom desquelles on tue des hommes et on marche dans le sang.

Adler peut entendre ces mots, parce qu'il sait que « Dieu nous apporte par le marxisme une vérité et une exigence que nous n'aurions pas dû laisser perdre. Nous avions, selon l'expression de saint Paul, maintenu la vérité captive dans l'injustice... La chrétienté a cette leçon à recevoir du marxisme, parce que c'est en civilisation dite chrétienne que l'exploitation systématique, industrielle, de l'homme par le capital, a pris naissance. Tant que nous n'aurons pas repris possession de la vérité que le marxisme nous rapporte, la persécution ne cessera pas. Tel est l'enseignement des prophètes »[27]. Aussi bien, Adler reconnaît la grandeur de l'espoir humain du marxisme :

> Vous voulez que tout homme ait sa juste part de la richesse et de l'espoir du monde. C'est une grande entreprise (p. 226-227).

Seulement, au-delà des problèmes que le marxisme prétend résoudre, même s'il les résout[28], il y a le tragique humain *qu'aucun système purement terrestre ne pourra jamais réduire :*

---

27. C. Tresmontant, *Études de métaphysique biblique*, Paris, 1955, p. 208. — La comtesse incarne ce christianisme dérisoire en face du drame de « l'humanisme athée ». La pauvre femme espérait aller en paradis : son époux, coureur de filles, lui répétait sans cesse : « Vous irez en Paradis, ma chère. C'est là que vont les femmes vertueuses! Moi je préfère aller là où vont les autres » (p. 69); mais, pour la comtesse, cette « espérance » du Paradis a quelque chose de grotesque et de mesquin. De plus, elle est emplie de ressentiment, mal résignée à la portion congrue que la vie lui a laissée au point de vue « amour » : elle possède une « science » livresque sur l'amour, car on la sent gavée de romans et de poésies quand elle explique à Lydia qu'elle devrait « demander au cavalier de descendre de son cheval de s'arrêter et de la regarder dans les yeux » pour qu'il puisse y lire l'amour de la petite fille : mais, elle-même, regrette de n'avoir pas saisi les « occasions » amoureuses (les « soldes » oserait-on dire!) qui se sont présentées. Si l'espérance de la comtesse repose sur de tels sentiments, on ne s'étonne pas qu'elle s'écrie, vers la fin du drame : « Je suis bonne chrétienne, mais je ne comprends jamais que Dieu permette certaines choses. Je vais avoir l'occasion de lui dire ce que j'en pense » (p. 189). Elle trahit naïvement aussi le « ressentiment » qui l'anime devant le triomphe du « mal » : « S'il n'y a pas un enfer pour punir ces gens-là, c'est que Dieu ne sert à rien! » (p. 71). (Il est peut-être utile de rappeler que lorsque les apôtres voulaient faire descendre le feu du ciel sur une cité qui ne les avait pas reçus, le Christ leur répondit : « Vous ne savez pas de quel esprit vous êtes »). Enfin, une boutade est presque comique : « Mais c'est une vraie fusillade. Vierge Marie, Mère immaculée de Dieu, veillez sur leurs âmes. Pour les corps, il ne faut pas trop compter sur vous » (p. 66) : on ne peut « compter » sur les forces divines, mais on peut « espérer » en elles. On ne peut nier que ce christianisme falot est parfois celui que l'on rencontre dans l'Europe « chrétienne ».

28. Je crois que, seul, le marxisme ne peut arriver à résoudre ces problèmes; il y faut la révolution « intérieure », celle de l'esprit. Werner dira ainsi à Hagen que le christianisme a supprimé l'esclavage antique : « Un esclavage a pourtant été détruit, il y aura bientôt vingt siècles, non par Spartacus révolté, mais par un amour qui ne portait point d'armes. Ce n'était pas les maîtres des esclaves qu'il

Mais quand vous en serez venu à bout, vos citoyens heureux et libres sur une terre heureuse et libre seront encore seuls. Ils auront encore froid (p. 227).

En voulant arracher le masque de la douleur, cette douleur que le christianisme place au centre de sa vision, dans le crucifix, « ils arrachent aussi le visage » de l'homme » (p. 227). La solution du paradoxe qui oppose pitié et ordre humain, est donc dans l'amour de Dieu lui-même, comme le dit un très beau texte que Krauss trouve dans le bréviaire d'Adler :

> Dieu a voulu être Sacrificateur et Victime en sa seule Personne pour être, jusqu'à la fin des temps le seul Sacrificateur et la seule Victime, seule Victime en toutes les victimes, seul humilié en tous les humiliés, seul supplicié en tous les suppliciés. Pour que tout autre sang répandu sur la terre fût désormais son sang répandu. Pour que son sacrifice fût désormais le plus grand sacrifice humain, le seul et le dernier (p. 226)[29].

Toute souffrance, toute mort, est celle de Jésus, dans les hommes. Dieu a voulu assumer la douleur humaine; Hagen en donnant sa vie, agit comme le Christ mourant pour nous, car :

> Dieu meurt avec chaque homme qui meurt, tous les jours, à chaque minute. Il faut bien que le prêtre soit auprès de son Dieu et l'assiste dans la mort. On meurt beaucoup chez vous (p. 226).

* *
*

La dernière réplique de la pièce nous apprend qu'Adler se prénomme aussi Lazare, *comme Krauss*. Lorsque Krauss entend ce prénom, il reste immobile au milieu de la scène. Thierry Maulnier se demande alors si « la pitié n'est pas déjà en lui. Ne commence-t-elle pas dans l'inflexible adolescent la marche obscure qui fera un jour de lui un

avait tués, mais l'esclavage lui-même dans les consciences des maîtres » (p. 163; cfr Y. CONGAR, *Le christianisme a-t-il une efficacité temporelle?*, dans *La revue nouvelle*, janvier 1953, p. 32-49, surtout p. 37, sur le *Billet* de saint Paul à Philémon). Certes, Hagen rétorque : « Puisqu'il reste tant à faire, c'est sans doute que l'amour dont vous parlez n'a pas été suffisant » (p. 163), mais cela montre seulement que le vrai scandale n'est pas dans l'impuissance du christianisme lui-même à vaincre l'injustice, mais dans celle des chrétiens qui utilisent à peine un pour-cent des énergies surnaturelles.

29. Un mot de Bernanos dépasse la foi « à la petite semaine » : « Il est certain que nous allons dans la vie cahin-caha, et tout brinqueballants, — et pas toujours sur nos quatre roues, — comme le petit chariot de bois qu'un enfant traîne après lui, mais c'est l'enfant de Noël qui tient la ficelle. *Si nous ne sentions plus de cahots, ce serait le moment de nous inquiéter : nous pourrions craindre qu'il l'ait lâchée.* » (Lettre inédite de décembre 1945, dans *Bull. Soc. des amis de Georges Bernanos*, n° 2-3, mars 1950, p. 34),

nouveau Hagen ou un nouvel Adler? » (p. 58)[30]. Une seconde fois la
conscience d'un marxiste est peut-être sur le point « d'éclater par en
haut », de s'ouvrir à la pitié dont le vrai nom, dans le christianisme, est
amour de Dieu; et il ne s'agit plus cette fois d'un marxiste désabusé,
lassé, joueur, comme Hagen, mais d'un militant qui incarne à la fois les
fureurs impitoyables et les vertus terribles de ce « messianisme »
purement terrestre qui fascine des millions d'êtres humains en cette
seconde moitié du xxᵉ siècle.

Nous frôlons cette fois la terre promise : la pitié de Hagen et,
bientôt, sans doute, celle de Krauss, est mystérieusement « ouverte »
sur le monde surnaturel de la charité chrétienne; la charité du prêtre
Adler, inversement, descend, *s'incarne*, au point d'effleurer de son
souffle, un instant, ces consciences communistes parvenues au seuil
d'un autre monde que celui de la terreur et de la violence. Le rideau
de fer ne « se rouille » pas seulement politiquement, mais aussi dans le
cœur de certains marxistes.

Deux vérités se dessinent au terme de ce chapitre : la vraie pitié
est amour; elle seule, à condition qu'elle aille jusqu'à l'échange, au
don de soi, total, peut vaincre le désespoir des humains les plus abandonnés, ceux qui ont le plus besoin de pitié; la seconde vérité, est le
mystérieux parallélisme des personnages de Hagen et de Adler, le
premier jouant dans les ténèbres un jeu qu'il comprend à peine, mais
qui le conduit à la mort par amour, le second jouant le même jeu, dans
la lumière de la foi. Mais celui qui est dans la lumière, est présent sur
terre, puisqu'il est librement parti, puisqu'il est le *seul* à être parti
de l'Ouest vers l'Est, pour souffrir et mourir avec les malheureux;
et celui qui joue son jeu dans les ténèbres, s'élève peu à peu à un monde
qu'il ne connaissait pas.

Dans cette zone mystérieuse où Hagen et Adler se rejoignent sans
se reconnaître, je vois le symbole d'un dialogue possible entre les
espoirs des marxistes et les vérités chrétiennes, entre espoir terrestre
et espérance chrétienne.

---

30. « Par une autre coïncidence, ce nom qui est en même temps celui d'Adler
et de Krauss est aussi le nom d'un autre Lazare, de Lazare le ressuscité. La dernière
victime de Krauss, en qui Krauss déchiré semble se sacrifier lui-même, porte le nom
de la résurrection. Je ne demande pas au lecteur de croire, mais je lui laisse le droit
de croire, s'il le désire, que les derniers mots du dernier vivant apportent à Krauss
une annonce mystérieuse : « C'est en toi que je ressusciterai. » Il peut se faire que
Krauss soit déjà, sans le savoir encore autrement que par sa souffrance, contaminé
par ses victimes : « Votre sale pitié qui se gagne comme une maladie », vient-il de
dire avec rage... La pitié n'est-elle pas déjà en lui, ne commence-t-elle pas dans
l'inflexible adolescent la marche obscure qui fera un jour de lui un nouveau Hagen
ou un nouvel Adler? » (p. 57-58).

CHAPITRE IV

De Sartre à Bombard... ou à Françoise Sagan

Le marxisme ne résout pas les problèmes de la condition humaine; l'espoir qui l'anime étouffe l'âme des hommes : *c'est donc à l'Europe et au monde non-marxiste qu'il s'impose de trouver, et d'urgence, une réponse à l'angoisse planétaire et un espoir vivant.*

Des forces sont à l'œuvre, dont la littérature n'apporte qu'un pâle reflet, mais qui nous obligeront à la dépasser; après une phase de désespoir, puis une période de panique, de 1947 à 1951 environ, nous voici dans une ère de répit, sinon d'espoir. Le dialogue qui termine ce chapitre voudrait montrer que la partie se joue également en nous, entre le don de soi et l'égoïsme qui s'ennuie.

I. Les années d'angoisse (1944-1947)

Je l'ai dit ailleurs[1], en 1944-1945 on s'arrachait les rares exemplaires de *La nausée* qui connut alors la gloire; on dévorait les deux tomes parus des *Chemins de la Liberté; l'Étranger* de Camus faisait fureur et, bientôt, en 1947, *La peste* « brûla en six mois le chemin que *La condition humaine* avait mis quinze ans à accomplir »[2]. Le désespoir et l'angoisse firent le tour du monde, par la grâce et les valises de Jean Paul Sartre.

---

1. *Silence de Dieu*, p. 25, *La foi en Jésus-Christ*, p. 38 sv.; on trouvera dans *La revue nouvelle*, décembre 1954, sous le titre *De l'existentialisme à l'exploration du monde*, une analyse plus détaillée de l'évolution des esprits entre 1945 et 1954; j'en ai repris ici les seuls éléments littéraires, mais si l'on veut saisir en quel sens je crois à la présence d'un espoir dans le monde actuel, on se reportera à l'article; les événements, depuis cette date, ont accentué cette tendance, en même temps qu'ils ont laissé transparaître la menace de l'ennui et de la vie « superficielle ».

2. P. de BOISDEFFRE, cité dans A. MAQUET, *Albert Camus ou l'invincible été*, Paris, 1956, p. 55. La dernière œuvre de Camus, *La chute*, reprend le genre littéraire de *L'étranger*, mais s'inspire, pour le contenu, du personnage de Tarrou, dans *La peste;* l'approfondissement, dans le sens de l'intériorité, se confirme dans *Requiem pour une Nonne* (Paris, 1956) magistralement adapté par Camus, sur un original de Faulkner.

Jules Romains avait dit, dans *Les hommes de bonne volonté*, que les soldats de 1914 étaient partis à la guerre comme à des vacances de grands garçons : il leur serait permis de tout casser sans devoir payer la note; mais l'orage avait été d'une telle violence qu'il avait gâté le temps pour toute une saison. Sartre exprimait quelque chose d'analogue dans le premier numéro de sa revue *Les temps modernes*, dont, à l'époque, Merleau-Ponty était le gérant :

> On avait dit aux gens de pavoiser : ils ne l'ont pas fait, la guerre a pris fin dans l'indifférence et dans l'angoisse... On pense que toute cette histoire de guerre et de paix se déroule à un certain niveau de vérité : la vérité des mots historiques, des prises d'armes et des cérémonies commémoratives. Les gens se regardent avec une vague déception : la paix, ce n'est que ça?
> Ce n'est pas la Paix. La Paix, c'est un commencement. Nous vivons une agonie. Nous avons cru longtemps que la Guerre et la Paix étaient deux espèces bien tranchées, comme le Noir et le Blanc, comme le Chaud et le Froid. Ce n'était pas vrai et nous le savons aujourd'hui. Nous avons appris entre 34 et 39 que la paix peut finir sans que la guerre éclate. Nous sommes rompus aux subtilités exquises de la neutralité armée, de l'intervention, de la prébelligérance. On passe de la paix à la guerre en notre siècle par un jeu continu de dégradés... Aujourd'hui, 20 août 1945, dans ce Paris désert et affamé, la guerre a pris fin, la Paix n'a pas encore commencé (*Temps modernes*, n° 1, p. 163-164).

Le mot «paix» est écrit avec ou sans majuscule, selon que Sartre veut rendre sensible le décalage entre une entité abstraite n'existant que dans le cerveau des diplomates (mais qu'on espérait retrouver comme de vieilles pantoufles après une journée de travail), et la réalité nue; la « paix » s'écrit alors avec minuscule, car elle est un état sans cesse menacé, un subtil et constant dégradé qui va de la paix armée à la guerre froide et de la guerre « presque chaude » à la guerre des nerfs. Deux générations s'affrontent ici :

> Nous autres, hommes de quarante ans, nous répétons volontiers depuis quelque temps que la France doit avant tout se résigner à jouer les seconds rôles. Mais nous sommes tellement habitués à lui voir tenir les premiers que nous ne parlons pas d'elle comme d'une actrice vieillissante, mais comme d'une vedette qui, pour certaines raisons de moralité, devrait consentir un certain temps à l'incognito. Cependant une jeunesse plus austère surgit derrière nous, mieux adaptée aux tâches nouvelles parce qu'elle n'a connu qu'une France humiliée. Ces jeunes gens sont les hommes de la Paix. Nous avons été ceux d'une bataille perdue, d'une guerre qui finit en queue de poisson. Serons-nous des attardés,

des égarés dans ce temps qui vient? Cette fin de guerre c'est aussi un peu la nôtre, ou, tout au moins, c'est la fin de notre jeunesse (*ibid.*, p. 164).

L'euphorie avait régné en Europe occidentale durant les dix premières années de l'autre après-guerre[3]; la jeunesse de 1945 est plus austère, car elle est éveillée à la vie en même temps qu'à la découverte de l'angoisse :

> Nous avons cru sans preuve que la paix était l'état naturel et la substance de l'univers, que la guerre n'était qu'une agitation temporaire de sa surface. Aujourd'hui nous reconnaissons notre erreur : la fin de la guerre, c'est tout simplement la fin de *cette* guerre... Chez les meilleurs je découvre en outre un sourd consentement à la guerre qui est comme une adhésion au plein tragique de la condition humaine. Le pacifisme recélait encore *l'espoir* qu'un jour, à force de patience et de pureté, on ferait descendre le ciel sur la terre; les pacifistes croyaient encore que l'homme a de naissance le droit que tout ici-bas ne se passe pas toujours mal. Aujourd'hui je vois beaucoup de jeunes gens réfléchis et

---

3. Je rappelle que, entre 1919 et 1929, la France et l'Angleterre se payèrent, si l'on ose dire, ces « grandes vacances » prolongées que la guerre de 14 avait été pour Radiguet et sa génération. En France, vers 1927, une série de « petits Gide », plus tendres, plus cyniques et plus dangereux, parurent sur la scène : le plus célèbre est Jean DESBORDES, qui publia, en 1927, *J'adore* (précédé de la « toute inexcusable préface » de Cocteau, comme l'appelait Du Bos); les pages 16, 110, 136, 141-145 donneront une idée des « garçons splendides » que l'auteur attendait pour l'avenir. En 1926, on menait de front Cocteau, Gide, Montherlant et Claudel, si pas dans la cervelle, du moins dans les poches de tel religieux s'occupant de théâtreux chrétiens. On ne voyait pas encore le vrai « port » où menait l'œuvre de Proust, cette vision tragique du temps perdu et de la spirale infernale du vice. Seuls Bernanos, Green, Malraux, Valéry, avaient pressenti le tragique qui nous attendait. L'Angleterre à la même époque n'en finit pas de sortir du conformisme de l'ère victorienne. Le roman de F. SACKVILLE-WEST, *The Edwardians*, Londres, 1930, qui se termine par le récit du sacre d'Edouard VII (1901), dépeint bien ce sentiment d'être à une charnière entre deux siècles. La jeunesse dans *Contrepoint* de A. HUXLEY est cynique et desséchée; spécialement les « petites anglaises », qui, sous leurs apparences « préraphaélites », observent avec une vigilance froide la sensation voluptueuse qui irradie mais les laisse desséchées (D. H. Lawrence tonnait à la même époque contre le cérébralisme féminin qui menaçait selon lui l'Angleterre et le monde moderne). G. B. Shaw alimentait de son humour préfabriqué et pseudo-irlandais la *gentry* londonienne. Enfin, H.-G. WELLS épouvantait sans cesse ses lecteurs par ses récits d'anticipation et les rassurait sur l'avenir par la vision socialiste qu'il imposait à sa *Short story of the world*, Londres, 1922 : contre lui, il y avait l'animal mystérieux baptisé *Chesterbelloc* (Chesterton et Belloc) qui, de son rire formidable et de son érudition ironique, fracassait les idoles et critiquait les « idées chrétiennes devenues folles » (le mot est de Chesterton).

modestes qui ne se reconnaissent aucun droit, pas même celui
d'espérer (*ibid.*, p. 165)[4].

Au-delà de la guerre, c'est l'avenir de l'humanité qui apparaît lié
à la responsabilité des hommes :

> Il faudra quelque temps avant que cette guerre-ci ne révèle
> son vrai visage. Ses ultimes moments ont été pour nous avertir
> de la fragilité humaine... Lorsqu'on y pense, tout semble vain.
> Pourtant il fallait bien qu'un jour l'humanité fût mise en pos-
> session de sa mort... Nous voilà pourtant revenus à l'an Mil,
> chaque matin nous serons à la veille de la fin des temps... Après
> la mort de Dieu, voici qu'on annonce la mort de l'homme...
> L'humanité tout entière, si elle continue de vivre, ce ne sera
> pas simplement parce qu'elle est née, mais parce qu'elle aura
> décidé de prolonger sa vie... Il faut bien aussi parier pour la
> terre, quand bien même elle devrait un beau jour se casser en
> miettes. Simplement parce que nous y sommes... « Jusqu'ici
> je vivais dans l'angoisse, disait Tristan Bernard, quand on est
> venu l'arrêter. A présent, je vais vivre dans l'espoir... » Mais il
> faut parier. La guerre, en mourant, laisse l'homme nu, sans
> illusion, abandonné à ses propres forces, ayant enfin compris
> qu'il n'a plus à compter que sur lui. C'est la seule bonne nouvelle
> que nous annonçait, l'autre après-midi, cette cérémonieuse et
> grêle canonnade (*ibid.*, p. 165-167).

*   *
*

Ce que Sartre exprimait en 1945, pour la France, W. Borchert, un
poète allemand mort en 1947, l'exprimait pour son propre pays, à
propos de la jeunesse de 1946, celle qu'on avait jetée, sur les champs
de bataille, dans les derniers jours de la guerre :

> Nous sommes la génération sans lien et sans profondeur.
> Notre profondeur est abîme. Nous sommes la génération sans
> bonheur, sans foyer et sans adieu. Notre soleil est étroit, notre
> amour, sauvage, et notre jeunesse est sans jeunesse. Nous sommes
> la génération sans frontières, sans barrières et sans protection[5].

---

4. Comme on le verra dans le paragraphe sur Bombard, l'espérance n'est pas
une attente passive que « le ciel tombe sur la terre » : cette image convient
aux rêveries des pacifistes, ainsi que le dit du reste Sartre.
5. Voici le texte allemand : « *Wir sind die Generation ohne Bindung und ohne
Tiefe. Unsere Tiefe ist Abgrund. Wir sind die Generation ohne Glück, ohne Heimat
une ohne Abschied. Unsere Sonne ist schmal, unsere Liebe grausam und unsere
Jugend ist ohne Jugend. Und wir sind die Generation ohne Grenze, ohne Hemmung*

Dieu leur semblait vieux et impuissant. Une autre pièce de Borchert, *Draussen vor der Tür*, *Devant la porte*, décrit la tragédie du soldat qui, tel le colonel Chabert, rentre chez lui, après l'enfer de Stalingrad, pour trouver sa femme dans les bras d'un autre. Il veut alors se noyer mais on le tire de l'eau; une jeune femme le reçoit chez elle, et s'apitoye, mais un homme est avec elle, un unijambiste qui a perdu ce membre dans une reconnaissance dirigée par Beckmann; ce dernier essaye de rejeter la responsabilité de cette échauffourée militaire sur un officier supérieur, car comment pourrait-il « vivre dans un monde où un homme souffre par sa faute à lui? », mais son arrivée chez l'officier, qui est en train de dîner, est fort mal accueillie et l'officier ne veut pas assumer

---

und Behütung (cité dans *Deutsche Literatur im zwanzigsten Jahrhundert*, éd. sous la direction de H. FRIEDMANN et O. MANN, Heidelberg, 1954, p. 419). On songe à l'article où Sartre expliquait que les jeunes qu'il côtoyait n'osaient pas s'abandonner à l'insouciance propre à leur âge et cherchaient à s'engager. La génération de l'entre-deux guerres, en Allemagne, fut marquée d'abord par le chaos : Bernard KELLERMAN *(Der 9. November)*, E. M. REMARQUE, *(Im Westen nichts Neues)*, E. von SALOMON *(Les réprouvés)*, etc., ont décrit ce chaos, entre beaucoup d'autres écrivains. L'espoir naziste est décrit dans E. GLAESER, *Le dernier civil* (cfr éd. française, Paris, 1937, p. 358, 383, 425) : dans ce monde affreux « l'homme n'est pas égal à l'homme », et on ne se « réalise pas dans la paternité mais dans la domination » *(Dernier civil*, p. 220, 250). Il est intéressant de reproduire ici le texte que J. GIRAUDOUX met dans la bouche d'Ulysse *(La guerre de Troie n'aura pas lieu*, Paris, 1935), parce qu'on y voit clairement la différence de climat entre *le tragique* « *souriant* » de l'avant-guerre 39-45 et la *pathétique* de notre après-guerre : « Vous êtes jeune Hector!... A la veille de toute guerre, il est courant que deux chefs des peuples en conflit se rencontrent seuls dans quelque innocent village, sur la terrasse au bord d'un lac, dans l'angle d'un jardin. Et ils conviennent que la guerre est le pire fléau du monde, et tous deux, à suivre du regard ces reflets et ces rides sur les eaux, à recevoir sur les épaules ces pétales de magnolias, ils sont pacifiques, modestes, loyaux. Et ils s'étudient. Ils se regardent. Et, tiédis par le soleil, attendris par un vin clairet, ils ne trouvent dans le visage d'en face aucun trait qui justifie la haine, aucun trait qui n'appelle l'amour humain, et rien d'incompatible non plus dans leur langage, dans leur façon de se gratter le nez et de boire. Et ils sont vraiment combles de paix, de désirs de paix. Et ils se quittent en se serrant les mains, en se sentant des frères. Et ils se retournent de leur calèche pour se sourire... Et le lendemain pourtant, éclate la guerre... Le privilège des grands c'est de voir les catastrophes d'une terrasse » (p. 181-182). L' « espoir marxiste» s'inscrit dans deux citations empruntées à un très bel article de P. JOUGUELET, *Crise morale et croissance du monde*, dans *Lumière et Vie*, n° 8, février 1953, Saint-Alban-Leysse, 1953, p. 75-76 : « Ma tragédie personnelle est rejetée de côté par la joie merveilleuse d'avoir conscience que mes mains aussi posent des briques pour le magnifique édifice que nous construisons ». Ces lignes d'Ostrovsky (dans *Et l'acier fut trempé*) sont reprises en écho par un autre littérateur : « Participation à quelque chose d'énorme, de terrible et de majestueux ». Cette participation est aussi une « absorption ». Je remercie l'abbé Jean Frisque de la SAM d'avoir attiré mon attention sur ce remarquable article et je saisis l'occasion de lui dire aussi ma gratitude pour ses encouragements et suggestions durant la rédaction de ce livre.

la responsabilité de son ordre ancien. Beckmann essaye alors de se présenter dans un cabaret comique : ses grosses lunettes noires font mauvais effet, car on est déjà réinstallé dans la paix; il essaye alors de rentrer chez ses parents, mais il apprend que ceux-ci, ayant eu des ennuis, se sont suicidés au gaz : « c'est scandaleux, dit la ménagère, ils ont consommé la ration de gaz d'un mois entier ». Au moment où Beckmann plonge au fond du désespoir, « un bon Dieu sénile et larmoyant vient lui témoigner une pitié dérisoire et offensante » :

> Je n'y peux rien, gémit le Bon Dieu.
> — Justement, répond Beckmann, tu n'y peux rien. Nous ne te craignons plus, nous ne t'aimons plus, tu n'es pas moderne. Les théologiens t'ont laissé devenir un vieux. Tes culottes sont usées, tes semelles sont éculées, tu parles bas à présent, trop bas pour le tonnerre de notre temps, nous ne pouvons plus t'entendre... Peut-être as-tu trop d'encre dans le sang, l'encre fluide des théologiens. Ils t'ont muré dans les églises, nous ne nous entendons plus, toi et nous... Nous sommes tous dehors. Dieu aussi est dehors, et personne ne lui ouvre plus la porte. Seule la mort a encore pour nous une porte et c'est vers elle que je vais...

« Il faut être sourd, écrit Marcel, pour ne pas être bouleversé par cette sorte d'appel désespéré », et par cette question qui termine la pièce :

> Pourquoi vous taisez-vous? Pourquoi? N'existe-t-il donc pas de réponse? Aucune réponse?

Non seulement il y a ici une situation digne de Kafka, celle de celui qui est forclos, rejeté par un monde « plein », où il n'y a pas de faille pour un vivant rejeté « dehors », mais il y a aussi « l'espèce de point zéro à partir d'où il faut repenser la théologie » (*Nouvelles littéraires*, 1er janvier 1953, où l'on trouvera aussi les deux citations précédentes).

II. Du désespoir à la panique (1947-1951)

L'angoisse devint panique lorsqu'on se rendit compte qu'une troisième guerre mondiale pouvait éclater du jour au lendemain, lorsqu'on apprit l'existence de camps de concentration en Russie, lorsque, enfin, on fut témoin des premiers procès d'épuration, avec aveux « spontanés » des accusés : celui du Cardinal Mindszenty ouvrit les yeux les plus aveugles. A ce moment les livres de Koestler connurent

le succès : *Le zéro et l'infini*, dévoilait la volupté presque sadique avec
laquelle le « zéro » s'anéantissait devant le « nº 1 »; *Croisade sans croix*
montrait comment les meilleurs avaient continué à faire la guerre sans
y croire. Puis David Rousset commença sa campagne contre l'univers
concentrationnaire, en même temps que Kravchenko lançait le thème
du « choix de la liberté ». Enfin les romans d'anticipation se mirent à
pulluler. *1984* de G. Orwell expliquait que ce « qui importe aujourd'hui,
c'est de faire agir ceux qui ne croient plus en l'immortalité de l'âme
humaine comme s'ils y croyaient »[6]. *Temps futurs* (en anglais « *Apes
and Essence* », *Singes et Essence*), de Huxley, décrivait le monde d'après
la « troisième guerre mondiale », si terrible qu'on l'appelle « la chose »;
les hommes sont barbares car ils se servent des livres de bibliothèque
comme combustible; mais ils ont aussi « hypercivilisés », c'est-à-dire
bestialisés, car les relations amoureuses sont réglées par le système des
réflexes conditionnés : trois jours par mois, c'est « oui », les autres c'est
« non », et les « charmantes » employées portent aux points stratégiques
de ravissantes pièces d'étoffe sur lesquels « oui », ou « non », sont brodés;
tout est prévu, y compris les ratés de moteur, tout, sauf l'amour.
Étoiles de ceux qui ne sont pas nés, de Werfel, dont le final laisse filtrer
l'espoir[7], *Le huitième jour*, de Friedrich Heer.

Le livre qui domine cette deuxième phase c'est *La vingt-cinquième
heure* qui, traduit en 25 langues, a cristallisé une panique planétaire.
Trois faits se détachent du roman de Gheorghiu. *D'abord*, le *mal* décrit
est *universel*. Si l'on pouvait penser en lisant Koestler et Kravchenko que
le danger ne concernait que les pays totalitaires, l'histoire du paysan
roumain qui fait une centaine de camps de concentration décrit un
danger mondial : les hommes sont classés par catégorie, ils sont délivrés,
emprisonnés, absorbés, « automatiquement », le mot revenait comme
un *leitmotiv* dans la conférence que l'auteur fit à l'Université de Louvain.
Marcel, qui accompagnait à cette époque Gheorghiu dans cette tournée,
parlera plus tard de « l'homme de la baraque », celui qui *a* possédé un
foyer, mais qui n'a plus rien, sinon ce qu'il a sur le corps; il n'est plus
un humain qu'au passé, parce qu'il n'a plus de patrie et il se demande :
« pourquoi est-ce que je vis? » Un certain cœur saignant de l'être
humain a été mis à nu de nos jours, et il est impossible de camoufler

---

6. Cité par Bruce Marshall, dans *Atti del quarto convegno per la pace e
la civiltà cristiana* (= Atti), Florence, 1956, p. 103. Toute cette communication,
pour son humour et sa transparence, est à lire. Le thème du congrès était « Espérance théologale et espérance humaine ».

7. On lira une analyse dans *Indications*, 10ᵉ série (19, rue du Marteau, Bruxelles) :
l'idée sans doute la plus intéressante est la mise en valeur du rôle « religieux » du
peuple juif dans le drame moderne et de sa mission providentielle.

cela à bon compte[8]. *Ensuite,* le mal décrit par Gheorghiu n'est pas provoqué par une quelconque fatalité impersonnelle, mais par les hommes : la chose est tellement évidente qu'il est inutile d'insister, sinon pour rappeler que la responsabilité de l'homme apparaît encore accrue dans un univers que l'on se plaît à affirmer délivré de toute présence divine. *Enfin,* le « mal » qui nous menace est pratiquement inévitable, car les problèmes sont devenus planétaires et une organisation à l'échelle mondiale est un mal peut-être, mais nécessaire. L'ambiguïté des techniques sociologiques permettant de prévoir le comportement des êtres humains se manifeste ici, en même temps que le risque de termitière cosmique que nous frôlons.

Pour Gheorghiu, et en cela il est bien un fils de l'orthodoxie orientale, même un Messie, s'il venait, arriverait trop tard, car la « vingt-cinquième heure » n'existe pas, elle sonne la fin du monde. Le seul espoir subsistant s'inscrit sur cette icône de douleur qui profile en filigrane le visage du Christ du Calvaire : deux rames de prisonniers, l'une qui va vers l'ouest, l'autre vers l'est, se croisent dans une gare d'Europe centrale; au geste de sympathie du héros à l'égard des « frères humains » de « l'autre » convoi, les insultes et les pierres répondent : « qu'importe la manière de gravir le Golgotha; même si nous y montons en locomotive, cela n'est rien, l'essentiel est de le gravir ». Une autre scène montre comment, autour de prisonniers honteusement dénudés, se dessine une sorte d'auréole de gloire, que le paysan contemple, surpris, et qui laisse transparaître les traits des saints auxquels les icônes byzantines nous ont accoutumés.

Le roman de Gheorghiu s'ouvre donc sur une dimension supérieure mais, ici-bas, rien ne s'en manifeste, le salut est *entièrement* eschatologique, car la fin du monde est une catastrophe, provoquée par les hommes eux-mêmes, pratiquement inévitable et bloquant le déroulement de l'histoire; il n'y a pas de place dans cette perspective pour un espoir terrestre, même soutenu et transfiguré par l'espérance théologale; il n'y a que rupture.

* * *

En 1951, la pièce de Gabriel Marcel, *Rome n'est plus dans Rome*[9] exprima la panique qui s'était emparée des intellectuels français à l'idée d'une nouvelle invasion possible de l'Europe occidentale par les forces totalitaires : Rome ne serait-elle plus dans Rome? Autrement

---

8. G. MARCEL, *L'homme problématique,* Paris, 1955, p. 11, 13, 16, 19; il cite H. ZEHRER, *L'homme en ce monde,* auquel il emprunte ces termes.
9. Il en sera parlé plus en détail dans le tome IV de cette série.

dit, l'Europe chrétienne ne pourrait-elle plus être sauvée en Europe?
Devrait-on fuir vers le nouveau continent, pour y sauver la civilisation,
en attendant que la vague barbare ait reflué et abandonné l'ancien
continent?

Gabriel Marcel répondit que l'Europe doit se défendre elle-même,
et il faut lui donner raison. La pièce, malgré les « allusions » que l'on
y découvrit à Gilson et à Maritain, venait à son heure, car, au même
moment, des colonies d'Européens partaient pour l'Afrique, le Chili, et,
parmi leurs membres, un certain nombre qui ne voulaient plus
connaître une seconde fois le risque de nouveaux Buchenwald. Un
vent de panique a soufflé sur le monde européen[10], ainsi que l'a dit
Mauriac dans son discours de Florence :

> Voilà pourquoi nous qui avons reçu en dépôt le secret du
> Royaume de Dieu et les paroles de la vie éternelle, si faibles que
> nous soyons en apparence, nous demeurons les maîtres de l'heure.
> Voici le moment de l'histoire où tous les philtres dont s'enivrait
> l'espérance se sont révélés, à la fois, comme des poisons. Cette folle
> espérance[11] qui, en 1789, était partie à la conquête du bonheur, —
> « le bonheur est une idée neuve en Europe » disait Saint-Just,
> — cette folle espérance qui s'était précipitée sur tant de routes,
> à la suite des Jacobins et des adorateurs de la nation déifiée, à
> la suite de la double postérité de Voltaire et de Jean-Jacques,
> à la suite des Saint-Simoniens, des idéologues de 1848, à la suite
> de ceux qui croyaient au progrès infini des lumières, elle découvre
> aujourd'hui, cette pauvre folle, que toutes ces routes convergeaient
> vers le même camp de concentration, vers la même chambre à
> gaz, vers les décombres des villes bombardées, vers les cadavres
> atrocement brûlés d'Hiroshima.

---

10. En même temps se développaient en littérature, les « séries noires » ou
« tragédies grecques de poche »; n'oublions pas cependant que le genre « blanc »
continue toujours à se vendre, par millions d'exemplaires; entre ces deux extrêmes,
« noirs » et « blancs », aussi irréels l'un que l'autre du reste, se place le genre « rose »,
mais soupoudré de sexualité, que l'on trouve à bon compte dans les magazines
hebdomadaires (une *pin-up* par semaine), et, dans un genre « neuf », les romans
« historiques » (qui nous apprennent surtout combien de fois, et comment, Lucrèce
Borgia, par exemple, faisait l'amour...).

11. Je dirais plutôt « espoir », préférant réserver le terme espérance à la
vertu théologale; le passage de F. MAURIAC est dans *Atti*, p. 253.

III. De la panique à l'espoir... ou à l'ennui

Les cinq dernières années auront vu une accélération vertigineuse de l'évolution des esprits. Les éducateurs et les parents sentent que la jeunesse leur échappe : les enfants veulent discuter d'égal à égal avec les adultes; l'argument d'autorité, qui n'a jamais beaucoup porté auprès des jeunes, est pratiquement démonétisé; jeunes gens et jeunes filles, ces dernières peut-être plus encore, veulent tout savoir, parler de toutes les questions; le « cléricalisme » est plus mal supporté que jamais et les parents sont prématurément rangés dans les vieilles lunes. On lit Françoise Sagan, et telle jeune fille regarde avec un étonnement un peu apitoyé son père qui avoue n'avoir pas lu ce « classique » d'un genre nouveau; on discute *Le deuxième sexe* de Simone de Beauvoir, y compris la documentation qui porte sur l'au-delà du « rideau de mousseline » qui voile encore, dans *Bonjour tristesse* et *Un certain sourire*, les réalités de l'amour. La moyenne des filles et des garçons croit ne plus croire; elle affiche un scepticisme radical sur la divinité de Jésus, et se livre à une critique corrosive de l'Église « rétrograde ».

Je ne voudrais pas me donner le ridicule de tirer au canon sur une toile d'araignée, mais je sais qu'une certaine jeunesse n'a pas su regarder en face les problèmes de l'heure et qu'elle se réfugie, grâce à son argent et à la faveur de ses loisirs, dans l'ennui d'un « certain sourire » et la grisaille rose d'une « tristesse » qui ne sait plus son nom. Sa réaction devant l'épreuve de l'angoisse et de la panique est la *fatigue* qui ronge les moelles; il y en a, et des milliers, qui veulent ne pas grandir, ne pas regarder le réel et lui préfèrent les petites secousses de leur *animula, vagula, blandula*, leur « âmette » vagueuse, flottante, comme une mousse dans l'eau, comme une pousse déracinée emportée au gré des vents. Un certain Occident risque de périr, étouffé par un « désespoir de poche ».

* * *

Mais ce n'est là que la moitié de la vérité : les jeunes lisent aussi Gilbert Cesbron; ils se passionnent pour les responsabilités humaines, camps de jeunesse, équipes qui s'en vont moissonner, bâtir, évangéliser; ils s'éveillent à l'appel des pays d'Asie; ils s'en vont chercher le Christ où il est, sur le visage des pauvres et des écrasés de l'injustice; la curiosité passionnée pour les autres cultures s'accroît.

La littérature, durant les années de l'après-guerre, s'est approfondie selon sa dimension verticale : la technique du dévoilement et la psychologie des profondeurs mettent à nu la vie qui se fait; si les dévoilements faits au « microscope électronique » ramènent à la surface des monstres ambigus, ils permettent aussi de surprendre « les libertés prises au piège », selon le mot de Sartre, et de rejoindre, à travers la singularité la plus incommunicable, l'homme de la rue[12]. C'est aussi horizontalement, si l'on peut se permettre ces comparaisons géométriques, que la littérature s'est élargie : la dimension historique et sociale se retrouve par exemple dans le théâtre total, tel que les mises en scène de Bayreuth depuis 1951 en donnent une idée, ainsi que celles de Jean-Louis Barrault. Le théâtre total est « populaire », car on assiste présentement à une véritable résurrection du théâtre antique selon son ampleur communautaire : la lumière, le chant, les décors, la danse, les mouvements de masse sont utilisés dans le cadre d'édifices comme le palais des Papes en Avignon, le théâtre d'Orange ou les façades de cathédrales ou de monuments publics. Cela nous change du théâtre « boulevardier » et de son « triangle » monotone.

La notion même de la culture s'est élargie : la musique et les arts plastiques ont trouvé leur imprimerie dans le microsillon et la reproduction photographique, fait aussi important que la découverte de l'imprimerie par Gutenberg. Ce mot déjà cité de Malraux me paraît exemplaire d'un phénomène dont l'ampleur ne fera que croître et dont il faut se réjouir, d'autant qu'il est contemporain d'un autre, bien plus important encore, mais avec lequel il converge, l'intérêt croissant des « humanistes » pour les sciences. Je ne vois qu'un genre de littérature qui reflète cet espoir, celui que j'aimerais appeler « littérature d'exploration de monde »[13] : au-delà de Jules Verne, l'auteur français le plus traduit dans les autres langues mondiales, mais aussi dans son prolongement, les nouveaux explorateurs ne cèdent pas au romantisme de l'évasion ou de l'exotisme. Ce qui frappe dans des livres comme *Annapurna, L'expédition du Kon Tiki* et bien d'autres, c'est d'abord la *patience* modeste dans l'effort solidaire d'une équipe, ensuite la *science* indispensable à la connaissance du « monde » exploré, enfin le *respect* pour le pays visité, qu'il s'agisse de la géographie physique, de la faune, de la flore ou, enfin, des habitants.

---

12. Le « père » du genre est James JOYCE, avec *Ulysse* (1921), dont il sera parlé dans un volume ultérieur de cette série.

13. Les derniers prix littéraires de 1955 s'orientent dans le sens d'un au-delà du désespoir; *Les mandarins*, prix Goncourt de 1954, terminait aussi sur un nécessaire dépassement dans le sens de l'amour, malgré des théories et des situations qui expliquent sa mise à l'Index en 1956.

Ces remarques paraissent fondamentales. L'univers de Malraux est romantique, ce qui n'enlève rien à sa grandeur, certes, mais le situe à l'antipode de l'attention humble, tenace, quotidienne, d'hommes qui cherchent à mieux connaître le monde; plus que jamais, il faut se défier des grands mots, des attitudes toutes faites, à base de sentiment; il faut l'étude précise, l'information exacte, la recherche des « secrets » de la « nature » : il n'est question ni d'une victoire totale sur elle, ni non plus d'une défaite radicale, mais d'un éclairement qui, de proche en proche, permette d'apprivoiser les forces cosmiques. Pour explorer la terre Adélie il faut être quelques-uns qui s'entraident et échangent leurs sciences respectives; pour connaître les peuplades dites « primitives », il faut la patience de l'amour, l'humilité de celui qui écoute : alors les cultures se dévoilent, comme celle des Bantous, par exemple ou des Papous, selon leurs dimensions humaines. En ce sens, l'espoir est le contraire du défi, le contraire aussi de l'impatience.

J'ai choisi Alain Bombard comme témoin de cet espoir vrai; j'aurais pu en élire d'autres, qui voudront bien reconnaître ici, dans la voix du « naufragé volontaire », leur propre voix[14] : ceux-là ont « parié pour cette terre, même si elle devait se casser en miettes entre leurs mains ».

* * *

L'évolution des esprits, depuis dix ans, aboutit donc à une option majeure pour l'Occident : l'espoir ou le répit; souvent on meublera ce dernier de l'ennui que seuls les gens riches peuvent encore se payer.

Il ne faut pas être hypocrite, ce dilemme *est en chacun de nous :* les meilleurs, actuellement, lorsqu'ils se découragent, sentent passer sur eux le souffle d'un nouveau *taedium vitae*, la fascination d'une vie superficielle où l'on cueille au jour le jour (*carpe diem* disait Horace) les petits plaisirs, les petits émois. Horace vivait en un temps dénué d'espoir humain, car la mort achevait tout pour les anciens, ou bien elle était évasion dans l'intemporel; l'histoire n'avait donc aucun sens et l'on pouvait, en deçà des lumières chrétiennes, opter pour l'équilibre négatif de l'épicurisme ou du stoïcisme.

Cela ne nous est plus permis, car un espoir naît dans le monde, celui des peuples affamés et nus, qui nous regardent. J'esquisserai d'abord, avec Bombard, la réponse de ceux qui ont choisi l'espoir pour les autres; la réflexion sur l'ennui qui terminera ce chapitre voudrait être un cri d'alarme : puisse-t-il réveiller ceux qui dorment.

---

14. Je songe spécialement aux livres de Dupeyrat, de Mahuzier, dont le sérieux est profondément émouvant; je dois à peine rappeler le livre du P. Tempels, *La philosophie bantoue* qui est un modèle du genre.

IV. Alain Bombard et l'espoir de la « terre promise »

1. Naufragé volontaire

On connaît l'odyssée du jeune médecin de 28 ans qui voulut mesurer par lui-même les capacités de résistance du naufragé perdu en plein océan; sur un canot pneumatique, *L'hérétique*, — baptisé ainsi parce que son pilote démentit par les faits une série de « vérités » réputées évidentes en matière de naufrage, par exemple l'impossibilité de boire de l'eau de mer, la présence des oiseaux qui serait le signe de la proximité des côtes etc. — il traversa l'Atlantique, des Canaries à la Barbade, en 65 jours; il se nourrissait de poisson, — il y trouvait aussi l'eau douce nécessaire à sa subsistance, — y ajoutait une petite ration de plancton (pour la vitamine C), organisait ses journées de manière à éviter la confusion mentale, luttait contre les peurs et les superstitions qui montaient en lui, contre la solitude surtout, celle d'un homme entre le ciel et l'eau. Bombard a prouvé ainsi que, des 50.000 naufragés qui chaque année réussissent à s'embarquer sur des canots, un très grand nombre pourrait se sauver, à condition que les *instructions* leur soient données, celles précisément que son « périple » a permis de réunir :

> Naufrage, ce mot devient pour moi l'expression même de la misère humaine. Il était synonyme de désespoir, de faim, de soif ...Comment combattre le désespoir, meurtrier plus efficace et plus rapide que n'importe quel facteur physique?... J'établirai scientifiquement les chances alimentaires de survie, puis nous partirons... en mer pour faire la démonstration humaine qui, seule, pouvait guérir les futurs naufragés du désespoir... Or, il y avait un important facteur à vaincre : il y avait à tuer ce désespoir qui tue; cela n'entrait pas dans le cadre de l'alimentation, mais si boire est plus important que manger, *donner confiance est plus important que boire*. Si la soif tue plus vite que la faim, le désespoir gagne encore en rapidité sur la soif (*Naufragé volontaire*, p. 10, 14, 19, 37)[15].

Ces mots nous mettent dans un univers concret; le pain reprend sa saveur, l'eau son goût, parce qu'un homme s'est attelé à une tâche difficile, mais source d'espoir pour des milliers d'êtres, si elle réussit.

---

15. Dans ce paragraphe, les chiffres entre parenthèses renvoient à A. Bombard, *Naufragé volontaire*, Paris, 1953, Coll. « *Les grandes aventures du siècle* ».

* * *

Le premier danger est d'ordre « moral » : la plupart des naufragés meurent au bout de trois jours, de désespoir, non de faim ni de soif, car cette dernière, par exemple, peut se prolonger une dizaine de jours sans que l'on meure; Bombard le dit en citant le mot de Claudel dans *La danse des morts :* « Souviens-toi, homme, que tu es esprit » (p. 37). C'est l'esprit en effet qui lutte contre *la peur,* « cette ennemie qui m'a si souvent attaquée pendant ces sept mois »; devant elle il faut garder son timbre normal de voix car, autrement, elle « réapparaîtrait partout sur la mer pour écouter nos murmures, cette mauvaise prière »; quand tout va mal, on ne songe plus à la peur, mais quand tout va bien, elle réapparaît, par exemple dans cette voile, l'unique qui reste, que l'on a dû recoudre et qui craquera peut-être dans la bourrasque : « j'ai de plus en plus peur, car j'ai beau avoir passé une vingtaine de jours, il est terrible qu'il suffise toujours d'une vague et d'une seule » (p. 68, 72, 190, 232).

Il y a aussi la *superstition,* caricature de la foi et de l'espérance en Dieu : de petites frayeurs superstitieuses s'emparent du naufragé, par exemple s'il ne retrouve pas immédiatement sa pipe où elle devrait être; une croyance confuse s'empare de lui en l'hostilité de certains objets inanimés (p. 217, 240). Il y a le *silence,* parfois aussi expressif que le bruit, ce silence bruissant de la mer nocturne, traversé de grondements mystérieux, de « *mirages sonores* » au cœur de la brume, ce silence dans lequel la présence des êtres qui vivent dans la mer se révèle à la fois menaçante et familière (p. 79). Il y a la *solitude :*

> Elle n'attaque pas brusquement, mon ennemie déjà connue, mais sa présence peu à peu m'envahira au fil de mes jours atlantiques. Il lui faudra attendre que je sois vraiment dans « l'océan », alors que je suis encore dans la « côte » atlantique; d'ailleurs, les problèmes affluent, m'empêchant d'arrêter vraiment ma pensée sur « l'installation à bord de la solitude ». C'est seulement quand ces problèmes seront résolus qu'elle deviendra alors *le* problème (p. 149).

Mais, lorsque les « problèmes » seront résolus, la solitude s'abattra d'un seul coup sur le naufragé, et deviendra *le* problème :

> Solitude, tu commences à m'inquiéter sérieusement... Je comprends la différence entre solitude et isolement. De l'isolement dans la vie normale, je sais comment je peux sortir : tout simplement par la porte pour descendre dans la rue ou par le téléphone afin d'entendre la voix d'un ami. L'isolement n'existe que si

on s'isole. Mais la solitude, quand elle est totale, nous écrase. Malheur à l'homme seul... De chaque point de l'horizon il me semble que la solitude immense, absolue, que tout un océan de solitude se ramasse au-dessus de moi, comme si mon cœur donnait enfin à ce tout qui n'était pourtant rien son centre de gravité... Je croyais te maîtriser, solitude... C'est toi qui m'as envahi. Rien ne peut te rompre, pas plus que rien ne pourrait rapprocher l'horizon. Et si pour entendre ma voix, je me mets à parler haut, je suis encore plus seul, naufragé dans le silence (p. 210-211).

Cette solitude radicale paraît moins hostile, cependant, car elle ressemble à un élément naturel, aux nuages, à la mer, aux terres lointaines; elle est une ennemie familière, qui ne se laisse jamais tout à fait vaincre, mais qui se laisse apprivoiser; de plus elle simplifie :

Quand je pense qu'il y a des gens qui attachent de l'importance à leur habillement à terre... quand je pense qu'il y a des gens ayant une vie régulière... moi, je vis maintenant au fil des jours, je suis mené par le soleil, je suis retourné à la vie primitive... Dans mon journal, la solitude apparaît de plus en plus douloureuse, de plus en plus obsédante (p. 226).

Le soleil, pour le naufragé, était source de vie, cause de souffrances atroces aussi, sous les tropiques; mais il était le grand signe permettant de relever la position du canot sur l'océan, et d'apprivoiser ainsi la solitude.

2. Aux écoutes de l'univers

La situation de Bombard devenait tragique :

Le 28 octobre, — il devait aborder à La Barbade le 22 décembre 1952, — je suis frappé pour la première fois par le tragique de la situation. Ce qui tranche, par rapport aux précédentes étapes, outre sa longueur, c'est le caractère inéluctable de cette traversée. Impossible de s'arrêter, impossible de revenir en arrière; il est même impossible de demander un secours. Je ne suis qu'un élément dans cet immense brassage. Je fais partie d'un monde sans mesure humaine (p. 203).

Tous les traits de l'angoisse « existentialiste » se retrouvent dans cette impossibilité de reculer, de s'arrêter, car on « est embarqué »; on est un élément dans un univers « inhumain » :

J'en ai souvent froid dans le dos, et maintenant, depuis déjà plusieurs jours, plus aucun bateau ne se montre (p. 203).

Devant le silence, la solitude, les « superstitions » menaçantes, Bombard fait front, avec courage, mais aussi *avec intelligence,* car les premières pages du livre détaillent l'étude qu'il fit des possibilités de survivre; il y a dans ces lignes la précision de la science et la probité du savant et du chercheur. Cette volonté de savoir est à la racine d'une autre expérience fondamentale du naufragé volontaire, l'espèce de *familiarité attentive* qui va le relier aux éléments : lors de la première expérience, en Méditerranée, prenant son tour de veille, — car Bombard était alors accompagné de Jack Palmer, — le naufragé « entendit » pour la première fois « le bruit » des bêtes dans les eaux ténébreuses, il se sentit enveloppé du grand enjouement liquide de l'élément marin dont « 1 m³ contient deux cents fois plus de vie que la même mesure de terre » (p. II, n. 1).

C'est ici, je le répète, que le témoignage de Bombard est exemplaire, comme du reste celui de tous les « explorateurs » du monde : à l'impatience malruxienne de tant de jeunes qui foncent, aveuglés par leur défi et leur besoin de « se sentir vivre », le naufragé volontaire substitue *la patience et l'attention* par laquelle le monde va devenir moins étranger, plus familier :

> J'ai vu hier mon premier requin depuis les Canaries. Il est vite passé. Quant aux dorades, elles me sont devenues familières; j'en reparlerai fréquemment, car elles sont la seule présence amicale autour de moi. Dans la nuit, lorsque je me réveille, je suis frappé par la beauté de ces animaux qui tracent leurs sillages parallèles aux miens que la phosphorescence de la mer transforme en traînées lumineuses (p. 203-204).

Cette page éveille de profondes réminiscences : la science patiente et l'amour humble devant les vivants renouent le lien entre l'homme et le monde. Adam, dont le nom hébreux signifie « homme », était un être minuscule devant « l'immense octave de la création », mais il se retrouvait « fraternel », ayant avec les bêtes, par exemple, une amitié silencieuse; de même, Bombard salue tous les jours, vers quatre heures, un pétrel, petit oiseau noir aux taches blanches, qui venait se poser sur le canot, puis disparaissait. Adam donnait aux bêtes « leur nom »; de même, le naufragé a reconnu quelques-unes des dorades qui suivent obstinément le sillage; il appellera la plus grosse Dora, car elle était énorme, tant elle se régalait des poissons volants que Bombard rejetait à la mer (p. 214).

* * *

Comme Adam aussi, qui ne trouvait pas « une aide semblable à lui », Bombard sent le besoin d'une présence humaine, car, traversant le récit comme une veine secrète, plus tendre aussi, mais qui irrigue l'âme et la chair, il y a l'amour de *sa femme* :

> Telle que je la connais, je suis affolé pour Ginette; elle doit être désespérée, et il se peut que ça dure encore une dizaine de jours;...j'en ai assez, et je pense à cette pauvre Ginette qui doit être en train de mourir à petit feu (p. 264, 272).

Cette pensée l'accable sans doute, mais elle le soutient aussi, comme jadis Guillaumet perdu dans les neiges de la cordillère des Andes. Comme le petit prince de Saint-Exupéry découvrait des « chemins » dans le désert parce que, quelque part, un puits y est caché, Bombard sait qu'il y a un chemin sur la mer : il songe sans cesse à sa femme, il pense aussi aux 50.000 naufragés qu'on pourrait sauver chaque année si son périple aboutit; cette « terre promise » donne un sens à la navigation; elle en fait « le voyage de l'espoir ».

Les « *nourritures de l'esprit* » achèvent l'équipement du naufragé :

> Dosant les genres, j'avais emporté un Molière et un Rabelais complet, un Cervantès, un Nietzsche et le *Théâtre* d'Eschyle en bilingue, Spinoza, des extraits de Montaigne, et comme partition musicale, les deux *Passions* de Bach et les *Quatuors* de Beethoven (p. 220).

On peut être certain que, dans ces « œuvres d'art », Bombard a trouvé plus que « l'anti-destin » anonyme qu'y voit Malraux, car cette conception de l'art paraît un peu romantique devant la monotonie de ces 65 jours.

Enfin, Bombard laisse entendre souvent que la confiance avec laquelle il s'endormait chaque nuit au milieu de l'océan n'était pas une démission au hasard mais aussi *une espérance en quelqu'un* :

> Nous nous confions à la Providence et, sagement, essayons de profiter de l'inaction involontaire pour reconstituer nos forces affaiblies... Hier soir, en me couchant, à la grâce de Dieu (le soir je fixe la barre et je dors), je m'étais dit : « Si j'ai bien navigué, je dois voir la première île demain dans la matinée, à la gauche... » J'ai toujours hâte que la nuit vienne, d'abord parce que ça fait un jour de passé, ensuite parce que je m'endors m'en remettant de tout à la Providence, enfin parce que je ne vois pas les événements inquiétants » (p. 95, 162, 230).

Au moment de son départ pour « la grande épreuve », à Las Palmas,
les gens, sur les canots environnants, avaient fait le signe de la croix,
le salut « que l'on fait pour les morts » (p. 182); ce geste avait donné à
sa dernière et plus terrible épreuve un accent de gravité religieuse.

Cette confiance en la Providence ne diminue en rien le poids écrasant
des tâches que doit accomplir le naufragé, car l'espérance n'est pas un
alibi; elle introduit seulement dans ce bloc compact de 65 jours de
navigation une ouverture secrète par laquelle on respire; un mystérieux
équilibre se crée entre la tension de l'homme qui doit maintenir son
espoir ferme contre tous les désespoirs pour se dresser face aux menaces,
en une vigilance permanente, et la souple détente de celui qui se confie,
la nuit, le jour, quand il n'y a rien à faire, aux éléments, parce qu'il
sait que ceux-ci sont mystérieuse participation à une Providence. Les
héros de Malraux respirent mal, de manière haletante; cet homme-ci
respire, doucement, profondément.

3. Jusqu'au bout de la nuit

Cependant les jours deviennent terribles, car après les pluies
diluviennes qui lui donnèrent trop d'eau douce, le soleil implacable fut
un martyre :

> Tu vois donc, naufragé, qu'il ne faut jamais te laisser aller
> au désespoir. Tu dois savoir que, lorsqu'il te semble toucher
> le fond de la misère humaine, des circonstances surviennent
> qui peuvent tout transformer. Mais, malgré tout, ne te hâte
> pas trop d'espérer, n'oublie pas que lorsque certaines épreuves
> paraissent insupportables, d'autres peuvent surgir qui effaceront
> le souvenir des premières (p. 246).

Il ne faut pas trop vite espérer, car, jusqu'à la fin, l'échec menace;
la vigilance doit être aux aguets. Durant les vingt jours où le vent ne
soufflait que quelques minutes, chaque jour, Bombard frôle le désespoir .

> Samedi 29 novembre : Le vent a duré exactement dix minutes;
> actuellement, soleil de plomb, 38-39° sous ma tente, pas de
> vent, pas de terre, pas de bateau, pas d'avion, pas d'oiseau :
> désespoir... Heureusement qu'il y a peu de jours comme ça, sans
> nuages sans cela j'aurais vite le cerveau en ébullition (p. 262, 266).

Chaque pèlerinage de l'espoir doit passer par un approfondissement
du désespoir; après la patience du début et quelques lueurs venues des
êtres et des éléments, la solitude et l'angoisse retombent de tout leur

poids, car il faut aller jusqu'au bout de la nuit. Bombard affronte ainsi, sans le savoir du reste, le plus grand danger de sa traversée, une raie géante : « rassuré, contre toute logique, par le nom de cet animal « comestible », je le photographie, sans penser que c'était moi, en l'occurrence, qui risquait d'être mangé, car il pouvait me retourner d'un seul coup d'aileron ou faire un bond pour me recouvrir » (p. 275-276); l'énorme animal, après deux heures de poursuite, « s'effaça comme une plaque de métal, aspiré par les profondeurs ». Le soleil tape comme le plomb fondu et Bombard compose, dans une demi-hallucination, le menu de deux repas qu'il veut s'offrir aux frais d'une personne qui a parié qu'il n'arriverait pas! Mais, soudain, un cargo d'environ sept mille tonnes se profile sur l'eau :

> Personne ne semblait m'avoir vu et je bondis sur mon hélio-graphe pour essayer d'envoyer le soleil dans l'œil de quelqu'un, comme un enfant qui essaie de déranger les passants. Au bout d'un temps qui me parut extrêmement long, on m'aperçut enfin, et, changeant le cap, le cargo se dirigea sur mon arrière. Mon moral était remonté d'un coup... (p. 277-278).

« Comme un enfant qui essaie de déranger les passants » : le geste le plus simple va lui permettre d'accrocher « cette main qui passe »; Bombard va connaître sa longitude exacte et faire prévenir les siens : « *Ginette est prévenue, le voyage continue, Dieu est bon* » (p. 282). Ce chant d'action de grâces est la respiration d'un être accordé avec les éléments, avec lui-même et avec Dieu.

4. Espoir et terre promise

L'espoir qui rayonne de *Naufragé volontaire* se relie à *l'esprit :*

> Toutes choses égales d'ailleurs (ce qui réserve le rôle de *l'esprit, j'entends par là le courage, l'espérance de vivre),* il est possible de survivre si telles et telles conditions physiques sont réalisées (p. 12).

Les deux pôles de l'espoir sont ici représentés : *connaissance* des conditions physiques nécessaires à la survie du naufragé et *courage* de l'esprit, volonté de vivre. Ce courage, au cœur de l'espoir, n'est pas le durcissement de l'adolescent, mais la force souple de l'homme adulte, appuyée sur un cœur réconcilié avec lui-même et sur les choses que l'on essaie de connaître, de deviner, pour épouser leur rythme et les faire servir au salut.

Cet espoir se régénère, parce que *sa source est spirituelle :*

> L'espoir est toujours permis, et l'espoir était vif en moi,
> comme il le restera jusqu'au bout (p. 195).

L'espoir est *modeste*, comme le désespoir, qui se limite lui-même :

> Il ne faut jamais te laisser aller au désespoir... Mais, malgré
> tout, ne te hâte pas trop d'espérer (p. 246).

L'espoir est humble, et cependant *il ne meurt pas*, il se redresse toujours, parce qu'il est espoir de salut personnel, mais aussi espoir *pour les autres :* si l'expérience de Bombard réussit, « *quel immense espoir allait s'élever alors dans les milieux maritimes* » (p. 279).

Au terme de son livre, Bombard s'adresse aux enfants, aux jeunes gens qui, enflammés par son récit, voudraient faire de même, croyant à une partie de plaisir, et ne réaliseraient pas la gravité de cette lutte pour la vie. Les aventuriers sont des adolescents qui ont eu peur de grandir, qui ont cherché à alléger indûment le poids de l'existence réelle, qui n'ont pas accepté la pesanteur croissante d'une chair qui se remplit des désirs, mais aussi des blessures de la vie, et qui ont rêvé de réduire l'homme à l'éclair métallique d'un défi lucide, à sa trace figée dans « la voix survivante mais non pas immortelle » de l'œuvre d'art. Ceux qui vivent *vraiment* l'espoir, savent sa gravité, l'absence de toute facilité, de tout mirage, le vrai courage, la vraie force de l'esprit, qu'il implique (p. 313) :

> Je veux donner au naufragé des règles de vie, lui détailler
> un emploi du temps qui lui permette d'occuper activement sa
> journée, la volonté toujours tendue vers ce but : la vie.

De l'optique de Malraux, nous voici transportés dans celle de Kafka : lui aussi cherchait « des règles de vie »; dans l'œuvre d'Alain Bombard, lorsque la *vie* apparaît, elle n'a plus besoin de se justifier, elle vaut par elle-même, tant chacun saisit que, menacée, presque perdue, retrouvée, elle est, mystérieusement, la terre promise qui est à l'horizon de ce livre :

> Un homme qui croit toucher le fond du désespoir peut toujours
> trouver *un second souffle* qui lui permettra de continuer et de
> rebondir *comme Antée*, lorsque ses pieds touchent terre... Pour
> donner au naufragé cet espoir et le persuader que la vie est au
> bout de son épreuve, j'aimerais qu'on imprimât aussi : « Souvenez-
> vous qu'un homme l'a fait en 1952... »

Mais l'on ne doit risquer sa vie que pour une cause utile.

Espérer c'est *tendre vers un état meilleur*. Le naufragé, après la catastrophe, démuni de tout, ne peut et ne doit qu'espérer. Il se voit poser brutalement le problème : vivre ou mourir, et c'est toutes ses ressources, *toute sa foi en la vie* qu'il mettra dans son courage pour lutter contre le désespoir (p. 314-315).

L'espoir est une *foi en la vie*; il nous joint au monde *objectif* qu'il nous faut épouser, car les mots de Bombard que je vais citer valent aussi de l'humanité :

> Lorsque je mis le pied sur la plage de la Barbade, c'était une terre très instable que j'abordais, car le sable de la plage était mouvant, glissant. J'avais néanmoins l'impression que c'était *une terre promise* (p. 301).

V. Françoise Sagan ou
« La vie recommencerait-elle comme avant? »

Une petite fille, de 17-18 ans, presque une gamine, passant ses vacances sur la côte d'Azur : villa au bord d'une crique isolée, frigidaires et *whiskies*, bikinis et soleil torride, Elsa qui « pelait et rougissait dans d'affreuses souffrances », Cyril, un jeune Anglais bronzé, bientôt l'amant de la petite fille, courses vers Cannes, la nuit, bercées au roulis d'une voiture américaine décapotable, sous les étoiles douces, vagues répétitions pour un examen, un peu de Proust, de Bergson; une petite fille maigre et étroite en son adolescence encore acide, qui ne sait pas elle-même si elle est « de la belle race pure des nomades » ou de la « race pauvre et desséchée des jouisseurs » (BT, p. 164), mais qui a fait de la vie superficielle une « profondeur » d'un nouveau genre; une petite fille qui va se croire devenue une femme, a été dix ans dans un pensionnat religieux, a eu quelques crises mystiques, mais a trouvé en son père, quarante ans, veuf, nanti de maîtresses intermittentes et successives, un merveilleux complice du jeu de l'infantilisme prolongé : voici Cécile dans *Bonjour tristesse*[16].

Il ne lui arrivera rien. Sinon peut-être que son père, ayant retrouvé Anne Larsen, une ancienne maîtresse, calme, ordonnée, reposante, se

---

16. Je cite *Bonjour tristesse*, Paris, 1954 = BT; *Un certain sourire*, Paris, 1956 = CS. Les critiques ont été variées : les exégètes purement littéraires ont plutôt éreinté le livre, soulignant son aspect artificiel, ainsi les critiques de la *Nouvelle Nouvelle revue française* et de *La table ronde*. Je prends au sérieux, comme un signe des temps et comme l'expression d'une tentation *à laquelle les hommes succombent neuf fois sur dix*, les deux petits livres de Françoise Sagan.

laisse tenter par l'offre de mariage qu'elle fait à ce Don Juan qui commence à prendre du ventre, et abandonne, lâchement, la blonde et opulente Elsa, la compagne du moment. Cécile sent que sa vie facile, un peu animale, est menacée par cette Anne qui veut, par exemple, la faire travailler : avec une habileté et un sang-froid qui étonnent, elle parvient à jeter de nouveau Elsa dans les bras de son père. Anne découvre le drame, et s'en va; sa voiture sera retrouvée au fond d'un ravin de l'Estérel. Bientôt, cependant, les deux « complices », le père et la fille, vont reprendre leurs escapades dans le Paris des bars et retours à l'aube grise.

Une jeune étudiante en Droit, 17-18 ans également, qui s'ennuie modérément à Paris; elle en est à son premier amant, Bertrand, sérieux, avide, sans fantaisie, mais elle va devenir amoureuse d'un homme de quarante ans, Luc, l'oncle de Bertrand et vivra avec lui quinze jours à Cannes : hôtel énorme, « mille compliments de la salle de bains et de la mer », parfum des mimosas, la nuit, baignades, le jour, re-bikinis, scotch, petit air sentimental choisi dans les machines à disques des bars, puis la séparation; il faudra attendre que cet « amour » passe et que l'on puisse retrouver enfin, avec un « certain sourire » évoqué par un *adagio* de Mozart, une sorte d'équilibre fondé sur le vide : « J'étais une femme qui avait aimé un homme. C'était une histoire simple : il n'y avait pas de quoi faire des grimaces » (CS, p. 189) : c'est *Un certain sourire.*

Six cent mille exemplaires vendus du premier roman, traduit en quinze langues me dit-on, deux cent cinquante mille du second, en moins de trois mois : six cent millions d'hommes, dans l'Asie du Sud-Est, ont beau hésiter entre deux mondes (et nous savons lesquels), huit cent millions (presque un tiers de l'humanité) sont éveillés à l'espoir d'élever leur niveau de vie mais systématiquement des-humanisés, le spectre de la faim et de la misère se lève devant l'accroissement de la population mondiale; ces problèmes peuvent hanter les nuits des plus lucides des « hommes blancs », l'Europe occidentale se paye encore le luxe de s'intéresser à l'histoire de deux petites jeunesses « qui ne font pas la foire », non, « qui font l'amour »... (CS, p. 60).

1. « Je ne pense guère... »

Cécile ne veut pas réfléchir, regarder le réel en face, prendre ses responsabilités; sa « sœur », Dominique, fait de même : « Tout se ferait tout seul, j'éprouvais une béate résignation; Luc allait tout décider, tout allait bien, il supportait le poids du monde à ma place; ça me dispenserait de penser, il faut laisser les choses se faire, ne pas toujours disséquer; il faut se laisser faire, tout se ferait sans moi; je n'étais pas habituée à réfléchir, il ne faut pas laisser Elsa réfléchir; je ne pense guère » : ces bouts de phrases sont cueillis au hasard dans chacun des deux romans (CS, p. 42, 79, 121, 175, 56, 66, 33, 134, 135, 141, 151; BT, p. 16, 67, 23, 126, 158).

Bonjour tristesse souligne comment, avec une divination qui tient de l'instinct animal, Cécile manœuvre pour qu'Anne ne puisse l'obliger à ordonner sa propre vie; ce n'est qu'un jeu, un peu âpre, traversé de brusques remords, par exemple lorsque Anne la regarde d'un œil affectueux, trop compréhensif; mais quelle joie cynique à percer à jour un autre être, à découvrir le mécanisme psychologique d'Elsa, de son père! Le jeu finit mal : Anne a surpris le couple : elle fuit en automobile et c'est la chute, en cet endroit de la route « où six accidents mortels se sont produits depuis le début de l'été ». Accident ou suicide? Cécile et son père penseront « accident » : « Nous pûmes bientôt parler d'Anne sur un ton normal, comme d'un être cher avec qui nous aurions été heureux, mais que Dieu avait rappelé à lui. J'écris Dieu, au lieu de hasard; mais nous ne croyions pas en Dieu. Déjà bienheureux en cette circonstance de croire au hasard ». En effet, s'il fallait penser qu'Anne, peut-être, s'était donné la mort et que, alors...; non, « nous en parlions avec précaution, les yeux détournés, par crainte de nous faire mal...; la vie recommença comme avant »... avec, en plus, simplement « ce quelque chose alors qui monte en moi, que j'accueille par son nom : Bonjour tristesse ». Cette tristesse, c'est au petit matin gris, sur Paris désert encore, qu'elle se referme sur Cécile (BT, p. 187-188); durant le jour, il y a, comme le dit Dominique dans *Un certain sourire*, le « Jazz, cette insouciance accélérée... » (CS, p. 84).

Point de désespoir, d'absurde, mais une petite vie à fleur de peau, où l'on a châtré les vrais sentiments; et lorsqu'on s'en est pris à un véritable être vivant, on ne sait même plus nommer ce qui monte alors en soi, et qui est peut-être un début de repentir, une « naissance » : non, on le nomme « l'ennui, le regret, plus rarement le remords », et « sur ce sentiment inconnu dont l'ennui, la douceur obsèdent, on hésite à apposer le beau nom grave de tristesse » (BT, p. 188).

2. « Ce vide qui constituait généralement ma vie... »

Cécile est un jeune animal, cruel et méfiant, qui s'est habitué à une certaine forme de bonheur où le plaisir se confond avec l'amour et l'amour avec des baisers et des mots doux oubliés le lendemain. Dominique, l'héroïne de *Un certain sourire*, n'a pas le cynisme de

Cécile, ni son instinct de défense, elle est plus fragile, plus vulnérable, plus blessée qu'elle ne le laisse croire.

Une sorte d'effondrement intérieur s'est produit en elle, car sa vie est en veilleuse : « Nous ne sommes bien que fatigués », disait Luc, et il était vrai que je faisais partie de cette espèce de gens qui ne sont bien que lorsqu'ils ont tué en eux une certaine part de vitalité exigeante et lourde d'ennui; cette certaine part qui pose la question : « Qu'as-tu fait de ta vie, qu'as-tu envie d'en faire? », question à laquelle je ne pouvais que répondre : « Rien » (CS, p. 118).

Dominique est moins animale, moins instinctive que Cécile. Elle sait, au moment où elle est près de Bertrand, qu'elle a laissé loin d'elle « un moi tranquille, inexorable, dont elle s'écartait pour vivre, comme si à un soi-même éternel, elle eût préféré sa vie, laissant cette statue au bout d'une allée, dans la pénombre, avec sur ses épaules, comme des oiseaux, toutes ces vies possibles et refusées » (CS, p. 87-88); elle éprouve « ce vide qui tenait au sentiment que sa vie ne la rejoignait pas » jusque dans « cet oubli des corps » qui lui paraît « un incroyable cadeau et d'une telle dérision si elle pense à ses raisonnements, à ses sentiments, à ce qu'elle ne peut, quoi qu'elle en aie, ne pas appeler l'essentiel » (CS, p. 29).

On entrevoit le reflet de ce que Du Bos, à propos de la conscience, appelait « ce frère aîné, un peu plus grave et qui nous précède sur la route » et que notre vie spirituelle doit rejoindre, progressivement, dans l'humilité. On entrevoit en Dominique, furtives dans l'onde intérieure, les antennes de l'âme spirituelle[17] : mais elles sont comme pétrifiées, paralysées, sous un charme mortel, car, tout ce creux de sa vie, cet ennui qui l'englue, elle n'a pas la force d'y changer quoi que ce soit; elle aussi se laisse faire par les événements; simplement, elle sait mieux que Cécile, son ennui, son vide.

Les mots qui reviennent sans cesse dans *Un certain sourire* : ironie, dérision, indifférence, être vague, tristesse, solitude, *ennui*, exaltation absurde, désespoir, traduisent cette paralysie de la conscience qui n'a plus que la lucidité d'un rêve qui est en train de s'effacer pour toujours : « Je m'ennuyais un peu, modestement, je suis indifférente à tout; je ne suis rien, rien, parfaitement rien; il y avait toujours en moi, comme une bête chaude et vivante, ce goût d'ennui, de solitude; je m'ennuyais passionnément; attendre sans attendre que les vacances soient finies;

---

17. CS, p. 82, parle du « petit fonctionnaire de ma conscience qui, dès que je pensais à moi-même m'en renvoyait une image minable »; mais elle termine la phrase en ajoutant que ce petit fonctionnaire « était peut-être trop dur, trop pessimiste ». C'est ainsi que nous faisons tous, à nos heures. Il n'est que de se rappeler les pages de J. Green sur « telle mauvaise pensée » qui abat dans l'invisible une barrière et laisse déferler le mal.

cette absence d'émotions véritables me semblait la manière la plus normale de vivre. Vivre, au fond, c'était s'arranger pour être le plus content possible. Et ce n'était déjà pas si facile » (CS, p. 13, 16, 23, 45, 21 etc.).

On a le cœur serré devant cette plainte en sourdine, devant « ces petites pensées glaciales et glissantes comme des poissons », cette « longue tristesse qu'est la vie... où nous irions doucement vers l'hiver, vers la mort, en parlant de provisoire »; la vie est cela pour celle qui dit d'elle-même : « Je ne faisais rien, je ricanais! » (CS, p. 16, 113, 49).

3. « Je suis seule... C'est insupportable... »

Dominique va cependant rencontrer sa chance : elle devient amoureuse, comme on attrape une maladie (CS, p. 186), comme une chienne. Elle a cru d'abord que, entre Luc et elle, il n'était pas question d'amour, « mais seulement d'accord » (CS, p. 82) : ce ne serait qu'un jeu, un peu dangereux, mais si excitant, car, à eux deux, ils avaient en commun « leur inaptitude à s'ennuyer ensemble » (CS, p. 61); de plus, elle le savait, il ne quitterait pas sa femme Françoise. Mais Dominique se prend à son jeu et elle fait des vœux absurdes pour que Luc l'aime, comme elle commence à l'aimer elle-même; elle reste chez elle, dans l'attente du coup de téléphone de celui qui ne l'appellera plus; il « n'y aura plus pour elle que cet homme »; elle va lui dire, « de sa voix jeune, indécente, suppliante » : « Luc, ce n'est plus possible. Il ne faut pas que vous me laissiez. Je ne peux pas vivre sans toi. Il faut que vous restiez là. Je suis seule, je suis seule. C'est insupportable » (CS, p. 171).

Le passage du « vous » au « tu » rend sensible le désordre de cette sensibilité déchirée entre le respect sacré de l'amour, — elle s'est surprise naguère ne se souciant que de *son* bonheur *à lui* (CS, p. 107), — et le compagnonnage charnel, destiné à chloroformer l'ennui de vivre. La petite fille maigre, pauvrement habillée, qui se sent un néant en face de la bonté généreuse, de l'épanouissement plein de maturité de Françoise, cette somnambule de la vie véritable, éprouve un sentiment vrai, car elle souffre comme une petite bête pas habituée encore à ce que trop longtemps sa pitance lui soit refusée. Elle souffre, mais elle ne sait pas tout à fait ce qu'est l'amour : au moins, sans doute, une présence, une chaleur, auprès d'elle, « que sa main retrouvait », mais peut-être aussi une souffrance, une « insatisfaction douloureuse », un « quelque chose » sans lequel « il n'y a pas de salut ».

Mais tout s'arrange, car tout *doit* s'arranger : Luc ne l'aime pas; il a oublié l'air qu'il avait choisi lui-même à Cannes, du temps de leurs amours et il part aux États-Unis pour un mois; à son retour, c'est à peine s'il se souvient; Dominique va se résoudre à « hiverner » durant quelques semaines afin que ces dépenses sentimentales ne soient pas trop élevées et qu'elle ne souffre pas trop; il s'agit de naviguer à petite vitesse, afin de ne pas être trop éveillée et de sombrer dans « l'inconscience » du sommeil, dans l'inconscience d'une vie « en veilleuse ». Un jour, elle remarquera que ça commence à « se passer »; il « faut laisser le temps de mettre la fin à cette maladie » (CS, p. 182).

Dominique du reste a pu appeler son intelligence à la rescousse : contre la passion, elle réussira, à coups de trique, à coups d'éperons, à galvaniser ce bel animal trop lucide, trop cynique, sa raison raisonnante, car cette petite étudiante lit « l'admirable livre de Jean-Paul Sartre, *L'âge de raison* ». Avec toute sa lucidité, elle va « penser » *contre l'amour*, en elle naissant, mais mort-né : amour, souffrance déchirante, tout ce qui est douleur, mais aussi dépassement de l'ennui, tout ce qui commençait à être « de la vie », elle lui tordra le cou (CS, p. 177). C'est cela, « un certain sourire ».

4. « Je n'avais rien à sacrifier, aucun espoir... »

Cécile et Dominique sont des êtres encore infantiles, telle est, je crois, la cause profonde de leur drame. Ces deux gamines ont peur de vivre, elles veulent se réfugier à l'ombre d'hommes plus âgés qu'elles d'au moins vingt ans : pour Cécile c'est son père, avec qui elle veut prolonger artificiellement une vie de gamineries et de jeux; pour Dominique, c'est Luc, l'homme fatigué et triste. Toutes les deux veulent être protégées : Dominique, en même temps qu'elle se fait horreur de tromper Françoise, la femme de Luc, voudrait que celle-ci soit pour elle comme une mère; elle rêve parfois de Luc comme d'une sorte de frère qui la protège et avec qui elle serait un « peu moins dans l'ennui » (CS, p. 83). Aucune des deux jeunes filles n'a la force d'essayer vraiment de vivre, d'être responsable : il vaut mieux suivre la pente. Au moment où Cécile contemple « son œuvre » sur le visage d'Anne, elle se sent « près de ce qu'on appelle la mauvaise conscience », mais quand, quelques jours après, elle attendra le retour d'Anne, elle en veut à cette femme de ne point avoir empêché ce jeu dangereux et criminel de petite fille : « Anne nous abandonnait-elle ainsi, nous faisait-elle souffrir pour une incartade, en somme? N'avait-elle pas des devoirs envers nous? » (BT, p. 179).

L'inconscience d'une sensibilité restée infantile est ici patente : elle explique l'instinct de défense de Cécile et sa hargne contre les « grandes personnes » qui tout ensemble risquent d'empêcher de continuer à jouer le jeu et auraient *dû*, en même temps, l'empêcher de le jouer et la forcer presque physiquement à devenir sérieuse.

De caractères infantiles, les héroïnes de Françoise Sagan ont la fausse candeur dans le mal, la lucidité aiguë dans la protection de leur égoïsme, — qui n'a plus rien de sacré quand il persiste au-delà de l'adolescence, — la cruauté quand la menace se fait précise, et la détestation d'elles-mêmes.

Cécile et Dominique sont blessées par un milieu familial qui ne fut que dérision, mais elles sont aussi *complices* de cette blessure; elles jouent le jeu de la petite fille qui boude parce que son jouet lui est enlevé; elles jouent à être tristes, mais bientôt la tristesse se retourne contre elles et les envahit, les étouffe. Les thèmes « existentialistes » et le climat « Saint-Germain-des-Prés » se retrouvent dans les deux romans, mais assourdis, en écho lointain, comme venus d'au-delà d'une paroi ouatée, frappée prudemment, de l'intérieur, jusqu'à ce qu'une réponse parvienne, assourdie d'abord, puis lancinante, enfin menaçante, parce que l'on a négligé de boucher une fissure. Alors, c'est la mobilisation générale à l'intérieur de ces petites vies qui ont peur de la vie; tout est bon, pourvu que l'on puisse se réfugier dans le cocon et ne plus percevoir les cris du dehors que de manière lointaine, comme une musique à travers une vitre. Il faut consolider le vide intérieur, à l'aide, par exemple, du « seul remède à la portée, une bouteille dans le frigidaire et deux verres » (BT, p. 183); il faut retrouver une petite place, le plus loin possible du « désespoir, ce grelottement, ce demi-rire intérieur, cette apathie obsédée » (CS, p. 187), une petite place où l'absurde n'est plus que « légère exaltation », « désinvolture », et, pour finir, « un sourire triste, un petit sourire, un certain sourire »; le « bonheur peut-il être autre chose qu'une absence d'ennui? » (CS, p. 121, 12, 88, 121, 138).

5. « Une vie passionnante
parce qu'il la considérait comme banale... »

Les mots que je viens de citer sont l'écho étouffé et pas trop dangereux de ceux de Camus souvent cités dans ce livre : « La vie vaudra d'autant plus la peine d'être vécue qu'elle n'aura pas de sens ». Luc et Dominique, Cécile, du moins à la fin de la tragi-comédie, sont de ceux qui, à force de mettre de la passion dans l'ennui, donnent à leur vie une sorte d'exaltation factice.

Que penser du « mal du siècle », « en rose », décrit dans ces deux livres? Leur succès est-il dû à une habile publicité? La caresse « donnée en passant au cochon qui sommeille en nous » y est-elle pour quelque chose? Ou bien faut-il parler de l'âge de l'auteur, le même que celui de ses héroïnes? De tout cela, un peu, sans doute, et, peut-être, beaucoup. Mais s'arrêter là serait choisir une variété de fuites « chrétiennes » devant une réalité que l'on veut ignorer.

En 1956, on vit un espoir planétaire et l'on sait que l'Europe est responsable en face du monde; mais on lit aussi Françoise Sagan qui nous présente, non plus des « garçonnes » style 1925, mais des petites filles *pas encore* « *nées* », restées à demi dans le cocon d'un enfantement inachevé, peut-être inachevable : on lit l'histoire acide et ténue de filles qui sont tout ce que l'on veut sauf ce que l'on nomme, dans le beau sens du terme, la femme moderne.

Redisons-le, l'Occident a peur; il se réfugie dans un infantilisme complice. Le style de Sagan, fait d'économie, d'absence d'éclat, exprime la nostalgie secrète de milliers de garçons et de filles de l'Europe occidentale et sans doute d'ailleurs encore. Ils rêvent à ces histoires à fleur de peau, quand ils se lassent d'eux-mêmes, quand ils ont tentés de désespérer devant les problèmes mondiaux, quand ils dérapent et commencent à glisser sur la pente d'une vie facile où autos, vacances à la mer, petits flirts distraits, *whiskies and sodas* et léger vague à l'âme font la relève d'une responsabilité trop lourde pour de jeunes épaules; ils en rêvent aussi quand ils ont trop d'argent.

Les héroïnes de Françoise Sagan ont trop d'argent, ou, du moins, elles rencontrent des hommes qui en ont. Ne sommes-nous pas, nous aussi, trop riches? Trop riches d'argent, trop riches de traditions dont nous sommes saturés sans en être nourris? N'employons-nous pas très mal nos capitaux intellectuels et financiers? Ne sommes-nous pas, simplement parce que nous sommes habitués à cette marge de sécurité plus que confortable qu'est la vie bourgeoise, sourds aux cris de l'Asie et à ceux de l'Afrique?

Dominique et Cécile, pour qu'elles s'éveillent vraiment à la vie, *pour qu'elles naissent*, auraient dû avoir *d'autres parents* que ces ombres dorées, tel le père de Cécile, ou ces silhouettes emprisonnées dans leur souffrance égoïste, telle la mère de Dominique, dans sa grise et longue maison, le long de l'Yonne, « rentrant chaque matin en sa neurasthénie » : il leur aurait fallu d'autres foyers et non point ces « harems éparpillés » aux quatre coins de la France.

Il eût fallu aussi, pour ces petites filles perdues dans leurs jouets devenus meurtriers, afin qu'elles revivent, le contact d'une fraternité humaine et religieuse, celle des pèlerins de Chartres, par exemple :

progressivement, en laissant faire, non pas le temps et la nature, mais
« le temps divin » qu'est la grâce du Christ, des mains se seraient tendues
à des centaines de Dominique et de Cécile et les auraient conduites non
pas à un « certain sourire », mais à une petite joie, timide d'abord, mais
bientôt relayée et brûlante comme fournaise sur ce peuple de Dieu en
marche vers la Cathédrale. Parce que, à côté des étudiants du style de
Bertrand, de Jean Bernard, d'Alain, j'en sais d'autres, qui n'hésitent
pas à jeûner, à passer une nuit en adoration, pour obtenir la conversion
de compagnons et de compagnes en passe de se perdre. J'en sais d'autres
à Paris, j'en sais d'autres chez nous.

Ce qu'il eût fallu aussi aux héroïnes de Françoise Sagan, c'est *une
autre Europe* que celle qu'elles ont vue reflétée sur le visage de leurs
pères et de leurs mères et sur celui de leurs compagnes et compagnons :
non point une Europe qui chancelle et doute d'elle-même, passant
tour à tour par des crises de masochisme où elle se vautre dans le
sentiment de son impuissance et de son ennui et des moments convulsifs
d'exaltation où elle se croit encore la maîtresse du globe; il eût fallu
que Cécile et Dominique, et leurs pareilles, rencontrent une Europe
humble, sachant qu'elle n'a plus qu'une seule carte à jouer dans le
monde, mais essentielle, *celle du spirituel*, le vrai, qui n'est pas quintessence désincarnée, mais force mise au service des autres, mais capital
financier, technique, culturel, religieux, *donné* à l'Asie « qui s'éveille
d'un sommeil de trente siècles ». Il nous faut une Europe humble et
forte, sans esprit d'hégémonie, sans volonté de se crisper sur des
privilèges, sans drapeaux à faire flotter malgré tout.

Cécile et Dominique semblent n'avoir rencontré dans les rues du
quartier latin, dans les couloirs de la Sorbonne, aux terrasses des cafés,
que des garçons sérieux mais un peu tristes, que des grandes personnes
belles mais un peu fatiguées, que des épouses généreuses mais un peu
aveugles. N'ont-elles donc jamais croisé quelques témoins de cette
autre jeunesse européenne, celle dont Malraux, en 1927, disait l'angoisse
et la fierté et celle de 1956, qui dort mal, non point parce qu'elle s'ennuie,
non point parce qu'elle fréquente les « caves », mais parce qu'elle a
appris un jour, pour ne plus l'oublier, que, dans le monde, deux hommes
sur trois n'ont pas le minimum indispensable pour se vêtir, se loger, se
nourrir, parce qu'elle sait que l'Asie connaît une moyenne de vie
oscillant entre 25 et 35 ans, comme en Europe, au *moyen âge*.

Que les jeunes, garçons ou filles, qui auraient lu les livres de Françoise
Sagan, mesurent au moins l'écart qui sépare le plaisir et la joie. Bergson,
que Cécile doit étudier « pour cet examen dont elle se fout », a dit que
le *plaisir* était passif, non communicable, très vite épuisé, tandis que la
joie était surcroît cueilli sur l'arbre de l'effort, — tel celui de l'alpiniste

contruisant son paysage, — dilatation de l'être, rayonnement, communion et force de propulsion, en avant. Cécile et Dominique existent par
milliers en Occident et elles sont nos sœurs : pour elles aussi et
leurs pareilles, le Christ est mort, même si elles nous semblent perdues,
restées en deçà de la vie, ou tombées au-delà d'elle, en cette
mort-vivante qu'est la lucidité triste et la dérision; mais nous savons
qu'elles ne sont pas perdues tant qu'un souffle les anime.

Aucune œuvre récente ne nous donne aussi fortement la vision
d'un monde humain abandonné sur une planète extra-terrestre, celle
de l'ennui. Qu'avons-nous fait pour faire rayonner l'espoir de la
Pentecôte sur ces êtres qui ont tellement peur de la vie qu'ils se sentent
étrangers à eux-mêmes et qu'ils ont renoncé au combat avant que de
l'avoir commencé, avant que d'être nés. Cécile et Dominique, et les
garçons qu'elles rencontrent, nous ne pouvons les montrer du doigt
avec une commisération pharisaïque, car, je le répète, chaque fois que
nous rêvons et nous décourageons, nous qui songeons à nous donner
aux peuples de la faim, chaque fois que nous laissons se détendre en
nous l'élan de notre foi en la force de Dieu à l'œuvre, par nous, dans le
monde, nous devenons semblables à Bertrand, à Luc, à Cécile et à
Dominique.

Nous devons prier le Christ de sauver ces êtres qui s'ennuient, en
leur jeunesse, parce que ces « morts-vivants » sont aussi, quand nous
avons peur et perdons l'espoir, *nous-mêmes* [18].

---

18. Le point de vue adopté dans ce chapitre impliquait la mise en évidence de
cet aspect « d'ennui », du reste essentiel, de l'œuvre de Françoise Sagan ; une
étude plus détaillée, du reste encore impossible vu l'absence de documents,
mettrait en lumière d'autres éléments. Ainsi *Dans un mois, dans un an*, le troisième
roman, paru en septembre 1957, et GOHIER-MARVIER, *Bonjour Françoise!*, Paris, 1957,
permettent de penser que le fond de cette œuvre n'est pas le cynisme, ni le besoin
de jouissance, ni la nostalgie des « paradis Tahitiens », ni la peinture complaisante
d'une décadence « française », mais la description terriblement *lucide* du mensonge
de la vie de la plupart des gens : seul le bonheur justifie l'existence ; il ne peut
être que dans l'amour, remède à une solitude qui épouvante les héros de Sagan ;
seulement, l'amour, ou bien se fonde sur une erreur (on aime, mais on n'est pas
aimé, celui-ci aime à son tour ailleurs, mais n'est pas aimé en retour, etc...) ou
bien est précaire. Sans que l'on puisse préjuger de l'œuvre ultérieure, on doit
constater le progrès évident dans l'art de composer le récit, tel qu'il se déroule
dnas *Dans un mois, dans un an* (un tiers plus court que BT et CS) ; ensuite, des
passages comme ceux des pp. 71-82, 102, 136-137, 188-189) témoignent d'une
sensibilité beaucoup plus profonde, et d'une vision sobre de certaine misère
humaine. Par ailleurs, l'espèce de *cécité* spirituelle des principaux personnages, qui
ne peuvent absolument pas comprendre comment l'épreuve épure et élève (p. 155),
la *complaisance* dans le malheur qu'ils semblent cultiver, leur ferme actuellement
toutes les issues. Cfr G. HOURDIN, *Le cas Françoise Sagan*, Paris, 1958.

CHAPITRE V

Ladislas Reymont ou le lyrisme de la terre promise

Le prix Nobel de 1924, est sans doute oublié aujourd'hui, comme Henry James le fut, il n'y a guère, qui connaît actuellement un renouveau d'attention. Ladislas Reymont a écrit, avec *Les paysans*[1], le chef-d'œuvre du roman terrien. Divisé en quatre volumes, selon chacune des saisons, il rend sensible le perpétuel recommencement de la vie : après l'hiver, le printemps, puis l'été, enfin les moissons et les vendanges, qui ramènent de nouveau l'hiver « où les loups se vivent de vent »; mais au cœur du cycle de l'éternel retour, la flamme de l'espoir et de l'amour renaît.

I. Le « cycle » de l'espoir

Le petit village de Liepce, autour de son étang et au cœur de ses champs, est dominé par son château et son seigneur; il grouille de ses

---

1. Ladislas Reymont a vécu de 1868 à 1925. Je transcris ici la notice de P. Van Tieghem, *Histoire littéraire de l'Europe et de l'Amérique de la Renaissance à nos jours*, Paris, 1941, p. 380-381 : « Le chef-d'œuvre du roman rustique en tous pays est sans doute *Les paysans* du Polonais Ladislas Reymont. Fils de la terre, sa jeunesse aventureuse lui avait permis de peindre des milieux divers dans plusieurs nouvelles et romans qui jouirent d'un grand succès (1893-1898). *La terre* de Zola lui suggéra d'écrire l'histoire d'une année dans un village polonais, mais avec plus d'ampleur, de vérité et de sympathie, tout en s'inspirant des situations du roman français. A la poétique peinture de la terre et des saisons, qui donnent leur nom aux quatre volumes, s'unit un drame profondément humain; au réalisme pittoresque et précis, un fervent amour pour ces humbles travailleurs, leurs vies mélancoliques, leurs passions violentes, leurs âmes primitives, leurs types variés. Dans ce petit village, tient tout un monde; l'intérêt ne faiblit jamais, et le style est d'un charme puissant et inoubliable ». J'ai cité ce jugement parce qu'il émane d'un spécialiste des littératures *comparées*; il fait comprendre l'importance du roman de Reymont, puisqu'il figure dans une histoire littéraire de l'Europe et de l'Amérique allant de la Renaissance à nos jours. Je cite la traduction publiée en quatre volumes chez Payot, 1926-1929; elle est faite sur la quatrième édition, Varsovie, 1914.

enfants, de ses hommes et de ses femmes, de ses idiots et de ses malins, de ses paysans riches et de ses paysans pauvres, de ses fonctionnaires obliques et de ses bardes mystiques. Il est un microcosme du désespoir et de l'espoir humain. Chaque année on recommence à semer, à moissonner, à mettre des enfants au monde et à les voir mourir, à aimer une femme et à ne plus l'aimer. Ces paysans sont plus grands que leur terre, mais ils sont aussi liés à elle. C'est ce que dit la vieille Jagata, la vagabonde qui s'en est revenue mourir dans sa parenté, à Jasio, le « petit prêtre », un jeune garçon encore frais, un peu naïf, qui découvre l'amour et la mort :

> Ainsi jasait la vieille, comme un oiseau qui s'endort. Jasio, penché au-dessus d'elle, l'écoutait, et plongeait le regard vers elle comme dans les profondeurs insoupçonnées où quelque chose de mystérieux murmure, et babille et brille, et où il se passe on ne sait quoi que l'entendement humain ne peut déjà plus du tout concevoir. Un effroi s'empara de lui, mais il n'arrivait pas à s'arracher de ce débris humain, de ce brin d'herbe consumé qui, frisonnant comme un rayon que vont éteindre les ténèbres, *rêvait encore aux jours d'une vie nouvelle.* C'est la première fois de sa vie qu'il contemplait de si près l'inexorable destin de l'homme, il n'est donc point surprenant qu'il fût saisi d'une cruelle frayeur. Il avait l'âme serrée de chagrin, et les yeux noyés de larmes, une pitié compatissante le courbait vers la terre et une prière chaude, suppliante s'échappait d'elle-même de ses lèvres tremblantes (*L'été,* p. 293-294).

Ce jeune homme penché sur la vieille qui jabote et se meurt, ce presque enfant, encore à l'écoute de la vie et de ses espoirs, cet « enfant Samuel » en un village de la vieille Pologne, il a pitié, il a peur et il prie pour ces espoirs vivants sur un visage qui s'efface de cette terre.

L'histoire racontée est profondément marquée de l'âme de la Pologne : les passions sont violentes, mais les larmes jaillissent vite lorsque l'émotion de la fête religieuse dessille les yeux; les festivités des noces durent huit jours — et qui s'en étonnerait dans ces vies dures, courbées sur un travail harassant? —, mais les funérailles réunissent aussi tout le village. La trame du récit est éternelle en sa simplicité : un vieux paysan se remarie pour la troisième fois, car il est trop attaché à sa force et à ses terres; ses enfants « sans lopin de sol à cultiver » renâclent et bientôt se séparent du père, jusqu'à ce que la femme l'amadoue; enfin, Jagusia, trop jolie, en ce village où les travaux des champs rident et dessèchent vite les visages, est désirée par tous en secret, mais tous l'accableront à la fin. Ce monde est à l'antipode de l'humanité un peu « abstraite » que Malraux décrit dans *Les noyers de l'Altenburg;* il vit, avec les bêtes et les plantes, avec le temps qui change et reste le même : pluie et grand vent d'automne, neige épaisse de l'hiver, fraîcheur printanière, brûlure de l'été; tout cela recommence, monotone, coupé de voyages trop brefs, à la ville, pour les foires, de bagarres avec les gens du château qui, ici, ne sont que trop « accessibles », car ils sont durs et cassants.

Le rythme lent du récit, le style chatoyant, même dans la traduction[2], emporte le lecteur en une sorte de pèlerinage où la monotonie des paysages et des saisons devient bientôt un goût, une saveur, un parfum respiré, de ces hommes et de ces enfants, des plantes et des terres, des eaux et des arbres, de ces routes qui se croisent, montent le long de la forêt, vers le château et vers la ville, mais aussi vers le lieu saint, la Vierge de Czenstokhowa.

II. L'espoir, au ciel des légendes

L'espoir s'élève au-dessus du circuit monotone de la vie : si le cycle des *Paysans* débute avec *L'automne*, c'est que l'auteur veut nous laisser sur la vision de la flamboyance de l'été, quand la vie brûlante semble s'arrêter, mais pour mieux repartir. Et elle repart, dans ce monde des légendes où les figures sacrées et celles des loups-garous se donnent la main en introduisant *les âmes* dans la vision d'un monde à venir, mais aussi passé, puisque les ancêtres ont entendu les légendes que le barde raconte au coin du feu. Ces paysans polonais ont beau être enracinés dans la glèbe de leurs passions terriennes, leur être intérieur n'en est pas moins bruissant d'émotion, de larmes et de joies.

L'immense richesse du folklore et des légendes populaires, que l'auteur des *Voix du silence* rejette dédaigneusement, — ou désespérément?, — au cimetière des cultures disparues, chante en la tétralogie de Ladislas Reymont. Durant les longues soirées d'hiver, blottis au creux de l'âtre, hommes, femmes et enfants, amoureux et époux, écoutent Rocho, le vieillard-pèlerin, qui raconte les « histoires » de « chez nous » et de « là-bas » :

> Ainsi se passa cette froide veillée de février.
> Les âmes s'élevaient de terre, grandissaient jusqu'au ciel et brûlaient commes des bûches résineuses... Elles tissaient autour d'elles comme un réseau vivant, tremblant de merveilles aux

---

2. La traduction de F. L. Schoell semble bien être un chef-d'œuvre du genre.

couleurs changeantes, si bien que les yeux étaient voilés à toute la tristesse, à la grisaille et à la misère de ce monde!

Et elles s'élevaient... à travers ces mondes où *seules les âmes humaines* errent comme des oiselets aveuglés par la foudre et les éclairs, à travers les espaces vers quoi l'homme ne lève le regard qu'à l'heure du miracle et du songe, et qu'il contemple, si ébloui de surprise qu'il ne sait plus trop bien s'il est encore parmi les vivants!

Ohé : C'était comme si la mer s'était levée en une masse impénétrable, en une masse solide d'envoûtements, d'étincellements et de merveilles, en sorte que tout disparaissait de devant les yeux, la terre entière, l'izba, la nuit cruelle, ce monde tout plein d'affliction et de toutes les misères, et d'injustices et de pleurs et de plaintes et d'attentes, et les yeux s'ouvraient sur un autre monde, nouveau et si miraculeux qu'aucune bouche ne le saurait exprimer!...

Qu'est-ce alors que cette vie grise de misère, qu'est-ce que le jour quotidien, semblable au regard d'un malade, voilé de tristesse comme d'un brouillard, ça n'est qu'un crépuscule, qu'une nuit triste et morne, à travers laquelle ce n'est guère qu'à l'heure de la mort qu'on peut voir de ses propres yeux ces merveilles.

Tu vis, homme, comme le bétail courbé à terre sous le joug...

Tu vis, homme, comme la pierre aveugle sous l'eau profonde...

C'est dans les ténèbres, ô homme, que tu laboures le champ de la vie et que tu sèmes les pleurs, les peines et les douleurs...

Et c'est dans la boue, ô homme, que tu vautres ton âme étoilée, dans la boue!...

Un long et profond silence tomba sur tous... Et en effet, que dire en un moment pareil, quand l'âme humaine se dilate comme le fer dans le feu, qu'elle se gonfle de tendresse et de lumières, et que, si on la touchait seulement, elle serait prête à éclater en une pluie d'étoiles et à se tendre en arc-en-ciel entre la terre et le ciel? (*L'hiver*, p. 291, 292-293, 304).

Ce monde des légendes n'est pas évasion, mais chant de l'espoir : comme les récits des aèdes ioniens, qui devinrent *l'Iliade* et *l'Odyssée*, des bardes bretons, qui devinrent le *Cycle de la Table ronde*, des Minnesänger, qui devinrent la légende des *Maîtres chanteurs* et celle de la *Wartburg*, comme... mais on ne finirait pas d'énumérer les sources vives des légendes innombrables, qui sont plus « vraies » que la réalité superficielle, Rocho déroule l'écheveau du « trésor des contes »[3]; dire que tout cela, dont sont faits les neuf dixièmes des littératures du

---

3. L'œuvre de Henry POURRAT, *Le trésor des contes*, ou son *Gaspard des montagnes* est un exemple de ce genre trop rarement cultivé dans la littérature française, individualiste et très intellectualisée.

monde, est fuite dans le rêve, c'est rayer d'un trait de plume des millénaires de civilisation. Les strophes de Reymont nous réapprennent une mélodie, *celle des âmes :* ces paysans, si frustes soient-ils, ont une âme, ils le savent, et elle doit respirer, se nourrir; c'est parce que ces paysans sont plus grands que cette glèbe sur laquelle ils se penchent, plus grands par le chant de leur espoir où les loups-garous mais aussi la miséricorde divine se heurtent et parfois se confondent un peu, que le lien qui les noue à leur sol natal est tout autre chose qu'un asservissement.

III. L'espoir de la libération du sol natal

L'espoir des paysans polonais est aussi une lancée en avant, vers la liberté du sol natal, car, sans elle, ils sont exilés au sein de leur propre patrie. La Pologne, en ce temps d'avant la « dernière guerre des dernières guerres », était asservie : déjà? encore? On ne sait plus très bien, tant l'Europe essaie d'oublier ses promesses à ce pays dont les habitants disaient : « Le ciel est très haut et la France, très loin! » L'Europe essaie d'oublier, car il y eut le premier partage, puis le second, puis... Mais à quoi bon : ces paysans espèrent toujours que leur pays, un jour...

Écrit entre 1903 et 1909, le roman de Reymont décrit une Pologne que la Russie des Tsars essaye maladroitement de russifier. Les « gens du château » ne savent trop à quel saint se vouer; le maire joue double jeu, essayant de se faire bien voir des paysans, mais se vautrant dans l'obséquiosité devant les envoyés du Tsar; le curé, pris entre deux feux, danse tantôt sur un pied, tantôt sur un autre, et s'envole dans la perspective des châtiments et récompenses célestes, chaque fois que la réalité le serre d'un peu trop près. Au demeurant, tous sont d'excellentes gens, à condition qu'ils ne soient pas affrontés à des urgences trop précises.

Le sommet du drame de l'espoir « politique » est la scène de *L'été* où les émissaires du gouvernement veulent introduire une école dont personne ne veut, au village, non parce que les paysans désirent demeurer ignorants, mais parce que cette école est russe. Rocho, le barde, apparaît ici comme une sorte de prophète d'un messianisme où politique et religion se mêlent sans doute, mais c'est une image de l'aspiration des peuples. Rocho doit fuir et le voici qui s'en va par le chemin qui monte, le long de la forêt, jouxtant les terres du château; il rencontre, sous le crucifix de la croisée des routes, tout un petit peuple misérable,

semblable à celui qu'Énée découvre à la fin de la dernière nuit
de Troie : Jagusia, la fille avec qui presque tout le village a rêvé de
coucher, est chassée comme « la pécheresse »; elle erre, en songeant à
Jasio, le « petit prêtre » qu'elle a aimé naïvement, innocemment; elle
semble l'incarnation de cette terre amoureuse et confiante, piétinée
et bafouée; tout le « peuple de la terre », autour d'elle, gémit; enfin,
Grzela, la vieille femme sans cesse déçue, amère et noire, exprime son
désespoir devant la cruauté et l'injustice de la vie :

> Chacun est mal dans le monde, mais personne si mal que le
> juste!
> — Ne te désole pas, Grzela, ça se changera encore en mieux,
> tu verras!... Je vous dis que celui qui arrache les herbes folles
> et même du bon grain récoltera au temps de la moisson!
> — Et si l'année est mauvaise, ça arrive aussi pourtant?
> — Oui, *mais chacun sème parce qu'il croit récolter un jour le*
> *double.*

Ce murmure d'un peuple évoque celui qu'entendait Vincent Berger,
penché au-dessus de la sape obscure, avant l'attaque aux gaz, sur le
front de Russie, en 1916; c'est le chant des semailles et de la moisson,
ce sont, dessinés sur le ciel, les gestes du paysan qui laboure,
c'est la beauté, non pas fugitive mais mystérieusement participante
d'autre chose qu'elle-même, de la vie quotidienne qu'une fois de plus,
selon sa mission la plus profonde, l'art fait transparaître. Non point
l'anti-destin, mais la confiance que les hommes mettent dans le monde,
malgré tout, et ce lien qu'ils s'obstinent à nouer avec leur patrie.
Celle-ci leur est arrachée, mais tous, à ce carrefour forestier près
du village de Liepce, regardent Rocho *et ils espèrent :*

> Jagusia pleurait tout doucement sans se rendre compte
> pourquoi.
> — Qu'as-tu, voyons, lui demanda gentiment Rocho en lui
> caressant la tête.
> — Est-ce que je sais? J'ai du chagrin...
> Mais tous aussi ils avaient du chagrin et je ne sais quel abat-
> tement les gagnait, en sorte qu'ils étaient assis tout tristes,
> considérant de leurs yeux flétris Rocho, qui leur apparaît main-
> tenant comme un des saints du bon Dieu. Il était assis au pied
> de la Croix, d'où le Christ qui pendait lourdement semblait bénir
> de ses mains ensanglantées cette tête blanche et lasse. Il se mit
> à leur parler d'une voix pleine de confiance :
> — Ne vous inquiétez pas de moi, je ne suis qu'une poussière,
> qu'un brin d'herbe dans le pré qui en est plein. Si on me prend
> et que je périsse, qu'est-ce que ça peut faire, puisqu'il en restera

encore beaucoup comme moi et que chacun est prêt de même à donner sa vie pour la cause... Et il viendra un temps où il en surgira des milliers, ils viendront des villes, ils viendront des chaumières, ils viendront des châteaux, et, en une procession ininterrompue, ils offriront leurs têtes, ils donneront leur sang et ils tomberont l'un après l'autre et leurs corps s'entasseront comme des pierres, jusqu'à ce que de ces pierres s'élève la sainte Église dont nous rêvons... Et je vous dis qu'elle sera bâtie et qu'elle durera dans les siècles des siècles, et aucune force mauvaise ne la vaincra jamais, car elle aura jailli du sang du sacrifice et de l'amour...

Et s'étant approché d'eux plus près encore, il se mit à enseigner quel sera ce jour tant désiré et ce qu'il faut faire pour en hâter la venue... Il leur ouvrait le ciel, il leur montrait le paradis, en sorte que leurs âmes s'agenouillaient dans l'extase... et que leurs cœurs se repaissaient du chant angélique, *du chant très doux de l'espérance...* (*L'été*, p. 319-322).

L'espoir terrestre se mêle ici à celui de la nouvelle Jérusalem; ces hommes de la glèbe doivent l'aimer et la cultiver, car chacun croit récolter un jour le double, mais ils doivent attendre aussi de nouveaux cieux et de nouvelles terres. Ce messianisme, sans doute un peu confus, enseigne qu'il faut cultiver les champs de *cette* terre, en *ce* temps où l'on vit, si l'on veut un jour régner sur les champs éternels.

IV. L'espoir de l'homme, roi de la création

L'homme, « patron » de ses terres, s'en va vers elles; elles, à leur tour, viennent vers lui, qui s'en va vers le Père, assis sur son trône de gerbes, à la moisson de la fin des temps.

Boryna, un des plus riches paysans, est âpre au gain, dur au travail; marié deux fois déjà, il convole à nouveau avec celle que tout le village se montre du doigt, Jagusia, dont la beauté pulpeuse, les yeux transparents et rêveurs, la bouche charnue et molle ont « rassoté » le « vieux ». Le vieillard recevra, durant une bagarre avec les « gens du château », un terrible coup sur la tête; il est ramené chez lui, inconscient et passera tout le printemps, couché, immobile, mangeant et buvant, mais ne sortant jamais d'un « somnambulisme » qui effraye les siens.

Une nuit, la nuit de sa mort, dans le silence de l'izba, il se lève, toujours inconscient, met ses souliers et gagne les champs, car, « mais oui..., il est temps de semer... dit-il » (*Le printemps*, p. 462) :

La lune était déjà à mi-ciel, la terre baignait dans les clartés falotes et gisait emperlée de rosée, semblant écouter le silence... Les coqs chantaient déjà pour la seconde fois, la nuit était déjà avancée...

Boryna, les yeux fixés devant lui dans ce monde enchanté d'une nuit de printemps, marchait doucement par les sillons, comme un fantôme qui aurait béni chaque motte de terre, chaque brin d'herbe... Tout d'un coup Boryna s'agenouilla sur la glèbe et se mit à ramasser de la terre dans sa chemise étendue, comme s'il eût puisé dans un sac de blé préparé pour les semailles... Il semait, il semait toujours, il semait inlassablement...

Puis, quand la nuit se troubla un petit peu, que les étoiles pâlirent et que les coqs se mirent à chanter avant l'aube, il ralentit son ouvrage, il s'arrêta plus souvent, et, ayant oublié de ramasser de la terre, il sema à main vide, comme si ce n'était plus que lui-même dont il semait la dernière poussière sur ces champs ancestraux, comme si tous les jours qu'il avait vécus, toute la vie humaine qu'il avait reçue, *il les rendait à cette sainte glèbe et au Dieu éternel* (*Le printemps*, p. 463-465).

L'homme est lié, nuptialement, au monde et ces noces renouvellent l'espoir, car la terre est création de Dieu; en « se semant lui-même » au vent, comme Boryna, c'est à Dieu qu'il rend ce qu'il lui a donné; il retourne à la maison paternelle. En deçà d'une vision religieuse, celle de la création de l'univers, esprit et matière, par Dieu, tout espoir qui se poserait sur la face de cette terre charnelle serait asservissement et démission. Mais Boryna, au moment où il « se sème ainsi lui-même » et se livre totalement au sol ancestral, *retrouve sa stature d'homme créé à l'image de Dieu;* il se dessine, sur l'aube qui se lève, comme le roi de la création; il en est, comme le dit familièrement le texte de Reymont, « le patron » :

Et à cette dernière heure de sa vie, quelque chose d'étrange se passa : le ciel grisonna, comme une toile d'étoupe, la lune se coucha... en sorte que le monde entier s'aveugla tout à coup et se noya dans des profondeurs grises, confuses. Et il sembla que quelque chose de tout à fait inconcevable s'était levé quelque part et marchait à pas lourds à travers les ténèbres, en sorte que la terre parut en être ébranlée.

Les arbres solitaires tremblèrent, une pluie de feuilles sèches tomba sur les épis avec un bruissement, blés et herbes se balancèrent, et des champs bas qui frisonnaient s'éleva une voix douce, anxieuse, plaintive :

— Patron, patron!...

Il entendit enfin et répondit doucement, en regardant autour :

— Eh bien, me voilà! Qu'y a-t-il?...

Soudain tout se tut alentour. Mais quand il se remit à semer de sa main vide et déjà alourdie, la terre lui parla en un chœur puissant :
— Restez! Restez avec nous! Restez!...
Il s'arrêta, étonné : *il lui sembla que tout venait à sa rencontre;* les herbes rampaient, les blés ondulants flottaient, le monde entier se soulevait et marchait vers lui...

Dans le final du *Château,* au-delà des murs opaques, sans que rien n'ait bougé, apparemment, une réponse, enfin, se faisait entendre, que jamais Kafka ne sut faire sienne. Mais le grand écrivain juif nous a enseigné la terre de promission, et, dans son humilité, il nous a ouvert à cette contrée où coule le lait et le miel. Cette terre, la Bible nous apprend « qu'elle bondira comme le cerf et la biche, car les montagnes se fondront à l'approche du Seigneur et le Jourdain reculera » : le même grondement de la création se fait entendre dans le texte de Reymont : « les blés ondulants flottaient, le monde entier se soulevait et marchait vers Boryna »; si pécheur que celui-ci ait été, il reste le « patron » de la terre ancestrale.
Mais « c'est à moi que la terre appartient » a dit le Seigneur Dieu à son peuple entré en Chanaan; « tu n'oublieras pas que tu as été étranger en Égypte ». L'homme est lieu-tenant de Dieu; il est image de Dieu parce qu'il « domine sur les oiseaux du ciel, les animaux de la terre et les poissons qui sont dans la mer »; il est *dépendant de Dieu, mais pour régner avec Lui, car l'homme est le coopérateur de Dieu :* au moment de mourir, Boryna quitte ce monde et il ne le quitte pas, car il va vers Dieu, le Père; mais Dieu lui-même est entré dans le « jeu » des hommes, dans l'histoire, pour ne plus jamais en sortir, car les noces de Dieu et du monde sont *indissolubles :*

Son sang se glaça, tout se tut et s'arrêta sur place, un éclair lui ouvrit ses yeux obscurcis par la mort, le ciel s'ouvrit devant lui, et voilà, dans des clartés aveuglantes, Dieu *le Père, assis sur son trône de gerbes,* tend les mains vers lui et lui dit avec bonté :
— Viens à moi, petite âme humaine! Viens, pauvre valet las!...
Boryna chancela, ouvrit les bras comme pour l'élévation :
— Seigneur Dieu, merci! répondit-il, et il roula sur le visage devant la très sainte majesté.
Il tomba et mourut à cette heure de la grâce divine...
L'aube blanchit au-dessus de lui. Lapa, son chien, aboya longtemps, tristement (*Le printemps,* p. 465-467).

La vision du « Père céleste assis sur un trône de gerbes » rejoint, en sa géniale simplicité, les images des apocalypses bibliques : la fin est le temps de la moisson, quand le bon grain sera séparé de l'ivraie; au soir de la journée cosmique, Dieu, « jeune ensemble qu'éternel», reviendra sur son champ, comme le Patron, et il engrangera. Mais ces moissons seront aussi jour de naissance, enfantement qui rendra les hommes à eux-mêmes parce qu'il les rendra à leurs « terres ». La scène finale de *Olav Audunssoen*, de Sigrid Undset, est sans doute plus profonde par ses implications théologiques, mais celle de la mort de Boryna incarne peut-être mieux l'aspect *positif* de la vision biblique de la création : celle-ci est renouvellement perpétuel, vie, jaillissement de l'éternité devenue « internelle » au « temporel ».

La simplicité paysanne de Ladislas Reymont nous émeut parce qu'elle réunit en une seule gerbe les thèmes de ce livre, la grandeur de l'homme, la réalité d'une terre promise, le trésor des légendes, d'abord; ensuite, elle évoque un pays que nous aimons, surtout en cette année 1956, à un tournant de son histoire; enfin, elle nous livre le secret de l'espoir des hommes *de tous les temps*, car tous sont créés par le Dieu de la Bible, le *Vivant* : *ce monde-ci*, de nos efforts et de nos espoirs, sera transfiguré; il se transfigure dès maintenant, car ce qui meurt, ce sont les écorces desséchées, les feuilles qui ont fini de servir, mais ce qui naît, c'est « Dieu », mieux encore et toujours plus profondément *inscrit* dans cette création, qui est *la sienne*.

V. L'espoir, transfiguration du monde

Tout au long du livre, les fêtes chrétiennes scandent le déroulement des saisons; cette fois, le « cycle » est vraiment rompu, en ce qu'il pouvait avoir d'asservissant à la roue des destinées, au circuit de la mort et de la vie[4]. Le temps s'épanouit et devient le lieu de l'accomplissement du dessein divin.

Il y a les jours de la Toussaint, blancs par la fête des « saints » au « ciel », et gris par la visite des tombes, en ce cimetière qui domine légèrement le village et entoure l'église ornée de statues innombrables; il y a les pleurs des survivants sur les tombes, ainsi sur celle du vagabond Kuba, mort au moment où s'achevaient les noces de Boryna; mais il y

---

4. La distinction entre mythe et révélation chrétienne est là : d'un côté, il y a le retour éternel des saisons, le rythme cosmique, fondé sur l'immobilisme, de l'autre, il y a l'invention perpétuelle du nouveau, l'inscription du divin dans l'humain, mais de manière à donner un sens à l'histoire de l'univers; l'intérêt du roman de Ladislas Reymont est de *conjoindre* les deux points de vue.

a aussi, auprès des tombes, le rendez-vous des amoureux, le soir, dans la ténèbre, qui envoûte et terrorise Jasio. Il y a le Carême, qui semble interminable en ce village niché au creux de ses pentes, car il impose le jeûne à ces hommes durs. Il y a la nuit de Pâques durant laquelle on veille en chaque demeure, préparant le festin qui va suivre et s'attifant pour l'office où l'on se presse et s'étouffe. Il y a la Pentecôte et la procession du « Corps du Christ » dans les champs déjà crissants de sécheresse et de soleil.

Rien ne peut rendre l'intense poésie de ces fêtes, relais de la vie, qui saisissent les vivants au moment où ils vont désespérer et relancent leur espoir en avant, jusqu'à la prochaine Pâque, jusqu'à la prochaine noce, jusqu'au prochain pèlerinage, vers lequel on s'en va, au petit matin, à pied, en priant et en chantant. Je ne connais que les descriptions des années de jeunesse d'Augustin Méridier, dans *Augustin ou le Maître est là*, de Malègue, celles aussi de Sigrid Undset, qui équivalent à celles-ci. Il faut se plonger en ces strophes lyriques, qui chantent en termes toujours les mêmes, — comme sont, toujours les mêmes, les gestes et les mots de l'amour, — l'espoir et l'attente de ce petit peuple de Liepce qui se prépare à l'accueil de « sa bienheureuse espérance, la venue en Gloire du grand Dieu et Sauveur, Jésus-Christ ».

Il est déjà venu. *Il vient*, pour ressusciter l'espoir de ces miséreux dont les passions dures sont plus aimées de Jésus que nos exquis repentirs. Il vient obscurément, en la Sainte Nuit de la Nativité :

> En cette nuit de la nativité, il n'est vache ni veau qui ne comprenne le langage des hommes et ne puisse conter comment le Seigneur naquit au milieu d'eux; que celui qui parle soit sans péché, ils lui répondent en mots articulés, comme des créatures humaines : c'est qu'ils sont aujourd'hui semblables aux hommes et sentent tout comme eux; il faut donc que nous partagions l'oublie avec eux... (*L'hiver*, p. 118-119).

Les mots sont vagues, qui veulent cerner une vérité mystérieuse, la même que le Staretz Zozime enseignait à Aliocha : la création entière est emplie du Verbe, car elle est Parole de Dieu; mais l'intuition est profondément christique, de ces hommes sans péché à qui le monde animal « parle ». Lorsque l'homme s'accuse lui-même, reconnaît l'esclavage que son péché impose au monde, celui-ci retrouve sa pureté lustrale et sa transparence :

> Chaque créature, chaque brin d'herbe, fût-ce le plus menu, le caillou le plus humble, l'étoile même à peine perceptible, toute chose sent aujourd'hui, toute chose sait que le Seigneur est né (*L'hiver*, p. 119).

La pauvreté de François d'Assise n'était pas fuite, mais plongée au cœur de ce monde pour y retrouver la richesse cachée, la transparence qui unit l'homme à la création en un dialogue et une vivante parole : « Gloire à *Dieu* au plus haut des *cieux* et Paix *sur la terre*, aux *hommes* que Dieu a aimés ».

CONCLUSIONS

Quelques aspects de l'espoir humain

> Le Christ, celui qui est, qui était
> et qui vient...
>
> *(Épître aux Hébreux)*

I. L'espoir comme inquiétude et comme rassasiement

Espoir sans terre promise, disons même refus de *toute* terre promise,
car il faut que l'espoir ne soit jamais rassasié, sous peine de mourir et
de voir se détendre la force du défi qui affirme l'homme contre un
univers mort : tel est le message de Malraux. Et, sans doute, l'espoir
est accusation, mise en question, tension qui doit se maintenir sans
trêve, car il « est la liberté dans l'action, ou, mieux encore, l'action
dans la liberté »[1]; il est conquête nécessairement ardue, car il est la
« ferveur d'une attente et la tragédie d'un don »[2] et il est animé de

---

1. A. Munoz-Alonso, *Las esperanzas humanas y su fundamendo*, dans *Atti
del quarto convegno internazionale per la pace et la civiltà cristiana*, Florence, 1956,
p. 152 (je cite *Atti*).

2. A.-M. Carré, *Espérance et désespoir*, coll. *Foi vivante*, Paris, 1953, p. 22;
je dois beaucoup à cette excellente étude. L'auteur explique ce texte par une
citation de Simone Weil : « Quand on est déçu par un plaisir qu'on attendait et
qui vient, la cause de la déception, c'est qu'on attendait de l'avenir. Il faudrait
que l'avenir fût là, sans cesser d'être l'avenir. Absurdité dont seule l'éternité
guérit » (*ibid.*, p. 21). L'espérance théologale réussit ce paradoxe de conjoindre
la possession réelle de l'Esprit, gage de la terre promise, et la tension perpétuelle
qui nous porte en avant dans l'attente du retour du Christ glorieux. Le christianisme est essentiellement fait de cette antinomie vitale : la coexistence de la possession de l'éternité commencée et l'incoercible appel à la manifestation de « ce
que nous sommes »; l'espoir purement humain, sauf s'il se conjoint à l'espérance
théologale, ne peut unir ces deux pôles; il est « ferveur d'une attente et tragédie
d'un don ».

l'appétit irascible dont parle saint Thomas[3]. « L'enfer est salé, le ciel est fade » a dit Pierre Emmanuel[4] : si quelques-uns des « enfers » de ce siècle ont tué l'espoir, trop de « ciels » ont révélé une fadeur indigne de l'homme. L'espoir est, pour Malraux, une tension voulue pour elle-même, une inquiétude cultivée systématiquement.

Terre promise, sans espoir, parce que cette contrée de Chanaan, on la voit sans doute assez clairement pour dire qu'elle *est*, mais on est trop pauvre, trop coupable aussi, pour qu'on puisse la joindre jamais; mais elle existe, celle de la femme aimée, des enfants engendrés, du fils revenu à la communion vivante avec son père. L'espoir est donc aussi dans la certitude que quelque chose de réel répond à nos efforts : nous mourons d'avoir coupé le lien nuptial qui nous unit au monde, et de n'avoir gardé que le défi solitaire de l'homme face à la nature. Mais qui sera capable de renouer le lien rompu?

Nous voici au dilemme : ou bien le défi, mais alors le vide d'une crispation qui, à la longue, se détruit elle-même; ou bien le choix d'une terre promise, mais alors le risque de l'engluement dans une plénitude comblée, comme une mer étale, au cœur d'un monde absurde.

*   *   *

L'espoir est tension entre ces deux pôles : les auteurs étudiés dans la troisième partie de ce livre ont essayé de faire dialoguer l'appel de la terre promise et la ferveur des pèlerins du désert. Vercors témoigne de la rébellion de l'homme, mais aussi de sa certitude de victoire. Cholokhov, témoin de la « vieille garde » des écrivains marxistes, dépeint l'angoisse d'une révolution dans des âmes terriennes, mais aussi la certitude d'une société juste.

Le « paradis » marxiste n'empêchera jamais les hommes d'avoir froid et de périr de solitude : la pitié, masque ambigu de l'amour, est le vrai visage de la terre promise, car celle-ci est *dilection*. La terre de Chanaan doit être découverte, comme se dévoile respectueusement l'épouse, avec la patiente attention de celui qui aime : Alain Bombard relaie ici le témoignage de Thierry Maulnier, et le prolonge, car il a choisi la condition du « désespoir » pour joindre l'espoir et il a vécu l'espoir du naufragé qui *est* quête de la terre de promission.

---

3. Selon certains, l'appétit irascible devrait être mis avant le concupiscible, dans la pensée thomiste; en tous les cas la vertu de force fait défaut à trop de contemporains; ils la confondent avec la crispation stoïcienne. Cfr A.-M. CARRÉ, *op. cit.*, p. 18.

4. A.-M. CARRÉ, *op. cit.*, p. 13.

L'amour est la clef de l'espoir : il est inquiétude et apaisement rejaillissement de la quête du bonheur au cœur de la consommation dans l'unité : « quand ils sont un », écrit Blondel, « c'est alors qu'ils sont trois », car le vœu créateur des époux appelle l'enfant, et, avec lui, recommence l'espoir des hommes. Seuls ou unis dans une patrie, vivants dans un terroir libre ou asservis, héros ou paysans font rejaillir sans cesse la flamme de l'espoir, Ladislas Reymont l'a montré. Ce n'est pas le baiser du réel qui tue l'espoir : il le fait revivre, comme un arbre qui a besoin du sol maternel pour grandir et monter, comme aussi la jeune force de l'époux. L'homme, roi de la création, son seigneur, de par Dieu, est aussi son époux, fort et délicat, qui lui donne de grandir en grandissant lui-même.

* * *

Le mythe de Siegfried[5], tel que l'a chanté Wagner, rend sensible l'inquiétude et le rassasiement, double dimension de l'espoir humain. Le héros ne sait pas de quelle mère il est né; il croit que le nain Mime est son père, mais un pressentiment lui révèle que cet avorton obséquieux n'a rien à voir avec l'amour qui l'a appelé à la vie.

Il ne connaît pas la peur : courant les bois, capturant les bêtes sauvages, s'amusant à terroriser le nain en amenant dans son antre un ours, qu'il relâche aussitôt devant les cris de Mime, Siegfried semble invulnérable. Mime essaye bien de faire naître en lui la crainte en lui décrivant les bruits de la forêt au crépuscule, mais l'adolescent se rit de ces tableaux. Quand le nain lui parle de Fafner, le géant métamorphosé en dragon, gardien de l'or maudit, Siegfried n'a qu'une idée : défier la bête, se mesurer avec elle et la vaincre : « le ver a sans doute un cœur? » demande-t-il au nain. « Sans doute » répond Mime, « et cela certainement te remplit de peur? » *(Jetzt kommt dir das Fürchten wohl an?)*. Siegfried répond qu'il « enfoncera l'épée Notung dans le cœur du trop fier animal; va ton chemin, vieux; ce n'est pas encore cette fois que j'apprendrai la peur » :

> *Notung stoss' ich*
> *dem Stolzen ins Herz*
> *Soll das etwa Fürchten heissen?*
> *He, du Alter!*
> *Ist das alles,*
> *was deine List*

---

5. Je cite les textes d'après l'édition Reclam, n° 5643, Stuttgart, 1954; les chiffres entre parenthèses renvoient aux pages de l'édition allemande.

> *mich lehren kann?*
> *Fahr deines Weges dann weiter;*
> *das Fürchten lern, ich hier nicht (p. 52-53).*

La force du *défi* a ici quelque chose d'un peu sauvage; l'espoir s'inscrit dans le rebondissement juvénile qui marque le héros.

La différence avec le climat d'André Malraux apparaît cependant avec autant de netteté que la ressemblance, car la force d'affirmation contre le monde va de pair avec une profonde aspiration à *communier* avec lui : Siegfried connaîtra la « crainte », mais seulement devant une réalité *vivante*, à la fois maternelle et nuptiale. Sa solitude lui pèse, car il veut savoir qui est sa mère, et lorsqu'il apprend de Mime sa naissance tragique, une étrange nostalgie s'empare de lui; déjà, dans les bois, il avait observé l'amour des petits pour leur mère, chez les oiseaux et les fauves. Ensuite, lorsqu'il apprend que Mime n'est pas son père, au cours de la scène des *Murmures de la forêt*, un poids étouffant se détache de son cœur :

> Maintenant seulement me plaît le bois frais, maintenant seulement me rit le jour joyeux.

Il comprend que son père devait être comme lui, mais bientôt, étendu sous un tilleul, sa songerie s'approfondit et il se demande quel était le visage de sa mère.

Comme il n'a jamais vu de femme, Siegfried cherche dans son expérience juvénile des reflets de ce que pourrait être celle qui lui a donné le jour et il pense d'abord aux yeux de la biche. Sa mère est morte en le mettant au monde : « Est-ce que toutes les mères des humains mourraient donc en donnant la vie? », se demande-t-il avec une fraîcheur et une naïveté qui bouleversent : « ah, si je pouvais, moi, son fils, voir ma mère, une femme ». La phrase est chantée sur une mélodie simple, dans le silence presque total de l'orchestre :

> *Aber - wie sah*
> *meine Mutter wohl aus?*
> *Das kann ich*
> *nun gar nicht mir denken!*
> *Der Rehhindin gleich*
>   *glänzten gewiss*
> *ihr hellschimmernde Augen,*
>   *nur noch viel schöner!*
> *Da bang sie mich geboren,*
> *warum aber starb sie da?*
> *Sterben die Menschenmütter*
>   *an ihren Söhnen*

> *alle dahin?*
> *Traurig wäre das, traun!*
> *Ach! möcht ich Sohn*
> *meine Mutter sehen!*
> *Meine Mutter —*
> *ein Menschenweib (p. 55).*

Sa force n'est rien, car quelque chose lui manque : connaître son père et voir sa mère; en cette minute le lien va se nouer entre l'homme et la création. Dans le bruissement calme des bois un oiseau chante, perché dans le grand tilleul aux pieds duquel Siegfried s'est étendu. Les notes liquides et claires de sa chanson se détachent peu à peu des murmures de la forêt; Siegfried remarque enfin l'oiseau, mais il ne comprend pas le langage de la nature; s'il pouvait comprendre ce chant, peut-être que celui-ci lui parlerait de sa mère :

> *Du holdes Vöglein!*
> *dich hört' ich noch nie :*
> *bist du im Wald hier daheim?*
> *Verstünd'ich dein süsses Stammelm!*
> *Gewiss sagt' es mir was*
> *vielleicht von der lieben Mutter? (p. 55).*

Le héros pressent qu'une « parole » se cache dans le chant de l'oiseau : il va essayer d'imiter ce chant sur un roseau, mais le son est aigre et la musique fausse; il sonne alors de ce cor avec lequel, souvent, il appelait, afin de ne plus être seul et avoir un compagnon *(nach liebem Gesellen)*, mais qui ne réussissait jamais qu'à faire paraître des loups et des ours. Il est maintenant agité, inquiet; il va, il vient, il « écoute » le silence des bois, il se sent forclos, séparé d'une parole sacrée; en lui l'humanité prend conscience d'elle-même : elle est force et courage, elle est aussi besoin de renouer le lien parental, soif de comprendre « le langage des fleurs et des choses muettes ».

A l'appel de Siegfried, répondent les formidables bâillements du dragon qui va boire; la lutte s'engage et la bête est bientôt abattue : alors, ayant porté à sa bouche son doigt teinté de sang, Siegfried *comprend le chant de l'oiseau.* En ce combat décisif, le courage de celui qui n'a peur de rien n'isole pas le héros dans une superbe solitude; *sa victoire le relie au monde,* car la création se fait alors transparente. L'adolescent est digne maintenant d'être instruit des dangers qui le guettent; il saura qu'une femme est endormie, sur un rocher entouré de feu, attendant que l'éveille celui-là seul qui n'a pas eu peur de traverser le rideau mouvant que Loge tisse sans cesse autour de son sommeil. Siegfried ne sait pas encore très bien ce qu'il cherche; il veut tout ensemble voir sa mère, rencontrer un compagnon, connaître l'amour :

> *Noch einmal, liebes Vöglein...*
>   *lauscht' ich gerne deinem Sange :...*
> *Doch ich - bin so allein,*
> *hab nicht Brüder und Schwestern :*
>   *meine Mutter schwand,*
>   *mein Vater fiel :*
> *nie sah sie der Sohn!...*
> *Freundliches Vöglein*
> *dich frage ich nun :*
> *gönntest du mir*
> *wohl ein gut Gesell? (p. 69).*

Lorsque Siegfried, ayant relevé le haume de celle qui est endormie, comprend qu'il n'a pas un homme devant lui (*Das ist kein Mann*, p. 84), mais une femme, il appelle sa mère; il se sent au seuil de la terre promise, devant le réponse du monde à son appel; il connaît alors la peur pour la première fois :

> *Wie weck' ich die Maid,*
> *dass sie ihr Auge mir öffne?*
>   *Das Auge mir öffne?*
> *Blende mich auch noch der Blick?*
>   *Wagt' es mein Trotz?*
>   *Erträg ich das Licht?*
>   *Mir schwebt und schwankt*
>   *und schwirrt es umher!...*
>   *Ist dies das Fürchten?*
>   *O Mutter! Mutter!*
>   *Dein mutiges Kind!*
> *Im Schlafe liegt eine Frau :*
> *die hat ihn das Fürchten gelehrt! (p. 85).*

Ceux qui ont le bonheur, en lisant ces textes, d'entendre en même temps la musique qui les « commente », de voir la lumière se levant lentement vers une aube nacrée, sur le plateau circulaire, dénudé, du théâtre de Bayreuth, ceux qui ont eu la joie d'être présents, silencieux, à l'intérieur de cette caisse de résonance qu'est la salle entière, savent qu'en cette minute « un homme naît dans le monde » : celui qui ne craint rien, Siegfried, devant la femme pour la première fois contemplée, devant le monde du « semblable » pour la première fois découvert, connaît non point la crainte servile mais celle qui naît devant le sacré dans le frémissement de celui qui dévoile une réalité tout ensemble accueillante à sa jeune force et mystérieusement inviolable. Siegfried est une image de l'espoir en ce qu'il conjoint la force et la délicatesse, 'inquiétude et le rassasiement, la puissance et la tendresse. Le lien nuptial est ainsi renoué entre l'homme et l'univers, entre Adam et « l'aide semblable à lui », entre « soi et soi » : l'espoir a tâté du pied la terre promise.

II. Un grand espoir au milieu de ce siècle

Au moment où Siegfried rencontre ce qu'il cherchait « depuis des temps, des temps », il n'éprouve pas le sentiment que le jaillissement de son espoir soit tari; au contraire, il devine que, dans l'amour de Brunhilde, avec l'eau de source qu'il cherchait, il trouvera le renouvellement de sa jeunesse, comme celle de l'aigle. Les hommes de ce siècle cherchent l'eau qui étanchera leur soif; seule l'étude patiente des chemins de la terre promise peut ici nous orienter. Je ne sais sans doute ce qu'espère le monde présent, du moins j'ignore le plus profond de son espoir, car le cœur humain est insondable, mais un peu d'attention, qui fait tellement défaut aux littérateurs, révèle ce que les humains espèrent *d'abord;* autrement dit, j'ignore ce que sera l'espoir des hommes en 1980, mais il est possible de décrire quelques-unes des vallées et collines de la terre promise devant laquelle le monde se trouve *maintenant.* Ouvrons les « *Instructions nautiques* » et faisons le point.

1. Espoirs économiques

En 1900, la Grande-Bretagne, la France et l'Empire des Tsars dominaient plus de la moitié du monde; le centre de gravité se situait « évidemment » en Europe occidentale, car nos grands-parents avaient cru à l'éternité de la puissance de l'homme blanc[6]. En un demi-siècle, le changement est formidable :

> On a assisté, en un demi-siècle, à des événements plus gran
> dioses et plus graves que dans aucune autre période de l'histoire
> Dans l'intervalle d'une génération, ou à peine davantage, deux

6. Tibor MENDE, *Regards sur l'histoire de demain,* traduit de l'anglais par M. LEVI, Paris, 1954 (livre publié en même temps en anglais, allemand, espagnol, français). Je cite quelques pages de ce livre pour montrer que, contrairement aux opinions de Malraux et *tutti quanti,* il est possible d'entrevoir quelque chose du contenu de l'espoir. Les passages résumés déjà se trouvent p. 16 et 40; les autres chiffres entre parenthèses renvoient au volume.

guerres mondiales ont eu lieu; deux parmi les plus grandes
révolutions des temps modernes ont éclaté; deux colosses sont
nés, incomparablement plus puissants que n'importe quel empire
de l'antiquité; des instruments pour capter l'énergie ont été
forgés, dont les possibilités dépassent les rêves les plus fous des
utopistes; des techniques psychologiques ont été mises au point,
capables de façonner les esprits sur un même moule et de plier
les hommes à une obéissance aveugle d'automates. Tout se passe
comme si, au xxᵉ siècle, à l'approche de décisions graves et
irrévocables, la marche ininterrompue de l'humanité avait pris
une allure d'apocalypse (p. 33).

Le monde se rétrécit (p. 40) en même temps que les inégalités entre
continents s'accusent de manière criante : les pays sur-développés
représentent un cinquième du globe, les pays semi-développés, un autre
cinquième, les pays sous-développés *les trois autres cinquièmes*[7] ; autrement dit, les Blancs vivent des trois quarts des revenus de la terre et un
dixième de la population du globe dispose de quatre-vingts pour-cent
du revenu total de la planète (p. 16).

L'Asie veut se hausser au niveau du reste de l'humanité (p. 96, 99);
elle a le goût de la vie collective (p. 132) et l'industrialisation se présente
d'abord à elle comme un espoir, un progrès :

---

7. Tibor MENDE, *op. cit.*, ajoute : « Si nous représentons chaque groupe de cent
millions d'hommes par un petit bonhomme, les zones « développées » seraient repré-
sentées, parmi nos vingt-cinq, par quatre petits bonshommes ou bonnes femmes
impeccablement vêtus ou couverts de bijoux. Les « sous-développés » par une longue
file de seize miséreux en loques et squelettiques; entre les deux, figureraient cinq
personnages un peu mieux habillés, mais sans luxe, qui représenteraient les peuples
qui ont déjà réussi à se remplumer un peu et à se vêtir de vêtements de confection »
p. 42). Comme le monde devient un «grand village» où l'on se connaît, la proportion
indiquée par cette image devient ceci: un cinquième des habitants du « village » se
goberge, l'autre cinquième «subsiste», tandis que les trois autres crèvent de misère et
de faim (p. 42-43). Cela n'empêche pas les USA de dépenser pour *un seul* bombardier
lourd de type B-36 *(Convair)*, pourtant déjà un peu démodé en 1952, la somme de
3.500.000 dollars (plus 2.000.000 de dollars pour les pièces de rechange, par an),
soit l'équivalent de ce que la Suède a dépensé en 1949 pour la protection annuelle
de la maternité et de l'enfance (31.582.000 couronnes) (p. 39 et n. 8, 9). Pendant
ce temps, l'U.R.S.S. devient la seconde puissance industrielle du monde (p. 86)
et les citoyens soviétiques sont élevés dans l'idée qu'ils travaillent pour l'avenir
(p. 88); le déplacement systématique et massif des installations industrielles au-delà
de l'Oural (et, symétriquement, en Chine, vers le Sinkiang) représente sans doute
dans l'histoire du monde un tournant décisif (p. 91) : l'Asie du Sud-Est (600 millions
d'hommes) qui hésite entre deux mondes se sent puissamment attirée par cette
« tentation » (p. 93-94). Le siècle de l'Asie s'achèvera-t-il avec l'Occident? Ou
contre lui? Enfin, si, pour l'instant, l'hémisphère austral joue les spectateurs, on
peut se demander pour combien de temps encore il le fera.

Après des siècles de labeur sans espoir, devenir le rouage d'une machine qui vous promet un avenir meilleur n'est pas déchoir : c'est au contraire passer du découragement à la satisfaction que donne le sentiment de participer à la réalisation d'un but précis (p. 47).

Or une chance *unique* est donnée à l'Occident en cette moitié du siècle, un espoir de faire reculer le spectre de la misère et de la faim et d'éviter que l'Asie du Sud-Est ne soit soumise au « médicament de cheval » que la Chine a dû subir. Mais *dans vingt ans il sera trop tard* (p. 154). Si l'Europe veut renoncer à toute idée de privilège et d'hégémonie[8], elle expérimentera que la suprématie de l'homme blanc est finie, sans doute, mais non son rôle, qui demeure capital dans l'évolution de l'avenir. Elle peut et elle doit investir des capitaux, créer des industries sur place dans ces pays, afin d'en élever le niveau de vie. Les USA (qui sont aussi « l'Occident ») devraient pratiquer dans le monde la politique économique qu'ils ont appliquée au Canada :

Tel est donc l'implacable dilemme qui est au fond du problème économique de l'époque actuelle. Fruit miraculeux de la technique, l'abondance américaine peut être pour le monde une menace ou une promesse *(promesse de voir la misère et la faim disparaître de la terre)* selon que l'Amérique ne renoncera pas, ou renoncera, aux dogmes de la liberté d'entreprise et de la concurrence sans frein... Cependant l'appareil productif des États-Unis continue à s'étendre, comptant sur des matières premières qui constituent pourtant le patrimoine de l'humanité entière... L'Amérique a, dans ce domaine aussi, une responsabilité internationale. A cet égard, la première mesure qu'elle devrait adopter serait d'entreprendre, sur une vaste échelle, l'exportation de ses capitaux vers des pays où, en réalisant des investissements productifs et rentables, elle pourrait en même temps le mieux contribuer à améliorer les niveaux de vie des habitants. Ce devrait être le début d'*une tentative qui n'a jamais encore été faite :* effacer

---

8. Tibor MENDE, *op. cit.*, précise que l'Europe vit au-dessus de ses moyens; comme un malade soutenu à coup de piqûres, elle est périodiquement reprise par l'utopie occidentale, car elle continue à croire au progrès automatique et inévitable sur tous les plans (p. 137-138) et elle s'imagine que la « volonté de puissance » est un errement provisoire (p. 140); sans voir l'abîme, elle se promène comme un somnambule et elle continue à décocher ses flèches au soleil, oublieuse des masses qui défilent sous ses yeux (p. 142-146) ; hantée par l'absurde et l'angoisse, elle témoigne de « ce sentiment, aujourd'hui si répandu, d'inutilité et de course vers une catastrophe sans espoir » (p. 157); l'incapacité « de s'adapter à un monde nouveau, l'apathie et la résignation, sont des expressions typiquement européennes de la fuite devant la réalité » (p. 122-123). J'ai cru intéressant de citer ces jugements d'un économiste hongrois, échappé au « rideau de fer » sur l'angoisse qui pèse en Europe.

de la surface de la terre la honte de la misère et de la faim et assurer, conformément aux préceptes de la morale chrétienne, un partage équitable des biens de ce monde (p. 69, 70-71).

Veut-on des chiffres? Pour relever de 2 % la production des régions sous-développées, un comité d'experts nommé par l'ONU a établi qu'il leur faudrait pouvoir importer 14 milliards de dollars par an; mais on ne leur octroie environ qu'un dixième de cette somme par année, et encore, le partage est-il très inégal, puisque la plus grande partie va à l'Amérique latine, et, là encore, les capitaux affluent surtout vers l'industrie pétrolière. D'autre part, pour préparer par une phase de transition ces pays à ce relèvement de 2 %, il faudrait importer 3 milliards de dollars par an :

> Les trois milliards de dollars que suggéraient les experts représentent un montant inférieur à celui des annuités que l'aide Marshall destinait à des populations cinq fois moins nombreuses et dont les besoins étaient infiniment moins pressants. Ils représentent *moins de 1 % du revenu national* des pays d'Europe occidentale, de l'Australie, de la Nouvelle-Zélande, des États-Unis et du Canada, états auxquels on suggérait de financer l'opération. Cette somme n'est sans doute guère plus importante qu'une toute petite part de ce que les habitants de ces pays dépensent chaque année en divertissements, en cigarettes ou en objets de luxe dont ils pourraient facilement se passer. Le montant n'est pas excessif non plus en comparaison de ce que certains pays consacrent aux investissements ou à d'autres buts. De 1905 à 1913, les exportations de capitaux du Royaume-Uni représentent en moyenne 7 % du revenu national du pays. Les États-Unis, de leur côté, ont accordé, dans les années d'après-guerre, des emprunts et des prêts pour un montant supérieur à 3 % de leur revenu national (p. 155-156).

Tout cela est *possible et rentable :* pour obtenir un léger accroissement de niveau de vie dans ces masses miséreuses, — « augmentation qui représenterait un changement décisif par rapport à l'état actuel de stagnation voire, plus souvent encore, de déclin propres à ces territoires» (p. 155), — il suffirait d'investissements moindres que ceux que l'on consent pour des profits plus immédiats; du reste, en période longue, cette politique se révélerait capable d'absorber l'excédent de production qui, aux USA par exemple, menace de provoquer une crise d'ici vingt ans; autrement dit, selon les termes de D. Dubarle, il y a « une réalité politique de la générosité[9] », ce que les économistes

---

9. D. Dubarle, *Humanisme scientifique et raison chrétienne*, coll. *Textes et études philosophiques*, Paris, 1953, p. 82.

appellent « l'économie du don ». La question posée à l'Occident tout entier est d'une urgence majeure, car, de la réponse qui lui sera donnée, dépend l'attitude de l'Asie devant les « valeurs » occidentales, y compris celles du christianisme : « Pourrons-nous éliminer la misère? » (p. 14). L'Occident n'a « plus que très peu de temps[10] », *mais il a le temps et les moyens;* l'espoir n'a peut-être jamais été aussi exaltant ni aussi précis dans les tâches qu'il nous propose. Allons-nous, alors que nous pouvons l'éviter, désespérer plus longtemps les millions d'hommes qui attendent de nous l'augmentation de leurs moyens de vivre?[11].

Il faudrait que tous les jeunes gens et toutes les jeunes filles *sachent* qu'une tache immense les attend; le mouvement déclenché par l'abbé Pierre en faveur des pays sous-développés est un appel vivifiant à notre monde; les livres, articles, statistiques qui, de partout, se multiplient témoignent de manière convergente de l'espoir des pays pauvres, qui attendent d'un grand désir, *et celui-ci peut être comblé.*

2. Espoirs culturels

Un autre livre, *Le grand espoir du XXe siècle*, de Jean Fourastié[12] complète et prolonge les vues de Tibor Mende. Lui aussi affirme que « les États-Unis et l'URSS ont maintenant la charge de la paix du

---

10. « Pour nombreuses et variées que soient ses réalisations, l'Occident ne pourra compter, lors du règlement qui approche, que sur bien peu de défenseurs et sur aucun alibi. Des monstruosités de Cortès et Pizzaro à l'extermination des indigènes de l'Amérique du Nord et de l'Australie, du vol éhonté des terres des tribus africaines à l'insensibilité terrible avec laquelle il sème aujourd'hui la destruction et la mort dans les terres lointaines où vivent ses semblables, l'homme blanc n'a su donner à ce qu'on appelle les races de couleur que l'exemple d'une horreur sans nom. Le tribunal de l'histoire qui est en train de juger l'Occident, *ne lui laisse que très peu de temps pour réparer ses torts* » (Tibor MENDE, *op. cit.* p. 160-161).

11. « A défaut de raison, la force des circonstances se charge de faire comprendre à un nombre croissant d'Européens qu'ils ne possèdent pas le droit inné à un niveau de vie supérieur à celui des Brésiliens, des Indiens ou des Chinois. L'esprit de charité, faute de mieux, devrait les convaincre que leur prétention à une priorité dans l'aide étrangère (alors que leur confort et leur bien-être sont encore infiniment supérieurs à ceux de la majorité des habitants du globe) risque de les faire taxer d'hypocrisie. Il faut que l'Europe s'empare du bistouri du chirurgien et opère dans la chair vive pour adapter, *alors qu'il est temps encore,* ses désirs à ses moyens. En persévérant dans l'illusion que le XIXe siècle peut être ressuscité, elle risque fort de poursuivre un mirage qui la mènerait à la ruine et à la servitude » (Tibor MENDE, *op. cit.* p. 83).

12. J. FOURASTIÉ, *Le grand espoir du XXe siècle,* Paris, 1952 (les chiffres entre parenthèses renvoient à cet ouvrage); du même *La civilisation de 1960,* dans *Que sais-je,* n° 279, 2e éd., Paris, 1950.

monde. De leur sagesse ou de leur folie dépend le bonheur ou le malheur de plusieurs générations, — mais non pas le résultat final considéré dans son ensemble » (p. 218-219). L'évolution qui fait passer le monde du « primaire vers le tertiaire[13] » ne se fera pas sans souffrance, dont la première vient de ce que nous avons à peine le temps de prendre conscience des faits : « le problème central du monde moderne pour l'homme d'action, c'est celui de l'*information* et de la *prévision*, et spécialement de l'information du progrès scientifique... Maintenant la découverte se fait plus vite que l'information... Voilà le drame fondamental de l'humanité » (p. 222-223)[14].

Deux domaines surtout requièrent l'attention, celui des sciences économiques et sociales et celui de l'automation. En ce qui concerne le premier secteur, un texte de l'auteur est si explicite et si essentiel que je le mets en évidence :

> Heureusement les sciences sociales sont à l'heure actuelle en plein essor; il est dès maintenant certain que notre époque aura dans l'histoire la même importance pour les sciences basées sur la seule observation, que les xviie, xviiie et xixe siècles pour les sciences expérimentales; après cent cinquante années de stagnation, *les sciences économiques et sociales sont en passe de fournir une moisson dont l'importance pour l'homme dépassera bientôt celle des sciences physiques* (p. 227).

Pour ce qui regarde les nations qui, « depuis cent cinquante ans, sont « technicisées », nous sommes déjà quelque peu en mesure de faire contrôler et orienter nos hommes de découverte par nos hommes de réflexion et nos sciences physiques par nos sciences sociales » (p. 228); le tout est de « voir avec plus de netteté les grandes lignes de l'évolution technique et économique du monde; ses dirigeants pourraient alors agir moins impulsivement;... les auteurs qui se sont attachés à en

---

13. Le « primaire » comporte les activités de type agricole, à progrès technique moyen; le «secondaire» embrasse tout le domaine de type industriel, à grand progrès technique; le « tertiaire » réunit les autres activités à progrès techniques faibles ou nuls, c'est-à-dire le domaine proprement humain; celui-ci se spécifie de plus en plus, parce qu'une série de besognes, *réputées* humaines, sont actuellement faites par des machines qui les font plus vite et mieux : tout cela oriente dans le sens d'activités proprement humaines : loisirs, beaux-arts, culture, etc.

14. De ce drame, la plupart des littérateurs n'ont cure : ils ont raison dans la mesure où l'art ne dépend pas des faits économiques et politiques, par exemple, mais quand on prétend affirmer que l'espoir n'est pas l'espoir *de quelque chose,* on tranche un problème sans examiner ses données. Il faut orienter aussi les jeunes vers les livres de Fourastié, Mende, etc., ce qui ne signifie pas qu'il faille laisser de côté l'art proprement dit.

traiter jusqu'ici, qu'il s'agisse de M. Georges Duhamel ou de M. Aldous Huxley, n'ont apporté au public que quelques rêveries plus ou moins agréables, et pas le moindre commencement de solution constructive » (p. 227).

C'est parler d'or, d'autant que, en ce qui regarde le second secteur, celui de l'incidence du machinisme sur la personne, nous sommes également entrés en une phase de grand espoir. Par « l'intermédiaire de la durée standard, le déterminisme de la matière inerte avait pénétré dans les cerveaux des hommes vivants » (p. 230); le geste de Charlot dans *Temps modernes*, — passer ses journées à serrer un boulon, le même et un autre, qui défile sur l'établi, — va bientôt devenir une réminiscence d'un passé presque géologique. L'ère du machinisme avait engendré d'abord « le mépris pour toutes les valeurs humaines traditionnelles qui ne concourent pas directement à l'efficacité économique et politique » (p. 232) :

> Jusque vers 1910, tous les effets du machinisme paraissent tendre vers la destruction de l'individualité humaine; depuis lors, des symptômes opposés sont apparus; depuis quelques années les faits enregistrent *un indubitable renversement de la tendance*, au point que... le machinisme semble aujourd'hui devoir favoriser à long terme les tendances individualistes de l'homme évolué (p. 233).

Autrement dit, « la machine 1900 exigeait qu'un ouvrier la serve... Le manœuvre spécialisé devait agir comme une machine complémentaire de la machine incomplète, répéter sans cesse le même geste à la cadence du métal » : c'était cela la machine à « emboutir les hommes » dont parlait Saint-Exupéry, celle qui était responsable de « tant de Mozarts assassinés ». Actuellement, par exemple, on diminue le nombre d'hommes nécessaires aux activités « secondaires » de transformation des matières premières en produits manufacturés :

> La machine de 1950 est entièrement automatique; l'ouvrier n'intervient plus que pour la contrôler ou la réparer; il n'intervient plus que pour accomplir des gestes et des actions réfléchis, intelligents, d'une essence absolument différente du déterminisme mécanique... Loin d'entraîner l'homme dans son domaine d'automatisme, loin de l'assujettir à son propre déterminisme, il apparaît que la machine moderne, en prenant pour elle toutes les tâches qui sont du domaine de la répétition inconsciente, *en libère l'homme*[15], et lui laisse les seuls travaux qui ressortissent

---

15. Cfr *Informations catholiques internationales*, n° 28, 15 juillet 1956, p. 15-23, qui donne un dossier sur l'automation; cfr aussi D. DUBARLE, *op. cit.*, p. 468 n. 9, qui devrait être lu entièrement.

à l'homme vivant, intelligent et capable de prévision... A mesure que l'évolution se poursuivra, ce seront donc les ressources les plus élevées de son intelligence que l'ouvrier devra mettre en œuvre, et ces ressources seront, par définition, de plus en plus éloignées de celles qui impliquent la soumission à un automatisme simple. Ainsi la machine, en s'annexant progressivement le domaine des tâches automatiques, des plus élémentaires (machines 1850) aux plus complexes (cybernétique), obligera l'homme à se spécialiser dans les tâches intellectuelles les moins faciles, et dans la solution des problèmes scientifiquement imprévisibles, où l'intuition, la morale et la mystique jouent un rôle prépondérant (p. 234). La *machine conduit ainsi l'homme à se spécialiser dans l'humain* (p. 238). La crise du déterminisme se résout, le fossé naguère infranchissable entre la science et la vie quotidienne se comble; les sciences sociales disposent des outils intellectuels nécessaires à leur constitution et l'homme redevient le centre des préoccupations scientifiques (p. 239).

Le « supplément d'âme » dont parlait Bergson, nécessaire au « corps de l'humanité démesurément agrandi » par le machinisme, il semble que l'évolution vers l'automation contraigne à le chercher (p. 239). La hantise des classes ouvrières est actuellement celle du chômage technologique; mais c'est là une crise liée à une période transitoire; le drame essentiel est plutôt la nécessité de promouvoir une culture humaine dans des masses de plus en plus nombreuses mais libérées de l'asservissement de la machine, et cela, dans un délai très rapproché.

Cette « délivrance » des hommes, les dégageant de plus en plus du caractère asservissant du travail en vue de « loisirs » qui devront être d'ordre *spécifiquement humain*, est dans le droit fil de la révélation biblique; c'est une victoire sur les conséquences du péché. Mais un double devoir apparaît, créer une culture proprement humaine, accessible à tous, *sans opérer un nivellement par le bas*, et faire l'impossible pour que les pays asiatiques, qui commencent à peine leur révolution industrielle, fassent l'économie de l'asservissement que l'Occident a dû subir depuis 1850 (p. 239 et n. 2).

3. « L'atome, chance du monde »

« L'Atome, chance du monde » : la brochure ainsi titrée exprime le cœur de nos angoisses et de nos espoirs; un article de D. Dubarle, *L'atome pour tout le monde*, à propos de la conférence de Genève d'août 1955, apporte ici des précisions :

Alors que jusqu'à présent seules les applications militaires de la conquête scientifique de l'énergie nucléaire avaient compté au plan des affaires politiques mondiales, désormais les applications pacifiques de cette conquête commencent à leur tour de le faire. La Conférence de Genève a officialisé ce fait. Ensuite, pour la première fois depuis 1914, donc depuis plus de quarante ans, la communauté des hommes de science s'est retrouvée à peu près vraiment elle-même à l'échelle mondiale et pour traiter des questions scientifiques qui engagent largement le devenir global de l'humanité... Les hommes de science ne sont pas près d'oublier ce qu'il leur a été permis de vivre pendant cette rencontre. Sur l'un et l'autre point quelque chose d'irréversible paraît bien avoir eu lieu.

D'autre part, l'énergie nucléaire arrive à point pour relayer les autres sources d'énergie, charbon, pétrole, etc., qui commencent à s'épuiser :

Avec cet appoint, le monde dispose de ce qu'il lui faut pour continuer son expansion industrielle et le développement de la forme de civilisation dans laquelle il est entré... Au total, tel qu'il grandit aujourd'hui, ce monde a ses chances humaines... *Un bon démarrage sur le plan de l'énergie nucléaire coûte infiniment moins que l'entretien d'une médiocre armée...* Tous eurent le sentiment d'une immense détente[16].

III. Un grand risque

1. Fragilité morale de l'homme

L'espoir n'est pas un optimisme, une certitude que « tout finira par s'arranger », sinon il serait une abjecte démission de l'homme, justiciable du défi que Malraux lui lance. Les trois domaines dont il vient d'être parlé impliquent des conclusions convergentes : la tâche qui nous attend est exaltante parce qu'il y a des possibilités concrètes de progrès humain et parce que le climat psychologique des années présentes oriente dans la même ligne; mais, en même temps, la responsabilité proprement humaine s'en trouve accrue. L'Occident peut faire reculer le spectre de la misère et de la faim dans l'Asie du Sud-Est : encore faut-il qu'il prenne sur lui de renoncer à des profits immédiats et sache

---

16. *La vie intellectuelle*, octobre 1955, p. 5, 13; cfr aussi, du même, *Optimisme devant ce monde*, coll. *Foi vivante*, Paris, 1949.

se sacrifier actuellement en vue d'un progrès économique que la génération suivante sera seule à connaître. L'automation délivre les énergies
proprement humaines : encore faut-il que les hommes soient prêts à
faire la relève et à offrir aux masses délivrées le pain de la *véritable*
culture. Enfin, à propos de l'atome chance du monde, D. Dubarle
écrit dans le même article : « Le monde a ses chances humaines. Ce qui
ne veut pas dire qu'il suffira aux hommes de s'en remettre à la faveur
des choses »[17].

Le risque est d'autant plus grand que l'espoir est plus vaste; il
ne sert à rien de vouloir cacher la menace permanente de *l'égoïsme
humain*. Des livres comme *Notre destinée et nos instincts*, d'Étienne
De Greeff, nous rappellent à quel point notre profondeur instinctive
est superficiellement « évangélisée ». La volonté de puissance risque
de se servir de l'automation comme d'un nouveau moyen de multiplier
les profits, au détriment de milliers d'hommes jetés dans la misère;
l'appétit de connaissance orgueilleuse peut empoisonner les recherches
de la science et ses applications; la fascination du néant et du mal,
voulus pour eux-mêmes, ainsi que le voyait si lucidement Bernanos,
demeure un danger de chaque seconde; enfin, la jeunesse, pleine
d'enthousiasme devant l'accélération des espoirs terrestres, paraît
sans « ancrage » spirituel dans des traditions religieuses et culturelles,
car sa pensée est privée de «cran d'arrêt» : que deviendront ces jeunes
devant les premiers échecs?

On se rappelle peut-être le destin de Salavin, dans *Le club des
Lyonnais*, de Duhamel : entendant des palabres interminables sur la
révolution politique et sociale qui doit bouleverser la société, il se sent
accablé en secret par le sentiment de son incurable faiblesse morale.
Il a voulu « devenir un saint », mais à la première escarmouche, lors
d'un minuscule incendie dans un cinéma, il s'est rué sauvagement vers
les sorties de secours; jamais non plus il n'a pu dominer certaines
obsessions charnelles; enfin, il n'a même pas été capable de garder
l'amitié du seul être vraiment patient et bon qu'il ait connu. Ce
« Hamlet de la bureaucratie parisienne », sait qu'il faudrait une force
qui le change, lui, Salavin, en sa profondeur la plus secrète, sinon la
révolution ne sera que la « reconduction » du même personnage falot,
grotesque, avide et méchant. Cet homme qui a tenté « le voyage
intérieur » demande aux « conspirateurs politiques » si leur révolution peut « le changer lui, Salavin ». La stupeur qui accueille cette
question non prévue à l'ordre du jour, permet de mesurer le manque à
gagner chez tous ceux qui s'embarqueraient dans l'espoir du xxᵉ siècle

---

17. *Ibid.*, p. 13.

sans avoir mesuré la faiblesse morale des hommes qu'ils veulent sauver.

Il ne faut donc pas considérer seulement le risque inhérent à toute entreprise humaine mais aussi, et même surtout, *le risque fondamental de la liberté de l'homme* : rien ne peut la contraindre, et si nous ne parvenons pas à persuader les hommes d'user « humainement » des moyens formidables mis à leur disposition pour améliorer le sort de millions de vivants, rien n'aura été fait. Un texte de Bertrand Russell, mis en épigraphe par Tibor Mende lui-même, résume de manière saisissante la menace qui pèse sur nous :

> Il n'y a pas d'espoir pour le monde si le pouvoir ne peut pas être apprivoisé et placé au service non de tel ou tel groupe de tyrans fanatiques, mais de l'espèce humaine tout entière, blancs, jaunes et noirs, fascistes, communistes et démocrates; car la science les a rendus solidaires : *ils doivent vivre ou mourir ensemble.*

En d'autres mots, l'unité que la science réalise dans le monde rend d'autant plus urgente la victoire des forces d'ordre spirituel et moral, sous peine de voir se multiplier, en proportion géométrique, les risques d'effondrement dont Salavin nous a donné une image en miniature.

Si donc nous ne voulons pas que la « miniature » devienne la fresque « panoramique » de la démission de l'Occident, il faut, de toute urgence, que les énergies spirituelles, le « supplément d'âme » dont parlait Bergson, apparaissent. Elles peuvent ne pas jaillir, la preuve en est dans le fait que, par exemple, les sommes nécessaires à l'augmentation de *deux pour-cent* du niveau de vie des pays sous-développés, n'ont pas été allouées :

> Mais, malgré leur modération, ces recommandations *n'eurent aucune suite...* On se sent apparemment moins obligé d'affronter un problème *qui menace les bases mêmes du monde occidental* et les relations futures entre les races, que d'effectuer des investissements qui rapportent *plus vite* des profits et des dividendes (Tibor Mende, *op. cit.*, p. 155-156).

L'Europe devrait réduire son train de vie, mais « le grand besoin moderne, le plus grand commerce moderne, est celui des distractions[18] ». Il nous faut des ersatz de terre promise, des « ciels synthétiques » : il n'y a pas que le ciel en trompe-l'œil des plafonds rococo, il y a celui « des bourgeois comblés dans un univers absurde »; il y a celui des

---

18. L. EVELY, *L'espérance*, dans *Droit et Liberté*, février 1953, p. 4.

pin-up girls, des *cover girls* et des *glamour girls,* dont on déshabille l'âme (ou ce qui en tient lieu aux yeux des journalistes de la « presse du cœur»), avant de déshabiller le corps; il y a le «petit univers où l'on s'ennuie, avec les Cécile et les Dominique de *Bonjour tristesse* et de *Un certain sourire,* où l'on « s'embête » en faisant l'amour, avant, après, et, parfois, pendant; il y a l'univers en carton-pâte de la démocratie «omnibus» qui, partout, automatiquement, devrait apporter le bonheur et la paix dans l'abondance[19]; il y a le ciel de trop de chrétiens, où rien ne bouge, ne *peut* bouger, où la poussière est « sainte », et qui est passivité béate; il y a ce que les chrétiens appellent « leur » espérance, pour eux, cette certitude confortable, ce petit calcul des intérêts composés, cet espoir bouffon qui a perdu son authenticité et sa puissance d'action; leur « espérance » s'est « détendue », comme une lanière dans l'eau, elle n'est plus une certitude, mais une assurance, plus un effort, mais une lâcheté, plus un désir, mais un alibi[20].

Qui nous sauvera de cette lâcheté et de cet égoïsme? Aucune énergie purement humaine ne le pourrait. Il faudrait qu'une autre force nous entraîne, nous et l'Occident tout entier. Une force? « Peut-être un amour? » disait le vieillard de Mauriac, quand il se découvrit miraculeusement allégé, mué, détaché de son avarice terrienne, quand il devina que le « nœud de vipères », qu'il croyait identique à son cœur, en avait été mystérieusement disjoint et qu'il recommençait à respirer.

2. Une occasion manquée

Que cet « amour » ait manqué à l'Occident ou, plutôt, que l'Occident lui ait manqué, l'exemple de la Chine de Mao le prouve. Ce livre s'est ouvert sur les espoirs de l'Asie, que les héros de Malraux, ceux de l'histoire et ceux de la fiction, voulaient vivre de toute leur âme. Certes, ils n'avaient pas voulu cela, mais ils avaient négligé le facteur « variable» de la fragilité morale de l'homme, en croyant pouvoir faire l'économie

---

19. Tibor MENDE, *op. cit.,* a tout un chapitre sur *Puissance et utopie* (p. 137-147).
20. Cfr *Lumen Vitae,* n° spécial sur *L'espérance,* IX (1954), n° 3, p. 452; toute l'étude du P. Bernard OLIVIER, reprise aussi en brochure et complétée, est à lire pour sa remarquable clarté; la certitude de l'espérance est inébranlable, mais elle n'est pas un calcul béat de l'automatisme du progrès; elle est d'un type spécial, ainsi que R. C. KWANT l'explique dans *Hoop en vertrouwen, Kultuurleven,* février 1956, p. 96-100 et 145. Le volume sur l'espérance théologale reviendra sur ces nuances essentielles, ainsi que sur la nécessité d'une expérience « sommet » *(Topherleving)* dans l'espoir, celle du désespoir.

du « voyage intérieur ». Que les espoirs de la Russie marxiste aient été écrasés, le témoignage de Thierry Maulnier l'a montré; j'aimerais achever le bilan en esquissant une image de ce qu'est devenue cette Chine « à laquelle l'Occident a si terriblement manqué » et qui s'est livrée à la poigne marxiste.

Le bilan *matériel*, sans doute, est favorable :

> Avant, c'était épouvantable : première vérité. Pauvreté, corruption, inefficacité, misère, mépris du peuple et du bien public, tout cela composait, — je l'ai connu, le plus misérable des pays... Avant c'était le désespoir : quand on sort de là tout est forcément mieux, surtout quand au plus incapable et au plus corrompu des gouvernements succède celui qui gouverne la Chine... Tout le communisme chinois m'a paru calculé pour être administré à une masse dont les besoins sont encore élémentaires et qui s'éveille à l'instant de quatre mille ans d'ignorance[21].

Le bilan *spirituel* est effroyable car la Chine «n'est plus asiatique», elle a calqué son régime sur l'Occident : la phrase de Ling à A. D., dans *La tentation de l'Occident*, sur la Chine qui se vide de propre culture et se tourne vers l'Europe pour lui emprunter la féerie mécanique et les moyens de s'opposer à elle, mais qui continue à la détester, est vérifiée de point en point; nous assistons à la « mort d'une vieille civilisation » :

> Quel âge a aujourd'hui la Chine? *Six ans.* Quatre mille années de Chine ancienne appartiennent maintenant aux cimetières et aux musées. La Chine est en train de se livrer tout entière à la civilisation marxiste-léniniste... Une suprême révolution se prépare : l' « alphabétisation » de l'écriture chinoise... Le jour où ce sera fait, l'ancienne Chine aura définitivement basculé dans le cimetière des civilisations anciennes... Le chinois est en train de devenir par rapport à l'Asie ancienne ce qu'est l'Américain par rapport à l'Europe, l'homme qui a mis un océan entre lui-même et le passé. L'étonnant c'est que dans son cas il n'a pas changé de place. C'est sur la terre de ses ancêtres qu'il aura rejeté le passé et tenté l'aventure de refaire les hommes à neuf[22].

L'homme a été sacrifié à un système politique et social; la culture a culbuté dans le cimetière des civilisations du passé; le soin que les gouvernants apportent à conserver et à mettre en musée les trésors

---

21. J'emprunte ces détails au reportage de Robert GUILLAIN, publié dans *Le Monde* en janvier-février 1956; le présent texte est dans *Le Monde*, 16-II-56.
22. *Le Monde*, 4-II-56.

du passé souligne que la culture de la Chine n'est plus que « voix de silence »; elle est entrée dans l'imaginaire, fût-ce celui du musée, mais « la voix des vivants » est muette désormais :

> Les Chinois, chose incroyable, ne font presque plus de bruit. Dans le pays naguère le plus bruyant du monde, le pétard, le glapissement et le grand éclat de rire ont disparu... Il y a encore des rires et des sourires, bien sûr, mais ce ne sont plus du tout les mêmes; ils ont je ne sais quoi de marxiste et de soviétique; *ils sont plus russes que chinois* et paraissent attendre le photographe ou la légende des magazines de propagande communiste : « Le sourire dans les gerbes... Le bonheur à l'atelier ».

Il y a un disparu, « le Chinois intelligent » :

> Plus d'une fois la nouvelle Chine donne l'impression, comme l'ancien Japon, d'être fondée sur le règne de deux cents ou trois cents grands cerveaux, tandis que la multitude reçoit avec des œillères juste assez de lumière pour suivre aveuglément ses chefs.

« Six cents millions d'hommes en uniformes », six cents millions sont vêtus de cette cotonnade économique, de couleur bleue, que petits et grands, hommes et femmes, portent, à travers l'immense pays :

> Jamais la foule chinoise n'a paru aussi intarrissable, aussi envahissante, que depuis qu'elle est devenue cette humanité qui semble sortir, en rangs par quatre, d'un immense bain d'encre bleu fixe... Une fourmilière, des fourmis, voilà bien ce qu'ils sont devenus... Les fourmis bleues...[23].

Le « lavage des cerveaux » se pratique avec la brutalité que l'on sait : en un pays où le respect du père était sacré, on encourage les enfants à dénoncer leurs parents en cas de tiédeur ou d'esprit « contre-révolutionnaire »; on peut aussi dénoncer l'épouse; enfin, il faut faire le bien, par la force :

> Un Chinois me disait, rare confidence, et dite avec l'accent d'un personnage de Kafka, résigné devant l'absurde : « Nous avons tous un dossier à la police. Il dort en attendant de servir... » Écoutez ce que nous disait un auteur Shangaïen, Pa Tchin, qui vécut longtemps à Paris : « Votre société chrétienne a fait des saints admirables. La belle histoire! Ils étaient complètement impuissants à imposer le bien qu'ils prêchaient. Nous, nous nous passons des saints, mais nous avons la puissance de forcer les

---

23. *Le Monde*, 6-II-56.

gens au bien. Nous les forçons d'être bons malgré eux. Personne ne peut plus prendre le chemin mauvais : il est barré. »

Ce que peut signifier ce « bien forcé », une conversation avec la directrice d'un institut de rééducation pour prostituées, — il n'y en a plus en Chine, sauf à Canton, — va le faire comprendre :

« C'est tout simple! » me répond la directrice, et elle donne cette explication bouleversante si on y réfléchit bien : « C'est tout simple : ce sont les masses qui suppriment la prostitution! Qu'arrive-t-il si une femme se conduit mal? Mais elle est immédiatement découverte par les habitants, dénoncée au comité de sa rue, qui la dénonce au bureau du quartier! » Madame la directrice est rayonnante. C'est tout simple en effet : l'espionnage et la dénonciation peuvent remédier à tous les maux, il suffisait d'y penser. *Nous avions vécu deux millénaires sur l'histoire de la femme coupable, à laquelle aucun homme n'avait osé jeter la première pierre.* Entrerions-nous dans les temps où le devoir de chaque homme sera de jeter la pierre?[24]

Le jour où les hommes auront oublié cette « histoire de la femme coupable », et quelques autres « histoires » du même genre, la vie aura perdu toute signification. L'espoir qui asservit l'homme à un bien forcé, imposé, même s'il opère une promotion sur le plan matériel, cet espoir n'est qu'*un masque nouveau du pharisaïsme et de l'esclavage.* L'homme est plus grand que le monde. Il vaut mieux pas de terre promise du tout, que celle-là qui nous endort dans les chaînes, fussent-elles dorées[25].

---

24. *Le Monde*, 28-I-56.

25. F. Mauriac, dans *Atti*, p. 249, montre que les expériences atomiques peuvent impliquer un risque de « fin du monde » : « Je souhaite ardemment de me tromper quand je considère notre époque comme un temps où l'espérance humaine, détournée de l'éternel amour, fait subir à la matière elle-même, devenue l'unique objet de sa recherche, une pression si formidable qu'elle tend à l'épuisement de la planète et pour finir à sa désintégration… Mettrons-nous notre espérance à l'abri ? Fuirons-nous sans tourner la tête la Gomorrhe et la Sodome où des créatures abruties par la vitesse s'émerveillent de la dernière expérience atomique sans se douter qu'elle atteint et corrompt la vie à sa source même et que toute l'humanité est brûlée en même temps que ces pauvres pêcheurs japonais qui vont mourir, ou qui sont morts déjà, lentement rongés par ce cancer que la nature ne connaissait pas? » Je crois que les considérations faites aux pp. 465-473 permettent une mise au point de ces vues un peu trop pessimistes en ce qui concerne la science; mais elles retrouvent toute leur force en face des implications *spirituelles et chrétiennes* dont parle Mauriac.

IV. Le désespoir, épreuve de l'espoir

Il n'y a pas seulement le *risque* de l'échec qui menace l'espoir, il y a aussi la *certitude* de la catastrophe finale qui, un jour, anéantira l'œuvre humaine : l'homme meurt, tous les hommes meurent et, avec eux, le monde qu'ils bâtissent. L'effroyable catastrophe de Marcinelle, en Belgique, suffit à faire craquer les constructions de l'esprit : devant la douleur nue, comme une plaie à vif, celle de ces Italiennes qui veulent « ensevelir » leur mari, et viennent, à la mine, avec un petit ballot de linge, mais qui ne peuvent rendre cet ultime devoir, car on ne sait peut-être pas très bien quel est le cadavre qui répond au nom du mari; devant l'arrachement saignant de 407 enfants devenus orphelins, devant la mort d'un garçon de quatorze ans, le « benjamin de la mine », quelle réponse humaine oserait s'offrir, qui ne soit dérision?

Les marxistes diront que ces ouvriers sont morts sur le « champ d'honneur » du travail, pour l'avenir prolétarien; et, sans doute, ces obscurs mineurs sont *de vrais héros*, car la vertu véritable est silencieuse. Mais la solitude brutale qui tombe sur des milliers de gens, l'absurdité de cette fausse manœuvre qui déclenche un cataclysme, la chute dans le noir, enfin, de ces amours et de ces espoirs liés à tel visage, tel regard, telle démarche, car l'amour se vit et se meurt d'un « battement de cils », d'une manière de sourire, de marcher, de heurter l'huis : quel sens donner à ces drames? Une anecdote contée par Koestler demeure ici exemplaire :

> A un congrès d'écrivains communistes, après des heures de discours sur le meilleur des mondes en construction, André Malraux demanda avec impatience : « Et l'homme qui est écrasé par un tram? » Il rencontra une stupeur générale et n'insista pas. Mais il y a en chacun de nous une voix qui insiste. Nous avons été coupés de notre foi en la survie, dans l'immortalité d'un moi que nous aimons et que nous détestons plus intimement que n'importe quoi, et cette amputation ne s'est jamais cicatrisée. Être tué sur une barricade ou mourir martyr de la science procure quelque compensation; mais l'homme qui est écrasé par un tram ou l'enfant qui se noie? L'homme de l'époque gothique avait une réponse à cette question. Ce qui était en apparence un accident s'intégrait dans un dessein supérieur. Le sort n'était pas aveugle; les tempêtes, les volcans, les déluges, la peste, tout obéissait à un mystérieux dessein. On s'occupait de vous là-haut. Les Cannibales, les Esquimaux, les Hindous et les Chrétiens ont une

réponse à cette question d'entre les questions qui, refoulée, escamotée, honteusement cachée, demeure encore, en fin de compte, la règle dernière de nos actions. La seule réponse que put obtenir Malraux, après un pénible silence, ce fut : « Dans un système de transports parfaitement socialisés, il n'y aura pas d'accidents »[26].

On aimerait connaître l'impression que ferait cette « réponse » sur les victimes de la tragédie de Marcinelle.

* * *

Si la mort des individus ou des groupes humains laissait indifférent le philosophe, — Brunschvicg déclarait être détaché de « *sa* propre mort » et ne songer qu'au progrès de l'Esprit et de la Conscience dans le monde, — il y a la *mort du monde*. Ici, l'astronome anglais Jeans, dans *The Universe around us*, croit nous encourager en annonçant que l'humanité a encore un million de millions d'années à vivre avant la fin définitive et totale sur une terre gelée et sans problème. Aussi bien René Grousset, dans *Bilan de l'histoire*, évoque la méditation du « dernier homme » qui, fût-il devenu une sorte de « dieu », de démiurge omnipotent par les progrès de sa science, n'en mourra pas moins : que sera l'histoire millénaire à ses yeux, sinon un scandale pour la raison et une tragédie pour le cœur, sinon une absurdité définitive et un écrasement sanglant des espoirs de milliards d'humains? Que signifiera la succession des civilisations, si bien évoquée par Spengler et par Malraux? Dès 1923, Teilhard de Chardin, en Chine, écrivait, songeant aux cultures disparues :

> Aujourd'hui, de toute cette immense poussée vers un peu plus d'être, il ne reste rien, — rien que de pauvres cultures qui se défendent péniblement contre l'envahissement du sable... Oui, repose-toi, vieille Asie, aussi lasse dans tes peuples que

---

26. A. KOESTLER, *Le Yogi et le Commissaire*, Paris, 1946, p. 175-176. Inutile de rappeler que le Yogi ne ressemble que de loin au « saint » chrétien, et que le commissaire ne rappelle que de loin l'apôtre et l'homme d'action. Quant au texte, le commentaire de Koestler témoigne de cette pseudo-science un peu épaisse qui court le monde : très évidemment, pour l'auteur, le « gothique » est vénérable et barbare tout ensemble, et indigne de la « foi » d'un homme de notre temps. On n'est pas très loin de Malraux « interprétant » l'art d'Occident. J'ajoute que la réponse à la question de Malraux n'est pas « l'immortalité de l'âme », mais la « résurrection de l'homme tout entier », objet principal de la foi chrétienne; cfr *infra* p. 484 sv.

ruinée dans ton sol. A l'heure qu'il est, la nuit tombe et la lumière
a passé en d'autres mains [27].

Ces « autres mains » ont été celles de l'Occident marxiste, et nous
venons de voir ce qu'elles ont fait de la lumière; mais, après les
marxistes, dans quelles autres mains encore passera le flambeau, et puis
en quelles autres, sans fin, jusqu'à la culbute finale? A quoi rime « cette
course dans le brouillard? » demandait Osmonde à son père dans *Un
homme de Dieu* de Gabriel Marcel? A rien, car si nous passions sur une
autre planète, le même jeu recommencerait :

> Ce qui doit finir un jour peut finir, aussi bien, tout de suite,
> et la pensée la plus désespérante pour les derniers hommes,
> témoins de la planète, sera précisément celle de tous les sacrifices
> par lesquels leurs prédécesseurs auront gâché leurs chances de
> bonheur et perdu leur vie pour tenter vainement de prolonger
> et d'améliorer la leur [28].

Ces pensées donnent le vertige. Elles tuent l'espoir humain. Elles
donnent raisons apparemment aux philosophes acosmistes qui ramènent
le malheur du monde au désir de vivre et prêchent l'anéantissement
de l'instinct vital dans le *nirvana* bouddhique, ou dans la non-dualité de
l'*advaïta* brahmanique qui absorbera les faisceaux multicolores de
l'illusion cosmique, la *maya*, dans l'océan impersonnel de l'absolu.
Il ne faut pas chercher à émousser la pointe de ce glaive qui nous
transperce : la mort de l'homme, celle du monde, la fragilité morale
qui semble irrémédiable sont des évidences d'une écrasante simplicité.
Que le risque soit équivalent à l'espoir, nous l'acceptons; qu'il
faille sans cesse reprendre sa mise, recommencer le jeu, en une tâche
surhumaine, nous le voulons bien, car nous sommes prêts à redire,
avec Camus, qu'on appelle « surhumaines les tâches que les hommes
mettent longtemps à accomplir[29] ». Mais l'effondrement *final* de *tout*

---

27. P. TEILHARD de CHARDIN, *Lettres de voyage*, 1923-1939, Paris, 1956, p. 148-
149, 61-62. Je suis de ceux qui regrettent la publication du *Phénomène humain*
comme premier volume de la série des œuvres : écrit en style poétique, mais
flou par place, lancé dans un public incapable de faire la part des choses, le risque
est grand de bloquer dans une impasse la discussion des thèses du savant jésuite;
que n'a-t-on commencé par le volume annoncé, réunissant les articles *scientifiques*
de caractère technique? La discussion se serait cantonnée d'abord entre spécialistes;
des livres comme celui de Viallet, sur Teilhard, sont des modèles d'enthousiasme
« confusioniste ». L'*Introduction* de C. TRESMONTANT, Paris, 1956, est, par contre,
excellente.

28. L. EVELY, *art. cit.*, p. 3.

29. Voici le texte complet dont est extrait le passage cité : « Ce que nous voulons
justement, c'est ne plus jamais nous incliner devant le sabre, ne plus jamais donner

dans le néant de la mort individuelle *et collective*, nous ne voyons pas que l'espoir humain puisse lui survivre; et, s'il ne peut *survivre*, comment pourra-t-il *vivre*, dès à présent, sinon comme une illusion de jeunesse, envolée dès l'apparition de l'expérience adulte, sinon comme ces ailes de moulin à vent, que le seul Don Quichotte, adolescent attardé et aveugle volontaire, prenait pour des « enchanteurs » mais que Sancho Pança appelait de leur nom véritable et prosaïque. « C'est notre personne même que nous voulons immortelle, faute de quoi, à plus ou moins longue échéance, nous ferons grève[30] ».

C'est précisément dans la mesure où les espoirs actuels sont plus vastes et plus ouverts, car la promotion de l'humanité à un plan d'activités *proprement humaines* s'avère *réalisable*, que la chute finale dans le néant semble une insupportable plaisanterie de la destinée. Ce n'est pas de notre petite personne qu'il s'agit, car nous sommes prêts à l'échanger, pour « la citadelle », pour « l'empire », pour « le monde des hommes », mais de la signification de cette marée qui, depuis des siècles, recommence avec chaque lunaison cosmique, et qui, en même temps, semble entraînée en une montée irréversible, s'oriente vers un progrès acquis dans le sens de l'unité planétaire. Si l'histoire, expliquait Grousset, « n'a pas pour but l'envol d'une psyché immortelle », elle est absurdité et tragédie.

Une « *psyché* », une âme immortelle, sans doute, mais cette vérité ne répond pas totalement à l'espoir de l'homme, car c'est le sort ultime de cette création matérielle et spirituelle qui l'obsède; cette terre, « dût-elle se casser en miettes », il désire savoir ce qu'elle signifie. Si la réponse de l'espérance chrétienne devait, une fois de plus, triompher sur les *ruines* totales de l'espoir humain, l'homme se sentirait frustré.

De toute part, le cercle est renfermé : la fragilité humaine paraît irrémédiable et l'égoïsme indéracinable; la mort du monde,

---

raison à la force qui ne se met pas au service de l'esprit. C'est une tâche, il est vrai, qui n'a pas de fin. Mais nous sommes là pour la continuer. Je ne crois pas assez à la raison pour souscrire au progrès, ni à aucune philosophie de l'histoire. Je crois du moins que les hommes n'ont jamais cessé d'avancer dans la conscience qu'ils prenaient de leur destin. Nous n'avons pas surmonté notre condition, et cependant nous la connaissons mieux. Nous savons que nous sommes dans la contradiction, mais que nous devons refuser la contradiction et faire ce qu'il faut pour la réduire. Notre tâche d'homme est de trouver les quelques formules qui apaiseront l'angoisse infinie des âmes libres. Nous avons à résoudre ce qui est déchiré, à rendre la justice imaginable dans un monde si évidemment injuste, le bonheur significatif pour des peuples empoisonnés par le malheur du siècle. Naturellement, c'est une tâche surhumaine. *Mais on appelle surhumaines les tâches que les hommes mettent longtemps à accomplir* (*L'été*, Paris, 1954, p. 71-72).

30. C. TRESMONTANT, *Introduction à la pensée de Teilhard de Chardin*, Paris, 1946, p. 77.

impossible à nier, rend illusoires tous nos efforts présents ; cependant
l'homme de cette première moitié du siècle semble refuser une espérance
transcendante. Quelle différence y a-t-il dès lors « entre celui qui conduit
les peuples » et celui « qui s'enivre solitairement »?

V. Vocation chrétienne et espoir humain

1. Il ne faut pas espérer moins

Je ne connais pas de plus tragique malentendu que celui qui s'est
créé entre les espoirs les plus généreux de l'homme moderne et le
témoignage chrétien sur l'espérance. Alors que le christianisme est la
seule religion qui donne un sens plein à l'histoire, c'est-à-dire au déroulement d'une destinée irréversible, dans l'espace et dans le temps,
alors qu'il valorise au maximum l'être entier, corps et âme, il passe
pour une mystique morbide, de fuite et de peur. La crampe volontariste
qu'il exigerait de ses fidèles, pour qu'ils « évitent » le péché, irait de
pair avec le fatalisme, le désir d'évasion de « saintes âmes » affrontées à
l'histoire de l'univers.

L'image que trop de chrétiens se font de la fin des temps et
du « ciel » qui doit lui succéder est décevante : le monde *nouveau*
paraît « préfabriqué » par Dieu et tomber du ciel comme un
aérolithe, après le grand chambardement de l'apocalypse. Les croyants
se représentent souvent l'histoire comme un piétinement sur place,
allant de pair avec une morale centrée sur la peur du péché ; le salut
est présenté dans un contexte individualiste, la mort est ce que l'on
voudra, sauf « l'ouverture à ce dont nous aurons vécu sur terre » ;
Dieu, enfin, tel un maître d'école qui estime que les enfants
ont assez joué et méritent une récompense pour avoir laissé crier
seulement les pierres, met un jour le point final, de l'extérieur, par
décision juridique, au grand jeu de la vie. Si nous poussions les choses
à l'extrême nous aurions deux sortes de chrétiens : ceux qui sont
« humanistes », mais élaborent un ordre humain clos sur lui-même,
vrai aussi bien sans le christianisme, mais que l'on « évangélise » en lui
surajoutant l'esprit d'obéissance, et ceux qui sont « eschatologistes »,
et trouvent que la culture, devant la fin des temps, n'a pas d'importance.
En aurons-nous entendu de ces faiseurs de « morale chrétienne »
plus « naturelle » que la pensée de Confucius ; en aurons-nous
vu de ces oiseaux de malheur, se délectant dans la « catastrophe » de

ce monde, qui ferait mieux triompher Dieu! Humanistes et eschatologistes peuvent être renvoyés dos à dos, car chacun affirme que la
culture chrétienne ne compte pas : simplement, l'un opte en secret
pour une histoire purement profane, l'autre pour un contenu purement
religieux, mais l'un et l'autre sont infidèles à l'incarnation de Dieu
dans l'histoire[31].

Un subtil manichéisme paralyse notre vision chrétienne; on peut
parler d'une « pathologie de la spiritualité chrétienne[32] » que Freud et
Nietzsche ont dénoncée. Dans un univers élargi, qui prend conscience de
l'unité des hommes, de la continuité de leur histoire et de leur responsabilité collective, l'image, qu'on ose appeler « classique », d'un Christ
purement divin, c'est-à-dire évanescent sur le plan cosmique, et « trop
humain », c'est-à-dire trop mièvre et trop consolateur des âmes dans la
peine, est une caricature. Comment se peut-il que les témoins de l'espoir
des hommes n'aient pas entrevu le Christ planétaire, immense et rayonnant, qui, en son humanité unie ontologiquement (hypostatiquement
dit la théologie) à la personne du Fils, *est au cœur de l'univers comme il
est au cœur du christianisme?* Le Christ « atteint d'un bout du monde
à l'autre, disposant tout fortement et suavement », il comble de sa
présence active le cosmos entier au point que l'on peut dire aussi « qu'*il
est au cœur du christianisme parce qu'il est au cœur de l'univers* ». Il faut
que cesse le malentendu qui a fait croire aux témoins de l'espoir en
l'avenir du monde que le Christ est « trop petit » pour l'assumer :

> De ces pensées, même limitées au plan humain, vivent aujour-
> d'hui des hommes de plus en plus nombreux. Sans doute, elles
> prennent souvent dans leur esprit des formes utopiques. Mais
> leur fondement n'est pas illusoire. Ces hommes sont loin, en tout
> cas, de l'égoïsme des satisfactions individuelles; ils conçoivent
> une grande tâche qui les dépasse et demande le sacrifice; ils
> s'habituent à des perspectives larges, universelles, et dans leur
> dévouement même ils éprouvent une impression exaltante
> d'épanouissement et de dilatation.
>
> Or, faute de savoir comprendre la grandeur des perspectives
> chrétiennes, *faute de mesurer les véritables dimensions du Christ,*
> il arrive que nous donnions l'impression que, en regard de ces
> vues que nous venons d'exprimer, le christianisme est quelque
> chose d'étriqué, d'individualiste, qui nous détourne des vues
> et des tâches d'ensemble. Rien n'est assurément plus faux. Nul
> n'a autant le sens de l'universalité et de l'unité que celui qui

---

31. HUMANUS (J. H. WALGRAVE, O. P.) dans *Kultuurleven*, février 1956,
p. 85-92.
32. C. TRESMONTANT, *Introduction*, p. 94, 97, 100.

vit du Christ; nul ne donne à l'histoire une portée aussi grande, puisqu'il lui donne une portée divine, voyant en elle *le devenir du Christ total...* Sachons montrer le Christ au centre de l'histoire : ce ne sera pas user d'une tactique habile mais faire voir ce qui est[33].

2. Il faut espérer plus encore

En réalité, ce n'est pas l'espérance chrétienne qui passe actuellement par une crise mais une forme cartésienne ou trop platonicienne du christianisme. Ce n'est pas espérer moins qu'il faut, mais espérer plus :

> Dieu est plus exigeant que nous pour notre béatitude. Il a préparé pour nous une joie de Dieu. Un principe métaphysique qui peut nous permettre de comprendre dans une certaine mesure le dessein de Dieu, c'est le principe du *plus;* le métaphysicien doit essayer d'imaginer le plus beau, le meilleur, il sera toujours

---

33. Y. de Montcheuil, *Leçons sur le Christ*, Paris, 1949, p. 25. On nous permettra de citer quelques textes de P. Teilhard de Chardin extraits du livre de C. Tresmontant. « Ces pages où j'ai voulu faire passer, avec le meilleur de mon regard sur les choses, la solution loyale par où s'est équilibrée et unifiée ma vie intérieure, je les tends à ceux qui se défient de Jésus parce qu'ils le soupçonnent de vouloir déflorer à leurs yeux la face irrévocablement aimée de la terre, — à ceux-là aussi qui, pour aimer Jésus, se contraignent à ignorer ce dont leur âme déborde, — à ceux, enfin, qui n'arrivant pas à faire coïncider le Dieu de leur foi et le Dieu de leurs plus ennoblissants travaux, se fatiguent et s'impatientent de leur vie partagée en des efforts obliques » (p. 100). « Il faut faire l'expérience du monde de la science et de la recherche tout comme le missionnaire fait l'expérience de la Chine, de l'Afrique ou des milieux prolétariens déchristianisés » commente Tresmontant (p. 101), car il faut que « disparaisse cette image du christianisme qui en fait une « mystique sous-humanisée, indésirable, morbide » (p. 102), et il conclut : « Il ne faut pas se hâter d'accuser les Gentils pour ce refus du Christianisme tel qu'il leur est présenté. Il faut bien plutôt, suivant l'exemple des prophètes d'Israël, chercher à l'intérieur du peuple de Dieu les péchés et les déviations qui expliquent cette hostilité à l'Israël de Dieu » (p. 103). Le chrétien « moyen » croit que « qualitativement » la nature est « étale » et que l'esprit ne grandit plus que quantitativement, numériquement, car les âmes se « multiplient » et « la perfection ne peut donc consister qu'à s'envoler individuellement dans la surnature ». « Le reste n'a aucun intérêt pour le Royaume de Dieu, continue Teilhard, sauf dans la mesure où il faut assurer, pour un temps arbitraire, le fonctionnement de la conservation de la Vie à travers les âges. Et encore les enfants du siècle suffisent-ils largement à cette dernière tâche. Essentiellement, le chrétien est d'autant plus purement chrétien que, plus vite, du monde il se détache : *moins il use des créatures, plus il se rapproche de l'Esprit* » (p. 103). On lira de très précieuses hypothèses dans M.-M. Labourdette, *Le péché originel et les origines de l'homme*, coll. *Sagesse et cultures*, Paris, 1953, et le compte rendu de J. Daniélou dans *Dieu vivant*, n° 26, 1954, p. 143-148, où l'A. développe l'idée de Labourdette sur « l'enfance d'une humanité royale » à propos du premier état d'Adam.

en deçà du dessein créateur. Nous serons toujours avares dans notre espérance. Les hérésies ont été cette impuissance à espérer le plus. La métaphysique biblique est métaphysique du oui. « Le Christ Jésus, dit saint Paul, n'a pas été oui et non, mais c'est le oui qui a été en lui. Car toutes les promesses de Dieu ont été oui en Lui ». Il est « l'Amen », le Oui intégral. La mesure de Dieu est la surabondance[34].

Instinctivement, nous entrevoyons que « le monde appartiendra sur cette terre à celui qui lui apportera, dès cette terre, la plus grande espérance ». C'est nous qui n'attendons plus assez de la vie, qui bouchons, dès le début, « par prudence », trop de zones à l'irruption de l'Esprit. La moindre page de la Bible suffit cependant à manifester la prodigieuse puissance d'affirmation de ce Dieu qui appelle les hommes, qui nomme les étoiles par leur nom, qui lance l'univers entier dans un immense pèlerinage dont celui d'Israël a été une préfiguration. Chaque fois que, dans la prière et la joie spirituelle, on saisit comme à la source quelque chose du dessein de Dieu, on est ébloui du jaillissement de jeunesse qu'Il est, on est honteux de la vision recroquevillée et peureuse que nous en avons. Comment donc a-t-on pu, dans une fraction de la chrétienté, oublier que, en son essence la plus profonde, la révélation chrétienne « opère une véritable transmutation des valeurs quand elle donne un sens au temps et met son espoir en l'avenir. Pour l'homme de la Bible, le temps est le lieu où se réalise le dessein divin de Dieu dont il attend l'accomplissement et l'espérance est cette attente. *Il surmonte la nostalgie du passé* qui est la pente de l'âme païenne. « L'idéal chrétien, a dit Jean Héring, n'est pas la princesse envoyée en exil et aspirant au retour, c'est Abraham »... Abraham est parti sans retour, il ne reviendra jamais à Ur en Chaldée. Il accepte l'aventure du temps, oubliant, comme dit saint Paul, ce qui est en arrière pour se tendre vers ce qui est en avant[35] ». Me trompai-je en pensant qu'un texte de D. Dubarle répond ici en écho, montrant pourquoi on peut espérer en l'avenir?

La science avec son impérieux pouvoir de conquête, continue la vocation de l'homme à l'universelle régence sur la création. Il est chrétiennement raisonnable d'espérer qu'elle n'achoppera pas inopinément et de façon destructive pour l'homme à quelque méchanceté cachée des choses[36].

---

34. C. Tresmontant, *Essai sur la pensée hébraïque*, Paris, 1953, p. 149.
35. J. Daniélou, dans *Atti*, p. 70. L'auteur oppose ce point de vue à celui de Malraux, Camus, Sartre.
36. D. Dubarle, *op. cit.*, *supra*, n. 9, p. 134; je cite encore un autre texte de Teilhard, extrait des *Lettres*, p. 62 : « Les sceptiques, les faux positivistes se

C'est parce qu'il est « chrétiennement » certain que le « temps de l'histoire a un sens, qu'il est permis d'espérer aussi que notre confiance en l'univers créé par Dieu est valable.

* * *

L'espoir humain est inaccessible au désespoir quand il est confiance en quelqu'un[37], démission amoureuse de soi à Jésus-Christ, Fils de *Dieu*. L'homme n'espère rien, sinon Dieu : « Celui qui vous demande du feu pour sa cigarette, dit Mauriac, attendez cinq minutes; il finira par vous demander Dieu ». L'histoire du monde vérifie la même soif : *omnia tendunt assimilari Deo*, toutes choses tendent à ressembler à Dieu, explique saint Thomas dans de la *tertia pars* de la *Somme contre les Gentils*.

Rejoindre Dieu, c'est quitter ce monde, sans doute, mais *pour y revenir*, car le Dieu de l'espérance n'est pas un Dieu quelconque mais le créateur du ciel et de la terre, de l'esprit et de la matière, qui s'est *incarné*, est entré dans l'histoire pour n'en plus jamais sortir, mais au contraire la fonder dans l'attente de la « bienheureuse espérance », la venue « de notre grand Dieu et Sauveur, Jésus-Christ ».

Le salut final n'est pas une évasion, une fuite dans un « ailleurs », car l'espérance chrétienne est pénétration plus délicate, plus clairvoyante, plus patiente dans le sillon du réel vécu. Le Christ est monté aux cieux, c'est-à-dire qu'il nous a quittés selon le mode sensible de sa présence, qui n'a du reste jamais suffi à fonder la foi des apôtres; il est entré dans la « nuée lumineuse », symbole de la présence à la fois voilée et révélée de la Gloire de Dieu. Autrement dit, le Christ, le jour de l'Ascension, nous quitte selon la chair, c'est-à-dire selon la forme humiliée qu'il avait librement assumée jusqu'à la croix, mais il revient parmi nous selon l'Esprit, c'est-à-dire plus puissamment,

---

trompent. A travers les civilisations qui se déplacent, le monde ne va pas au hasard ni ne piétine, mais sous l'universelle agitation des êtres, quelque chose se fait, quelque chose de céleste sans doute, mais de temporel d'abord. Rien n'est perdu dès ici-bas pour l'Homme, de la peine de l'Homme »; p. 149, il écrit : « La foi au Christ ne se maintiendra ou ne se propagera désormais que par l'intermédiaire de la Foi au Monde ». Quoi qu'il en soit des détails, impossibles à discuter ici, il est clair que l'Occident a trop perdu le sens du Christ selon sa dimension planétaire et cosmique.

37. Cfr R. C. KWANT, *art. cit.*, *supra*, n. 20, met en évidence le rôle de la *confiance en quelqu'un* dans l'espérance; même chose dans B. OLIVIER, *art. cit.*, *ibid.*, p. 445, 453 : « nous nous fions absolument en Dieu avant d'espérer quoi que ce soit ».

selon la force de son *humanité* ressuscitée, capable désormais d'être présente partout où l'Église, son épouse, l'appellera[38].

Les mots « revenir en Esprit » nous font peur, parce que nous les interprétons presque fatalement dans le sens « cartésien » d'un retour *moins* réel, *moins* actif que celui dans la chair. Ce serait oublier que, dans la Bible, « chair » signifie la *fragilité* du créé laissé à lui-même et « esprit » la *puissance* du Créateur. Lorsque saint Paul parle de « l'homme spirituel, pneumatique » (*pneumatikos*), il n'entend pas par là un « homme moins vrai, moins réel », mais au contraire un homme *plus puissant, plus subtil,* plus capable d'être présent partout où l'amour l'appelle. Le Christ qui revient en Esprit n'est donc pas un fantôme évanescent, délivré de son corps, mais le Fils de Dieu avec son *humanité* désormais *totalement manifestée en sa puissance* : « L'Esprit n'était pas encore (donné), parce que Jésus n'était pas encore glorifié » dit saint Jean; la glorification du Christ est précisément cet état de puissance manifestée en son humanité qui lui permet de se communiquer à tous les hommes, dans l'espace et dans le temps, car « *le Christ a été déclaré Fils de Dieu en puissance selon l'Esprit-Saint par la résurrection des morts* » (*Romains*, I, 4).

L'espoir humain, devenu « spirituel », en Jésus-Christ ressuscité, n'est donc pas moins réel, moins accroché à ce monde, il l'est *beaucoup plus,* car il participe de la formidable puissance de la vie divine, incarnée en Jésus, insérée dans l'histoire, et y préparant la manifestation de la fin des temps.

3. A travers les ombres et les images

Une autre source de malentendus provient de la place de *la souffrance et de la mort* dans la vision chrétienne de l'espérance. Certes, la réaction exagérée contre le « manichéisme subtil » qui s'infiltre dans les esprits ne doit pas nous conduire à une vision millénariste de

---

38. Un texte de Jean GUITTON, *Le problème de Jésus*, t. II, Paris, 1953, p. 246, montre l'antinomie de l'éternité « inséminée » dans le temps, en même temps qu'elle le dépasse : « La signification la plus profonde du *convivium* des « Quarante jours » est que l'éternité, quoique *inséminée* dans le temps par la puissance divine, n'y a pas son lieu propre, ni sa demeurance... La Résurrection est à la fois une expérience et une espérance. Expérience, puisqu'elle suppose un contact de l'esprit humain avec une réalité qui ne lui est pas intérieure. Mais elle est en même temps, une espérance, c'est-à-dire un gage donné sous forme de germe ». Ce texte remarquable demanderait une longue exégèse

l'espoir chrétien[39], mais ce serait se tromper tout autant de croire que les épreuves de cette vie doivent nous faire dédaigner cette terre et ce que nous y faisons. La véritable attitude chrétienne réunit la gravité humble de celui qui est prêt sans cesse à mourir et un amour juvénile et toujours rejaillissant pour le monde d'ici-bas. Le détachement ne nous délivre pas du poids de ce monde, mais seulement de la charge insupportable que *nous* sommes à nous-mêmes; il nous délivre de l'attachement crispé à *nos* desseins, et nous rend libres pour notre tâche terrestre. C'est quand nous n'avons plus peur de la mort que nous aimons et découvrons vraiment la vie et que nous y entrons avec une agilité et une force inconnue jusque-là. C'est le rôle de la souffrance ici-bas.

L'histoire sainte, par sa pédagogie progressive, nous l'apprend : « *c'est en décevant nos espoirs que Dieu nous ouvre à son espérance* », mais « *nous ne pouvons pas prendre nos déceptions pour des refus* ». En d'autres mots, plus l'épreuve semble détacher Israël de l'espoir de la *terre* promise en le tournant vers le divin, plus aussi les promesses du Royaume deviennent « charnelles »; mais plus la terre promise paraît se concrétiser et plus les conditions *intérieures* de sa réalisation s'accusent. C'est cela apprendre à « espérer contre toute espérance ». Ainsi, le martyre chrétien semble un point final, catastrophique et le martyre de l'Église participe du même paradoxe, mais, précisément, ce qui caractérise le martyr *chrétien*, c'est sa force d'amour de la création : le monde de l'espace et du temps n'est pas nié mais affirmé (*Bejahung*, disent les théologiens allemands) et aucun mot n'est jamais prononcé contre la création de Dieu, *Kein Wort gegen*

---

39. *Lumen Vitae*, IX (1954), p. 490, montre que les disciples du Christ doivent chercher le Royaume de Dieu, d'abord, et non point la promotion d'une quelconque civilisation terrestre; aussi bien, le « renouvellement de la civilisation antique vieillie par la naissance d'une espérance nouvelle n'était pas un but conscient vers lequel les chrétiens tendaient ». Seulement, il faudrait s'entendre sur le sens du terme Royaume de Dieu : que le Royaume soit aussi régner avec Jésus sur une terre, renouvelée sans doute, mais une terre malgré tout, c'est une évidence; il semble donc que le progrès de la puissance de l'homme sur la planète est au moins une ombre de cette qualité royale de la créature humaine faite à l'image de Dieu et image de Dieu *parce que* exerçant la royauté sur le monde. Dès lors, voir dans le progrès technique, la diffusion de la culture, la diminution de l'analphabétisme, une promotion de l'humanité et du monde vers l'âge adulte qui les rend aptes aux épousailles divines, semble dans la ligne du Royaume. Walter Pater, cité par C. DAWSON, a donc raison de montrer dans l'art des catacombes, avec sa gaieté héroïque et son espérance calme, une dimension *neuve* qui rayonne sur la culture antique tout entière; celle-là fut « donnée par surcroît », mais elle en émane nécessairement.

Gottes Schöpfung laut wird, écrit Érich Peterson[40]. Nous sommes ici à l'antipode des mystiques brahmaniques et bouddhiques, mais dans le même climat que celui de Kafka qui n'a jamais « dit un mot contre la création de Dieu », alors qu'il n'a pas réussi à y entrer vraiment lui-même. N'importe quelle page de la Bible, malgré la tragédie du peuple élu qu'elle nous rapporte, je dirais même à cause de celle-ci, donne le sens presque physique de la terre créée, habitée, nourrie par le Dieu vivant. Il faut le redire, la notion biblique de vérité n'est pas celle de l'adéquation de la chose et de l'intellect, mais la fidélité, la solidité du rocher qui nous soutient, celle d'une personne qui tient parole et accomplit ses promesses; le contraire de la vérité n'est pas l'erreur mais le mensonge; son image n'est pas celle de la lumière, mais celle du rocher[41]. L'histoire sacrée est faite de cette promesse de Dieu qui reste vraie, même et surtout quand elle semble échapper aux prises humaines, lorsqu'elle conduit ceux qui y crurent au profond de l'exil de Babylone, au creux de l'abîme de la mort. C'est à travers les larmes et les cris, dans les espoirs broyés du peuple élu, dans la plainte de David, figure du Messie, en filigrane de l'histoire du « Serviteur souffrant », que retentit, grandissant toujours, la promesse faite à Abraham, d'une terre et d'un peuple pour l'habiter. C'est une terre qui a été promise, « nouvelle » sans doute, nous apprennent les prophètes, mais une terre, et pas un monde de pur esprit. De la *Genèse* à l'*Apocalypse* monte le grand bruissement des eaux, la silencieuse force des plantes, le rugissement des bêtes, le fracas des rochers, le grondement de la mer, et la voix de l'homme, l'amour de l'homme, et l'appel de Dieu : « *Écoute Israël* ». L'originalité du christianisme est là : quand monte la menace de la mort et de la souffrance, quand profondément s'inscrit dans le cœur l'angoisse du *schéol*, ce royaume d'ombres dont nul ne revient, quand s'accroissent les menaces « invincibles » du désordre, au lieu que l'espoir s'amenuise, se fasse petit, cargue ses voiles, au lieu qu'il se réfugie frileusement dans un « autre » monde, laissant celui-ci voler en miettes, il s'accroît, s'amplifie, s'incarne de plus en plus. Les promesses messianiques s'intériorisent, s'universalisent; elles parlent d'esprit nouveau, de cœur de chair à mettre à la place du cœur de pierre, de loi inscrite, non plus sur des

---

40. *Atti.*, p. 143. La remarquable relation de J. Pieper use cependant de la catégorie de la « catastrophe terminale », à l'intérieur de l'histoire : je me demande s'il n'y a pas intérêt à se tourner vers d'autres images, comme celles des moissons, de l'enfantement, celle de la réalité nuptiale surtout, ainsi que je m'efforce de le faire ici.

41. J. Daniélou, *Dieu et nous*, Paris, 1955, p. 45, signale que le terme hébreux pour « vérité » est *emet* dont vient notre « *amen* » liturgique.

tables de rocher mais sur la tablette tendre d'un cœur vivant, mais elles annoncent *en même temps* les cieux nouveaux et la terre nouvelle.

C'est pour nous apprendre en quel sens « le Christ est espérance du monde[42] », que la pédagogie biblique se déroule. Les épreuves nous apprennent donc à chercher le Christ seul, mais elle nous enseignent une autre leçon, symétrique, qui n'est que l'envers de la précédente : « C'est aussi en nous faisant vivre nos espoirs terrestres que Dieu nous fait ébaucher une autre vertu majeure » :

> Dieu prépare ses dons pour nos soifs. Certes, nous ne pouvons pas imposer à Dieu la façon dont il doit nous exaucer. Mais *nous ne pouvons pas non plus prendre nos déceptions pour des refus.* Au-delà de nos espoirs, il nous faut croire à l'Espérance[43].

Je n'ai pas voulu dire autre chose en rappelant que croît l'espérance d'un nouveau ciel et d'une nouvelle terre, en même temps que les épreuves de cette vie.

4. Jusqu'à la fin

On vient de le voir, espoir « spirituel », en Jésus-Christ présent en « Esprit », ne signifie pas espoir moins puissant, présence moins réelle : le Seigneur « est Esprit » pour *mieux* sauver le temporel créé par Lui. De même, les épreuves et les souffrances ne diminuent en rien la réalité « charnelle » de notre espérance. Le christianisme valorise au maximum le temps et l'espace.

Seulement, quand Maritain écrit que le « marxisme est la dernière hérésie chrétienne[44] » parce qu'elle sécularise la grande *idée eschatologique* passée au second plan dans la chrétienté occidentale, surtout depuis la Réforme, les équivoques renaissent : le terme eschatologie signifie « doctrine sur la fin du monde » et la plupart songent ici à une chute dans le néant.

Il faut mettre au point le sens des mots : « eschatologie », « fin » des temps signifient aussi « *plénitude* » : le grec « *telos* » veut dire *fin* et *consommation* dans la perfection, et, parmi la consommation, il y a celle du *mariage*. L'Écriture parle de « l'âge de la plénitude du Christ », de sa « stature adulte », du « plérôme » de la « fin des temps », termes qui

---

42. On aura reconnu le thème de la conférence d'Evanston, en 1954. Le texte des principaux rapports est édité sous le titre *L'espérance chrétienne dans le monde d'aujourd'hui.* Neuchâtel, 1955.

43. L. Evely, *art. cit.*, p. 8.

44. Cité par J. Liedmeier, dans *Kultuurleven*, février 1956, p. 148.

s'appliquent autant à l'incarnation dans le sein de la Vierge qu'à la
« venue » en Gloire. De même, « apocalypse » ne signifie pas le grand
chambardement, la catastrophe radicale, mais le « *dévoilement* » d'un
mystère caché.

Les « convulsions » de la « fin » sont donc l'envers d'un mystère
positif de consommation, de plénitude et de dévoilement et il n'est
pas question d'une destruction pure et simple de nos œuvres créées :
« La foi d'un chrétien dans la parousie (ou seconde venue de Jésus)
n'a rien à voir avec la mauvaise humeur et le lâche soulagement. Un
vrai chrétien attend avec fierté et espoir le retour de son Seigneur[45] ».

* * *

La fin des temps est en effet un *mystère d'enfantement*, où se
conjoignent la douleur et la joie : « La femme gémit quand elle enfante,
car son heure est là », mais bientôt « elle se réjouit, elle a oublié ses
souffrances, parce qu'un homme est né en ce monde ». Cet homme
qui est « né », c'est l'humanité entière, parvenue à « l'âge de la plénitude
du Christ ». Cette « plénitude », c'est celle de la justice et de la paix,
dans l'amour.

Mais la naissance est précédée d'un temps de gestation. L'enfant,
dans le sein de sa mère, ébauche certains gestes, comme bouger et
respirer, qui n'auront de sens qu'après la naissance, lorsque le nouvel
être sera jeté dans ce que les anciens appelaient « le monde sublunaire ».
Lorsque la naissance approche, lorsque le déchirement du sein maternel
sépare l'embryon de la tiédeur douillette dans laquelle il vivait, l'être
vit une sorte de mort, de catastrophe, par rapport à sa vie ancienne;
mais cette « mort » est une vie, et ce qui permet à l'enfant nouveau-né
de « vivre », c'est-à-dire de pousser ce cri qui dilate ses poumons et de
faire ces gestes qui déplient ses membres et le préparent à ce grand
ébranlement que sera l'existence, c'est que, embryon, il a ébauché ces
attitudes dès le stade de la vie utérine.

Le monde présent est aussi « dans le sein d'une mère »; il ébauche les
gestes de la justice, de la charité; mais ils sont sans cesse entravés
par la fragilité morale et la précarité de la créature en sa
condition présente. Lors de la « naissance » de la fin des temps, ces
mêmes gestes apparaîtront, mais forts, éternels, fixés pour jamais dans
la puissance de l'Esprit. C'est parce que le monde aura ébauché ce
noviciat de l'amour qu'il pourra rayonner l'amour. Voilà pourquoi,
ce qui se dévoilera comme ayant été vraiment vivant dès ici-bas, ce

45. L. EVELY, *art. cit.*, p. 5.

seront nos amours, nos justices, nos tendresses, ces pressentiments de jeunesse invincible qui nous ont étreints quand nous vivions vraiment.

Dieu nous a confié une tâche *qui ne se fera pas sans nous;* il a confié aux hommes, au cœur de l'univers, d'accomplir « la journée de travail », celle que saint Grégoire appelait la « journée cosmique », et cette œuvre *ne se fera pas sans eux.* Dieu a accepté ce risque, celui de l'amour. Les tribulations de ce temps sont les ébauches de l'avenir; ce qui se détache et tombe, ce sont les entraves, mais la création entière *attend :*

> J'estime en effet que les souffrances du temps présent ne sont pas à comparer à la gloire qui doit se révéler en nous. Car la création en attente aspire à la révélation des fils de Dieu : si elle fut assujettie à la vanité, — non qu'elle l'eût voulu, mais à cause de celui qui l'y a soumise, — c'est avec l'espérance d'être elle aussi libérée de la servitude de la corruption pour entrer dans la liberté de la gloire des enfants de Dieu. Nous le savons en effet, toute la création jusqu'à ce jour gémit en travail d'enfantement. Et non pas elle seule : nous-mêmes qui possédons les prémices de l'Esprit, nous gémissons nous aussi intérieurement dans l'attente que notre corps soit délivré. Car notre salut est objet d'espérance (*Épître aux Romains*, VIII, 18-24).

Ce passage de la « chair » à « l'esprit », c'est-à-dire de la fragilité de la créature laissée à elle-même à la puissance divine provoque les douleurs de la mise au monde, car toute mue est douloureuse. Mais il n'y a pas de naissance sans changement d'état de vie. La mort est « *dies natalis* » jour de naissance, dit la liturgie. La mort du monde est aussi une naissance. Autrement dit, ce ne sont pas les espoirs humains comme tels qui seront détruits à la fin des temps, mais seulement la forme *fragile* qu'ils revêtent présentement; alors, la gangue d'argile éclatera, l'écorce tombera, pour mieux faire apparaître la moelle secrète qui était, *dès maintenant,* en ce monde, justice et charité.

Au-delà de la naissance de la fin des temps, les hommes pourront « passer leur ciel à faire du bien sur la terre »; avec le Christ, participant à sa puissance de ressuscité, ceux qui sont morts *en* Lui pourront *comme* Lui, se multiplier auprès des vivants; comme on dit d'une mère que l'amour décuple sa présence, ils se multiplieront auprès de ceux qui œuvrent encore dans la fragilité.

* * *

Cette naissance du monde à la vraie vie est aussi ouverture à l'amour, parce que la « fin des temps », en sa plénitude, est *mystère d'épousailles.*

L'histoire de ces noces de Dieu et de l'humanité a commencé il y a bien longtemps, dans la misère et la faiblesse, et dans la force de Dieu :

> A ta naissance, au jour où tu vins au monde, on ne te coupa pas le cordon, on ne te lava pas dans l'eau, pour te nettoyer, on ne te frotta pas de sel, on ne t'enveloppa pas de langes. Nul ne s'est penché sur toi pour te rendre un de ces devoirs, par compassion pour toi... Je passai près de toi, et je te vis, te débattant dans ton sang. Et je te dis : « Vis, et croîs comme l'herbe des champs. » Tu te développas, tu grandis et parvins à l'âge nubile. Tes seins s'affermirent, ta chevelure devint abondante. Mais tu étais toute nue. Alors je passai près de toi et je te vis. C'était ton temps, le temps des amours... Je m'engageai par serment, je fis un pacte avec toi, oracle du Seigneur Yahvé, et tu fus à moi *(Ézéchiel,* XVI, 4-8).

Cette enfant nouveau-née abandonnée au bord de la route, baignant dans son sang, se débattant, évoque ces milliers de gosses qui se couchaient, pour mourir, dans les rues de Shangaï, de Canton, de Bénarès, ou ces milliers de fillettes qui meurent avant même que d'être vraiment « nées ». Et voici qu'un mystérieux passant se penche sur la petite fille; il la lave, l'enveloppe, l'éduque, lui donne de grandir, de devenir la virginale fiancée qui, au temps des amours, sera à celui qui l'aime. Dieu a dit *à l'humanité,* en Israël, « qu'elle est à Lui » : ces noces sont *indissolubles.*

« Vis et croîs comme l'herbe des champs », dit le Seigneur à celle qu'il s'est choisie comme épouse. L'histoire de cette « croissance » n'a été, trop souvent, que celle des infidélités et prostitutions sous « tout arbre vert ». Mais elle est aussi celle de la fidélité de Dieu, éduquant son épouse, lui apprenant à « quitter son pays, à oublier son peuple et la maison de son père », lui donnant vraiment de devenir adulte.

On ne brûle pas les étapes en amour. Pas plus qu'on ne cueille un fruit acide, on ne peut offrir au baiser des noces un être encore infantile. C'est dans les soucis, les angoisses, les larmes et les joies, que la petite fille devient jeune fille. Petite enfant, d'abord bondissante, elle est bientôt plus grave, comme étonnée, puis mystérieusement proche en sa douce maturité, de la visitation des épousailles. Et tous, les frères, les sœurs plus jeunes, le père et la mère, surpris, admirent cette beauté, venue d'ailleurs qui se pose sur les épaules de la jeune fille. Mais *c'est eux qui l'ont fait descendre sur ce visage* humain, au long des années, ce sont eux qui ont patiemment éduqué dans la petite enfant celle qui sera vraiment une femme pour celui qui l'aime.

On ne brûle pas les étapes de la vie de l'humanité. Ce sont les hommes, avec Dieu, avec la puissance de son Esprit, qui préparent la fiancée pour les noces. Comme la jeune fille a peur de quitter les siens, l'humanité a peur d'aller au devant des épousailles. Elle voudrait rester « petite fille » près de ses jouets. Mais le Seigneur n'a pas dit qu'il fallait rester des enfants, mais être *semblables* à eux. Ce n'est pas la fragilité un peu indécise de nos jeunes années qui sera sauvée à la fin, mais la force de l'homme, des hommes, qui se seront donnés, sacrifiés. Les épousailles sont *jeunesse*, sans doute, mais aussi *plénitude*. Et cette plénitude ne s'accomplira pas sans nous.

Nous ne savons pas quelles beautés apparaîtront sur le corps de la fiancée virginale, mais nous serons confondus et nous dirons : « Seigneur, pardonnez-moi, parce que je ne savais pas ce que vous faisiez »[46]. Nous ignorons quels trésors se manifesteront sur le « corps de ce monde » que nos efforts, avec Jésus présent par la puissance de son Esprit, auront préparé pour les épousailles. Mais tout ce que nous aurons fait, dans le temps, le sera dans l'éternité, et tout ce que nous n'aurons pas fait, qui dépendait de nous, que Dieu attendait que nous fassions, ne sera pas fait dans l'éternité.

Chaque fois que se laisse entrevoir ce qui se cache à nos yeux de somnambules, c'est une réalité de jeunesse et de plénitude qui se manifeste; nous savons alors, avec une certitude qui nous ferait bondir de joie, que le « jeu en vaut vraiment la peine » et que *rien* de ce que nous aurons vraiment aimé dans la justice, la paix et la charité, ne sera perdu, car c'est *vêtue de vêtements de beauté, entourée de ses compagnes*, que l'humanité-épouse, que l'épouse-Église « est menée au-dedans », dans la palais du Roi :

> Écoute, ma fille, regarde et tends l'oreille,
>   oublie ton peuple et la maison de ton père.
>
> Vêtue de brocards, la fille de roi
>   est menée au-dedans vers le roi, des vierges à sa suite.
> On amène les compagnes qui lui sont destinées;
>   parmi joie et liesse elles entrent au palais (Ps. 45 (44), 11, 15-16).

Le jour des épousailles, la fiancée quitte son pays; elle passe de son peuple et de la maison de son père, vers une « autre maison ». Cette Pâque, ce passage, l'humanité l'accomplira définitivement au jour de la fin, lorsque, revêtue de ses brocards et entourée de ses compagnes,

---

46. L. Evely, *art. cit., supra,* n. 18, p. 8. Je dois beaucoup à cet article, spécialement dans la rédaction de ce dernier paragraphe des conclusions de ce livre.

nantie de ses trésors, *la plénitude de ce monde sera visitée par la plénitude de Dieu* :

> Puis je vis un ciel nouveau, une terre nouvelle... Et je vis la cité sainte, Jérusalem nouvelle, qui descendait du ciel, de chez Dieu; elle s'est faite belle, comme une jeune mariée parée pour son époux (*Apocalypse*, XXI, 1-2).

* * *

La « fin » est aussi un « commencement », non point dans la réitération monotone des « cycles » de l'histoire, mais dans la jeunesse de Dieu :

> A la place de tes pères te viendront des fils.
> Tu en feras des princes par toute la terre (Psaume 45 (44), 17).

Entrer en la plénitude des noces ce n'est pas voir mourir l'espoir, car la consommation de l'amour est aussi rejaillissement. *Des fils te viendront*, car l'Église, ici-bas, épouse du Christ, est féconde, qui est « Notre Mère » et engendre ses enfants. Mais dans la gloire aussi la vie participera à « ce ressourcement, à ce retriplement, à cette remontée de force à la même altitude » dont parlait Péguy à propos de la vie trinitaire.

Les épousailles seront, à la fin des siècles, pèlerinage *et* apaisement.

* * *

Tout ceci est vrai, et simple. Il n'est que de lire quelques lignes d'un théologien pour saisir que cet « espoir qui est bien plus que l'espoir » (car il s'ouvre sur l'amour qui sauve tout le vrai et le beau et le bon) c'est la terre promise qu'*est* le Christ *incarné*, Fils du Père :

> Lorsqu'on demande à un chrétien : « Que ferons-nous au ciel? » il répond que nous connaîtrons et aimerons Dieu dans un bonheur absolu, et son imagination évoque la vision d'une sorte d'extase parfaite et éternelle, qui lie toutes les puissances humaines et fixe l'élu définitivement dans la fascination de la Trinité Sainte... L'idée de béatitude-extase est courante lorsqu'on parle du ciel même pour en défendre le mystère. Mais ne pourrait-on, en s'imaginant l'éternité, prendre un autre point de départ? Lorsque Notre-Seigneur agissait ici-bas, en Palestine, au cours de sa vie publique par exemple, lorsqu'il parlait, discutait, guérissait, vivait au milieu des hommes, n'était-il pas le Verbe Incarné? Comme Verbe de Dieu, il vivait réellement la vie intratrinitaire. Dans son humanité unie à la divinité, il avait la vision des choses

en Dieu. Et cependant, sa vie temporelle ne nuisait nullement à cette vie divine, tandis que la vie divine ne supprimait nullement l'exercice de ses activités terrestres. Alors, pourquoi n'imaginerions-nous pas le ciel ainsi? Ce que le Verbe incarné a vécu ne peut être indigne des élus! Ou bien, au contraire, l'Homme-Dieu serait-il, ici encore, un merveilleux prototype de l'humanité, un signe de ce que deviendra tout fils de Dieu par la grâce? *En ce cas la béatitude serait à la fois très céleste et très terrestre.* Très céleste, parce que nulle parole ne pourrait jamais exprimer ce que sera la participation à la vie même de Dieu dans la gloire sans limites. Très terrestre, parce que cette vie en Dieu pouvait aller parfaitement de pair avec une béatitude et une activité propres et proportionnées à un corps glorieux[47].

---

47. G. Thils, dans *Lumen Vitae*, IX (1954), p. 491. Je ne voudrais pas faire croire que la pensée de l'auteur cité soit identique à celle de Teilhard, mais j'aimerais retranscrire ici les lignes du célèbre jésuite par lesquelles je terminais le chapitre premier de *Humanisme et Sainteté*, en 1944 : « Un chrétien peut souffrir avec joie persécution pour que le monde grandisse; il ne saurait admettre qu'on le tue sous prétexte qu'il barre la route à l'humanité ». Je crois utile aussi de citer *in extenso* le texte de la motion finale du quatrième *Congrès pour la Paix et la civilisation chrétienne*, réuni à Florence en 1955, et qui fut présidé par Giorgio La Pira : « Le quatrième congrès international pour la paix et la civilisation chrétienne, qui s'est tenu à Florence, du 19 au 25 juin, pour discuter du thème « Espérance théologale et espérance humaine », à la fin de ses travaux, a fixé les points suivants :

1º L'espérance religieuse en une vie future, qui naît de l'espérance théologale, est une exigence essentielle de l'âme humaine. Toute société qui met obstacle à cette espérance mutile l'homme et s'oppose à son vrai bonheur. Sans l'espérance en Dieu, les espérances humaines sont vidées de leur substance et se transforment en idoles.

2º D'autre part, l'espérance religieuse qui domine chaque espérance temporelle doit s'exprimer à travers l'espérance humaine. Faute d'avoir compris ceci, trop d'hommes de notre temps n'ont pas réussi à établir une relation étroite entre leur foi et leurs devoirs d'hommes. La charité est la pierre de touche de la religion véritable et doit, dans le monde moderne, s'exprimer également sur le plan des institutions.

3º L'Espérance est l'espérance de ceux qui sont dépourvus. Nous manquons souvent nous-mêmes d'espérance parce que nous ne participons pas aux souffrances de ceux qui sont pauvres. Or, on doit considérer comme pauvres tous ceux qui actuellement n'ont pas la possibilité de réaliser leurs aspirations légitimes : liberté, travail, culture. La charité consiste à partager les espérances de ces pauvres, même s'il devait nous en coûter le sacrifice de certains intérêts égoïstes.

4º Le progrès de la science, qui a déjà beaucoup allégé les souffrances humaines et qui a libéré le monde de tant de servitudes, est une source légitime d'espérance, que le chrétien se doit d'accueillir. Mais il doit aussi se rappeler que ces progrès ne sauraient changer le cœur de l'homme et qu'ils n'ont de valeur que pour autant qu'ils sont mis au service d'une expérience religieuse qui les oriente vers la fin suprême.

5º La découverte de l'énergie atomique est une des meilleures conquêtes du génie humain. Elle peut apporter d'immenses avantages à la vie des hommes et doit être employée exclusivement au service de la paix.

5. D'Abraham à Jésus

Un texte terminera ce livre, qui apportera peut-être consolation aux martyrs de Marcinelle et à ceux de Budapest, car il invite à ce nouveau voyage que ces femmes et ces hommes et ces enfants tués en leurs corps et leur âme, ont fait plus tôt que les autres, et *mieux*.

Abraham n'avait pas d'enfant. Il crut à la promesse et il reçut Isaac, espoir de sa race, espoir messianique, *espoir du monde*. Cet « Isaac » de nos espoirs terrestres, Dieu demande un jour de le sacrifier : le chemin alors doit être suivi, de l'espoir terrestre à l'espérance théologale, de ce monde à l'autre, de l'angoisse désespérée à la joie exultante, sur le chemin de l'espérance contre toute espérance.

Ce livre a voulu conduire le lecteur sur un sommet; arrivé à cette cime, voici que le ciel se révèle immensément loin, et si nécessaire pour fonder nos espoirs. L'itinéraire d'Abraham sera celui du monde s'il veut que son espoir refleurisse :

> Il arriva, après ces événements, que Dieu éprouva Abraham et lui dit : « Abraham! » Il répondit : « Me voici! » Dieu dit : « Prends ton fils, ton unique, que tu chéris, Isaac, et va-t'en au pays de Moriyya, et là tu l'offriras en holocauste sur une montagne que je t'indiquerai. »
>
> Abraham se leva tôt, sella son âne et prit avec lui deux de ses serviteurs et son fils Isaac. Il fendit le bois de l'holocauste et se mit en route pour l'endroit que Dieu lui avait dit. Le troisième jour, Abraham, levant les yeux, vit l'endroit de loin. Abraham dit à ses serviteurs : « Demeurez ici avec l'âne. Moi et l'enfant nous irons jusque là-bas, nous ferons nos dévotions et nous reviendrons vers vous. »
>
> Abraham prit le bois de l'holocauste et le chargea sur son fils Isaac, lui-même prit en main le feu et le couteau et ils s'en allèrent tous deux ensemble. Isaac s'adressa à son père Abraham et dit : « Mon père! » Il répondit : « Oui, mon fils! » « Eh bien, reprit-il, voilà le feu et le bois, mais où est l'agneau pour l'holo-

---

6° *Notre temps est un temps d'espérance*. Nous apercevons avec confiance l'avenir de l'humanité et pensons que Dieu peut faire naître des civilisations encore plus belles que celles du passé. Tout ceci ne sera cependant pas le résultat d'une évolution uniquement économique. Notre espérance doit se manifester dans le combat obstiné pour la paix et la justice, contre le pouvoir de la mort et de l'égoïsme toujours présents dans le cœur des hommes.

7° Les participants au quatrième congrès pour la paix et la civilisation chrétienne adressent une pensée sympathique à tous ceux qui, en ce combat, souffrent et espèrent plus que les autres ». *Atti*, p. 282; ce congrès a réuni 53 pays.

causte? » Abraham répondit : « *C'est Dieu qui pourvoira à l'agneau pour l'holocauste*, mon fils » et ils s'en allèrent tous deux ensemble.

Quand ils furent arrivés à l'endroit que Dieu lui avait indiqué, Abraham y éleva l'autel et disposa le bois, puis il lia son fils Isaac et le mit sur l'autel, par-dessus le bois. Abraham étendit la main et saisit le couteau pour immoler son fils.

Mais l'Ange de Yahvé l'appela du ciel et dit : « Abraham! Abraham! » Il répondit : « Me voici »; l'Ange dit : « N'étends pas la main contre l'enfant! Ne lui fais aucun mal! Je sais maintenant que tu crains Dieu : *tu ne m'as pas refusé ton fils, ton unique.* » Abraham leva les yeux et vit un bélier, qui s'était pris par les cornes dans un buisson, et Abraham alla prendre le bélier et l'offrir en holocauste à la place de son fils. A ce lieu Abraham donna le nom de « Yahvé pourvoit », en sorte qu'on dit aujourd'hui : « Sur la montagne, Yahvé pourvoit. »

L'Ange de Yahvé appela une seconde fois Abraham du ciel et dit : « Je jure par moi-même, parole de Yahvé : parce que tu as fait cela, que tu ne m'as pas refusé ton fils, ton unique, *je te comblerai de bénédictions*, je rendrai ta postérité aussi nombreuse que les étoiles du ciel et que le sable qui est sur le bord de la mer, et ta postérité conquerra la porte de ses ennemis. Par ta postérité se béniront toutes les nations de la terre, en retour de ton obéissance. »

Abraham revint vers ses serviteurs et ils se mirent en route ensemble pour Bersabée. Abraham résida à Bersabée[48].

---

48. Genèse, XXII-1-19, Traduction R. de Vaux, *La Sainte Bible*, dite « de Jérusalem», p. 104-107. P. Lain-Entralco, *La espera y la esperanza*, 2ᵉ éd., Madrid, 1958, esquisse, après une longue et remarquable étude historique, une phénoménologie de l'espoir humain. J. Comblain, *La résurrection, Essai*, Paris, 1959, montre comment, comme avènement d'abord, comme événement ensuite, Pâques est la victoire de la vie de Dieu dans l'Eglise.

TABLE DES MATIÈRES

DEUXIÈME PARTIE

FRANZ KAFKA OU LA TERRE PROMISE SANS ESPOIR

TROISIÈME PARTIE

APPROCHES DE LA TERRE PROMISE

CONCLUSION

QUELQUES ASPECTS DE L'ESPOIR HUMAIN

Imprimé en Belgique par les Établissements Casterman S. A., Tournai. E 2170-4429